Christian Parisot

Modigliani

Biographie

Florence, 1906. Amedeo Modigliani.

Christian Parisot

Amedeo Modigliani

1884 – 1920

Biographie

Coordination artistique et historique

Monique Rosenthal et Benito Merlino

CANALE Arte
EDIZIONI

Rédaction, conception graphique,
photogravure et photocomposition
CANALE Arte Editions
Borgaro Torinese, Turin (Italie)

E-MAIL : canalearte@canale.it

SITE WEB : modigliani-amedeo.com

E-MAIL : archmod@iname.com

Nous tenons, par ailleurs, l'Editeur et moi-même, à remercier toutes
les personnes qui nous ont aidés à localiser les documents
et en particulier nous rendons hommage à la fille de Jeanne Modigliani,
petite-fille du peintre, Laure Nechtschein Modigliani.

Nous avons préféré reporter ces témoignages dans leur intégralité même
si sous l'effet de la passion ou de l'effacement du souvenir par
le temps ils laissent apparaître des " erreurs " de dates ou de localisations.

REMERCIEMENTS

Bibliothèque de l'Alliance Israélite
    Universelle à Paris.
Musée d'art et d'histoire du Judaïsme,
    Paris.
Unione delle Comunità ebraiche, Rome.
Maison Natale Amedeo Modigliani,
    G. G. Guastalla, Livourne.
Fondazione Giuseppe Emanuele
    e Vera Modigliani, Rome.
Comune di Livorno.
Museo Progressivo, Livourne.
Archives Légales Amedeo Modigliani,
    L. Modigliani, Paris.
Archivi Legali Amedeo Modigliani,
    Livourne.
Pinacoteca Civica G. Fattori, Livourne.
Archives Artistiques S. Buisson, Paris.
Archives Jean Kisling, Paris.
Modigliani Institute, New York.
Teien Museum, Masaaki Iseki, Tokyo
Gallery Kajikawa, Kyoto.
Pleine vue Gallery, K. Date, S. Iwahara,
    Tokyo.
Nichido Gallery, Tokyo.
Perls Gallery, New York.
Aquavella Gallery, New York.
Light and Greenery Art Museum,
    M. Suzuki, Sagamihara.
Fondation Kikoïne, Paris.
Musée Zadkine, Paris.
Montmartre des Arts, A. Roussard, Paris.
Musée Municipal de Boulogne-
    Billancourt.
Studio G. Alberti, Lugano.
Etude Peter R. Stern, New York.
Etude Tajan, Paris.
Cabinet Schoeller, Paris.
Art Sanjio, M. Y. Matsumoto, Paris-Osaka.
Phillips International, Londres
Galerie Adler, J. Cohen, Paris.
Galerie Daniel Malingue, Paris.
Galerie Granoff-Larok, Paris.
Galerie Kornfeld, Berne.
Galerie Pétrides, Paris
Galerie Pirra, Turin.
Galerie Valloton, Lausanne.
Galerie Vercel, Paris.
Madame Nicole Altounian-Cruz
Monsieur Paul Amir
Madame Jeannette Anderfhuren
Monsieur Claude Angelini
Madame Clelia Arigoni
Monsieur Patrice Barbé
Monsieur Edgar Bavarel
Monsieur Cesare Berlingeri
Monsieur Gérard Baudoin
Monsieur Claude Berne
Monsieur Paolo Blendinger
Monsieur R. Bonias
Monsieur Bernhelm Bonk

Madame Béatrice Bordone
Madame Carole Boulbès
Monsieur Casimir Buisson
Monsieur Nicola Bulgari
Monsieur Rémy Bulles
Monsieur Giacomo Canale
Monsieur Bruno Casa
Monsieur Roberto Casamonti
Monsieur Jorge Castillo
Madame Madeleine Casting
Madame Miriam Cendrars
Madame Anna Cerignola
Monsieur Gérard de Cerjat
Madame Angela Ceroni
Monsieur François Charlon
Madame Donatella Cherubini
Monsieur Rudy Chiappini
Monsieur Joël Cohen
Monsieur Corrado Colombo
Monsieur Pieter Coray
Monsieur Pierre Cornette de Saint-Cyr
Monsieur Gérard Cortanze
Monsieur Philippe Dagen
Monsieur Jean-Marc Darmon
Madame Keiko Date
Madame Flavia Destefanis
Monsieur Pierre-Noël Drain
Monsieur Christopher Drake
Monsieur Jean-Marie Drot
Monsieur Jean Digne
Monsieur Fiorenzo Dogliani
Monsieur Pierre Dutrieu
Monsieur Egidio Eleuteri
Monsieur Claude Faivre
Monsieur Giuseppe Faoro
Madame Barbara Fazzini
Monsieur Didier Fettweis
Monsieur Christian Fiore
Madame Yonat Floersheim
Madame Alessandra Fontana
Monsieur Blaise Fournier
Madame Fiammetta Geddes
Madame Nicole Ghez
Monsieur Pierre Amiel Giafferi
Monsieur André Gomberg
Monsieur Sergio Gristina
Monsieur Giorgio Guastalla
Monsieurs Guido Guastalla
Monsieur Jacques Guérin
Monsieur Joseph Guttmann
Monsieur Robert Herskowitz
Monsieur Didier Imbert
Monsieur Armand Israël
Monsieur Shinsuke Iwahara
Monsieur Giovanni Joppolo
Monsieur Jean-Pierre Jornod
Monsieur Arnold Katzen
Madame Renata Knes
Monsieur Jean Kisling
Monsieur Guy Krohg
Madame Gabrielle Lanthemann
Madame Astrid Leifer

Monsieur Jean Levanthal
Monsieur Pierre Levi
Monsieur Daniel Liberman
Monsieur Jean-Paul Loup
Monsieur Haïm Lowenthal
Madame Natalia Lyanda
Madame Daniela Magnetti
Madame Silvana Mainardis
Monsieur Enzo Maiolino
Madame Liliana Dematteis Martano
Madame Margherita Martelli
Madame Yukie Matsumoto
Monsieur Benito Merlino
Monsieur Issaco Mink
Monsieur Yukie Mizushima
Madame Laure Nechtschein Modigliani
Monsieur Achim Moeller
Monsieur Claude Mollard
Madame Augusta Monferrini
Madame Luisa Montevecchi
Monsieur Masahiro Nagata
Madame et Monsieur R. A. Napolitano
Monsieur Jean-Loup Nitot
Monsieur Emmanuel Noisette
Madame Tamir Orloff
Monsieur Francesco Pasquinelli
Monsieur Osvaldo Patani
Monsieur Roberto Perazzone
Monsieur Gilbert Pétrides
Monsieur Frédéric Pfannstiel
Monsieur Stefano Pirra
Madame Dominique Polad-Hardouin
Monsieur Dominique Prédal
Monsieur Armed Rafif
Monsieur Lino Ravecca
Madame Laura Remondino
Madame Marika Rivera
Madame June Rose
Madame Monique Rosenthal
Monsieur André Roussard
Monsieur Henry Roux Alezais
Madame Patricia Schmeidler
Monsieur André Schoeller
Monsieur Eric Schoeller
Monsieur Arturo Schwarz
Monsieur Mohse Shaltiel
Madame Viviana Simonell
Madame Aimée Soutine
Monsieur Michel Steimberger
Monsieur Alexander Stein
Monsieur Maurice Tuchman
Monsieur Jacques Yankel
Monsieur W. F. Veldhuysen
Monsieur Fulvio Venturi
Madame Marisa Vescovo
Monsieur Giorgio Vivalda
Madame Jeanine Warnod
Monsieur Jean-Louis Willemin
Monsieur Lorenzo Zaccagnini
Monsieur Zoger Zieler
Monsieur Giacomo Zippel
Monsieur Pietro Zucchinali

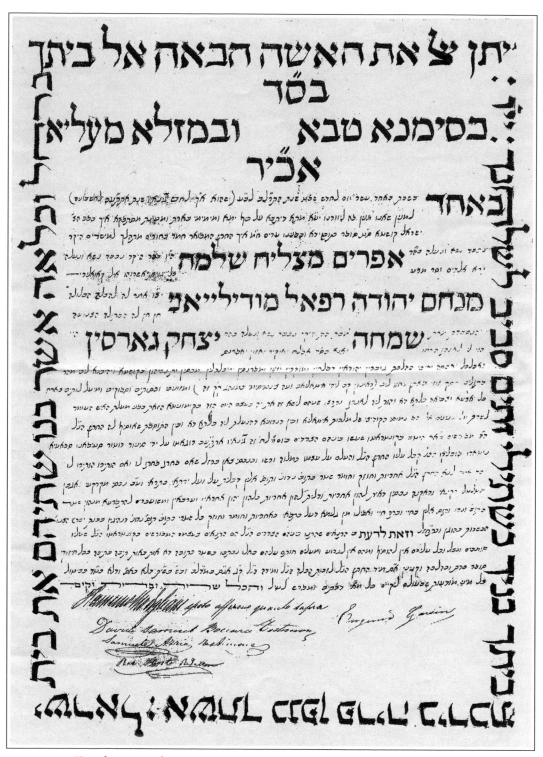

Kétouba, contrat de mariage signé par les parents et les époux Modigliani-Garsin.

Sommaire

Les notes en italique concernant Montmartre sont écrites par A. Roussard.

1918, Amedeo Modigliani.

Avant-propos

Le jour où Jeanne Modigliani décida de me confier certains secrets, jalousement gardés jusque-là, concernant l'histoire privée de sa famille, c'est avec beaucoup de pudeur qu'elle me pria de tenir ces informations en dehors de mes éventuelles déclarations du moment.

"Cher Christian, m'avait-elle dit à trois reprises, je te prie de garder ces secrets cachés dans un tiroir jusqu'à l'an 2000, ils pourraient, une fois encore, créer de graves malentendus et une mauvaise interprétation de l'œuvre d'Amedeo. En réalité, c'est contre la volonté de tous qu'Amedeo voulût que fussent détruites plus d'une cinquantaine de ses œuvres juvéniles réalisées à Livourne et en Italie. Ceci fit hésiter Eugénie, mais malgré tout, avec l'aide de Margherita, elles accomplirent la volonté de Dedo."

Ces propos figurent également dans une lettre que Jeanne m'adressa en 1983 et que, naturellement, par respect pour sa volonté je ne publierai intégralement que plus tard. Elle me fit promettre de conserver tant les documents manuscrits que les recherches biographiques en cours, quelques années encore, dans un tiroir bien fermé à clef.

Après ces révélations difficiles, elle reprit son humeur habituelle, amicale, joviale et détendue ; et l'après-midi se poursuivit par la reprise de notre conversation, là où nous l'avions interrompue quelques heures auparavant. Nous regardâmes divers livres de la bibliothèque, parcourant ensemble quelques textes déjà publiés, et comme d'habitude, nous parlâmes presque exclusivement de projets pour de futures manifestations : elle ne pensait plus qu'aux projets à discuter dans les moindres détails, son visage était tout sourire, elle semblait satisfaite et comme soulagée d'un grand poids alors que j'étais, moi, plongé dans un trouble infini.

Avec gentillesse mais résolument, elle m'avait soudain déposé entre les mains une liste et un carton bourré de dossiers : tous les documents, les témoignages et les manuscrits qu'elle avait patiemment recueillis et accumulés pendant des années. Je m'étais très vite rendu à l'évidence : elle voulait me les remettre. Animée d'une préoccupation toute féminine, elle avait carrément envisagé une donation. Son geste m'embarrassait et je le trouvais par trop prématuré, mais sa volonté était déjà expressément rédigée de sa main en double exemplaire. Je ne parvins pas à imaginer, même vaguement, comment justifier un éventuel refus.

Ce jour-là, les documents changèrent de quartier : ils vinrent de nouveau vivre pour la recherche et s'ajoutèrent à mes propres pièces historiques. J'étais comblé de joie mais aussi de devoirs. Il allait falloir les répertorier, les classer chronologiquement, tous ces documents, toutes ces fiches, tous ces témoignages, les conserver pour un futur centre international de recherches et d'études sur la vie et l'œuvre d'Amedeo Modigliani.

Si la bibliographie de l'artiste ne reposait qu'en partie sur les recherches de Jeanne Modigliani, sa biographie publiée jusqu'alors était en revanche exclusivement le fruit de son travail. Menée pendant des années avec obstination par sa fille, cette minutieuse enquête biographique avait mis en lumière une nouvelle image et une nouvelle dimension créatrice d'Amedeo Modigliani, tant pour elle que pour le reste des historiens de l'art ; et l'histoire de sa vie, traduite en plusieurs langues et connue dans le monde entier, avait déchaîné d'infinies polémiques et suscité pas mal de jalousies. En ce sens, la fille de l'un des artistes les plus connus du monde avait beaucoup souffert des insinuations impunément mises en circulation, la critique littéraire académique et conventionnelle n'ayant pas apprécié son implication et vu d'un assez mauvais œil sa démarche *historiographique* et politique, et profité de l'occasion pour la dénigrer sur un tout autre plan, puisque aussi bien son analyse esthétique avait été reconnue comme un essai théorique et littéraire très impartial.

Jeanne avait besoin de trouver un lieu pour réaliser son rêve, et prolonger celui de son père, mais aussi et surtout, de trouver un gardien de confiance pour conserver sa mémoire intacte. Avec une extrême simplicité, elle voulait que cette succession légitime portât ses fruits dans le temps, que les documents reprissent vie à travers la future fondation d'un institut de recherche et documentation consacré à Amedeo Modigliani, adapté à la vie moderne, en particulier tourné vers les jeunes et qui leur fût dédié.

Pour concrétiser son désir, il fallait entreprendre un travail nouveau, long et difficile, mais certes passionnant. Enthousiasmé par sa générosité, par son cadeau, je me sentais également gratifié de sa reconnaissance. Je me rappelle m'être trouvé bouleversé avec tous ces documents en mains.

Il n'était pas dans ses habitudes de parler beaucoup. Elle déterminait les priorités avec parcimonie ; et considérait en certaines circonstances les politesses comme "hors de propos".

Je suis longtemps resté perplexe et me suis souvent demandé la signification de son geste. Je réalise aujourd'hui que ce "cadeau", patiemment confectionné de ses mains innocentes, renfermait, à travers l'histoire passée, des pointes acérées, des moments difficiles et scabreux à revivre.

Elle m'avait d'ailleurs averti.

"Sincèrement, ce n'est pas un véritable cadeau ! Mais si tu peux en faire quelque chose de beau, je t'en serais reconnaissante", m'avait-elle dit laconiquement dans une lettre.

L'ensemble des témoignages était historiquement, visuellement et esthétiquement très coloré : formes littéraires excentriques accompagnées d'aventures humaines, peut-être difficiles à supporter pour ses deux filles adorées, Laure et Anne, si loin des préoccupations artistiques de leur mère. Le fait de m'avoir remis les documents et conféré cette mission spécifique rendait possible pour Jeanne, à travers moi, une nouvelle espérance.

Un exercice complexe, une recherche internationale devait être entreprise, *budgétée* et vérifiée dans tous les détails. La nouvelle biographie "jamais écrite et qu'on n'aurait jamais pu écrire" devait absolument prendre forme. Je ne perdis pas de temps et me mis aussitôt au travail avec la collaboration des amis de Livourne.

Jaunies, passées, portant d'évidentes traces du temps et du vieillissement, les photos de famille étaient conservées dans un vieil album. Ces documents comblaient certaines lacunes laissées dans la première rédaction de la biographie de l'artiste ; et les contenus restés cachés de divers textes comblaient même les vides des pages écrites par Eugénie Garsin dans son journal rédigé à la plume dans un vieux cahier, ce cahier mythique qu'elle avait oublié durant quelques années dans sa maison natale de Marseille. Riche de détails sur les origines des deux familles Garsin et Modigliani, il avait précédemment été un peu trop édulcoré. A ce manuscrit s'ajoutait un texte tapé à la machine qui était intégral, esthétiquement intéressant parce qu'annoté à la plume et fascinant par ses révélations, un texte opportunément oublié ou négligé par Jeanne.

Dans un premier temps, je m'intéressai seulement aux arguments forts et déterminants à sauver dans le texte, puis à y repenser, à repenser aux révélations de Jeanne, je me rendis compte peu à peu de l'importance de la tâche. La générosité de son geste fut pour moi en réalité très significatif et décida en partie de mon engagement constant à revaloriser la véritable histoire.

Pratiquement, je fus exactement mis au courant et au contact du passé familial de la famille Modigliani en termes concrets, rigoureux, véridiques et quelquefois même crus. Il ne pouvait plus y avoir de doute a propos des comportements, des décisions et de la vocation artistique du père, Amedeo. De la maladie aux échecs en passant par toutes les portes de "service", on pouvait entrevoir une vérité diverse de celle de la légende. Cette fable difficile de peintre maudit devait être éradiquée de l'inconscient collectif. Et surtout, à la lecture de ces nouveaux textes, se mettaient en lumière les rapports humains et sociaux entre les frères Modigliani à Livourne et les Garsin à Marseille, ainsi que les pérégrinations d'Amedeo durant son séjour à Paris par la suite.

Jeanne voulait faire toute la vérité sur la vie de son père et aussi sur ses propres manques, soufferts de sa famille et d'autres personnes qui l'avaient aidée. Elle l'avait en partie déjà fait dans son *Modigliani senza leggenda*, publié à Florence en 1958, revu et traduit en français par elle-même en 1970, puis repris en 1984 pour le centenaire de la naissance de son père sous le nouveau titre *Modigliani racconta Modigliani.* Mais la vérité n'avait pas encore été toute explicitée.

Certains documents révélaient un autre aspect de la vie menée par Amedeo, et de cet héritage, que la fille du peintre, injustement qualifié de "maudit", devait gérer et révéler contre tout et contre tous.

Les révélations de Jeanne offraient une double vérité : la vérité paternelle, et la sienne, opposée à celle vécue entre mille reproches dans la maison de Livourne. D'un côté un père considéré un peu trop libre, sans préjugés, sans

2

scrupules, anticonformiste, et de l'autre une fille respectueuse mais intérieurement rebelle aux apparences et à l'étiquette imposées par la morale. Les recherches mirent en lumière cette dimension de liberté totale ou d'inconscience dans laquelle s'était alors trouvé le jeune peintre. Il avait greffé à son caractère des facettes qui n'étaient pas faciles à comprendre, expliquer ou commenter par une fille qui devait malgré tout se soumettre aux exigences d'une éthique socioculturelle familiale bourgeoise.

"Aujourd'hui, je ferais autrement", m'a-t-elle dit plus d'une fois.

Il fut pour elle très difficile d'esquisser le portrait d'un jeune père en habit de velours, crâneur, insouciant et impulsif, confronté au passage de son milieu social provincial livournais à celui, chaotique et citadin, de la grande ville, dès son arrivée, à vingt et un ans à peine, dans la capitale française, où tout se dynamise autour de lui d'une manière spontanée.

Même si les témoignages de ses amis commençaient aussitôt à se contredire à peine faisait-on allusion au jeune créateur, à ses capacités intellectuelles, à ses fréquentations, à ses ressources économiques, parce qu'elles ne pouvaient être avérées, prouvées et détaillées par des éléments concrets, mais surtout parce que dans les souvenirs des témoins, leurs propres revendications, jalousies et incompatibilités de caractère faisaient partie de la vie même, Jeanne a suivi le jeune Livournais à la trace sans obéir à aucune convention, le remettant d'abord en scène aux côtés de quelques artistes toscans, pour ensuite relater son véritable itinéraire culturel dans les ateliers parisiens.

Jeanne était prise entre deux feux pour raconter la vie de son père : le premier étant de trouver la vérité au-delà de la légende comme elle l'a fait dans son livre, le second, plus inaccessible, étant d'imaginer un juste compromis familial pour ne pas heurter la morale, la mémoire des parents et l'histoire. C'est la raison pour laquelle, après tant d'années de batailles en commun, elle me désigna simplement comme héritier spirituel dans le but de tout clarifier dans le temps, en dehors, presque, de sa propre sphère d'influence.

La fille du peintre reconnaît intimement sa timidité, et me charge de mettre en lumière ce qu'elle-même juge "possible et nécessaire" ; ce qui fut malheureusement infaisable pour elle, tant en qualité de femme que d'héritier spirituel de son père, ayant à subir le surcroît de pressions et de critiques de ceux qui lui reprochaient de s'intéresser à un père excentrique et trop connu.

Le parcours singulier de cet intellectuel émigré devait donc être de nouveau revu et interprété, quelques décennies après sa fille, et sans elle, pour une version "loyalement dépassionnée" et exempte de reproches. Dans ce sens, je cherchai d'abord à connaître et à comprendre les rapports de Jeanne avec ses mères adoptives, Margherita et Eugénie ; les vérités cachées ; les difficultés émergentes. Entrant dans les méandres de sa manière de penser et d'écrire, je me rendis compte que le malaise résidait non seulement dans le fait d'être la fille d'Amedeo Modigliani, mais aussi dans la pénible entreprise de supporter sa propre image réfléchie. Cherchant à en analyser les raisons, il me vint naturellement et spontanément de rechercher la cause de ce traumatisme. Un analyste me donna son interprétation sur laquelle, d'un commun accord, je travaillai pendant des années.

Jeanne avait cherché la vérité, elle avait voulu découvrir les significations profondes de ses rapports familiaux dès ses premières années livournaises, depuis l'époque où sa tante Margherita, sœur aînée d'Amedeo, lui racontait l'aventure de son père, mais le récit édulcoré et tronqué par sa mère adoptive n'avait pas été satisfaisant pour elle. Etrangère à elle-même, elle devait reconstruire deux images et les consolider. Elle avait perçu une certaine gêne dans le récit de la sœur d'Amedeo et ne pouvait se contenter d'une version morale et circonstanciée de la vie de l'artiste et du père à travers les seuls yeux de Margherita. Eugénie, la mère d'Amedeo, alors submergée par les obligations matérielles, afin de maintenir la maison et les enfants, et asphyxiée de tristes souvenirs n'avait eu ni la disponibilité ni la force de répondre aux aspirations de sa petite-fille.

Une soif de vérité insatiable pousse alors Jeanne à la recherche de la vie de son père. Et dans sa détermination de connaissance de cette vérité, flotte aussi, à distance d'une génération, le désir, tant rêvé, de Paris. Contrainte de vivre dans la lointaine et provinciale Livourne, il devenait impérieux pour elle de marcher sur les traces d'Amedeo dans cette ville où il avait alors choisi d'émigrer. A mesure que passent les années, quitter Livourne et les parents adoptifs devient pour Jeanne une nécessité psychique. Avec la fin de la guerre coloniale italienne et de la période successive de renouveau de l'après-guerre, sa revendication prend des allures de liberté et surtout de conscience politique. Elle aussi veut, par ses choix, souligner son engagement dans la lutte contre le totalitarisme et les tragiques lois racistes.

Jeanne suivit l'exemple paternel et quitta Livourne pour Paris en 1939. Les années passées dans la maison adoptive de Livourne avaient été pour elle très difficiles. Par pudeur, elle ne voulut jamais parler publiquement de ses souffrances, ni même de l'infamie des lois totalitaires de cette période envers les Juifs. A l'histoire, elle voulait laisser son image de chercheur, sans référence au triste passé politique et social italien. Sans oublier la leçon d'avant-garde de Giuseppe Emanuele, le frère socialiste d'Amedeo, elle s'engagea corps et âme dans la Résistance. Elle désirait en outre laisser une empreinte distincte, mais humaine de la vie de son père. C'est dans cet esprit qu'elle se mit en quête de témoignages des amis de la famille. Les informations, parfois embrouillées, recueillies chez des peintres livournais émigrés, rencontrèrent des explications valables auprès d'amis communs de Paris. Cependant, les témoignages les plus difficiles à assumer furent ceux des amies du père, de ses amours. Jeanne se trouva souvent devant l'héritage d'un père défini comme "inexistant" par certaines de ses maîtresses, mais chargé d'histoires véritables, parfois dramatiques pour les autres.

A Paris, il y eut une première découverte douloureuse restée comme suspendue dans le vide : la révélation de la grossesse de Maud Abrantès, qui quitta la France en novembre 1908 pour atteindre New York, le 29 du même mois, après deux semaines de traversée et disparut sans plus laisser de trace. La deuxième aventure fut celle de Béatrice Hastings qui se termina par une seconde grossesse. Les amis racontèrent qu'elle avorta dès les premiers mois, à peu près en même temps que la déclaration de la Première Guerre mondiale. Quelques années plus tard, au moment de son enquête méticuleuse, Jeanne Modigliani découvrit la double grossesse, celle de Simone Thiroux et celle de sa mère, Jeanne Hébuterne, qui en l'espace de dix-huit mois se trouvèrent devoir affronter dans des conditions désastreuses, la naissance de deux enfants, un garçon, Serge-Gérard Thiroux, né à Paris en mai 1917 et une fille, Jeanne Hébuterne-Modigliani, née à Nice en novembre 1918, du même père, Amedeo Modigliani.

A cette époque, *ces situations* que nous qualifions aujourd'hui de libre choix du couple ne pouvaient être facilement résolues ou acceptées. Elles tournèrent au drame. Dans un premier temps, les deux femmes supportèrent les difficultés morales, matérielles et physiques avec un grand stoïcisme, mais ensuite les enfants furent victimes de la liberté, socialement prématurée, de leurs parents. Simone Thiroux ne voulut même plus faire reconnaître la paternité de son fils. Souffrant de tuberculose, elle mourut en 1922, deux ans après Amedeo et Jeanne Hébuterne ; le jeune Gérard fut adopté par une jeune femme, Mme Sandhal. Devenu adulte, il entreprit des études dans un collège religieux, pour ensuite servir l'Eglise catholique sa vie durant et, à son tour, sans jamais vouloir révéler sa véritable paternité.

Jeanne Hébuterne mit au monde, le 29 novembre 1918, à la clinique de Nice, une fille qui fut reconnue, à la suite d'un procès en adoption, quelques années après la mort de ses parents par les tribunaux français et italiens comme seule héritière universelle de l'artiste, et porta le prénom de Giovanna, Jeanne, comme sa mère. Cette reconnaissance, fut longue et compliquée, presque tragique. Par ailleurs, l'héritage du même prénom que sa mère n'était certes pas fait pour alléger ou faire oublier à la jeune fille la triste fin de ses parents.

Devenue adulte, Jeanne Modigliani ne voulut jamais profiter de son adoption ; elle ne révéla pas immédiatement ses véritables identité et paternité. Lors de ses premières années scolaires à Livourne, il lui fut assez facile de se soustraire à la jalousie des autres élèves, mais quelques années plus tard, avec la notoriété artistique grandissante de son père, les choses changèrent. Durant ses années d'université à Pise, l'Histoire de l'Art fut son unique préoccupation. Sa thèse relative à l'expression artistique de Van Gogh obtint d'excellents résultats et ses études furent couronnées d'un tel succès que son professeur, Enzo Carli, particulièrement flatté de sa réussite, en éprouva grande fierté.

Après sa licence, Jeanne commença méthodiquement à recueillir documents et témoignages sur la vie de son père. Les souvenirs des amis peintres vinrent étoffer et enrichir ceux que la famille possédait déjà. Sa tante Margherita avait instauré un certain climat de défiance à son égard qui devint insupportable au fil des années, me confia-t-elle un jour. C'est que Margherita entendait absolument révéler elle-même sa propre vérité sur le père de Jeanne, et l'imposer. Elle s'était sacrifiée pendant des années pour élever Jeanne à Livourne puis à Florence. Ayant toujours vécu dans un climat provincial étriqué et suffocant, et pratiquant elle aussi la peinture de temps à autre, elle n'avait jamais voulu reconnaître ouvertement la réelle dimension, novatrice, universelle et créatrice, de l'art de son frère. Elle prétendait diriger les recherches de la jeune Jeanne, les orienter dans une certaine optique morale et en particulier la détourner de la prise de conscience politique. Margherita lui rappelait sans cesse les souffrances endurées du fait du choix politique et social de son autre frère, Giuseppe Emanuele, les tourments et les mois de prison ; elle en était terrorisée. Cette étrange rivalité avec la jeune fille qu'elle avait voulu éduquer et traiter en disciple ne donna pas raison à son obstination, et aujourd'hui, nous sommes bien conscients que Jeanne, quittant Livourne après ses études universitaires pour retrouver Paris comme son père, causa une double déception à Margherita.

4

Peintre à ses heures, Margherita enseignait le français. Jeune fille, elle avait été témoin des extravagances de son petit frère Amedeo, de sa plus tendre enfance jusqu'à l'âge adulte, et en un sens elle revendiquait "sa vérité" des faits et voulait retracer, elle, l'histoire du peintre. Mais Jeanne se rendit très vite compte que les récits détaillés et circonscrits de la grande sœur étaient empreints d'une morale qui ne correspondait pas à la véritable vie d'Amedeo, ce qui la contraignit à limiter ses recherches et à accepter "momentanément" les témoignages partiaux et influents de Margherita pour ne pas l'offenser.

De retour pour quelques mois à Livourne dans les années 50, alors qu'elle résidait déjà en France, Jeanne acheva la rédaction de son livre *Modigliani senza leggenda*, riche de documents et de témoignages parisiens. Elle se trouva bien vite devant une rivalité et une jalousie indescriptibles : à Livourne, tout un chacun avait vu, entendu, et voulait témoigner, voire avec arrogance, de la "véritable et unique histoire" d'Amedeo.

Jeanne me fit lire, puis me confia ces fameuses lettres des "amis fidèles", les distinguant des amis imaginaires, et me raconta durant des heures ses aventures en terre toscane. Dotés d'une fantaisie inépuisable, les témoins livournais de l'époque, dans l'immédiat après-guerre, se faisaient forts de leurs expériences pour glisser tout ce qu'ils savaient ou avaient entendu dire sur Amedeo : une véritable pagaille !

Elle avait passé quelques mois, puis les vacances, trois étés de suite, à recueillir tous ces témoignages, mais plus que tout, elle avait été enthousiasmée par les aventures littéraires imaginaires attribuées par les amis qui, à leur tour, réinventaient une autre histoire surréaliste, créant un autre personnage à leur image, alimentant cette fable "totalement légendaire". Un nouveau roman. C'est précisément pour ce motif que Jeanne avait imposé son décisif et péremptoire "senza leggenda" comme titre de sa première biographie.

Après les témoignages directs, Jeanne Modigliani s'attache à découvrir le langage expressif de l'artiste. Il s'agit pour elle non seulement de réunir les éléments les plus véridiques possibles de la vie de son père, mais encore de rétablir la vérité artistique, de revaloriser sa recherche picturale, sa passion dévorante pour son art, et d'éviter que ne se perpétue la tendance malsaine à privilégier des détails biographiques sensationnels ou truculents au détriment de l'importance d'une œuvre majeure.

Sa prise de position personnelle et contraire à la critique officielle de l'époque coïncide avec le choix, en un moment politique particulièrement difficile, de quitter l'Italie. En décidant de retourner vivre à Paris en 1939, Jeanne a voulu retrouver sa liberté, et sans doute inconsciemment parcourir et redécouvrir l'expérience vécue par Amedeo Modigliani, inconsciemment mais aussi volontairement. Après une longue et douloureuse réflexion, elle rejette la famille livournaise pour la famille française, double décision qui se concrétise par la séparation d'avec la famille adoptive, la volonté d'y voir clair, de retrouver les traces des parents marseillais et des grands-parents maternels.

Née à la maternité de Nice le 29 novembre 1918, de Jeanne Hébuterne et d'Amedeo Modigliani, elle avait vécu ses premiers jours auprès de sa mère, mais très vite la situation économique incertaine avait poussé sa mère à la confier, bien qu'à regrets, à une brave paysanne, Mme Madeleine Cournilloux, nourrice à Orléans. De la part des parents Hébuterne, il y avait eu un refus total de la maternité de leur fille, étrangement imputée à son inconscience, et l'abandon relatif de la nouveau-née n'avait pas calmé leurs inquiétudes. Par ailleurs, la jeune mère n'avait pas tardé à être de nouveau enceinte d'un second enfant qui aurait dû naître en février 1920. La mort du père dans la nuit du 24 au 25 janvier 1920 et celle de la mère qui se suicida trente-six heures plus tard, à la suite de la perte de son compagnon, en se jetant par une fenêtre, avaient mis fin aux rapports avec la petite fille. A quatorze mois, Jeanne avait été emmenée en Italie par son oncle, Giuseppe Emanuele Modigliani, dans la maison paternelle de Livourne auprès de la mère et de la sœur d'Amedeo. Après la mort tragique des parents, une longue et épineuse pratique administrative et judiciaire fut nécessaire pour faire reconnaître officiellement la filiation de Jeanne, puis sa qualité d'héritier moral du peintre, et ce fut toujours Giuseppe Emanuele qui, avec l'aide de sa femme Vera, présenta tous les dossiers aux Ministères Publics italien et français par l'intermédiaire de l'Ambassade, aux fins d'obtenir la véritable et unique nationalité de la petite.

Après avoir recueilli pendant des années documents et témoignages concernant la vie et l'œuvre de son père, Jeanne lui avait donc dédié une première étude rigoureuse et approfondie, *Modigliani senza leggenda,* et comme l'écrivit ensuite Laure Modigliani-Nechtschein dans son avant-propos à l'édition française du nouveau récit biographique publié par sa mère : "La rigueur de Jeanne Modigliani était nécessaire et elle demeure, si l'on veut venir à bout de la légende éculée qui entoure Modigliani. Restrictive, nourrie de banalités, cette légende avait déformé une partie de la vérité, créant de graves malentendus, voulus et entretenus par des jalousies mesquines. Ces malentendus, Jeanne Modigliani a dû s'employer pendant des années à les dissiper, comme Paul Alexandre, son mécène, avait essayé de le faire à une époque, s'attirant elle aussi des inimitiés".

La seconde version, définitive, rédigée par Jeanne portera le titre de *Modigliani racconta Modigliani ;* sera éditée à Livourne par Edizioni Graphis Arte en 1984 et traduite en 1990 à Paris aux Editions Adam Biro avec l'introduction de Laure Modigliani-Nechtschein. Les découvertes et révélations survenues après la première version de la biographie terminée par Jeanne en 1957 lui avaient fait revoir et réécrire certains chapitres avec un nouvel éclairage concernant diverses rencontres. Des passages laissés en suspens ont trouvé leur place et une explication logique dans le déroulement désordonné de la vie d'Amedeo Modigliani. Le témoignage du Dr Alexandre, qui n'a été publié qu'en 1993, illustre bien une partie de la vie de l'artiste à Montmartre. Dans certains cas, Jeanne Modigliani n'a pas voulu, pour des raisons évidentes, livrer des vérités difficiles, et peut-être un peu trop "crues" pour être racontées, tant que certains des témoins étaient encore en vie. Mais après près d'un demi-siècle de recherches, nous pouvons aujourd'hui affirmer avoir atteint un degré de véracité qui ne pourra plus être remis en question, mais seulement affiné, peut-être, dans des détails mineurs.

Pendant des années, j'ai rempli auprès de Jeanne Modigliani la fonction de coordinateur puis d'archiviste, nommé par elle, reconnu ensuite par ses héritiers. La classification des documents, commencée avec elle en 1973, s'est poursuivie en parfait accord jusqu'au mois de juin 1984. Après son décès, survenu au mois de juillet, exploitant d'autres sources en France, j'ai trouvé de nouveaux témoignages qui m'ont permis, avec l'aide de Jean Kisling en particulier et de nombreux autres collaborateurs, de reconstruire une nouvelle biographie plus détaillée. Par ailleurs, des liens de travail très intéressants noués en 1974 avec l'historien Joseph Lanthemann permirent d'opérer un revirement dans la recherche du langage "caché", défini par Jeanne comme "ésotérique et kabbalistique", dans l'œuvre de Modigliani.

Notre désir commun, mais surtout celui de Jeanne, a été de créer une institution capable de "contenir" ces témoignages et si possible d'en faire usufruire tous ceux qui s'intéressent à l'œuvre d'Amedeo Modigliani. C'est dans cet esprit qu'ont été créées les Archives Légales Amedeo Modigliani, avec leurs deux sièges respectivement à Livourne et à Paris. A Livourne, Jeanne Modigliani elle-même comprit la nécessité d'ouvrir au public, 38 *via Roma*, précisément où était né Amedeo Modigliani le 12 juillet 1884, une "maison natale" faisant office de centre d'études. Giorgio et Guido Guastalla ont successivement assumé la direction de la *Maison Natale Amedeo Modigliani* de Livourne depuis 1983.

Deux sources fondamentales nous donnent de précieux renseignements, deux textes de la main même d'Eugénie Garsin : son journal, intitulé *Le Livre de Raison,* un manuscrit commencé le 17 mai 1886, rédigé à la plume d'une grande écriture penchée élégante et régulière, dans un cahier gris, et qu'Eugénie avait fini par oublier quelque temps dans sa maison natale de Marseille, puis repris et tenu jusqu'en 1926 ; et une *Histoire de notre Famille,* couvrant la période 1793-1884, texte tapé à la machine pour tenir une promesse faite à Umberto et "fixer tant bien que mal" des souvenirs de famille. Ces textes étant inédits, nous en transcrivons ici l'intégralité.

Jeanne Modigliani.

L'histoire de notre famille

par Eugénie Garsin-Modigliani

Au moment de tenir ma promesse à Umberto et d'essayer de rédiger cette histoire "de notre famille", je m'aperçois que mes connaissances sont bien fragmentaires, souvent incertaines et confuses, mais puisque je suis seule à posséder même ce peu de souvenirs, il vaut peut-être mieux que je les fixe tant bien que mal.

A Livourne donc, et déjà depuis 1793, vivait la famille de Salomone Garsin, originaire de Tunis, ou plutôt d'une quelconque région d'Espagne d'où, chassé par les persécutions, quelque arrière-grand-père était passé en Tunisie, y avait prospéré et gagné un certain renom de respectabilité, comme lecteur et commentateur des livres sacrés, et fondateur d'une *eischiva* (école talmudique) qui existait encore il n'y a pas longtemps.

Le jour même de la mort de Louis XVI, le 6 février 1793, notre grand-père Giuseppe venait au monde. Il ne s'appela pas tout de suite Giuseppe mais Moïse. On lui donna un autre nom à la suite de plusieurs maladies qui affligèrent son enfance : ancienne coutume qui présumait de donner le change à la divinité.

A une époque incertaine, la veuve de Salomone, Regina Spinosa, resta seule pour élever une famille passablement nombreuse, car outre Giuseppe, il y avait trois sœurs, Anna, Ester et une autre, une certaine Rachele, et deux frères, Giacomone et Isacco. Un autre mourut en bas âge ; je crois qu'il s'appelait Cesare, et qu'il avait une intelligence supérieure. Toute cette nichée était élevée sévèrement par la veuve Spinosa-Garsin. On racontait d'elle qu'elle n'embrassait – *jamais* – ses enfants que lorsqu'ils dormaient. Elle donna, dès cette génération, le ton d'austérité qui caractérisera toute sa lignée. Elle fit étudier, autant que les temps et les idées le permettaient, ses garçons, et de bonne heure, elle les poussa au travail. Naturellement, depuis que le père manquait, elle vivait très modestement.

Giuseppe montra tout de suite une aptitude aux affaires peu commune. Il se fit courtier, et d'abord appuyé puis associé à un Moscato, il se fit sa place au soleil. Moscato avait une fille, Anna, pas belle mais fort sage et fort énergique, qui captiva si bien le cœur de Giuseppe, que toute sa vie, qui fut longue, il ignora que le monde contenait d'autres femmes.

Giuseppe dut travailler plusieurs années pour obtenir la main de sa promise. Il fallait gagner de quoi monter le ménage, mais il fallait aussi marier au moins deux des trois sœurs. Cela fut fait, et avant d'épouser Anna Moscato, Giuseppe avait casé Anna avec un Cammeo et Ester avec un Padova. Le Cammeo, romain d'origine, était grand, gros et énergique jusqu'à l'imprudence, passablement grossier et point trop scrupuleux. Il fut le père d'une grande famille : Giacomo, Giuseppe, Enrico, plus Clementina qui épousa un Padova, une autre qui tourna mal et porta, je crois, le nom de Montel, enfin Emilia qui épousa Salmoni.

Ester et son mari Padova mirent au monde une autre famille nombreuse : Salomone qui vécut à Marseille, Moïse surnommé Arambam pour sa vaste érudition et son colossal aplomb, David et Angiolo qui firent fortune en Egypte, Giacomone qui épousa sa cousine Rosina, et une fille, Ninetta qui s'en alla finir à Tripoli, femme d'un Levi.

Les Garsin, en attendant, prospéraient. Une association avec Cammeo marcha quelque temps, puis, je ne sais comment, on se sépara. Les enfants naissaient avec l'abondance habituelle à ces bonnes familles patriarcales : Salomone et Isacco, mon père, puis Angiolo, Regina, et après quelques fausses couches : Félix, de beaucoup le plus jeune. On vivait assez largement dans la villa dont j'ai confusément l'idée qu'elle s'appelait *Dello Scopelli*. Tous les Garsin ont eu une prédilection pour cette vie *extra-muros* plus saine, plus simple et se prêtant à leurs habitudes de large hospitalité et de hautaine réserve. L'autre frère de Giuseppe-Moïse, Isacco, vivait aussi à la campagne et précisément dans la villa des Sahadun. Il y vivait avec sa femme, notre si douce Nonnina Allegra, née Pesaro, et sa petite fille Regina qui fut ma très regrettée mère.

Isacco était courtier. Il était beau garçon, déluré et même un peu coureur. Sa femme l'adorait comme un dieu.

Quand elle s'était vue courtisée par lui, elle avait cru rêver ; et toujours son attitude envers lui fut celle d'une esclave aimante jusqu'au sacrifice le plus absolu – mieux, jusqu'à l'oubli volontaire de sa personnalité. Cette même attitude, avec une nuance d'idolâtrie maternelle, caractérisait ses rapports avec maman.

Ce mari Isacco, notre grand-père, mourut jeune et fort subitement. On racontait à Livourne que, surpris par un mari et forcé de s'échapper au saut du lit, il aurait pris froid et serait mort des effets de ce froid ou de cette émotion. Le fait est qu'il fit une maladie de quelques jours seulement, et que la pauvre Nonnina passa soudainement de l'aisance et de la paix de son foyer à la position peu agréable de veuve recueillie par son beau-frère. Car dans ces familles patriarcales où le culte du devoir et de la dignité familiale était porté au plus haut degré, personne n'aurait pensé à se désintéresser les uns des autres. Nonnina et la petite Regina, âgée de six ans, vinrent donc faire partie de la smala qui comprenait déjà, outre Giuseppe, sa femme et ses enfants, la grand-mère Spinosa et ceux des Cammeo ou des Padova qui avaient besoin du soutien toujours vaillant du chef.

Cette famille grandissait paisiblement, le commerce prospérait, les enfants montraient tous, plus ou moins, des dispositions à l'étude.

Mon père, déjà assoiffé de lecture, avait une aptitude spéciale pour les langues étrangères. Fréquentant des familles grecques, il parlait le grec à la perfection, l'espagnol avec élégance et une pureté qui n'avait rien du baragouin hispano-judaïque, habituel parmi les Juifs livournais. De plus, il était bel homme, pas très grand mais la taille bien prise, des yeux clairs et pleins de feu, et par-dessus tout, une distinction de manières, une élégance de gestes qui le mettaient hors pair dans la société livournaise, et lui valurent jusqu'aux dernières années de sa vie, des succès mondains et une certaine importance dans tous les cercles qu'il fréquentait. En famille, il était considéré comme un oracle. Sa mère surtout semble avoir eu une préférence pour lui. De cette préférence, devait naître le premier germe de discorde.

Comment au juste et à quel moment cette discorde initiale entre son aîné Salomone et lui est apparue, je ne sais pas, mais cela avait dû commencer très tôt et malheureusement cela dura autant que la vie des deux frères. Le premier effet de cette discorde latente, et aussi quelque raison commerciale, firent envoyer Salomone, à peine âgé de seize ans, à Tunis. Il y fut confié à Haïm (ou Victor) Forti, qui ne manqua pas de lui donner sa fille Allegra en mariage.

A une époque incertaine, mais ce devait être vers 1835, la maison commerciale de Livourne éprouva une forte perte. Un bey de Tripoli refusa de payer la forte somme qu'il devait, ou du moins, à la mode arabe, il reconnaissait la dette mais disait qu'il ne pouvait pas fournir l'argent. Giuseppe dut liquider : liquidation très honorable qui lui permit de recommencer immédiatement sur un plus petit pied. Cela ne marcha pas très bien, et Giuseppe, prenant le taureau par les cornes, confiant en sa capacité et en son activité, s'embarqua avec toute la smala pour Marseille, où il avait des relations commerciales et comptait développer des affaires avec Tunis.

Les premiers temps à Marseille furent durs. Etre étranger en ce temps-là voulait dire quelque chose de pire que ce que nous entendons aujourd'hui par la même phrase. Mais cela voulait aussi dire – pour l'homme d'énergie et de ressources qu'était Giuseppe et pour la femme active et sensée qu'était Anna, sa femme – devenir le centre d'une colonie judaïque livournaise à Marseille. Bientôt, *nonno* Giuseppe fut connu sous le nom de "Consul de Livourne" et bientôt sa maison de commerce prit l'importance et la bonne tenue qu'elle devait garder pendant de longues années et que les désastres récents n'ont qu'à peine effleurée.

Dans les premiers temps donc, cette grande famille était comme une ruche où chacun avait sa place marquée. Celles de Nonnina et de maman étaient les plus modestes. Toutes deux acceptaient des ouvrages de couture pour se procurer un très modeste superflu.

La famille pourvoyait au nécessaire, mais si maman voulait une petite robe ou – luxe suprême – une brosse à dents, il fallait en gagner le prix à force de fines piqûres sur les chemises d'homme à jabot, à ruchers, à col et à manchettes, qui se portaient alors.

Note de Margherita :

Cesare Cammeo, qui, jeune garçon vivait alors avec les Garsin à Marseille, m'a décrit ces temps de gêne, et c'est lui qui avec ses épargnes put enfin acheter à notre grand-mère cette fameuse brosse à dents.

Nonnina, la chère âme, ne bornait pas à cette occupation son inlassable activité. Doucement, humblement, elle répandait autour d'elle le surplus de tendresse que son adoration pour maman ne suffisait pas à occuper. Elle aimait, par-dessus tous, la sœur de papa, "Regina grande", comme on l'appelait pour la distinguer de Reginetta, maman.

Nonnina nous a beaucoup parlé de cette Regina. Pas régulièrement "belle", car elle avait les cheveux roux et le teint brouillé des rousses, mais grande et bien faite, "un port de reine" – disait Nonnina. Beaucoup de dignité et sous une apparence d'impassibilité, une certaine dose de l'esprit romantique de l'époque. Avant le crac livournais, Regina avait été recherchée par un Calvo (ou Calo) de Livourne, un gros bonnet qui s'était dérobé lorsque le vent avait tourné. Regina ne confia pas, même à Nonnina, sa confidente habituelle, le chagrin ou l'humiliation de cette volte-face. A Marseille, on lui présenta un fiancé qu'elle accepta sans exprimer aucune répugnance. Ce fiancé était un certain Félix Alcan, négociant en bijouterie, en passe – croyait-on – de se faire une position. Les fiançailles allèrent sans incident, quoique Nonnina eût des doutes sur l'attachement de Regina pour son futur. Sa mère, femme autoritaire et peu portée aux gâteries qui amènent la confidence, ne soupçonnait rien. L'avant-veille du mariage, Regina qui avait parfois souffert de palpitations, se plaignit d'un malaise ; le lendemain elle eut des vomissements. Le médecin de famille étant absent, un autre vint, et ordonna quelques tisanes. Le soir, Regina était inanimée.

Naturellement, on parla d'empoisonnement, de suicide par empoisonnement, mais aucune preuve ne conforte cette supposition, que Nonnina excluait d'un hochement de tête en essuyant une larme.

Note de Margherita :

Mais, Cammeo qui avait assisté à l'agonie, croyait à l'empoisonnement. Avant de mourir, me racontait-il, elle demanda pardon à tout le monde.

Une autre rivalité entre frères, ou peut-être simplement le désir de se faire une position indépendante, avait d'abord inspiré à mon père de rester à Livourne pour exercer le courtage, en société avec Montefiore, puis, à un moment que je ne puis fixer autrement qu'après 1840, d'aller à Alger.

A Livourne, sous le patronage de Montefiore, il avait fréquenté les Larderel – alors les rois de la ville –, et avait fait battre bien des cœurs, mais il n'avait pas établi sa position commerciale de façon à satisfaire son père. Alger offrait alors le mirage des grandes affaires coloniales. Mon père y trouva une situation suffisamment prometteuse pour demander à Nonnina de venir auprès de lui tenir sa maison.

Que Nonnina eût immédiatement consenti à quitter sa fille et à entreprendre seule le voyage de Marseille à Alger s'explique par la suite. Le projet de marier l'orpheline à son cousin avait toujours été sous-entendu dans la famille, et nul n'y mettait d'obstacle. Maman, élevée à considérer son futur mari comme l'idéal, attendait avec une certaine impatience la réalisation de ce projet. Papa aimait à flirter tout en vouant à sa future une très solide affection. Nonnina comprit l'appel et s'en alla gaiement tenir la place de sa fille. Seulement, quand une des nombreuses révolutions (probablement 1848) lui fit craindre un blocage de Marseille, elle voulut repartir d'Alger.

"Revenez avec elle", avait dit papa. Ainsi fut fait, et le mariage fut célébré au printemps de l'année suivante. Jamais union ne fut plus complète, plus parfumée de tendresse et de mutuelle estime. Peut-être eut-il mieux valu du point de vue mondain, que maman eût gardé un peu plus de perspicacité, mais n'anticipons pas.

A Alger, la vie des trois êtres qui s'aimaient si tendrement fut douce et plus gaie qu'à aucun autre moment. Jusqu'à la fin de leurs jours, tous les trois ont regretté la vie algérienne, *orientalement* calme.

Ce fut le chef de famille qui les rappela. Jusque-là, Angiolo avait collaboré à la direction de la maison de commerce. Et tant qu'il était là, mon père n'aurait jamais voulu accepter une place au second rang. Mais, Angiolo était de nature un peu brouillonne – peut-être à cause d'une santé chancelante –, un de ces hommes charmants qui causent du chagrin à tous ceux qui les aiment. Il était beau garçon et avait, sinon du talent, du moins de grandes aspirations pour la peinture. Il avait épousé Delphine Carcassonne, d'une de ces familles connues sous le nom de "comtadins", probablement originaires du Comtat d'Avignon. Ces comtadins, beaucoup moins raffinés que les Juifs d'origine italienne ou française d'autres provinces, ne parvinrent jamais à se lier avec les Garsin. Delphine mourut des suites de ses premières couches, laissant une fille : Marguerite. Sa sœur aurait voulu se charger de la petite et aussi épouser le veuf. Angiolo se laissa fiancer ; puis il planta tout et s'en alla chercher fortune en Egypte, fuyant ainsi des responsabilités qui lui pesaient. Il y gagna un peu d'argent mais y fut assez vite emporté par une fièvre typhoïde. Avant de mourir, il avait semé de nouvelles graines de discorde, en confiant d'abord sa fille à ma mère, puis en ordonnant péremptoirement qu'elle fût envoyée à l'oncle Salomone. Mon père avait été rappelé après le départ d'Angiolo et avait pris la direction de la maison qu'il garda jusqu'à l'année 1873.

Evariste fut le premier enfant qui vécut. Une petite fille avant lui n'avait fait que paraître, laissant juste assez de regrets pour que ma naissance, en 1855, deux ans après celle d'Evariste, fût saluée avec joie.

Ici commencent mes souvenirs personnels

La famille se composait encore de deux vieilles, dont je n'ai gardé aucun souvenir précis. La grand-mère Spinosa-Garsin, qui mourut très vieille, et la grand-mère Garsin-Moscato, qui mourut du choléra quand j'avais trois ans.

En 1859, mon père et ma mère vinrent en Italie et je me souviens de les avoir vus revenir. Nous habitions alors 21 rue Bonaparte, en face d'une grande place qui depuis est devenue Place du Palais de Justice, mais qui était alors à l'abandon. Je me vois, avec Nonnina, traversant cette place à la rencontre de mes parents, qui venaient du côté de la mer, par des ruelles qui probablement n'existent plus. Sur la porte de notre maison, l'oncle Giacomo, son éternel foulard rouge à demi sorti de sa poche arrière, ses lunettes d'or glissées jusqu'à la pointe de son nez, son perpétuel sourire, très bon, mais un peu niais sur ses lèvres minces. A l'intérieur, c'est Nonno, déjà presque aveugle, et pour cela se condamnant lui-même à ne jamais sortir. Puis, comme figure très importante de mon petit monde, il y a l'oncle Félix, alors étudiant en médecine. L'oncle qui me gâte, qui me fait chanter des chansons, qui me donne des cadeaux à tout propos et qui m'appelle "ma bonne, chère et tendre amie". Il a une physionomie très fine, un sourire extrêmement spirituel, des manières douces un peu embarrassées de timidité, des cheveux très noirs et des favoris un peu roux. La maison est grande : quatre étages et des offices au-dessus du rez-de-chaussée. Il y a au moins trois domestiques, et au bureau, tous les jours, douze lampes Carcel. Cela signifie plus de douze personnes à écrire puisqu'il y avait des bureaux doubles où deux commis pouvaient n'avoir qu'une seule lampe.

Sur ce monde du bureau, Nonno dominait. Papa dirigeait, représentait la maison à la Bourse, signait la correspondance, et fréquentait le Cercle des Phocéens, cercle de gens sérieux et de joueurs d'échecs. Levé le matin avant l'aube, Nonno, quoique aveugle, ouvrait les fenêtres du bureau en soulevant de lourdes barres de fer qui arrêtaient les volets. Puis il dictait jusqu'à trois lettres à la fois et en trois langues différentes, se tenait au courant de tout et, en dehors des heures d'affaires, aimait à discuter sur toutes sortes de sujets, mais surtout sur des questions philosophiques et religieuses. Il disait ses prières très régulièrement, faisait les jeûnes et le *seder* (ordonnancement du repas des Pâques juives), mais ne se gênait pas pour dire, devant nous enfants, "tout ça c'est des bêtises". Il tenait à la Tradition, à la mémoire de sa femme, et donnait à toute la maison un ton de judaïsme bon enfant, tout parsemé de fêtes joyeusement célébrées par des bombances de gâteaux à la livournaise, par des dîners copieux et par l'hospitalité largement offerte à tout ce qui se présentait sous l'égide de la "nationalité" juive. Avec ça, fort peu d'exercices religieux, à part la récitation du premier verset du *Schemag* (credo des Juifs), le matin, exigée par Nonnina.

Le bureau de Marseille

Nonno passait toute sa journée au bureau. Son intelligence, très nette, très pratique, faisait contrepoids avec celle, plus livresque, de mon père, tout comme son activité inlassable compensait les distractions mondaines, littéraires et échiquéennes de papa. Au bureau, une collection de personnages : Piccioni, un exilé romain ; Pincherle, un exilé politique triestin ; Boccara, un Tunisien en burnous et chéchia ; et, plus tard, un Crémieux, violoniste le soir au théâtre ; et d'autres encore dont j'oublie les noms, mais dont je revois les figures alertes et les manières bruyantes de la petite bourgeoisie marseillaise.

L'oncle Giacomo tenait la caisse. Méticuleux et patient, il passait ses journées dans une sorte de cage vitrée à barreaux qui m'inspirait une certaine terreur. Dieu sait pourtant si l'oncle Giacomo était terrible ! Il avait, à Tripoli, et dans le commerce de mercerie, accumulé un petit capital qu'il avait naturellement confié, en ces temps de patriarcat, à la maison Giuseppe Garsin. J'ai su beaucoup plus tard qu'il aurait voulu épouser Nonnina, mais qu'elle, fidèle à la mémoire de son volage de mari, n'avait pas voulu en entendre parler. Je crois que c'est un peu pour oublier sa déconvenue, ou son chagrin, que Giacomo était allé à Tripoli. Quand je les ai connus, vieux tous les deux, ils avaient l'un pour l'autre toutes sortes d'égards et de prévenances, et le ton un peu déférent. Ils se vouvoyaient, et l'oncle s'excusait de la moindre demande : une paire de chaussettes ou un foulard à laver. L'oncle Giacomo était le bras droit de Nonno, mais un bras droit que le gauche savait parfois réprimander un peu vivement. Lorsque Nonno devint tout à fait aveugle, Giacomo eut une chambre qui communiquait avec la sienne et ne le perdit jamais de vue, ni le jour ni la nuit. Je ne sais comment exprimer la délicatesse, la dignité, la très simple et très douce harmonie qui se dégageaient de ces rapports entre vieillards. Je les revois encore, sans doute auréolés par le souvenir, mais leurs figures morales et matérielles résistent à l'analyse, impitoyablement critique, de mon scepticisme.

L'oncle Giacomo avait un petit travers qui, au dire de Nonnina, eut des suites. Il aimait à se tenir sur le seuil de la maison en pantoufles, son foulard rouge à demi sorti de sa poche, selon la coutume de tous ceux qui ont vécu en Orient. Or cette sentinelle, un peu drolatique, agaçait l'oncle Félix qui commençait alors à exercer la médecine et voulait, comme tous les médecins français, avoir son cabinet, c'est-à-dire des heures fixes à jours fixes, pour recevoir ses clients chez lui. Dans toute autre famille, on se serait probablement disputés ou entendus. L'oncle prit une résolution héroïque : il se maria. N'ayant encore qu'une position modeste, il dut se résoudre à un mariage d'argent. Léontine Cohen, qui devint notre tante, n'avait rien pour elle sinon un héritage promis par un oncle Moscato, à condition que l'une ou l'autre de ses nièces lui tînt compagnie jusqu'à la fin de sa vie. Il consentit au mariage de Léontine, mais quand l'autre nièce, plus bossue que Léontine et un peu moins laide, prise de fringale amoureuse, voulut épouser un beau garçon du nom d'Aucher, l'oncle cassa son testament. Tante Léontine était très brune, maigre, la taille mal prise, un peu déviée, elle avait les yeux chassieux, une voix aigrelette et des manières à la fois prétentieuses et timides. Je devais être bien petite quand je fus envoyée au bas de l'escalier, un bouquet à la main, souhaiter la bienvenue à cette jeune mariée. On m'a dit plus tard que j'étais gentille dans une robe grise à grands volants blancs, mais j'avais aux pieds des souliers trop étroits, et je me souviens encore de la torture que ce fut pour moi d'accompagner les mariés dans une promenade à la colline Bonaparte, avec ces escarpins gris.

L'oncle Félix s'installa dans une maison qui me sembla toujours petite et sombre, rue Sylvabelle, mais il était si souvent chez nous que je le trouve mêlé à tous mes souvenirs d'enfance.

Mais pour en revenir aux plus lointains de ces souvenirs, je revois une sorte de librairie à l'entresol du 21 rue Bonaparte, Nonno se frottant les mains d'un geste qui lui était habituel, l'oncle Giacomo les jambes croisées, moi par terre devant un casier de livres, et l'oncle Félix passant la tête par la porte pour annoncer que c'était un garçon. C'était Amédée, mon petit frère, et par conséquent le 6 mai 1860.

A cette époque et pour plusieurs années, maman disparaît un peu de mon existence. Elle eut coup sur coup un grand nombre d'enfants. Outre Clémentine, Laure et Gabrielle, bien plus tard Albert, il y en eut d'autres qui naquirent morts ou moururent tout petits. Nous étions confiés à Nonnina et à Miss Whitfield, notre institutrice anglaise.

Miss Whitfield a exercé une influence prépondérante sur la formation de mon caractère. C'est d'elle que je tiens cette indulgence pour tout ce qui est anglais, mais surtout c'est elle qui m'a inspiré certains principes, étroits peut-être, mais fort solides et rigidement austères. Elle n'avait pas la main légère, et elle avait une de ces langues mordantes, plus faites pour les exhortations sermonneuses et les effrayants réquisitoires de son église non-conformiste, ou Low Church, que pour les gâteries. Elle me fit entrer en tête une horreur du mensonge qui a survécu à bien d'autres enseignements, et en même temps elle me fit entendre – vaguement mais d'autant plus sûrement – que la vie n'est pas une partie de plaisir ; et qu'il faut accepter le sacrifice et la souffrance sans regimber. Je ne prétends pas discuter la valeur du système et des résultats, je raconte.

Quelques souvenirs de cette éducation rigide : Nous avions déjà la maison de campagne à Mazargues. Le bey de Tripoli, ayant tout à coup payé sa vieille dette, en partie sinon en totalité, mes parents employèrent cet argent à acheter le terrain, et à construire de toutes pièces une maison. Je crois que cet emploi de capitaux fut considéré comme des plus désastreux, mais combien chers dans notre mémoire les souvenirs qui se rattachent à *Cherry Cot* ! Combien je lui dois de ma forte constitution ! Et combien de confort y ont trouvé les autres aux heures noires !

C'était alors une maison toute neuve bâtie expressément pour nous. Des chambres au premier pour chacun des enfants, toutes petites et claires ; celle de Nonnina exposée au sud ; la plus grande pour nos parents. Et là-haut sous les toits, la salle d'étude, véritable *nursery*, où j'ai passé tant d'heures avec Evariste et Miss Whitfield. En bas, deux grands salons. Celui dit de compagnie, avec un divan comme je n'en ai jamais vu de semblable. On aurait pu y dormir à dix ou douze sans se gêner. Un billard italien, *il matto*, sans bords, couvert d'un tapis de drap bleu et terminé par une sorte de château muni de douze galeries dans lesquelles il fallait faire entrer les billes lancées à la main. La cuisine, la dépense, la cave, le poulailler, rien ne manquait. Les meubles clairs de la salle à manger sont encore représentés ici par une glace et une pendule. Le jardin n'était pas grand – une centaine de mètres carrés – et comme toujours en France, entouré de murs. On y arrivait alors par l'omnibus, ou même à pied, car ce n'est pas à plus de trois bons kilomètres de Marseille.

Avant d'avoir Mazargues, nous allions tous les étés dans une petite maison, dépendance d'une plus grande, villa *Borelly*. Je me souviens vaguement d'y avoir joué avec des fils de famille et Evariste. Nous allions à Mazargues tout de suite après Pâques et nous y restions jusqu'à la Toussaint et même plus tard. Nous y allions, Nonnina, Miss Whitfield, Evariste, moi, et au fur et à mesure tous les enfants qui suivirent. Nous ne sortions presque jamais de la villa : nos heures d'étude et de jeu, très régulièrement fixées ; les enfants de la paysanne-jardinière, nos compagnons habituels. Miss Whitfield nous enseignait de tout un peu – je crois très peu de tout – mais elle nous imposait une forte discipline. Evariste se révoltait, moi je pliais. Je me souviens d'un jour où nous étions assises, un ouvrage de broderie à la main, Miss Whitfield et moi. Un rayon de soleil pénètre, oblique à travers le feuillage, juste sur mon œil : je veux changer de place – pas du tout – il faut s'habituer à supporter. Je sens encore la chaleur et l'éblouissement de ce rayon de soleil dardé sur ma joue et – ce qui est pire – j'ai gardé le pli de supporter les embêtements inutiles.

Encore un de ces souvenirs : Nous avions appris des fils du paysan à tremper des feuilles de platane de façon à détruire le tissu et à conserver, comme une dentelle, les filaments formant les feuilles. Nous étions fiers de ces ouvrages. Miss Whitfield était dans le *sanctorum* de sa chambre à l'heure de la sieste. On m'envoie lui montrer ces échantillons de notre industrie. Elle déclare que c'est affreux ; mais moi je transmets aux autres qu'elle avait trouvé cela *very nice*. Elle m'entend et fond sur moi, coupable de mensonge !

– Ce soir, vous ne lirez pas la Bible ! Vos lèvres sont impures !

Oui, mais l'impression qui m'en est restée !

Miss Whitfield avait une tante plus âgée qu'elle et plus douce. On l'invitait à Mazargues pendant quelques semaines tous les ans. Je l'aimais beaucoup. Elle racontait des histoires édifiantes alternées avec des jeux.

Un jour, ces deux Anglaises m'emmenèrent chez des Anglais, les Tailloir, famille aristocratique et riche. J'étais très étonnée par le formalisme de leurs manières, par la recherche du service etc. Depuis, j'ai trouvé mille descriptions de ce dîner dans les romans anglais. Cela ne doit pas changer d'une maison à l'autre.

En ville, pendant l'hiver, je prenais des leçons de Mme Crémieux, femme de notre commis et institutrice des écoles israélites. C'était encore dans la Bible qu'elle me faisait lire, mais sans les commentaires austères de mon institutrice.

Ce fut lorsque j'eus dix ou onze ans, après la naissance de Gabrielle, que Miss Whitfield partit pour l'Australie. Elle allait par bateau à voile jusqu'à Melbourne avec sa tante et un cousin qu'elle a dû épouser plus tard. Evariste entra au lycée, et je fus mise chez Mme Anceau comme élève externe.

Si j'avais su le comprendre, c'était une fameuse cabriole que l'on faisait faire à mon *ego* en formation. Rien de plus français, c'est-à-dire catholique, superficiel, traditionnel et vaniteux que ce pensionnat *Anceau*.

Toute étude se réduisait à un exercice de mémoire ; toute éducation à une stricte discipline des manières.

Et pourtant ce furent des années heureuses. Les maîtresses étaient indulgentes avec moi, un peu parce que j'étais une élève appliquée, ayant la bosse de l'orthographe, et beaucoup parce que je leur amenais une bonne clientèle juive, clientèle que ne dédaignaient pas ces dames *ultracatholiques*.

La directrice, Mme Anceau, est restée dans ma mémoire comme une survivante d'un temps, alors, déjà dépassé. Grande, pâle, ses cheveux blancs tirés en bandeaux plats, de longues paupières toujours baissées comme pour la prière, de longues mains aux ongles très rouges toujours tendues, effleurant quelque livre, comme pour tenir un rosaire, une lenteur de gestes et de paroles telle que je n'en ai connu de pareille, lui donnaient un air de majesté, une autorité que rien peut-être ne justifiait, si ce n'est la fermeté avec laquelle elle régnait sur sa nombreuse famille de sœurs et de filles. Elle a continué sa mission d'éducatrice et de chef de famille jusqu'à un âge très avancé, et toute la nichée des sœurs et des filles a fini par être casée.

Alors, dans son pensionnat, elle était l'autorité suprême devant qui tout tremblait.

De mes camarades de pension, deux seulement ont été des amies. C'est que je vivais alors une double vie : celle de la pension était absolument distincte de celle de la maison. Mauvais système qui encourage un dédoublement de la personnalité, un déséquilibre moral. De huit heures du matin à six heures du soir, sauf pendant l'intervalle du déjeuner de midi à deux heures, j'étais l'élève d'une institution mondaine, catholique et française ; chez nous, italienne, juive, patriarcale et sérieuse. Il en restait, d'un état à l'autre, quelque chose qui faussait le ton. Je ne sais m'exprimer – qui me faisait sentir un peu étrangère de ça et de là – éveillait une disposition à l'analyse, et aurait pu diminuer le respect de l'un comme de l'autre milieu. Il n'en fut rien pour moi. L'instruction chez Mme Anceau était un perpétuel exercice de mémoire. On nous farcissait la tête de vers de Boileau, de noms géographiques, et on nous persuadait que nous faisions des compositions quand nous rédigions tant bien que mal la lecture d'Histoire ou d'autre chose que Mme Anceau nous avait pompeusement déclamée, livre en main. Nous faisions du dessin en copiant soigneusement les ombres et les hachures du modèle. Comme ouvrages manuels : d'absurdes broderies sur tulle, véritables emblèmes de notre activité dans leur parfaite inutile laideur.

Mais il y avait de bons moments : les leçons de gymnastique, avec force exercices au trapèze, qui nous donnaient un frisson encore plus délicieux. Et pourtant, comme tout cela était austère en comparaison de ce que l'on offre aujourd'hui aux enfants ! On arrivait, on se baignait après s'être déshabillées dans les cabines. On devait descendre un petit escalier de bois. On s'y bousculait un peu, puis on s'élançait dans l'eau et on avait à peine commencé à nager que les maîtresses vous appelaient, et qu'il fallait remonter et vite s'habiller pour repartir tout de suite dans le char à bancs.

Education morale, formation du caractère – rien ! On disait la prière en classe tous les matins : les élèves toutes à genoux ; nous, les Juives, debout. Cela mettait un froid. Oui, il y avait le catéchisme récité par cœur tous les jours, puis les offices à la chapelle pendant lesquels nous restions en classe. On se gardait de toute propagande, mais on ne pouvait pas empêcher que nous ne fussions un peu froissées et comme glacées. Par ailleurs, extrêmement surveillées ; on parvenait à empêcher les polissonneries, même de paroles, et on n'encourageait aucune intimité entre les élèves. Aucune de mes camarades n'a exercé une influence sur moi.

La vie à la maison se développait sur un tout autre plan. Outre la douceur des manières, l'atmosphère de dignité simple, et le ton intellectuellement élevé de toutes les conversations, il me semble que la note caractéristique de la maison était une sorte de pudeur à ne jamais parler d'argent. Jamais, au grand jamais, je n'ai entendu discuter sur ce point. Maman, quand elle faisait des emplettes, ne payait jamais mais écrivait sur la facture un "vu, bon à payer" qui n'était jamais discuté. Bien plus tard, j'ai su que lorsque la somme était trop forte, ou semblait peu justifiée à maman, l'oncle Giacomo la passait simplement à son compte particulier. Jamais, étant enfant, je ne me suis entendu refuser une robe ou un chapeau parce que c'était cher, mais seulement pour des raisons plus vagues et auxquelles je ne pouvais répondre : "Une enfant de ton âge... Ton père ne veut pas t'habituer à ce luxe... Il faut être sérieuse..." Plus tard, ce fut : "Non ! Parce que c'est mal porté" ou "Trop voyant".

Papa nous parlait souvent, mais je soupçonne au-dessus de nos têtes, s'informant de nos lectures, nous conseillant des livres que nous ne pouvions pas comprendre. J'ai souvenir d'une *Histoire de France* par D'Anquetil, en cinq ou six gros volumes, dont il ne m'est pas resté une seule phrase en tête.

Maman se servait de son nom pour nous faire des sermons de temps en temps. Elle parlait au nom de papa. Pour elle, très absorbée par son train de vie et par de douloureuses crises hépatiques, elle s'en remettait à Nonnina pour les soins matériels, et aux maîtres pour l'enseignement. Très intelligente, mais complètement illettrée, elle avait pourtant des idées très nettes, et une énergie souriante, qui la rendaient adorable pour tout son entourage.

Quoique la vie familiale fût douce et large, nous avions fort peu d'amusements, les longs séjours à la campagne en été, les dimanches à Mazargues en hiver quand le temps était beau, et des promenades.

Quand maman avait décidé que nous irions à Mazargues le dimanche, papa partait devant, à pied, avec certains d'entre nous. Maman partait ensuite, avec moi seule le plus souvent, et nous allions prendre l'omnibus place Saint-Louis, où presque tous les omnibus de Marseille faisaient halte et où les marchandes de fleurs avaient leurs kiosques. Ces kiosques, élevés d'un bon mètre au-dessus de la chaussée, les entouraient d'un cadre de fleurs dont je sens encore le parfum. Nous avions fait en passant des provisions de bouche chez le charcutier : viandes salées, saucissons et autres délices que l'on ne mangeait pas à table, pour respecter les scrupules religieux des vieux. J'aimais beaucoup cette arrivée dans une maison fermée, ce feu flambant que l'on allumait au salon, ces préparatifs pour le dîner avec l'aide de la paysanne.

D'autres fois, le dimanche après-midi, papa nous emmenait promener. Je n'ai pas gardé un bon souvenir de ces promenades. Je n'ai jamais aimé la marche, et puis, papa suivait son goût ou ce qu'il croyait notre avantage, et nous menait soit au Vieux Port, soit dans les parties de la banlieue plus tranquilles. J'aurais préféré autre chose.

D'aussi loin que je me souvienne, j'ai joué le rôle de petite maman envers mes frères et sœurs. Et du plus loin que je me souvienne, j'ai eu une préférence pour mon si cher Amédée. Il était si doux, si délicat et si complaisant ! Clémentine, Laure et Gabrielle me semblaient beaucoup plus jeunes. Je les voyais en bébés. Amédée, qui n'avait pourtant qu'un an de plus que Clémentine, était un camarade qui me comprenait. Evariste a toujours été un solitaire. Il avait ses distractions à part. Tantôt il s'amusait à faire de la menuiserie – il avait un tour qui nous semblait une merveille – tantôt il s'essayait à fabriquer du savon et, quoique très intelligent, il se montrait mauvais élève au lycée et un peu bourru à la maison.

La famille qui exerça une grande influence sur moi pendant des années est la famille Lumbroso. Non seulement parce que Mathilde fut mon amie la plus intime, mais parce que j'aimais – et que j'étais aimée – de tous. Jacques, le père, homme d'affaires avant tout, dévoré par l'ambition de faire figure dans le monde, laissait les mains libres à sa femme parce qu'elle était belle, extrêmement distinguée, et qu'elle le représentait admirablement. Aussi bonne que belle, Henriette, née Fiorentino et sœur d'Emma Errera, avait au plus haut point la passion de la toilette. Passion par ailleurs sans égoïsme ni petitesse, car elle tenait presque autant à voir les autres bien habillés qu'à s'habiller elle-même. Toujours l'aiguille à la main, toujours en toilettes irréprochables, on aurait pu dire d'elle que sa mission dans le monde était de briller et de répandre autour d'elle l'élégance et la bonne tenue. Un peu sévère envers Mathilde, elle avait une préférence marquée pour son garçon, Georges, une attitude de pitié envers sa seconde fille, Emilie, qui n'était pas jolie, et plus tard, quand Gilberte naquit, des gâteries pour cette petite dernière. J'allais souvent dans cette maison plus élégante que la nôtre, et j'y trouvais toujours un accueil des plus chaleureux. J'étais le boute-en-train recherché de tous, et si je passais deux jours sans me montrer, on m'envoyait chercher.

Plus tard, cette amitié fut mise à l'épreuve et ne me manqua pas. C'était une porte ouverte sur des aspects de la vie que l'on ignorait chez nous. Plus de luxe, plus de mouvement, un ton de conversation beaucoup moins littéraire, des aperçus plus pratiques et surtout de la musique. Mathilde, très douée, jouait fort bien du piano et chantait agréablement. Nous passions des heures à déchiffrer des partitions, puis cela finissait généralement par des comparaisons entre mon jeu et le sien quand les mamans arrivaient, et c'étaient des grondées pour moi qui n'avais pas ses dispositions naturelles. On eût beau me donner des professeurs, tandis qu'elle n'avait qu'une humble petite maîtresse, je ne fis jamais rien de comparable à ses brillantes exécutions des morceaux alors à la mode. Papa lui-même s'en mêlait pour la prier de lui jouer certains morceaux que j'estropiais. Pourtant, je n'étais pas jalouse de Mathilde, je pleurais bien un peu sur mon piano, mais sans m'aigrir contre l'insistance que l'on mettait à me faire étudier ce que je ne pouvais pas apprendre.

Une autre famille que nous fréquentions assez assidûment : les Padova. Le père, Salomone, cousin de papa, était un pauvre sire. Mari trompé et résigné, il acceptait le ridicule de sa position, mais – je l'ai su depuis – se vengeait en refusant d'être... mari. Sa femme, Clémentine Sierra, déjà un peu fanée quand je l'ai connue, me rappelle en tous points le portrait de George Sand. Si elle n'écrivit jamais de romans, elle avait pourtant une éloquence intarissable, parlait de tout avec assurance et esprit. Elle avait dû être belle et très attirante. On racontait d'elle des histoires scandaleuses, mais elle était charmante et maman subissait son charme, tout en sachant, et moi en ne sachant pas. Elle avait deux enfants : Alice, boiteuse et pas jolie, mais très bonne et d'une habileté merveilleuse à toutes sortes d'ouvrages ; Alexandre, le visage déformé par une paralysie et un peu idiot. Elle vivait avec ses parents qui avaient de la fortune, de sorte qu'elle pouvait ignorer les froideurs de son mari, et mener son existence à sa guise. Nonnina était très liée avec la vieille Mad Sierra et, en vérité, ne sortait guère que pour aller la voir. Quand elle m'emmenait, j'aimais beaucoup écouter Clémentine, et regarder les beaux ouvrages qu'elle faisait avec sa fille. Plus tard, Alice épousa son cousin Gustavo, fils de Mosé Padova, et je continuais à la voir, et même à aller parfois chez elle. Un petit nid si parfaitement tranquille et rangé que quelqu'un pût dire, lorsqu'ils eurent un premier enfant : "Tiens, tiens, je croyais que c'étaient deux femmes".

Quand l'oncle Giacomo mourut, d'une maladie de cœur qu'il compliquait peut-être par quelque peu – oh ! pas beaucoup – de cognac, on prit une femme de chambre de plus pour le service exclusif de Nonno, et l'oncle Félix vint assidûment tous les jours pour le voir et pour panser ses jambes où des plaies se formaient. J'aimais à assister à ce pansement et à écouter les discours de l'oncle pour égayer l'octogénaire. Je me souviens encore que Nonno, ayant une irritation passagère aux paupières, l'oncle lui disait : "Vous voyez José (c'était une plaisanterie familiale que d'appeler ainsi le patriarche), vous voyez quelle chance vous avez d'être déjà aveugle, si vous ne l'étiez pas, vous auriez peur de le devenir." Et Nonno d'accepter ce point de vue.

J'avais à peu près quinze ans quand les premiers nuages qui devaient amener tant d'orages se montrèrent à l'horizon.

L'oncle Salomone vint passer quelques mois à Marseille. Il dut y avoir dès lors des questions financières mal résolues. La maison de Tunis pesait sur celle de Marseille : l'oncle dut faire des promesses, et rien, ou presque, des longs conciliabules ne transpira au dehors. Mais, on sentait une menace dans l'air. Il y eut un changement dans la raison commerciale, destiné, je crois, à parer aux probables intrigues de Salomone.

Evariste aussi avait donné du fil à retordre. Ses études au lycée interrompues, il était au bureau, mais il se pliait mal à la domination un peu autoritaire de Nonno. Il n'était pas aimé des commis. Pincherle surtout, minait sournoisement sa position qui aurait dû devenir prépondérante. Giuseppe Cammeo, qui tirait le diable par la queue à Londres, s'en vint à persuader papa de créer une maison à Londres, en commandite, qui serait une succursale de celle de Marseille. Outre papa, d'autres parents et les Modigliani mirent quelques capitaux dans l'affaire. Et Evariste fut envoyé vivre à Londres comme associé de cette maison.

Chez nous, à Marseille, les Modigliani avaient envoyé un Alberto, fils de Samuele de Florence, un beau garçon paresseux et sournois, que je pris en horreur parce que j'entendis quelques demi-mots qui me firent croire que c'était un mari en préparation pour moi.

C'est en 66 ou 67 qu'une épidémie de choléra fit rage et que l'oncle Félix attrapa la maladie. Nous le sûmes à Mazargues et je me souviens encore de l'angoisse de Nonnina qui se doutait bien que maman était au chevet du malade. L'oncle ne mourut pas mais on ne peut pas dire qu'il guérît, car depuis, il fut toujours anémique et malade des intestins. Il resta d'humeur triste, mais il avait encore des éclairs de cette gaieté mêlée d'amertume, véritable humour judaïque. Et toujours, il resta infiniment bon envers ses malades pauvres, infiniment sûr dans ses rapports de famille et d'affaires, infiniment attaché à nous tous.

La naissance d'Albert faillit être fatale à maman qui n'était alors plus très jeune. La tante Allegra fut la marraine et voulut nous éblouir par le luxe de ses toilettes et de ses bijoux.. Elle était accompagnée par sa fille adoptive, Marguerite, qui déjà à quinze ans, avait eu de nombreuses aventures et qui fut la cause de discussions entre mes parents et mes oncles. On aurait voulu couper court à ses dévergondages dont, assez justement, maman faisait retomber la responsabilité sur les parents adoptifs. Marguerite, qui avait tout le charme et toutes les roueries d'une cocotte née, sut tellement embobeliner l'oncle qu'elle retourna à Tunis avec eux et y put continuer impunément une vie de bâton de chaise. Tout le temps que les Garsin de Tunis furent à Marseille, maman et Nonnina avaient fort à faire pour me tenir le moins possible au contact de Marguerite sans provoquer de rupture. Moi, sans bien comprendre certaines allusions de Marguerite, je m'amusais assez en sa compagnie.

En 69, Samuele Modigliani mourut, laissant dans la misère sa famille qu'on avait crue riche. Albertino fut rappelé. Ce fut je crois à cette occasion que Flaminio vint à Marseille et me vit. Je ne fis alors aucune attention à ce monsieur qui venait avec papa me prendre à midi à la porte de Mme Anceau et dînait chez nous comme tant d'autres. En janvier 70, ce fut Isacco Modigliani qui vint tisser sa trame d'affairiste dans laquelle je devais être prise.

Glissons, je ne veux pas faire de récriminations. Personne ne me força car je n'avais pas assez de caractère pour regimber, pas assez de connaissance du monde pour savoir à quoi je m'engageais. Où aurais-je pris l'idée de me révolter ? Où aurais-je puisé la moindre espérance de pouvoir lutter ?

Pour commencer cette deuxième partie de mon histoire, je parlerai de mon voyage en Italie, comme fiancée, et de mes premières impressions de la famille Modigliani.

La guerre avait éclaté, j'avais entendu la *Marseillaise* " brayée " par les rues de Marseille, et les cris de joie pour la chute de l'Empire et pour ce que les bulletins officiels donnaient comme les premières victoires. Flaminio vint nous chercher, maman et moi, et nous fîmes assez péniblement le voyage d'alors, c'est-à-dire : dormir une nuit à Nice, une autre à Gênes, puis arriver à Montecatini par la ligne de Bologne. Ce fut ma première initiation à la religiosité encombrante des Modigliani : on me faisait arriver là, et non pas à Livourne, parce que c'était juste avant le jeûne de *tishngabeav* (jeûne de commémoration de la destruction du Temple de Jérusalem), époque de mauvais augure. Vu du petit appartement meublé, occupé par toute la smala : outre les deux vieux, Alberto et Rosina, Isacco, Letizia et Olimpia, Montecatini sans autre plaisir que la promenade en voiture pour accompagner les beaux-parents, ne m'aurait jamais enthousiasmée. Mes futurs parents m'apparurent là, sous leur plus mauvais jour. Enfant, et enfant française, je ne voyais que les coiffures pyramidales, les toilettes provinciales, le ton beaucoup moins raffiné que chez nous.

A Livourne, j'ai eu une vision plus claire de tout ce monde, et je vais essayer de le *réévoquer* ici.

Tout d'abord, ce fut une impression de luxe : la maison de *via Roma* très grande, grouillante de domestiques ; les repas pantagruéliques et toujours table ouverte pour une infinité de parents ou d'amis romains ; réceptions en grand tralala dans les vastes salons en enfilade du premier étage, ou dans le salon du rez-de-chaussée qui donnait sur le jardin, grand, et alors assez bien entretenu. On nous comblait de cadeaux et de prévenances que maman – aussi ingénue que moi – prenait toutes pour l'expression sincère de sentiments d'amitié, comme nous acceptions aussi sans le moindre grain de sel les hyperboliques louanges dont s'encensaient les uns les autres, *tutti quanti*, famille et clientèle.

Démonstrations d'affection entre eux, déclarations de principes d'honneur, de charité, de dignité etc. Les gens parviennent parfois à persuader ceux qui les écoutent, mais toujours ils parviennent à se persuader eux-mêmes, et deviennent en vérité un peu ce qu'ils veulent paraître.

La figure centrale du groupe était mon beau-père. Très grand, très gros, un peu poussif, il avait – lui naturellement – une emphase de gestes et de paroles qui avait dû lui servir pour établir sa position à Rome. Cela, et une très grande aptitude aux affaires, du coup d'œil, de l'audace, et une honnêteté qui avait établi la maison commerciale sur un pied assez solide pour résister plus tard à bien des épreuves. Qu'un banquier juif en plein ghetto ait pu non seulement faire de grandes affaires avec des cardinaux et des institutions d'Etat sous le gouvernement du pape, mais qu'il ait pu entretenir des relations personnelles sans abaisser sa dignité dans un temps où il n'était pas même permis aux Juifs de posséder un arpent de terre, c'est une preuve évidente de qualités dont je ne me doutais pas alors, mais qui m'ont plus tard éclairci les idées. Quand je l'ai connu, il était déjà assez vieux pour avoir quelques unes des faiblesses de son âge, mais il avait encore un grand air d'autorité qu'entretenait une sorte de culte professé par tout son entourage. Non seulement le baisemain, mais un ton de déférence adopté par tous ceux qui fréquentaient la maison.

Auprès de lui, ma belle-mère, petite et pas même de restes de beauté, mais une énergie, une activité absolument phénoménales en tout, et d'autant plus étonnantes dans ce milieu. Du matin au soir, elle était sur pied, surveillant sa maisonnée de domestiques, querellant les vendeurs qui assiégeaient la porte, descendant à la cuisine pour imposer tous les rites religieux et veiller à la préparation de dîners d'une abondance patriarcale. Pour les fêtes, elle mettait régulièrement trente – oui, trente – personnes à table, et cela pour deux et même trois jours sans rien acheter pendant la fête ou le samedi. Vous imaginez les montagnes de légumes, de viandes ?

Elle manquait de douceur, mais elle avait au plus haut point le sentiment du devoir ; sentiment rapetissé par son éducation et le milieu où elle avait toujours vécu, mais sentiment qui dominait tout en elle. Si elle se montrait autoritaire et exigeante, ce n'était pas chez elle égoïsme ou méchanceté, mais l'idée obsédante qu'il fallait. Il fallait nettoyer jusqu'à tomber de fatigue, il fallait préparer ceci ou cela d'une certaine façon et pas d'une autre... et aussi il fallait donner, donner selon certains critères, précis, immuables.

Immédiatement en dessous des parents par l'importance et l'autorité, le couple Alberto et Rosina.

Lui, vous l'avez connu, mais tel qu'il était alors, il s'imposait par un aplomb qui déguisait parfaitement sa nullité intellectuelle : des manières de grand seigneur qui pouvaient, alors, çà et là, passer pour de l'élégance. Rosina qui l'adorait valait mille fois mieux que lui. Grande, grosse, pas régulièrement jolie, mais du charme, de la vivacité, un peu triviale, mais – comment dirais-je ? – superficiellement triviale, car si elle riait un peu trop fort, criait un peu trop, elle avait pourtant un sens sûr de sa dignité de femme et l'âme, sinon l'esprit, au-dessus de toute vulgarité. Dans son amour très expansif pour son mari, il devait y avoir, mais inconsciemment, un fond de sensualité, mais cela ne l'empêchait pas d'avoir des affections très fortes – je dirais même violentes – pour lui et pour tous les siens. A cette époque, elle était très tourmentée à cause justement de sa famille. Cette famille se composait de : Allegrina Pitigliani, sa sœur, qui vivait médiocrement à Pise et dont le second fils, Guido, malade et sourd, causait beaucoup de frais et d'inquiétudes. Puis il y avait Stellina, la seconde femme de son père, Samuele Modigliani, frère de mon beau-père, et ses enfants. L'aînée, mariée à Castiglione de Florence – un petit bossu tout cousu d'or – ne se dérangeait jamais, peut-être ne pouvait-elle ou ne voulait-elle pas aider. Les garçons : Alberto, employé chez les Modigliani, ne valait pas cher, Marco non plus. Deux filles, dont l'une, Clorinda, fiancée à un Tagliacozzo, était encore presque une enfant. Tout ce monde-là était retombé sur les bras de mon beau-père et de Rosina. Mon beau-père leur avait donné pour logement la *palazzetta* du N° 8, qui alors ne communiquait pas avec le jardin, et une petite rente, tirée en partie de sa poche et en partie de quelque reste d'héritage paternel. Rosina, qui avait une dot et un héritage maternel, pourvoyait à tous les petits besoins. Et les petits besoins de la tante Stellina devaient être gros. Oh ! Quel personnage cette Stellina ! Elle avait dû être très belle mais, comme sa mère, la tante Tesaura Fano née Modigliani sœur de mon beau-père, ses frères, et sa sœur Rosina Castelnuovo, étaient tous plus ou moins pauvres, elle avait toute jeune épousé son oncle, beaucoup plus âgé et père de deux filles. Le ménage avait marché comme marchent – ou du moins comme marchaient – ces sortes de ménages : le vieux mari trop indulgent avait gâté sa femme et elle n'était plus qu'une enfant incapable de se diriger et encore moins de diriger sa famille devenue pauvre. Elle avait encore des minauderies, des simagrées de jolie femme et des exigences de grande dame dans une position où personne ne prêtait attention à ses grâces et où tout le monde riait de ses grands airs. A l'exception de Clorinda, aucun de ses enfants n'a tout à fait bien tourné. Rosina devait donc se débattre contre les difficultés de cette position et surtout contre les railleries et l'opposition d'Isacco.

Isacco avait le caractère le plus complexe et celui que je serais le plus embarrassée à dépeindre. Du premier au

16

dernier jour, nous avons nourri l'un pour l'autre une de ces antipathies instinctives et mutuelles qui doivent certainement correspondre à quelque divergence fondamentale. Il était plein de contrastes, fourbe et retors, incapable de jamais dire toute la vérité sans rien ajouter, il avait pourtant quelques affections très sincères, il s'est montré plus tard très dévoué aux intérêts de sa fille. Il aimait fort sa femme, mais la laissait s'épuiser à le servir et à obéir à sa mère et, quand l'occasion s'en présenta – au moins deux fois que je sache – il n'hésita pas à compromettre les Alatri et à causer ainsi une grande douleur à Letizia. Intelligent, d'une intelligence pratique spéciale, il a pourtant fait de très mauvaises affaires, je crois parce qu'il s'embrouillait lui-même dans des calculs, qui ne manquaient pas de finesse mais de cette largeur de vue et de cette dose de loyauté qui mènent au succès durable. Il était l'homme des expédients, et jusqu'à un certain point les expédients peuvent servir les affaires mais jusqu'à un certain point seulement. Il se fit beaucoup d'amis parce qu'il avait de l'entregent, des manières plaisantes, un air de bonhomie, une affectation d'intérêt qui lui gagnaient les sympathies. Mais je n'ai vu aucune de ses conquêtes durer. A peine son intérêt personnel se trouvait-il en contraste avec ses apparentes amitiés, il leur passait sur le corps impitoyablement. Alors, je ne le vis naturellement que sous son aspect débonnaire, débitant des serments de dévouement à maman, l'éblouissant de promesses, l'amusant de mille plaisanteries qui pour être un brin triviales, ne manquaient ni d'esprit ni d'à-propos. Il faisait au couple Alberto-Rosina une cour platement affectueuse, obligeant ses enfants à obéir en tout, et à prodiguer mille marques de respect et de tendresse aux oncles dont on voulait ainsi capter l'héritage. Les enfants, c'étaient alors Olimpia, âgée de seize ans, élevée à l'ancienne mode, beaucoup de couture, de broderie et un minimum, très minime, de littérature enseignée en même temps que l'hébreu par le rabbin Costa, un véritable prêtre doucereux et solennel ; Rosina, presque une enfant, d'environ dix ans, rousse, pas jolie et fort négligée ; puis une petite Margherita de quelques mois, pâlotte et délicate, qui mourut quelque temps après.

Letizia, caractère effacé, douce, complaisante, sans volonté, mais loyale et portant dans ses manières, dans la délicatesse de ses traits, une marque de distinction que toutes les affaires domestiques auxquelles, par obéissance à sa belle-mère, elle se pliait du matin au soir, n'ont jamais pu altérer. La note caractéristique de Letizia : une indifférence, une apathie devant toute souffrance que je n'ai jamais vues chez aucun autre individu. Avec la même apathie sereine, je l'ai vue auprès du lit de sa fille Rosina que l'on disait mourante, je l'ai vue se mettre au lit pour une opération grave, assister à la mort de son mari, et se préparer à mourir elle-même. Tout coulait sur elle comme la pluie sur le dos des oiseaux. Son frère Marco – un bien brave homme – un esprit et un cœur vraiment supérieurs, lui aussi avait un peu de cette immunisation contre la douleur, mais rien d'aussi marqué que Letizia. Je l'ai toujours aimée et je crois qu'elle m'aimait aussi, autant qu'il était en elle d'aimer.

Autour de ce groupe, habitant les deux *palazzette* : les deux ménages Pitigliani, Bonaventura et Del Monaco et, un peu à l'écart, les Moro. A propos de Sabatino Pitigliani, mari de Colomba, je ne puis penser, ni écrire sans rire, tellement cette petite personne chauve, rabougrie, bêtifiée de religiosité, incapable d'ouvrir la bouche sans dire de niaiseries, dormant tout le temps qu'il était au salon, s'éveillant seulement quand sa femme l'appelait, me parût alors et toujours ensuite le comble du ridicule. Dieu me pardonne ! J'ai ri de lui tandis qu'il agonisait lorsque plusieurs années plus tard, il se suicida en buvant de l'iode. Je crois que sous ce ridicule et cette bêtise, se cachait un caractère hargneux, grincheux qui fit subir à Colomba et surtout à Clotilde tout le poids de leur pauvreté et de leur mauvaise santé. De l'une comme de l'autre, il était seul responsable, naturellement. On avait collé ce fantoche de mari à Colomba, et son frère à Allegrina, parce qu'ils étaient momentanément riches, du fait d'un héritage de la main gauche. Un bon ami de la maman avait légué quelques centaines de milliers de francs. Cela fit passer sur la bassesse de la famille, sur leur prédisposition à la tuberculose et sur l'imbécillité des trois frères (le troisième, Leone, épousa plus tard Ida Toscano). Naturellement cette richesse ne dura pas. Après un an ou deux d'opulence, les frères se séparèrent : Salomone monta à Pise une fabrique de *bordati* (coutil) qui végéta tant bien que mal, jusqu'à ce que Guglielmo l'eût relevée, peut-être grâce à la dot de Sara Del Monte. L'autre Pitigliani fut annexé par les Modigliani. Il était au bureau, ne faisait presque rien, mais ne gaspillait pas les quelques petites rentes sauvées du désastre. Plus tard, il fit pire en voulant faire mieux. Colomba était encore belle – comme tous les Modigliani – quoique son teint olivâtre, ses traits durcis, son air habituellement sombre trahissaient l'énervement d'une existence mesquine, le harcèlement des tracasseries conjugales et surtout le souci rongeur de la santé de Beniamino. Quand je le connus, à quinze ans, il donnait des signes non équivoques de consomption. Colomba a lutté si opiniâtrement contre cette tendance héréditaire qu'elle l'a tenu en vie. Mais, au prix de quelles angoisses ! Et en sacrifiant impitoyablement Clotilde. Elle en a fait une esclave de son frère, une garde-malade, une cuisinière, tout, excepté ce qu'elle aurait pu être sans cette pression tenace et aveuglément cruelle, une femme de cœur et d'intelligence.

Ma première impression des Pitigliani n'a guère changé car, il faut dire, ils n'ont guère changé eux-mêmes. Colomba est morte à 85 ans tout aussi renfrognée, aussi dévouée à Beniamino, aussi impassible dans sa domination sur Clotilde que je la vis le premier jour à Livourne en l'an 1870.

Les Del Monte, qui ont évolué eux, habitaient alors vis à vis de chez nous, un appartement au premier étage du N° 3, les Pitigliani habitant sur le même palier, un appartement plus petit. Alessandro Del Monte était déjà en train de faire fortune, mais il menait encore un train de vie très modeste, fidèle aux traditions et aux mœurs du ghetto romain. Il en était alors beaucoup plus imprégné que les Modigliani parce qu'il venait d'une famille plus petite. Mais il montait. Il montait parce qu'il était intelligent, et même fourbe, parce qu'il n'avait pas de scrupules excessifs, parce qu'il dirigeait sa famille d'une main ferme. Je ne sais pas en quoi consistaient les torts que les Modigliani lui reprochaient. Il disait lui qu'il ne faisait qu'une concurrence loyale, et que les exploitations de bois – charbon et écorce – étaient assez rémunératrices pour que les deux maisons puissent prospérer. Les Modigliani disaient qu'il profitait des connaissances acquises chez eux et qu'il subornait les courtiers. Le fait est que, comme les deux plateaux d'une balance, plus l'un montait, plus l'autre descendait. Coïncidence ou effet de mille autres causes... je ne sais. Pour se distinguer, les Modigliani changèrent la raison sociale qui était Figli di A.-V. Modigliani en Fratelli Modigliani, ce qui d'un trait de plume excluait les filles de toute part à l'héritage paternel. Mais, ce qui me bouleversait et choquait toutes mes idées, c'est que tout en continuant cette lutte, tout en se lançant derrière le dos les plus atroces malédictions du vocabulaire judaïque, on se faisait mille mamours. On se voyait tous les jours, et puis encore tous les soirs, on semblait ne pas pouvoir vivre les uns sans les autres. Alors, je jugeais cela avec la sévérité de la jeunesse et je déclarais (in petto) que c'était la plus noire hypocrisie.

Aujourd'hui assagie par la vie, je me dis qu'il y avait certainement autre chose que d'épargner à la mère et à la sœur le choc d'une rupture. Traditions patriarcales survivant à tout sentiment, peut-être un vague projet de laisser la porte ouverte à quelque future collaboration... Qui sait ? Entre Isacco et Alessandro, ils étaient capables des calculs les plus retors.

A l'exception de Luisa, tous les enfants Del Monte étaient nés à ce moment-là. Les filles élevées à l'antique, Flaminio déjà gâté comme le seul garçon. Tesaura était surtout femme de ménage, grasse et fraîche, appétissante mais sans élégance ; elle semblait très attachée à ses parents et quoique très médisante, elle avait des moments de franche gaieté – surtout avec Rosina – qui rendaient sa compagnie supportable.

Les Moro fréquentaient la maison d'une manière encore plus déconcertante pour mon inexpérience. Rosina, femme de Flaminio Moro et fille de mon beau-père, était morte depuis longtemps, elle avait laissé trois enfants : l'aînée, Tesaura, de mon âge, mais déjà les cheveux blancs, Beppe d'un an plus jeune et Olimpia qui suivait de près. On disait de Rosina qu'elle avait été d'une beauté parfaite ; son veuf Flaminio avait quelque chose de sournois qui repoussait malgré la politesse de ses manières et certaines ressources de conversation bien supérieures à la moyenne. Là aussi, il y avait eu des querelles d'argent avec les Modigliani, mais tout au contraire des Del Monte, c'étaient lui, son père, et ses nombreux frères, qui étaient tombés dans la véritable misère. Les Modigliani faisaient aux enfants de leur sœur des cadeaux et exigeaient en échange des visites à la *nonna* et d'autres formes de soumission. Ce devait être atroce pour eux de venir dîner, souper, ou même rester pour recevoir des cadeaux et deviner – sans peine – les allusions contre leur père ou leurs oncles. Par exemple, Tesaura était obligée par sa grand-mère de teindre son abondante chevelure à l'abri des regards indiscrets le soir. C'était un tourment, c'était un ridicule, et celle qui l'infligeait était d'autant plus impitoyable qu'elle croyait bien faire – et qu'elle payait de sa poche. Je fus presque tout de suite la confidente de tous les trois.

Autour de ce groupement déjà nombreux, imaginez une assemblée de parents et alliés parmi les plus agréables. Le premier rang était dû aux Alatri. Samuele, le père, s'habillait et parlait comme un gentleman des années 1830. Il avait si bien su se positionner à Rome qu'en 1870, il était conseiller municipal au moment de la prise de Roma. Il était aussi conseiller de la *Banca Romana*, gros bonnet et personnalité des plus respectables en somme, mais amusant par suite de cette situation. Son fils Marco avait toutes les bonnes qualités paternelles et aucun de ses ridicules. Je n'ai jamais connu un homme qui ait aidé tant de gens ; il a soutenu plus d'égarés, conseillé plus de désemparés, protégé plus de malheureux que je ne saurais dire ! Avec en plus de ça la gaieté bon enfant, l'esprit ouvert sinon très cultivé. Il avait pour femme une des sœurs Cave, sujette à des crises de folie, ce qui ne l'empêcha pas de mettre au monde une famille très nombreuse et de faire de sa maison commerciale l'une des plus prospères de Rome. Un autre frère Alatri, Giacomo, avait pour femme une autre sœur Cave, qui le faisait abondamment cocu. Mais il prenait cela avec philosophie. Ils avaient une seule fille, paralysée d'un côté, qui épousa plus tard Clemente Levi et continua les bonnes traditions maternelles.

Monsieur Finali venait souvent. Je n'ai jamais bien compris quelle reconnaissance de services anciens lui faisait ainsi fréquenter la maison. Il était, malgré son rire faux et strident et ses cheveux outrageusement teints en noir (déjà), un causeur très agréable, ayant beaucoup vu et sachant raconter une anecdote. Il faisait très gentiment la cour à maman.

Mais pour ces rares visiteurs intéressants combien d'assommants ! Des tribus entières de Tagliacozzo, de Rignani, de Del Monte, tous taillés sur le même patron et tous insupportables, d'autant plus qu'ils étaient prodigues de leurs visites. Il y avait un certain Alvarenga, courtier, un type du *Fliegende Blätter*. Il pontifiait, il racontait toutes sortes d'histoires, tenant toujours l'œil sur Isacco, qu'il craignait d'offenser. Il avait un fils maladif, vaguement épileptique, et une gouvernante véritable, Perpetua.

Giuseppe Dicegni venait aussi très souvent. Petit vieillard toujours tiré à quatre épingles qui faisait soigneusement des placements d'argent pendant quelques heures du jour et passait le reste de son existence à faire des visites. Il n'avait rien à dire, si ce n'était quelque potin à colporter, mais au moins il ne faisait pas de bruit. On disait qu'il avait été l'amant de Rosina Padova née Cammeo et que Albina était sa fille. Possible, elle lui ressemble un peu par les traits, beaucoup par la bêtise.

Et penser que tout ce monde grouillait, là, au fort de la tempête qui dévastait la France – et indirectement préparait le complément de l'Unité italienne – sans rien comprendre, sans s'intéresser à rien !

Les cloches qui annonçaient la chute de Rome, le 20 septembre, firent bondir de sa chaise une petite vieille, ravaudeuse à la journée, qui vint crier à la porte du salon "*Suonano! Suonano ! Suonano le campane !*" Et c'est ainsi que j'eus une idée de l'événement.

Peu après, nous rentrions à Marseille. Par mer, cette fois, et par un temps si affreux, que j'ai cru longtemps que maman s'était déchiré quelques veines dans les vomissements de cette traversée.

De retour à Marseille.

Là, il n'était pas possible d'ignorer la guerre, quoique chez nous on fût très italiens, et quoique Marseille fût assez loin du front. C'était une désolation et une surprise. Puis vint la Commune.

Nous étions allées, maman et moi, faire une visite dans la banlieue, Boulevard Chaves – aujourd'hui en ville – et en rentrant au bout d'une heure, nous trouvons la ville entièrement aux mains des Communards. Pas un coup de fusil n'avait été tiré et tout, gare du chemin de fer, banques, préfecture et mairie étaient entre leurs mains. Pour nous – et en général pour toute la population – ce ne fut pas un mauvais temps. Papa avait des amis et des connaissances parmi les Communards, presque tous juifs. On venait chez lui pour être recommandé, on venait pour être embusqué avec la complicité du Consulat italien où papa jouissait d'un grand crédit. Tout semblait indiquer une continuation de bonheur, mais déjà les petits ruisseaux qui devaient former le torrent dévastateur allaient grossissant.

Un de ces petits ruisseaux, en apparence inoffensif, et même charmant, venait de la surabondante intellectualité de papa. Vous qui l'avez connu tard, ne pourrez jamais imaginer quel homme distingué, quel causeur fin, spirituel, abondant il était alors. Evariste a hérité de l'abondance et de la culture variée, mais il n'a jamais eu le même charme, la même distinction. Or, cette qualité très appréciée de son entourage, entraînait papa à passer des heures hors du bureau. C'était après la bourse, deux fois par jour, de longues causeries avec les plus gros bonnets du commerce marseillais, c'étaient de longues séances au cercle des Phocéens où les plus habiles joueurs d'échecs et des personnages politiques cherchaient sa propre société ; c'étaient, même en famille, car il se dépensait pour tous également, de très intéressantes discussions. Nonno avait la répartie incisive et juste, l'oncle Félix beaucoup d'humour, des réponses suggestives toujours accompagnées d'un sourire fin et timide, le tout ensemble faisait de ces causettes familiales un véritable régal intellectuel. Mais cela naturellement laissait le champ trop libre aux commis du bureau et ils en profitaient.

Une figure louche du bureau c'était Pincherle. Exilé triestin, c'est-à-dire s'étant échappé de Trieste pour ne pas servir l'Autriche, mais n'ayant pas pour cela épaulé un fusil en Italie, il professait un dévouement extrême pour la maison et en attendant profitait largement de l'hospitalité de papa. Sa femme étant devenue folle, il accepta que tous les enfants vinssent passer quelques mois à Mazargues ; puis sous un prétexte ou l'autre, ils étaient continuellement à la maison ; soignés gratis par l'oncle, régalés de cadeaux à tout propos. Mais maman avait pris en grippe ce sournois qui avait contribué à éloigner Evariste et qui s'insinuait dans les bonnes grâces de Nonno. Papa laissait faire et ne s'apercevait même pas que les maisons de Londres et de Tunis – intimement liées à celle de Marseille – n'allaient pas comme elles auraient dû. Je ne sais pas expliquer ces questions de crédit etc.

Un autre ruisseau avait des origines lointaines et générales. Vous avez tous constaté en moi une certaine tendance au traditionalisme et aux superstitions. – Ce n'est plus qu'un reste de ce qui était le plus marqué de notre famille – Je n'ai pas exagéré quand je vous ai présenté les Garsin comme supérieurs en intelligence et en culture par rapport à la moyenne de leur temps et de leur classe, et pourtant tous, plus ou moins, ils avaient la crédulité de l'ignorance et l'obéissance aveugle des simples d'esprit. Je ne saurais jamais énumérer tout ce qui était de tradition et article de foi : on ne devait pas couper ses cheveux quand la lune décroissait, pas les ongles le vendredi – ni tous les ongles par ordre – on ne devait pas coudre un bouton sur la personne, il fallait ôter l'objet à repriser ou à recoudre ; la série des jours néfastes, la liste des devoirs arbitraires serait infiniment longue, mais plus longue encore celle des remèdes et des recettes culinaires. Chacun des Garsin était à la fois médecin et pharmacien. Chacun avait ses remèdes qu'il appliquait selon certains critères aussi absolus que ceux de la Faculté : c'étaient des eaux dentifrices selon une formule qui exigeait des préparations infinies, c'était un cold-cream préparé selon des règles spéciales, c'était une horrible eau sédative à base de camphre qui devait guérir toutes les écorchures, tous les bleus de notre enfance et qui eut l'excellent résultat de nous habituer à ne rien dire par peur du remède... En fin de compte et si la règle *post hoc ergo propter hoc* a quelque valeur, il faut dire que le système avait du bon, car toute la maisonnée d'enfants et de vieux fut pendant de longues années exempte de toute maladie. Je ne me rappelle rien de pire, tant que je fus à la maison, que des rhumes de deux ou trois jours et des rares indigestions. Encore les indigestions étaient-elles ma spécialité, surtout lorsque j'étais en liberté sous les arbres fruitiers de Mazargues ou ceux du *Cabanon* (petite villa de l'oncle Félix). En ce dernier cas, je disais bien fort que c'était l'air de la mer – la villa était sur la Corniche – et l'oncle, de son meilleur sourire : "Oui, ma bonne, c'est l'air de la mer, mais mange moins de figues".

Donc cette innocente manie fut le terrain où fut semée une graine des plus vénéneuses. D'abord elle donna de bons fruits. Voici l'histoire : Venait à la maison, comme coiffeuse de maman, une certaine Nanette, flanquée de Dominique, un frère ou un amant (on disait qu'il était l'un et l'autre). Lui, ouvrier habile, mais paresseux, était l'homme à tout faire qui réparait toute sorte d'objets, se rendait utile de cent façons. Elle, qui ne manquait certes pas de finesse, avait un certain nombre de recettes de toilette, un plus grand nombre de remèdes empiriques, un peu de cette habileté dite de rebouteux, qui permet à des ignorants en chirurgie de remettre un membre cassé ou de réduire une foulure. Cette Nanette s'empara peu à peu de l'esprit de maman. Elle avait guéri Evariste d'une écorchure à la jambe due à une branche épineuse et cultivée par une mauvaise hygiène ; elle donna une recette de je ne sais quelles herbes amères et de spiritueux qui certainement coupait court aux coliques d'indigestion. Sa réputation se répandit en dehors de notre famille. Entre autres cures, je sais qu'elle guérit une dame Molco, qui ne parvenait pas à mener à bien une grossesse et il en naquit cet avocat Molco, aujourd'hui spécialiste des questions théâtrales. Surtout elle opéra une cure qui sembla, même à l'oncle Félix, prodigieuse sur papa. Il avait une maladie des yeux qui lui causait un rapide abaissement de la vue. Avec le spectacle de Nonno aveugle cela fut bientôt un cauchemar affreux. Un spécialiste, Métaxas, fut consulté. Il hocha la tête et dit qu'il n'y avait rien à faire. Nanette alors proposa un remède à elle. Il s'agissait de renifler un jus d'herbes. L'oncle, consulté, dit que l'on pouvait tenter. Papa renifla docilement sa potion et, pendant les jours suivants, fut pris de violents éternuements et de toutes les autres suites d'un coryza aigu. Après cela il fut guéri ; sa vue redevint ce qu'elle était auparavant, presque normale. De ce jour, Nanette fut l'oracle. Et tant qu'elle se contenta de nous barbouiller les joues de ses pommades, de nous laver les cheveux, le mal ne fut pas grand. Plus tard elle fit bien pire.

De toutes ces menaces rien ne paraissait encore à la surface durant cette année 1871. Le plus grand événement fut la reprise de la ville par les troupes régulières. On fit le coup de feu par les rues et en cette occasion l'oncle Félix – un timide pourtant – traversa la Cannebière au milieu de la mêlée pour aller soigner gratis un matelot italien. Et il était de tempérament avare, et très français pour avoir toujours vécu en France et fait ses études dans une Université française, mais il était si bon ! Puis ce fut le bombardement. Notre maison, qui était alors depuis longtemps, 89 rue Breteuil, à côté du temple israélite, une longue et étroite bâtisse de quatre étages, outre les mansardes et les bas offices, se trouvait juste au milieu de la trajectoire des canons, entre la colline Notre-Dame d'un côté et la préfecture de l'autre. Ce fut, après le premier moment d'effroi, un amusement pour notre inconscience d'enfants de voir les coups partir de là-haut sur la colline et les nuages de poussière se soulever là-bas vers le centre de la ville. Nous étions sur une terrasse du quatrième étage, et probablement en danger, mais personne n'y pensa. L'impression qui m'est restée très forte de cette bataille, ce fut le soir, quand tout tomba dans le plus complet silence, et que tout à coup on entendit le craquement des feux du peloton. Toutes les cinq minutes environ cela se renouvelait. Je vois encore une vieille cuisinière – tous nos domestiques avaient vieilli chez nous – à genoux devant une chaise, dans ma petite chambre, et récitant le *requiescat* pour chacun de ceux qui tombaient ainsi parce que pris les armes à la main.

Les préparatifs de mon trousseau, une intimité toujours plus grande avec Mathilde Lumbroso, une position un peu spéciale de fiancée sans fiancé connu, me firent passer agréablement ces derniers mois à Marseille.

En janvier 1872, papa, maman et moi nous étions de nouveau à Livourne pour mon mariage. Glissons sur les embêtantes cérémonies, réceptions, dîners... glissons sur le désappointement du voyage de noces renvoyé de huit jours pour solenniser la *choupa* (semaine de bénédiction des mariés durant laquelle ils sont invités chaque jour chez des parents ou des amis pour fêter leur mariage). En un mot, ce commencement de vie conjugale fut terne et, pendant les quinze années qui suivirent, je puis dire que mon mari n'exista pas pour moi. Matériellement, il était toujours absent ; il venait pour une dizaine de jours à Pâques et une quinzaine en été, il ne me comprenait pas plus que je n'essayais de le comprendre. Je lui écrivais, comme je faisais toute chose, par obéissance, et mes lettres qui devaient être envoyées ouvertes à la belle-maman pour qu'elle y mît – quand elle aurait fini ses autres occupations – quelques phrases stéréotypées, étaient aussi peu confidentielles que si nous avions été de simples connaissances. Je puis dire que mon existence continua, à très peu de choses près, à être celle d'une jeune fille, même après que mon premier enfant fut né. C'est une confession, ou une constatation à faire, que je ne fus pas tout de suite la mère passionnée que je suis devenue plus tard. Mon esprit, mon caractère, se formèrent peu à peu, sans aucun secours de mon milieu. Je me rappelle ces premiers temps comme d'une époque de torpeur morale et intellectuelle. Je glissais très facilement aux potins, aux sottises de mon entourage, à l'oisiveté, à peine coupée par un certain amour de la lecture.

La première secousse, effroyablement triste me vint quand Emmanuel avait trois ou quatre jours.

Je vis arriver maman, que j'avais laissée brillante de santé, dévastée par la consomption. Elle avait voulu me revoir et les médecins avaient ordonné de lui faire passer l'hiver à Pise. C'est là, dans la pension meublée *Essinger* d'abord, puis à l'hôtel *Europe,* sur les bords du Lung'Arno, que nous avons agonisé ensemble. Elle très ferme, quoique sans illusions ; moi dans le désespoir atroce de la première douleur. Et cette agonie fut d'autant plus cruelle que je ne pouvais aller la voir.

J'ai dit que Nanette avait causé un grand mal, voilà comment : On avait, de bonne heure chez nous, commencé à faire venir des domestiques, et surtout des nourrices, d'Italie et plus précisément de Borgo a Buggiano. La nourrice de Gabrielle était restée longtemps, puis avait envoyé sa sœur et, dernièrement, pendant que j'étais fiancée, une nièce. A seize ans, cette petite bonne avait la fausse apparence de santé des montagnardes ; en fait elle devait être malade. Quand maman, après mon mariage et après un voyage à Tunis avec papa – pour voir des choses qu'ils ne virent pas – rentra à Marseille, elle trouva cette petite gravement malade de pneumonie. Maman, toujours d'une activité infatigable et d'une bonté irréfléchie, la soigna si bien et si assidûment, que la fille fut remise sur pieds et renvoyée chez elle, où je sais qu'elle vécut longtemps. Mais maman avait pris le germe de son mal. Une vague de froid au mois de mai déclencha une bronchite, de la fièvre et d'autres symptômes, que Félix jugea tout de suite alarmants, mais non pas décisifs. Maman ne voulut pas se soigner. Jamais elle n'avait eu le moindre rhume, elle se sentait si forte et, hélas ! si sûre d'elle-même et de ses systèmes de cure. Nanette l'encourageait à la résistance et puis comme le catarrhe s'accentuait, elle la persuada qu'il fallait se purger, et se purger très énergiquement, avec un certain remède Leroy (quelque chose comme le Pagliano des Livournais), un remède de cheval. Elles s'installèrent à Mazargues et pendant tout un mois, tous les jours, maman fut ainsi purgée et épuisée. Toutes les ressources de son organisme furent annihilées, et le mal laissé libre de s'emparer d'elle. L'oncle Félix avec toute sa bonté, papa avec tout son idéalisme n'avaient aucune autorité sur elle. Ce ne fut que trop tard qu'elle consentit à tenter une cure au Mont-Dore. Du mois de mai jusqu'aux premiers jours d'octobre, quand elle vint à Livourne, le mal avait fait de terribles progrès. Elle consentit alors à se soigner, mais les soins que l'on donnait alors, vésicatoire, cautères et autres révulsifs, ne firent que la tourmenter et, peut-être hâter sa fin. Elle a vu Emmanuel et pour un instant a posé sa petite main, si fine, si blanche, autrefois si potelée, sur la tête de l'enfant qu'elle ne voulut pas embrasser sachant au juste ce qu'elle avait. Elle ne craignait pas la mort et quand elle s'éteignit enfin le 7 mai 1873, elle parut absolument sereine. Comme j'étais seule, dans ma douleur à dix-sept ans et sans expérience !

Mais, ce que j'écris n'est pas mon histoire. Disons ce qui se passait à Marseille et laissons deviner le contrecoup sur moi de ce qui devait suivre.

Quand maman rentra chez elle, pour ne plus quitter sa chambre et bientôt son lit, les affaires au bureau allaient fort mal. La maison Cammeo de Londres faisait faillite. Giuseppe Cammeo, par lâcheté devant la débâcle, ou pour laisser les mains libres à Evariste de sauver son père, s'éclipsa. Evariste, par inexpérience ou par excès d'honnêteté, liquida de façon à ne faire tort à aucun autre créancier que son père. La somme, que j'oublie, était assez forte pour ébranler la maison de Marseille, d'autant plus que la maison de Tunis était débitrice, elle aussi, de fortes sommes. Papa s'alarma ; Salomon vint à Marseille jurer sur la tête de son père qu'il paierait tout, jusqu'au dernier sou. Mais il ne tint pas entièrement sa promesse. Papa, sous le coup de la très grande douleur que lui causait la perte de maman et ce qui lui semblait la ruine de sa maison commerciale, fut pris de ce qu'on appela une crise de neurasthénie ou pire, mais qui ne fut, et n'aurait pas dû être, considérée que comme un excès de chagrin et d'honnêteté. Il voulait immédiatement liquider afin, disait-il, de donner un fort dividende. Salomone, Evariste, Pincherle et un peu aussi l'oncle Félix (qui avait un capital dans la maison) voulurent continuer pour se remettre d'aplomb, disaient-ils. De là, conflit et conflit dans lequel papa, seul contre tous, et contre des gens qui maniaient contre lui l'arme terrible de la parole folie, se trouva vaincu. Mais, qu'il eût raison, on dut s'en convaincre par la suite quand la maison de commerce au bout de quelques mois fut forcée de déclarer faillite, ce que papa avait voulu éviter en l'affrontant sous la forme moins dévastatrice d'une liquidation volontaire.

Ceci prend peu de temps à raconter, mais que cela coûta d'amertume et de larmes à vivre !

Maman, agonisante dans sa chambre, en perçut l'écho. Et certes elle mourut angoissée à la pensée de sa nichée et à la vue de papa défait au moral et au physique. Papa eut le tort – non le malheur – d'excéder dans l'expression les reproches qu'il adressa à peu près à tous, mais surtout à Evariste qui, appelé par Nonno et les oncles, avait cru pouvoir diriger la maison.

Devant le désastre financier irrémédiable, Evariste tourna le dos et, presque sans un sou, alla *retenter* fortune à Londres, où avant de percer dans le monde des affaires, il a dû manger bien plus que sa part de vache enragée. Papa fut expédié chez moi, afin de retrouver un peu de calme. J'étais alors enceinte de Margherita et certes, le tête-à-tête presque quotidien avec un homme aussi ébranlé que l'était alors papa, n'était pas bien bon pour ma santé. Aussi Margherita naquit-elle avant le terme et fort maigriotte. Pour donner à papa des distractions calmantes je pris alors quelques chambres dans une villa pour deux mois de vacances à Antignano.

Cette villégiature fut un des plus tristes moments de ma vie. Margherita y eut une menace de paralysie, papa s'y irrita contre certains jardiniers ; je ne savais guère où donner de la tête. C'est en cette occasion que Bonamici commença à fréquenter assidûment chez moi et à se faire le conseiller et le soutien dont j'avais grand besoin.

Cependant à Marseille la vie était dure pour tous. Nonnina, conseillée par les oncles, s'était installée à Mazargues et si cela représentait une petite économie et sauvait un peu l'amour propre, c'était une augmentation de fatigue pour les deux plus nobles victimes de cet état de choses. Je veux dire Amédée et Clémentine. C'est avec un sentiment de vénération que j'écris leurs noms. La pitié infinie que j'ai eue pour leurs courtes et tristes existences a fait place à un sentiment d'orgueil d'être du même sang que ces deux êtres d'élite dignes d'admiration, non seulement pour tous leurs actes, mais pour toutes leurs pensées et leurs sentiments – si grands, si élevés.

Ils furent les plus maltraités par la tempête. Clémentine n'avait que douze ans quand elle commença son rôle de mère de famille et de soutien moral, quand elle prit sur elle les soins d'un ménage éreintant, parce que gêné et sans expérience de pauvreté. Je ne sais pas si elle aurait pu être jamais très forte physiquement, il est certain qu'elle s'est épuisée, anémiée par excès de fatigue, par abnégation, par continuel sacrifice de tous les jours, de toutes les heures, depuis cette malheureuse année 1872, jusqu'au jour de sa mort, quatorze ans plus tard, au mois de mai 1884. C'est pour cela, entre autres, que mon dernier né, en juillet 1884, Amedeo, portrait aussi le nom de Clemente. Citer quelques actes isolés, racontés à foison par tous ceux qui la voyaient de près, ce serait lui faire tort, car ce n'est pas un fait de temps en temps, mais l'œuvre constante de tous les instants qu'il faudrait citer. Je dirai seulement cela : pour surveiller les devoirs d'Albert, elle veillait le soir jusqu'à minuit, soit avec lui, soit pour se préparer à propos des devoirs de latin ; et le matin, pour tenir compagnie à papa, toujours matinal et alors plus que jamais inquiet et levé avec le jour, elle était debout pour lui donner son café et surtout pour lui débiter des plaisanteries. Oh, l'héroïsme de ces plaisanteries ! Clémentine n'était pas belle, malgré d'admirables yeux noirs et un sourire qui trahissait l'intelligence et la bonté de ce pauvre petit être rongé de souci et de tristesse. Elle avait au menton une fossette mal placée qui détruisait l'harmonie de ses traits un peu trop menus. Elle avait la taille bien prise, mais elle était trop maigre et ses épaules s'affaissaient dans ce continuel effort des muscles. Elle était très religieuse, d'un déisme très pur, sans l'ombre de préjugés ; elle aurait été mystique si la vie active lui avait laissé le loisir de rêver et si son cœur n'avait été si plein d'amour et de pitié pour les siens.

Amédée, d'un an plus âgé qu'elle, acheva, comme il put, son cours à l'Ecole Commerciale et tout de suite il entra comme apprenti dans la maison Rabaud. Lui aussi, comme Clémentine, pour avoir mal mangé et s'être trop fatigué au moment si décisif de l'adolescence resta petit et malingre. Il eut une fièvre typhoïde très grave qui lui laissa une lésion au poumon. Pendant cette maladie, l'oncle Félix, malgré que papa ne lui parlât pas, soigna Amédée avec un dévouement qui pouvait rivaliser de bonté et d'abnégation avec l'assistance prêtée par Clémentine. Mais que de peines pour joindre les deux bouts !

Tant que dura la liquidation on passa une toute petite rente à la famille : puis Nonnina tira de sa cachette les quelques milliers de francs que maman avait épargnés. Mais tout cela ne menait pas loin. Il y avait une somme de… que l'oncle Jacques avait léguée aux enfants de papa, celui-ci crut pouvoir la risquer dans une tentative de reprise des affaires. On rentra en ville pour cela, on fit des frais de réinstallation, de bureau etc. et le petit pécule s'envola en fumée. La famille vivait pauvrement, sans guide, car Nonnina, déjà octogénaire et si douce, n'était pas faite pour diriger ; papa, quand il était revenu à Marseille, avait perdu le peu de sens pratique qu'il avait eu autrefois, toute confiance en lui-même et probablement un peu de sa réputation d'homme d'affaires. Ce fut donc avec quelque chose comme de la joie que j'appris la proposition de travail qui lui était offerte à Tripoli : directeur de la Banque Transatlantique que fondait la société de propagande à l'étranger ; société liée à celle de Madagascar, dont Rabaud était un des gros bonnets et Tripier l'un des initiateurs. Ces deux derniers étaient, et furent pendant de longues années, très amis d'Amédée. Clémentine dit tout de suite qu'elle accompagnerait papa. Elle avait compris mieux que personne le grand besoin qu'il avait de son soutien. Amédée devait rester à Marseille et se débrouiller… et le reste de la famille, chez moi. J'ai raconté tout ceci d'un seul souffle pour donner le contour général de cette lamentable histoire d'une famille ruinée, désemparée, divisée, mais il faut comprendre que cela représente l'histoire de plusieurs années, environ de 1872 à 1883.

Pendant ce temps Nonno était allé finir de vivre chez l'oncle Félix ; pour ne pas le transplanter à la campagne. Ses derniers jours furent tristes ; Léontine n'était peut-être pas méchante, mais elle était mesquine, avare et probablement aigrie par l'indifférence à peine déguisée de son mari. Nonno fut relégué dans sa chambre et, s'il en sortait encore parfois, il trouvait un intérieur morose bien différent du nôtre. Des enfants de Félix : Hélène, devenue une pianiste très forte, a plus tard épousé un magistrat, Carcassonne, un vilain petit homme qui lui a fait mener une vie des plus ternes. Emile mourut noyé quelques années plus tard et Edouard, notaire et marié, vit encore à Carpentras, où il a ajouté à son nom celui de Cavaillon, parce que sa femme est restée fille unique et héritière de cette famille.

Mais, alors, ce n'étaient que des enfants très et même trop tranquilles. Nonno mourut chez eux, âgé de plus de quatre-vingt-dix ans, ayant été aveugle pendant environ trente ans.

Deux fois, j'obtins, non sans peine, d'être menée à Marseille et le spectacle de ce désarroi la première fois, le départ de papa la seconde, m'ont laissé les plus tristes souvenirs mêlés à l'admiration pour le courage d'Amédée à tenter de pourvoir pour tous, quoique si jeune et pas fort, et par la même occasion pour l'abnégation toujours déguisée de gaieté de Clémentine. Avant le départ, j'eus le bonheur d'arranger la réconciliation entre papa et l'oncle Félix. J'y fus aidée, avec ce tact et cette bonté qui la distinguaient, par Henriette Lumbroso que j'appelais "ma tante" et que j'aimais beaucoup.

En racontant l'histoire des Marseillais, j'ai un peu raconté la mienne, car je vivais en esprit bien plus avec eux qu'à Livourne.

La première année et la plus grande partie de la deuxième, je vécus chez mes beaux-parents. Je crois que jamais jeune femme ne fut aussi absolument enchaînée que moi. Le nombre, l'autorité, les traditions, tout pesait sur moi, qui n'avais pas la moindre idée que l'on put non seulement désobéir, mais même regimber. Tout de suite, je constatais que sous les apparences – et alors aussi la réalité – de la richesse, on vivait ici plus mesquinement que chez nous. Les toilettes d'apparat ne devaient être arborées que sur ordre et à heures et dates fixées par le code inflexible des habitudes. Pour certaines fêtes, toilette complète, gants et coiffure, pour certaines autres, demi-toilette sans gants pour se planter des heures durant dans un salon et voir défiler des gens que je ne connaissais pas et qui ne me plaisaient pas. Les repas, très abondants, étaient beaucoup moins fins que chez nous, et il fallait peu ou prou faire acte de présence à la cuisine pour aider à la préparation. Cela comportait des négligences de toilette qui me choquaient. Le jardin était plein de fleurs, mais il n'était pas permis de cueillir le moindre bouton. Le piano était magnifique, Pleyel, cadeau de Flaminio à Olimpia – mais je ne pouvais pas y toucher – c'est tout au plus si, en fermant toutes les portes, en mettant la sourdine, je pouvais jouer un peu… mais sur un mauvais petit piano au salon d'en bas. Je n'ai jamais tenu à l'argent, et alors je n'en connaissais pas la valeur, mais les cent francs par mois qui devaient suffire à tous mes besoins, ne permettaient pas de se passer de caprices. A tout moment, j'étais froissée dans quelques-unes de ces fibres si délicates chez les jeunes. Je ne pouvais avoir un livre à la main – quand je pouvais en accrocher un – sans voir de sourires ironiques ; je ne pouvais recevoir une visite sans que tout le monde se précipitât au salon. Ainsi l'intimité avec les Lumbroso, même avec Mathilde, quand elle venait à Livourne, se trouva brisée, à mon extrême chagrin. Et toutes ces exigences, cette obligation de rester toujours ensemble ne s'accompagnait d'aucune douceur. On réservait les extériorisations, comme les toilettes et les gants, à certaines fêtes, à certains moments fixés par la pragmatique. J'avais continuellement l'impression d'être non seulement une étrangère, mais une intruse tolérée à contrecœur. Parfois, je faisais des efforts pour m'associer plus cordialement aux idées et aux gens, mais je n'y parvins jamais. Beaucoup plus tard, il s'établit des rapports plus humains entre Letizia et moi, mais alors, c'était l'isolement du cœur autant, et plus, que de l'esprit. Une des impressions qui me restent fut de découvrir bientôt que la belle chambre que l'on m'avait donnée n'était pas "mienne" du tout, mais qu'elle était la chambre *buona* au service de la famille, et qu'à la première occasion je devrais déloger. La première occasion fut la naissance d'Emanuele *primo* ; Letizia fut installée *in pompa magna* dans la chambre parée de dentelles de prix, de brocarts... qu'ingénument j'avais crue à moi.

Ce que je reproche le plus à tout cela, c'est le rapetissement, le dessèchement de mon moi à ce régime. Je glissais à l'imbécillité je crois, Dieu me pardonne ! – Je commençais à m'intéresser aux potins, toujours mesquins et malveillants que débitaient tous ces gens pendant des heures entières ; je crois que les offices religieux dans le corridor de la *eischiva* Sahadun me parurent une agréable diversion.

La maladie, la mort de maman passèrent comme un orage dévastateur sur cette apathie morale et intellectuelle. Je m'éveillais pour souffrir et je retombais plus inerte, plus effacée. Quelques maladies d'enfance d'Emanuele me secouèrent partiellement. Je ne savais pas encore agir, mais j'apprenais à souffrir, ce qui est une école.

Il eut la coqueluche à un an; et, parce qu'il fut mal soigné et sevré au moment où le lait lui était le plus nécessaire, il fut très mal. Pour se débarrasser de moi, ou pour lui procurer un climat plus doux, on nous envoya passer l'hiver à Pise. J'eus une chambre pour moi et pour mes deux domestiques – Carolina et Maria – dans une dépendance de l'hôtel, où je fus aussi cloîtrée qu'à la maison et, pendant ce temps, on préparait la séparation. J'aurais été heureuse de quitter les Modigliani, mais on me mettait au N° 8, qui me semblait petit et sans élégance et surtout on en délogeait pour moi Stellina, ce qui me désolait. Elle poussait des soupirs à faire naviguer un trois mâts, et moi je lui enviais le joli appartement, 26 *via Ricasoli,* où elle allait habiter. Double chagrin d'aller où je ne voulais pas et de me faire considérer par Stellina, Rosina et toute la bande comme une usurpatrice. J'essayais de parler à Flaminio, mais il n'a jamais, à aucun moment, cédé à un désir exprimé timidement. Lorsque plus tard, j'ai appris à parler haut, j'ai quelquefois obtenu quelque chose. Alors, je n'avais pas même voix consultative pour l'ameublement et la disposition des pièces. Ma belle-mère faisait tout, et quoiqu'elle me menât chez le tapissier, c'était elle seule qui choisissait meubles, étoffes et tapisseries.

Dans ma nouvelle maison, j'eus un peu, mais très peu de liberté. Les ordres de Flaminio à chaque départ étaient formels et mes beaux-parents veillaient à ce qu'ils fussent exécutés. Je devais passer chez eux les meilleures heures de la journée et toute la soirée, mais enfin il y avait du répit. Par exemple la nuit, où je pris l'habitude de lire, de dévorer tout ce que je pouvais me procurer comme livres, autant dire tout ce que me prêtait Bonamici, ou ce que je parvenais à prendre chez les Modigliani quand, par hasard, Alberto oubliait de fermer la bibliothèque à clef, car il n'y pensait même pas.

La naissance de Margherita, fut accompagnée de tristesses. Il y avait à ce moment-là un procès, intenté contre les Modigliani, par un certain Tamponi qui causait de l'inquiétude. On s'en était tiré sans esclandre, la veille du jour où j'accouchais et comme c'était la fin d'un souci, tout le monde avait attendu cette fin pour s'en aller à la campagne ou en voyage et je restai absolument seule, sans personne d'autre que les domestiques pour me soigner et soigner la petite. Flaminio alla choisir la nourrice et la prit aussi laide et aussi malingre que l'on peut imaginer, mais elle était bonne, gaie, énergique et son contact me fit du bien.

A cette époque, Tesaura Moro fut mariée à Leone Consolo et peu après éclatèrent de violentes disputes à cause du paiement de la dot promise par les Modigliani au futur mari et au futur beau-père et à cause de plus larges promesses faites par Isacco, dans la louable intention de se débarrasser de cette nièce. Le malheur voulut qu'au sortir d'une scène avec Isacco, le père Consolo eut une attaque d'apoplexie et mourut sur le coup. Vous devinez l'effet produit sur tous les Consolo. Le moins qu'ils disaient était traiter Isacco d'assassin. Plus de quarante ans se sont écoulés, les Consolo ont fait fortune – je crois même qu'ils l'ont reperdue depuis – mais la haine dure encore, et le mari de Lella Oblieght, frère de Leone, est sorti d'un salon parce que j'y entrais.

Tesaura vécut peu de temps, juste autant que dura la misère. Aux premières lueurs de fortune, elle mourut d'une fièvre pernicieuse. Elle avait de très jolis traits, mais manquait de grâce. Elle m'aimait bien et elle s'arrangea pour venir me voir en cachette. Beppe aussi m'était très attaché et Olimpia passait chez moi tous les moments qu'on lui laissait libres. Je n'étais pas riche mais je trouvais moyen de lui faire des cadeaux et elle y tenait.

Quand Marguerite eut un an, Laure vint vivre chez moi. Flaminio avait l'idée de me donner une compagnie ; je ne veux pas croire une garde du corps. Je crois que ce fut pour Laure le salut physique. Elle était pâle et maigre, mal développée et anémique quand elle m'arriva ; déjà portée à la rêvasserie, déjà très renfermée dans son moi. Que cela fût absolument un bien pour elle – j'en doute – car au contact d'une personnalité plus haute, Clémentine par exemple, plus au contact des réalités de la vie, elle aurait probablement équilibré son caractère. Chez moi elle eut l'existence d'une fille de famille sans soucis, sans aucun but pratique ; elle devint une "malade", en un mot.

Si quelque chose pouvait encore serrer les chaînes qui me tenaient, ce fut cette obligation de veiller encore sur une enfant farouche, solitaire par instinct et pendant longtemps souffreteuse.

Le temps passait sans arranger les choses. Je crois même qu'elles empiraient à mesure que de l'obéissance passive, je passais à des éveils de révolte... étouffée par la double crainte de me séparer des enfants et de ne pouvoir jamais aider ma famille. Je prévoyais qu'un jour ou l'autre il faudrait absolument pouvoir les aider.

Pour le moment je ne pouvais rien faire. Je répète que je n'ai jamais tenu à l'argent et je ne prétends pas récriminer, mais il faut pourtant dire que même à cette époque de richesse, quand les Modigliani avaient encaissé une forte somme de leurs mines de Sardaigne, et quand leurs exploitations de bois donnaient de gros bénéfices et que la famille qui habitait le N° 10, vivait dans le luxe, j'étais moi dans une position très gênée. Je ne sais plus combien je devais recevoir par semaine – il me semble que c'était 60 francs – et encore fallait-il passer, en l'absence continuelle de Flaminio, par des fourches caudines du bureau ! La moindre dépense extra devait être approuvée par la synarchie, et l'effet que cela faisait sur moi qui n'avais jamais entendu une discussion, ni même une conversation, sur des questions d'argent, il n'est guère possible de l'imaginer. Inutile de me plaindre à Flaminio ; son parti était pris une fois pour toutes : j'avais toujours tort, ses frères toujours raison. Entre leur parole – et ils étaient tous les deux menteurs par tempérament – et la mienne, élevée puritainement à ne savoir pas même arranger une vérité, il n'hésitait pas : c'était moi qui mentais. Aussi je m'habituais bientôt et très facilement à me priver d'une quantité de choses et à dissimuler ces privations sous des apparences et des poses. Habituée depuis mes fiançailles et mon trousseau aux robes de soie et de velours, je prétendais que je n'aimais que les robes de laine et très simples ; je disais que je ne sentais jamais le froid, car il m'eût été impossible de m'acheter un manteau d'hiver ; j'allais à pied quand tout le monde roulait en voiture et ainsi de suite. Bien entendu, la première économie se faisait sur la table ; la mienne, en l'absence de Flaminio était spartiate. D'autres privations m'étaient plus dures. D'abord de ne pouvoir rien envoyer à Marseille, puis de n'avoir jamais même un verre d'eau à offrir, car entre autres mesquineries, ma maison manquait du service décent de table, ni linge, ni assiettes, ni rien... que le pur nécessaire. Je n'achetais jamais un livre et quant à posséder un piano, même en location, je n'y pensais même pas.

Je ne dis pas ceci pour me plaindre, certains embêtements semblent bien petits une fois passés, mais parce que je tiens à faire comprendre pourquoi j'ai si peu d'affection pour Flaminio.

La présence de Laure ajouta à ma gêne, non seulement par les frais qu'elle représentait, mais par le surcroît de timidité qui m'étranglait. Je n'avais jamais été gâtée en fait de plaisirs mondains : une soirée au théâtre dans la loge de Rosina à de longs intervalles, une soirée obtenue par de longues insistances auprès de Flaminio, de très rares apparitions aux endroits où pendant les soirées d'été les étrangers d'alors se réunissaient, tout fut supprimé sous prétexte que j'avais ma sœur. Ceci ne convenait pas, cela coûtait trop à trois... et ainsi de suite.

Ah ! Comme je ne regrette pas ma jeunesse ! Quand Margherita eut un an, mon beau-père mourut. Il était fort âgé, presque quatre-vingt ans, et il ne fit que deux ou trois jours de maladie. On lui fit les plus grands honneurs officiels, on prit un deuil sévère, mais comme de juste on se consola vite de la mort d'un octogénaire.

La même année, Sabatino Pitigliani, qui avait voulu risquer son petit résidu de patrimoine à monter une tannerie, eut la bonne idée de boire une bouteille de teinture d'iode. Ce fut une agonie atroce, mais en fin de compte un bon débarras. Son fils continua les affaires et vivota encore quelque temps puis il dut liquider.

Dans la monotonie de cette existence sans joie, il se faisait pourtant une lente évolution en moi et dans mon entourage par rapport à moi. Non pas que l'antipathie réciproque s'adoucît, mais un peu d'estime se faisait jour dans l'esprit de mes beaux-parents. Par exemple, à force d'entendre dire par des visiteurs étrangers – les Alatri, les Finali ou les Lumbroso – que j'avais de l'esprit et que je savais parler (mieux qu'eux, cela ne veut pas dire des merveilles), on en vint à me vouloir présente quand on recevait des personnages : hommes d'affaires ou de banque. On garda l'habitude de railler tout ce que je faisais, mais au bout de quelques jours Letizia copiait fidèlement le vêtement de mon Emanuele pour le sien, et Tesaura, après avoir jeté les hauts cris pour le choix d'un professeur pour Laure ou pour la coupe d'une de ses robes, finissait par adopter l'un et l'autre pour ses filles. De mon côté je commençais – Oh ! Tout doucement – à m'affirmer au moins pour des détails. L'année 1877 me semble avoir été la plus caractéristique de ce tournant.

Il y eut une série de maladies des enfants : Emanuele, une néphrite à la suite d'une éruption ; Margherita, une fièvre typhoïde. Ces deux maladies en rafale m'avaient terriblement épuisée. Je crois me souvenir de deux nuits entières sans coucher dans mon lit, car avec toute cette encombrante parenté, pas une seule aide véritable : des visites aux heures fixées par l'étiquette et puis bonsoir.

Puis la mort presque soudaine de Rosina emportée par une fièvre qui semblait des plus bénignes et enfin, pour remettre les enfants de leurs maladies, une villégiature à Vicopisano dans la villa *Ruchi*.

Pour ne pas me laisser trop m'émanciper, on me donna à garder trois ou quatre des Del Monte, et puis quelques jours Colomba et Clotilde, mais enfin, ce séjour hors de l'atmosphère étouffante de la maison et surtout le voisinage de Padre Bettini me donnèrent la secousse qu'il me fallait pour ouvrir les yeux, pas encore pour trouver une volonté, mais pour me découvrir une conscience. Ah ! Ce Padre Bettini ! Si je n'avais peur d'ennuyer par des longueurs, je voudrais tracer son portrait : homme d'études, autrefois professeur, aux idées d'une largeur étonnante chez un prêtre, mais pourtant ayant assez de l'esprit de sa robe pour aimer à analyser, à surprendre et à confesser une âme. Il vivait fort isolé sur une petite éminence au haut de laquelle une chapelle terminait un chemin de croix. On lui avait donné cette chapelle en bénéfice et la toute petite habitation annexée, afin qu'il dît une messe tous les matins. Je ne jurerais pas que la messe fût toujours célébrée, de sa bouche même j'appris que jamais il n'arrivait au bout du saint office sans avoir des distractions horribles, il m'a raconté ses rêves : "Mais pourquoi me doit-il toujours passer par la tête l'image d'une saucisse, du jambon ou d'autres diableries quand je suis en train de célébrer la Messe ?" Il avait une grande expérience du monde, il avait des lettres, un enthousiasme juvénile pour certains poètes, mais je crois qu'il n'était pas en odeur de sainteté auprès de ses supérieurs, ni même du curé de Vico. Il était déjà très vieux et un peu paralytique, sa grosse main tremblait et il soufflait comme un phoque quand il remontait à son ermitage. Pour cela, il devait passer devant notre porte : nous étions à mi-chemin de cette montée. Pour se reposer, par curiosité d'abord, il s'arrêta et accepta une chaise près de moi. Bientôt il vint exprès et tous les jours pour parler. En un tour de main, il comprit toute ma situation ; avec un tact extrême, mais aussi avec beaucoup d'énergie, il me gronda, me dirigea et me conseilla. Conseils d'homme du monde, savoir-faire de prêtre et une très sincère affection pour moi. Je regrette encore que l'étroitesse de mon budget et le manque d'initiative ne me permirent pas de lui donner les quelques douceurs que son grand âge et sa pauvreté réclamaient. Il vint une fois à Livourne et je restais en correspondance avec lui jusqu'à sa mort qui advint un an plus tard.

De retour à Livourne, je passais un hiver de souffrances. J'étais enceinte de Umberto et la position de l'enfant, pesant sur mon foie, me causa une série de coliques hépatiques terribles. Je n'étais pour ainsi dire pas soignée car Bonamici ne soignait que les enfants et tout au plus me faisait-il une piqûre de morphine quand je souffrais trop. Je finis par appeler un spécialiste, le docteur Minati de Pise ; il acheva de me donner l'impression que ma vie était en danger. J'ai su depuis que j'étais vraiment en danger car les coliques pouvaient causer une fausse couche et les piqûres de morphine, dont il fallut finir par user et abuser, m'exposaient à des accidents graves et surtout à des hémorragies. Et pourtant je restais sans médecin, sans accoucheur, sans même une sage-femme patentée. Bonamici criait qu'il voulait un médecin, qu'il ne pouvait avoir la responsabilité de ce cas, mais Isacco intervint, il avait eu querelle avec le seul Livournais ad hoc, et on me laissa affronter ces couches avec la seule assistance d'une mégère juive. Heureusement, tout alla bien ; Umberto naquit magnifique et si tranquille que parfois je l'ai éveillé d'un bon sommeil craignant qu'il ne fût engourdi par la morphine.

Pour achever de vous décrire la situation, je dirai que papa pensa juste à ce moment-là que Laure devait rentrer à Marseille et me l'enleva le troisième jour après mes couches. Elle n'aurait pas été bien utile, mais ce fut un chagrin. Comme vous voyez, je n'étais pas gâtée.

Gabrielle vint peu après prendre sa place. Nous ne fûmes ni l'une ni l'autre satisfaites de cet arrangement. Gabrielle se sentit dépaysée et offensée par le ton que prenaient envers elle presque tous ceux qui l'approchaient. Alessandro Del Monte lui avait dit brutalement : "Ils t'ont envoyée ici pour t'éloigner". C'était un peu vrai, et pour cela blessant. Tandis qu'Amédée et Clémentine avaient trouvé dans leur supériorité morale un contrepoison à toutes les mesquineries de leur position amoindrie, Gabrielle et Albert s'étaient laissés aller à la vulgarité me donnant la secousse qu'il me fallait pour ouvrir les yeux. Pas encore pour trouver une volonté, mais pour me découvrir une conscience.

Même sans cette nuance de mépris que se permirent les Modigliani, il est certain que Gabrielle avait raison de ne point se plaire chez moi. Elle regrettait surtout Clémentine. Quelques mois plus tard, elle rentra à Marseille et Laure revint. Quelques changements étaient survenus dans la famille Modigliani. Olimpia avait épousé Giacomo Lumbroso. On crut avoir fait un très grand mariage, mais des deux côtés on avait bluffé. Davide Lumbroso, père de Giacomo, avait voulu insérer dans le contrat de mariage une clause hypothéquant les deux maisons en garantie de la dot. Les Modigliani signèrent en frémissant de colère, mais c'était à la veille des noces et ils signèrent. De quel droit, avec quelle imprudence, Flaminio préparait-il ainsi un instrument qui devait enlever à ses enfants un toit, je ne saurais en juger du point de vue de la justice abstraite. Je sais bien que ces engagements pris à la légère envers Olimpia Lumbroso et envers Olimpia Moro, mariée Mondolfi, furent cause que, lorsque la maison Modigliani fut mise en liquidation, Lumbroso put s'emparer de la maison, et Olimpia Mondolfi put obtenir un décret de séquestre sur mes meubles.

C'est juste à ce moment-là, en juillet 1884, que mon pauvre Dedo vint au monde. Je saluais sa naissance dans les larmes et les angoisses.

Le reste de ma vie, mes enfants n'ont pas besoin que je le raconte, et moi je ne veux pas parler d'eux, car jamais je ne saurais dire de quelle joie et de quel orgueil ils ont rempli mon existence.

Eugénie Garsin enceinte et Flaminio Modigliani
en 1884 à Livourne.

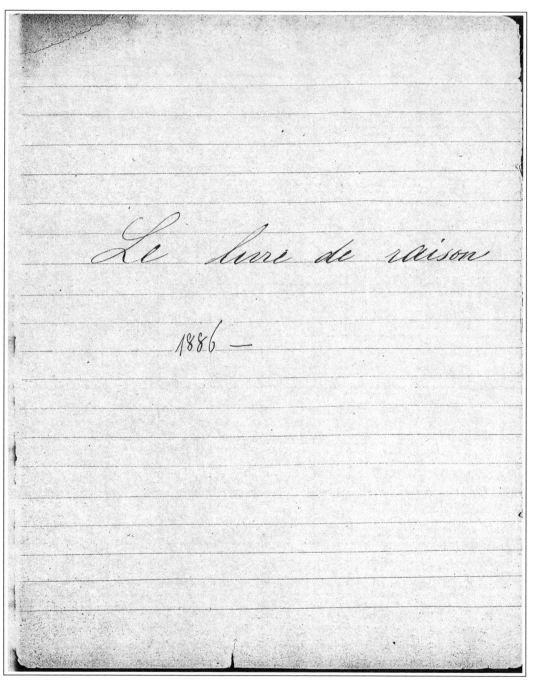

1886 – 1929, "Journal de la famille", par Eugénie Garsin.

Le livre de raison

17 mai 1886

Je commence ce soir à écrire ce journal de la famille et j'ai l'intention de le continuer le plus longtemps qu'il me sera possible. Je veux ainsi offrir à mes enfants et en général à tous les jeunes de la maison l'occasion de lire l'histoire quotidienne de notre vie actuelle. J'ai souvent remarqué que les choses les plus insignifiantes racontées par une vieille personne nous intéressent et nous passionnent seulement parce qu'elles se rapportent à des événements de famille auxquels nous n'avons pas assisté et cela m'encourage à consigner ici les détails de notre existence en commun.

L'horizon qui m'apparaissait si chargé de nuages s'est un peu éclairci ou peut-être les fantaisies vues de près me semblent moins sombres que lorsque je me les figurais à travers le prisme de mon imagination. Maintenant, notre vie sans être gaie est pourtant assez calme et sereine. Papa et Laure sont ici depuis presque un mois et ce retour m'a causé trop de bonheur pour que je néglige de l'enregistrer.

Laure donne depuis le commencement du mois une leçon de français à Clotilde Castelnuovo, ce ne doit guère être amusant car l'élève n'est pas prometteuse, et puis sortir pour une seule heure, c'est plus de fatigue que de gain. Sans compter que je ne vois pas que Laure puisse jamais beaucoup aimer son métier d'institutrice. Elle est trop raffinée pour s'intéresser aux fautes d'orthographe d'une petite fille, et puis quels que soient sa bonne volonté et son désir de se rendre utile, elle n'est pas assez poussée par la nécessité pour que le plaisir du gain lui fasse supporter tous les déboires de l'enseignement.

Gabrielle est à la direction du ménage. Elle s'en acquitte fort bien et depuis qu'elle se sent ainsi utile il me semble qu'elle est plus gaie, plus sereine. Très active d'ailleurs et supportant avec patience bien des petits ennuis.

Nannie est un peu vague et énervée depuis quelques jours, je suppose que cela veut dire qu'elle ne se sent pas trop bien car depuis quelque temps ses palpitations ne lui laissent guère de trêve.

Amédée Garsin m'écrit peu et ses lettres me manquent. D'ordinaire il est un excellent correspondant et de mon côté j'entretiens cette correspondance tant que je puis car le pauvre garçon me semble bien isolé à Marseille. Je n'ai jamais vécu dans l'isolement pour ma part et je m'en fais une assez triste idée. Je ne puis guère imaginer une vie agréable sans affections toujours présentes. Il me semble que je dormirais mal si une voix amie ne me souhaitait pas le soir une "bonne nuit" affectueuse et que je manquerais au moins d'appétit si personne n'était là pour m'y forcer un peu. Il me semble que les affections nous réchauffent et nous protègent, qu'elles nous sauvegardent du mal, comme à notre tour nous faisons du bien aux êtres que nous aimons. On m'a souvent accusée d'être superstitieuse et je comprends qu'un esprit se croie le droit de se moquer de moi. Tant pis pour lui.

Emmanuel est au *ginnasio* (lycée) en quatrième année, il se flatte de passer de classe sans subir d'examen ; cela n'est pas sûr, mais il est évident qu'il travaille fort bien. En général son caractère me semble bon. Il est assez loyal, assez généreux et sérieux pour son âge : treize ans et demi. Ses manières laissent beaucoup à désirer, mais je crois comprendre qu'il n'est grossier et impatient qu'à la surface, mais qu'au fond de son âme il est parfaitement capable de ressentir du respect et de connaître une supériorité.

Marguerite a douze ans presque et je la trouve un peu plus maigre et un peu plus pâle que je ne la voudrais. Il est vrai qu'elle grandit. Elle a beaucoup gagné moralement depuis quelque temps, elle devient raisonnable et posée, même un peu trop sérieuse. Ses études vont bien. En somme j'en suis fort satisfaite.

Humbert est très doux, très affectueux, mais un peu mûr et endormi. Il n'a que huit ans, mais si cette indolence ne se corrigeait pas en grandissant ce serait un très vilain défaut.

Je ne parlerai pas de Dedo ou du moins d'Amédée qui n'est encore qu'un rayon de soleil fait enfant. Un peu gâté, un peu capricieux, mais joli comme un cœur.

19 mai

Flaminio n'est pas à Livourne, il est à Gênes, en tournée d'affaires. Amédée Garsin n'écrit pas depuis plus de dix jours, je suis très inquiète. Hier soir nous avons eu la visite des demoiselles Coen, décidément leur seul défaut est de parler toutes à la fois, à part cela, elles ne manquent ni d'esprit, ni de bon sens. Je les crois très bonnes au fond, bonnes de cette bonté anodine dont le monde abonde. Un peu âpres au gain, un peu aigries par de longues années de détours et grisées maintenant par un succès qui leur semble d'autant plus grand qu'il leur a plus coûté.

Erneste est celle que me plaît le plus, elle est raffinée. Si elle avait vécu dans un milieu plus élevé, elle serait une dame. Le *wear and tear* d'une existence mesquine l'a un peu alourdie, mais le fonds n'est pas altéré. Costanza, avec plus d'esprit, a une pointe de coquetterie très innocente selon moi, mais qui scandalise les bonnes gens de notre petite ville.

M. Mondolfi était là comme toujours, il fait tous ses efforts pour cacher l'antipathie que lui inspirent ses commentaires. Ces efforts mêmes prouvent la délicatesse de son âme. J'aime beaucoup M. Mondolfi, sa bonté à lui n'est pas du genre passif dont j'ai parlé plus haut, il est plein d'élan, aussi désintéressé que l'on peut l'être, et si son esprit était aussi sûr que son cœur, je n'hésiterais pas à en faire mon conseiller intime et confidentiel. En l'état, je doute quelquefois de l'utilité pratique d'un conseil d'ami donné par lui, mais jamais de sa bonne foi, ni de sa droiture.

Adriana Toscana vient de me dire qu'à son retour de la campagne le mois prochain elle compte prendre des leçons particulières de français. Ce sera la première que j'aurais à donner et Adriana qui a été la première à venir à mon cours sera aussi la première à prendre une leçon de moi. Je suis très embarrassée sur le prix à demander, j'ai peur d'effaroucher en demandant trop et je ne veux pas non plus m'amoindrir en demandant trop peu. Je crois qu'il vaudra mieux m'en remettre à elle.

21 mai

J'ai une nouvelle élève, Mademoiselle Lattes. Sa mère est venue me la présenter aujourd'hui. C'est une petite fille de douze ans épaisse et mal dégrossie.

J'ai eu enfin une lettre d'Amédée et même une bonne lettre, il me dit que *Montegu* n'a pas encore été offert et je croyais, moi, qu'il avait été refusé, en général le ton de sa lettre est assez bon.

22 mai

Albert a écrit ce matin, il me semble assez triste et il y a dans sa lettre comme un accent de regret de la famille. J'espère bien pour moi qu'on ne le laissera pas s'éterniser à Londres. Je me sens très italienne et un tant soit peu française, mais j'ai fort peu de sympathie pour les Anglais. Je les estime assez, ils sont en général plus loyaux, plus honnêtes que les méridionaux, mais ce sang froid, cet égoïsme, cette science des intérêts matériels de la vie ne me reviennent pas.

4 juin

Je suis restée plusieurs jours sans rien écrire, mais d'abord je n'avais rien de bien intéressant à dire et puis j'ai fait la bêtise de me laisser aller à une mauvaise crise de méchante humeur. C'est là une de mes faiblesses, au fond je voudrais bien me corriger ; il m'arrive parfois de supporter courageusement une quantité de choses assez dures, puis tout d'un coup, pour un rien, je perds patience et j'ai pendant deux ou trois jours une humeur massacrante.

Je me repens toujours de ces mauvais moments à peine sont-ils finis, mais cette fois-ci, je crois que j'ai eu encore plus tort qu'à l'ordinaire, car dans la position actuelle de notre famille chacun a assez d'ennuis ou de chagrins particuliers pour n'avoir pas besoin de supporter aussi mes nerfs... puis nous sommes si unis, si serrés que le courant se communique de l'un à l'autre et fait le tour à l'infini. C'est à cause de l'heure des repas que je m'étais mise en colère. Cela n'en valait pas la peine.

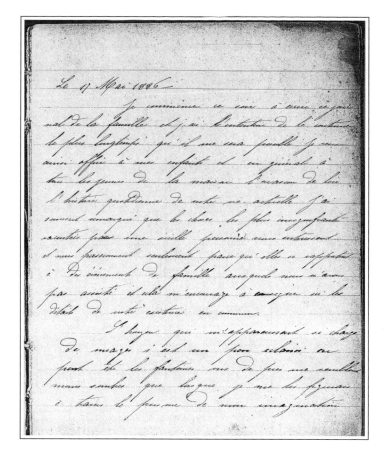

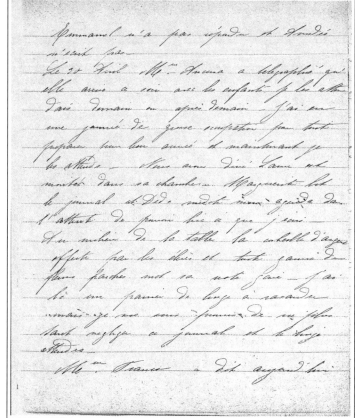

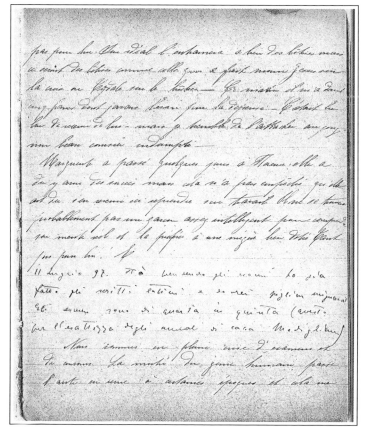

Pages du "Journal de la famille", par Eugénie Garsin.

6 juin

Humbert est au lit, il a la scarlatine et une fièvre très forte. Je ne suis pas trop inquiète, car aucun symptôme alarmant ne paraît, mais je suis très méfiante de cette maladie, parce que ce pauvre chéri ne me semble déjà pas bien fort et ceci va encore l'affaiblir.

Tous les autres enfants sont sortis de la maison. Emmanuel et Dedo sont chez leur grand-mère. C'est pourtant Dedo qui me manque le plus, parce qu'il est le plus absorbant. Marguerite est chez sa tante Tesaura. J'espère qu'ils seront tous bien sages et qu'ils ne prêteront pas aux critiques plus ou moins bienveillantes de mon entourage. Au fond je les crois plus raisonnables et même acheminés que la plupart des enfants de leur âge, mais je sais qu'ils manquent de manières, qu'ils sont dégingandés et ici on ne juge guère que sur les apparences. Halte-là. Est-ce donc un si grand mal de juger sur les apparences ? La question d'ailleurs est oiseuse, sur quoi donc jugerait-on ? A-t-on toujours raison en essayant de comprendre l'intérieur d'une personne par l'impression que nous fait son extérieur ?

Aristote (je crois) trouve très louable qu'un homme vertueux recherche les éloges de ses semblables. Ce désir immodéré, mauvais peut-être en lui-même, de mériter à tout prix l'estime ou l'affection d'autrui n'est-il pas fécond en bons résultats, bien plus qu'une idée relativement beaucoup plus vertueuse en elle-même. Faire le bien pour le bien serait l'idéal. Faire le bien pour une raison ou pour une autre sera *"the next best thing I dare say"*.

9 juin

(de la main de Laure Garsin)
Eugénie veut que j'écrive dans son journal, le journal de la famille, dit-elle. J'y écris que demain, je quitterai la maison pour aller loger *in via 10 Maggio* dans une chambre garnie... Et puis, comme je n'ai pas envie d'en écrire plus long...

10 juin

Mme Cardoso est venue prier Laure d'aller donner des leçons de français à sa fille, seulement elle a peur de la scarlatine et veut que Laure aille loger ailleurs si elle veut pouvoir venir chez elle. Laure ira peut-être chez les Piguier, deux vieilles filles très respectables qui ont des chambres garnies.

M. Rosati est venu passer hier la soirée. Drôle de caractère que je n'arrive pas encore à comprendre, il a parfois l'air timide et pourtant il doit avoir dû pas mal jouer des coudes pour gagner sa place au soleil. Il se croit sceptique et blasé, mais il aime les fleurs et s'intéresse cordialement à notre famille qu'il connaît depuis bien peu de temps. Est-ce un ami véritable ? Je déteste la méfiance, mais en fait d'amitié, j'ai reçu une trop cruelle leçon pour pouvoir refaire... une deuxième expérience.

2 janvier 1887

Plus de six mois d'interruption ! C'est que je mène une vie trop active, trop absorbée pour m'arrêter souvent en route à regarder le chemin parcouru. D'ailleurs ce long espace de temps n'a apporté aucun grand changement. Mes élèves ont augmenté en nombre, mes gains actuels, joints à ceux de Laure, représentent à peu près cinq francs par jour. C'en est bien assez pour m'éviter bien des petites privations et pour me permettre quelques superflus à l'égard des enfants. Hier c'est la petite Errera qui est venue s'inscrire et j'ai à mon tour fait annoncer Umberto à la leçon de gymnastique.

Les enfants ne vont pas mal. Quelques grossièretés de manières, quelques impertinences qui tiennent en partie à la vivacité de leur caractère et un peu aussi au manque presque absolu de bonnes fréquentations. Il faudra veiller à cela, et ne pas laisser baisser le niveau du ton habituel. J'ai fort peu de distractions en dehors de mes leçons et franchement je ne les regrette guère, j'ai un peu mis à part les plaisirs et les satisfactions d'amour propre des triomphes mondains. On s'ennuie ou l'on se passionne. C'est fade ou c'est dangereux. Je ne vois bien souvent que M. Mondolfi et Mme Cardoso. M. Mondolfi est un rêveur, un homme qui ne vit que parmi ses livres quoique des nécessités de soins le forcent à un labeur assidu. Il donne de douze à treize heures de leçons par jour et malgré cela il est dans les nuages. Très bon, très délicat, s'élevant sans effort et tout naturellement au-dessus des bassesses et des nécessités de cette vie, c'est une de ces personnes qui désire et veut le bien, mais qui ne sait pas toujours trouver le chemin qui y conduit. A quoi serviraient les petits dévouements et les petites abnégations qui sont la vie de bien des personnes s'il n'y avait pour les recevoir ces personnes qui vivent perpétuellement dans les nuages.

Gabrielle va trop loin, je ne prétends pas quant à moi comprendre pourquoi l'on est bon et surtout à quoi sert la bonté. Un professeur de philosophie nous a dit l'autre soir que la bonté n'est qu'une forme de l'égoïsme. On regimbe d'abord, mais il se peut, en y pensant bien, que ce paradoxe n'en soit pas un. Il est indubitable que les gens qui sont habituellement bons ont une sérénité qui pourrait bien être la plus humaine possible des formes du bonheur. M. Mondolfi n'est pas de cette opinion. Malgré les difficultés de sa lutte pour la vie ; malgré les soucis, que pour idéaliste et rêveur qu'il soit, doit pourtant lui donner sa nombreuse famille ; malgré sa santé chancelante, malgré le travail incessant auquel il est contraint de se soumettre, malgré même les incartades d'un système nerveux qui a été ébranlé par une longue maladie ; enfin malgré toutes ses raisons possibles pour se désespérer, M. Mondolfi croit et espère ; il n'a peut-être pas le bonheur, mais il a certes la paix de l'âme.

Cela me console des théories navrantes qui courent le monde actuellement. Si nous n'étions qu'un paquet de nerfs inconscient et prédestiné à être ballotté et façonné par toutes sortes d'agents matériels ; ce contraste entre la vie intérieure et extérieure ne pourrait pas exister. Non, au-delà, en dehors et au-dessus de notre machine, quelqu'un tire les fils et nous mène... Si Mondolfi voyait jamais ce papier, il m'applaudirait pour sûr, car il est spiritualiste, lui, et des plus convaincus.

Je n'entreprends pas d'ailleurs de le juger, je l'aime beaucoup, je l'estime encore plus et je lui dois beaucoup de reconnaissance pour toute sa conduite envers moi. Il a été l'ami des jours tristes, j'ai toujours trouvé en lui un écho de sympathie chaleureuse et attendrie, un bon conseil ou un encouragement. C'est lui qui m'a poussée vers l'enseignement et c'est aussi à lui que je dois un peu de paix et d'apaisement.

Mme Cardoso occupe moins de place dans ma vie ; elle me comble de prévenances et de politesses, mais je ne me sens pas de penchant pour elle. Je veux attendre pour la juger. Je pense d'elle, comme de Rosati : si ces gens-là ne nous encombraient pas tant de l'affection que leur savoir-faire nous attire... Il est vrai que ce n'est pas peu de chose que l'affection sincère et patiente. C'est peut-être même le plus grand don qu'une âme puisse faire à une autre. L'amour peut être de l'égoïsme ; la reconnaissance, la charité, des devoirs imposés par la raison. Mais, l'affection désintéressée, et moralement inutile à celui qui l'offre comme à celui qui la reçoit, est tout ce qu'une créature peut donner de mieux à une autre. Merci donc à tous ceux qui nous aiment, à tous ceux qui nous tendent la main et nous sourient et rendons-leur la seule compensation digne de leur bienfait : un peu de cet amour.

11 *février*

Je voulais n'inscrire que des faits dans ce livre, et voilà ma plume qui écrit sans ma permission et divague en rupture d'encrier. Cependant les jours se suivent et se ressemblent. Hier il était question de faire prendre à Emmanuel une leçon de dessin. C'est le professeur Manasse qui m'a conseillé d'ajouter aux études classiques quelques éléments de sciences plus positives : dessin et mathématiques. Le conseil m'a paru bon et je veux le suivre. Emmanuel s'effraye d'un surcroît de travail, peut-être craint-il aussi d'être forcé d'abandonner les études classiques qu'il aime, et qu'il réussit bien. Pour mon compte, je ne le contraindrai certes pas.

Marguerite a bien mauvais caractère depuis quelques jours, c'est peut-être une époque de crise pour elle, et l'effet moral passera avec la cause physique. Elle étudie trop et je crains pour son cœur le développement un peu forcé de son intelligence.

J'ai un peu plus d'élèves, mais pas encore autant que je le voudrais. L'amour du gain et de l'épargne croît en moi à cause de la situation gênée de ma famille. Si j'avais quelques billets de côté, l'avenir m'inspirerait moins de craintes.

24 *février*

Nous avons ressenti hier matin une légère secousse de tremblement de terre. Je me sens attendrie en lisant la description de l'armée à Naples, des blessés de l'affaire Saati, des nouvelles de l'extérieur. A l'intérieur, rien de bien notable. Marguerite est un peu enrhumée, je l'ai gardée à la maison et dorlotée un peu plus parce que je lui vois une mauvaise mine. Les autres vont bien ; au moment où j'écris, les trois petits sont couchés, Umberto après avoir fait ses devoirs avec assez d'entrain, Marguerite après s'être fait enseigner à tricoter. Nannie aussi est allée se coucher et nous sommes restés autour de la table, papa faisant des patiences, Laure à côté de lui s'essayant à son tour à tricoter, Gabrielle plongée dans la lecture de Mme de Camors, Emmanuel écrivant ses devoirs et moi griffonnant cette inutilité. La soirée s'écoule ainsi, silencieuse, studieuse... le grincement de nos plumes, le tic-tac de la pendule et le froissement des cartes de papa. Ce n'est pas la gaieté, ce n'est pas le bonheur parce que chacun de nous couve en sa pensée quelque tourment rongeur, mais pourtant cette tranquillité, cet apaisement ont leur charme.

15 mars

Il m'est arrivé quelquefois aux moments des crises quand un grand malheur, ou du moins ce que le monde et ma froide raison appellent un malheur, s'abattait sur moi, il m'est arrivé dans ces instants-là, instants rapides où la pensée semble acquérir un pouvoir d'analyse inusité, de m'étonner que la souffrance ne fût pas plus forte. Des malheurs, des catastrophes, que mon imagination m'avait présentés comme insupportables, m'ont plutôt ahurie que réellement fait souffrir.

Maintenant même, je m'étonne parfois de ne pas être plus triste que je ne suis. Tout autour de moi, l'avenir est gros de nuages : les affaires de Flaminio ne vont pas, Amédée aussi traverse une mauvaise crise, rien n'est assuré, rien ne me laisse d'espoir et pourtant... je ne suis pas très navrée. Me suis-je habituée et endormie à la souffrance ? Suis-je imprévoyante ? J'aime mieux croire que ma gaieté, ma sérénité, me sont données, inspirées... peut-être, par ma mère que j'ai tant aimée, que je ne puis croire à la complète séparation.

Hier, Emmanuel est allé recevoir son premier prix au collège. En ce moment-ci, Emmanuel ne se conduit pas bien, il est indocile et capricieux ; il mange mal, va se coucher trop tard et son caractère souffre de ces caprices. Je ne suis pas contente de lui. J'ai dîné hier chez l'oncle Salomon ; une véritable corvée. Je sais que mon oncle ne m'aime pas et je n'aime pas à jouer la comédie.

30 mars

Evariste écrit qu'il lui est né un garçon, Nonnine en est toute rajeunie de bonheur.

Le docteur Montalcino vient de me donner une preuve de désintéressement qui m'a fait un grand plaisir quoique je n'aie pas voulu en profiter.

6 mai au soir

Si on pouvait encore écrire toute sa pensée comme on l'écrivait sans doute dans les livres de raison du Moyen Age, ce livre pourrait être intéressant. Mais on ne peut plus, et surtout on ne veut plus tout dire. D'abord, on pense des choses trop compliquées, et puis on pense des choses trop tristes, trop décourageantes, et mauvaises de toutes les façons. Et alors, puisqu'il faut mentir, ici, comme partout ailleurs...

C'est égal, je vais tâcher de remettre ce livre au courant des événements de la famille, puisque nous devons en tenir un registre. Je raconterai seulement, je m'effacerai derrière mon œuvre : ce sera du style épique. Je sais ça maintenant. Entre parenthèses, c'est extraordinaire la quantité de choses qu'on apprend quand on doit les enseigner.

Le bébé d'Evariste, dont la naissance a été annoncée plus haut s'appelle Henri-Evariste : papa a été contrarié, quoiqu'il n'en ait rien dit, que l'on n'ait pas donné son nom à son petit-fils. Jessy sait mener son monde.

Albert a trouvé une place de sous-directeur (contremaître, je suppose) dans une filature de soie à Loriol, dans la Drôme. Il en est au comble de la joie. Nous aussi nous sommes fameusement contents que ce garçon soit casé : pourvu que ça dure !

Amédée est toujours en l'air. Je me conduis très mal envers lui ; je ne lui écris plus depuis des mois. Il ne m'écrit pas non plus, et par moments, je suis tentée de lui en faire le reproche comme si je n'avais pas tous les torts. Je suis ainsi faite, que l'indifférence m'écœure et que l'affection souvent me fait peur, car je ne saurais prendre sur moi d'y mettre du mien. Pourtant, je voudrais que ceux que j'aime comprissent que c'est ma tristesse et non pas mon indifférence qui me fait si souvent chercher l'isolement. Mais ceci n'est plus du tout épique...

Hélène s'est fiancée il y a cinq ou six jours avec M. Carcassonne, avocat à Marseille. Elle a écrit des lettres très naïves à l'oncle, et à nous, pour faire part de ses fiançailles. La pauvre fille ! Si elle parvient à secouer la... naïveté que lui a conférée sa drôle d'éducation solitaire, en rentrant ainsi dans la vie normale, ce sera tant mieux pour elle, et aussi un peu tant mieux pour nous. Elle sera moins complètement indifférente à ce qui nous arrive ; l'indifférence est quelque chose de si navrant, qu'on ne saurait trop élargir le cercle de famille où il ne lui est pas permis d'entrer.

L'oncle Salomon et la tante ne viennent presque plus le soir à cause de la santé de l'oncle, qui est bien délicate et ne peut supporter le moindre dérangement, mais par contre il nous faut y aller deux ou trois fois par semaine. Ni l'oncle, ni la tante ne m'aiment – hélas ! – Et je le leur rends bien. Pourquoi jouons-nous des comédies si dégradantes d'un bout de la vie à l'autre ? Qu'est-ce que c'est que cet instinct qui nous fait cacher si continuellement nos véritables sentiments, même alors que nous serions bien aisés de marcher par-dessus nos intérêts matériels pour avoir la joie de les exprimer ?

(de la main de Laure Garsin)

Eugénie a quelques élèves de moins ce mois-ci, parce qu'on va en villégiature, ou à Florence, à cause des fêtes qui auront lieu pour l'inauguration de la façade de Santa-Maria-Novella (del Fiore). Quelle qu'en soit la raison, ce n'est pas gai. Eugénie ne gagnera ce mois-ci, je crois, que 100 ou 110 francs. Elle ne compte, ou plutôt elle n'espère pas en gagner jamais davantage. Naturellement, avec des cours à 5 francs, ce n'est pas facile de gagner beaucoup, parce qu'il faut un très grand nombre d'élèves, et le chiffre en varie si continuellement. Mais je pense que lorsqu'elle se sera fait connaître par ses cours, elle trouvera bien plus de leçons particulières que moi.

Moi, j'en ai deux. Une chez Cardoso et l'autre chez Marietta Errera. Je gagnerai 50 francs ce mois-ci. J'ai perdu Clotilde Castelnuovo, des dames Nardini. Si les enfants doivent jamais prendre ce journal et le lire dans un jour de découragement, je voudrais que la phrase que j'ai écrite tout à l'heure leur rappelât mes déboires et leur rendît courage – puisque j'y ai assez bien survécu. Mme Castelnuovo m'a renvoyée au bout de deux mois, à peu près comme on congédie une domestique dont on est mécontent. Mme Nardini y a mis des façons ; mais j'ai bien dû comprendre que je ne lui semblais pas "à la hauteur". Au commencement de l'hiver je m'étais mis en tête de prendre un brevet d'italien au mois de juillet prochain. Je prenais et donnais des leçons tour à tour, au pensionnat Mondolfi. La fatigue de ces leçons et l'écœurement, bien plus que la fatigue, a fini par me donner la toux. Eugénie m'a fait aussitôt cesser mes études, en me faisant comprendre que j'avais fait un pas de clerc. Elle a eu toutes les peines du monde à m'en persuader ! Toutes ces choses-là m'avaient si profondément découragée que... que jamais celui ou celle qui lira ceci dans un jour de découragement, ne pourra être oppressé par une tristesse plus grande que ma tristesse d'alors. Je ne parlerais pas si longuement de moi si ce n'est parce que je crois que mes misères peuvent donner un peu de courage à d'autres. Maintenant, l'inévitable apaisement, dont je voudrais avancer l'heure pour d'autres, s'est fait en moi. Mon imagination ne tourne plus au tragique. Ma vie n'est plus navrante ; elle n'est que fade. Comme je n'y espère plus aucun bonheur, je supporte, avec une tranquillité qui n'est pas sans un certain charme, ses inévitables misères et ses plus noires perspectives.

Gabrielle est à la direction du ménage. Avec les enfants elle est, beaucoup plus que moi, la tante gâteau.

L'autre soir nous avons appris la mort du professeur Bettini. Pauvre Bettini ! Il me semble que c'est encore un lambeau, et un des plus chéris, de notre jeunesse qui s'en va avec lui. Un lambeau de notre jeunesse ! Quel égoïsme dans cette façon de penser à la mort d'un excellent homme et d'un si bon ami ! Ma foi ! Minuit est sonné. Je clos ici mon Odyssée.

19 mai 1888

Plus d'un an sans ouvrir ce cahier et encore s'il ne m'était tombé sous la main, peut-être ne l'aurais-je jamais recherché. Laure est venue de Florence toute décidée à tenter son pensionnat à Florence. Le Rubicon est passé. J'ai encouragé ce projet et maintenant que je les vois sur le point de se lancer j'ai des *misgivings* (doutes). Cette idée que je ne pourrai les aider en rien et qu'il me faudra les regarder agir, peut-être souffrir, certainement lutter, et que je devrai rester cachée, me trouble et me fait tout voir en moi. *Chi non risica non rosica* (qui ne risque rien n'a rien), je mets à leur disposition toutes mes économies. On hissera les vaisseaux et qui sait, peut-être, on ne s'en repentira pas. Les encouragements ne manquent pas. Somme toute, c'est assez consolant à constater que quand une famille se débat et ne veut pas sombrer dans la misère, il se trouve toujours quelque âme charitable qui lui tend la perche et l'aide à reprendre pied. J'aime bien cette idée de Segerné, que certaines personnes viennent à nous comme l'ange vint à Tobie au moment d'entreprendre un long voyage. Aux heures du besoin, quelque envoyé de Dieu vient nous tendre la main, nous soutenir et nous diriger.

C'est Carolina Camuco que la Providence nous a fait rencontrer. Je ne dirai qu'un mot d'elle. Elle ressemble à maman et je crois retrouver la morte dans la vivante.

9 juin

Emmanuel vient de me dire une phrase qui m'a fait réfléchir. Il parlait de disputes entre camarades et de la probabilité de recevoir quelques horions. *Vedi Mamma, io quando vedo uno del partito avverso al mio venire da lontano tremo tutto, ma vado avanti e lo guardo bene bene in faccia. Quello è coraggio.* (Tu vois maman, moi quand j'en vois un de la bande adverse venir de loin, je suis tout tremblant mais j'avance et je le regarde bien en face. Ça c'est du courage.) Je pense qu'il a raison et que le courage consiste à dominer la peur, non pas à ne pas la ressentir. Si une imagination trop posée ou des nerfs trop bien équilibrés escamotent en nous l'image effrayante ou l'impression physique de la peur, il ne sera pas difficile d'aller de l'avant. Mais une imagination qui nous montre d'un seul coup les plus troubles et les plus lointaines possibilités des nerfs, qui nous fait vibrer tout à coup au moindre bruit, rendra le courage plus difficile.

Le projet de Florence ne marche pas. Ni élèves, ni argent à risquer pour le moment. Cela vaut peut-être mieux.

Dedo ne veut pas dire le mot anglais "papier", parce qu'il le trouve *"troppo salato"* (trop salé). C'est un garçon bien joli, mais diable à quatre !

20 avril 1896

J'ai retrouvé ce cahier au fond d'une armoire et je l'ai montré en famille. On l'a lu et on me dit de continuer pour le retrouver aussi intéressant quand le temps lui aura donné sa patine. Le train-train de notre vie nous semble toujours bête dans le présent, heureux quand il est passé, et inquiétant dans l'avenir. Que faudrait-il pour l'envisager d'un point de vue plus raisonnable ? Beaucoup plus de force d'âme ou plus d'insouciance !

Je ne vais pas passer en revue ces dix années d'interruption de mon journal. Ce serait inutile et je ne veux consigner ici que la vie vécue, prise sur le fait, dans sa réalité ou dans ses répercussions – tout aussi nulles – dans mon esprit.

Voyons ce que cet espace de temps m'a pris et ce qu'il m'a donné. Deux personnes chéries manquent autour de notre table. Nannie s'est éteinte si doucement, plutôt de vieillesse que de maladie, et son souvenir est comme elle, un peu effacé, mais si doux.

Mon pauvre papa a souffert davantage avant de mourir, mais lui aussi a quitté ce monde où il avait eu tant de déboires avec une sérénité qui me console de sa mort et me la fait considérer comme la délivrance d'un être que j'ai vu beaucoup souffrir.

Les dix années passées n'ont guère enfoncé la position de la famille, mais elles ne l'ont pas non plus améliorée.

Nous avons vécu sans manquer du nécessaire, les garçons ont continué leurs études, c'est tout ce que l'on pouvait espérer. Emmanuel est docteur en droit depuis le mois de décembre et il est tout de suite entré au régiment comme volontaire pour un an. Il est à Florence, dans le Génie. Ce garçon m'inquiète et me donne de grandes espérances. Son examen de doctorat a été un triomphe, mais les opinions socialistes qu'il professe sont un gros bâton dans les roues. Je ne puis l'en blâmer, cet idéal d'amour de l'humanité, de désintéressement personnel, le courage qu'il montre en adoptant le parti des faibles contre les forts, tout cela au fond me le fait aimer davantage et me fait espérer qu'il aspirera toujours à quelque chose de beau et de grand... Mais... mais il faut vivre, et je ne vois pas comment il pourra gagner son pain sans tergiverser entre son idéal et ses besoins.

Marguerite est la maîtresse d'italien de la pension, elle s'acquitte de ses devoirs avec beaucoup de zèle en classe. Dans le ménage, elle est indolente et ne remplace aucunement Gabrielle. Mais je suis peut-être absurde de m'occuper des détails de ce caractère qui a de si bons élans affectueux et qui est certainement capable de se dévouer activement en cas de besoin. C'est de l'or en barre, ce qui manque et ce qui viendra plus tard peut-être, c'est la menue monnaie pour les besoins de tous les jours.

Humbert est à l'Université, il étudie sans enthousiasme et n'a pas encore trouvé sa voie. Il est impatient et voudrait déjà gagner sa vie. Il médite maintenant d'interrompre ses études pour s'en aller à Londres chercher fortune avec l'aide d'Evariste. Le projet m'épouvantait l'année passée, et s'il m'effraie moins cette année, je ne l'approuve pas encore. Je crains qu'il n'ait à passer de trop vilains jours là-bas, si loin de moi, mon gros chéri qui ne m'a jamais donné une heure de souci !...

Dedo a eu une pleurésie très grave l'été passé et je ne me suis pas encore remise de la peur qu'il m'a faite.

Le caractère de cet enfant n'est pas encore assez formé pour que je puisse dire ici mon opinion. Ses manières sont celles d'un enfant gâté qui ne manque pas d'intelligence. Nous verrons plus tard ce qu'il y a dans cette chrysalide. Peut-être un artiste. Il ressemble beaucoup à Emmanuel pour le moment.

Laure s'est mise de nouveau à écrire et à traduire. Il me semble que cette fois, elle va percer. Certes, ses ouvrages sont sérieusement pris en considération, mais si elle n'allait pas encore être éditée, ce ne serait pas un fiasco.

Ma pauvre Laure se plaint beaucoup que je ne la comprenne pas, que je la méprise etc. Voilà de bien grands mots appliqués à la simplicité de ma pensée pour elle. Je l'aime tout plein, je l'estime très-haut et dans les grandes lignes, je suis sa pensée. Seulement, comme nous vivons tellement ensemble et que j'ai malheureusement la langue trop longue, il se trouve que parfois un mot, une réflexion de détail la blesse, la trouble et mette entre nous l'arche d'un malentendu qui se prolonge parfois douloureusement. La moindre absence, le moindre souci réel dissiperait ces ombres, mais hélas, tout serait à recommencer !...

Gabrielle est chez les Cave depuis quatorze mois. Ce n'est pas gai, mais c'est tolérable. Gabrielle accepte sa position avec tant de simplicité, tant de courage que je ne sais vraiment pas si cette disposition d'esprit n'est pas une forme de la paresse.

Et maintenant moi. Moi, je n'ai pas d'histoire. Je suis un reflet de la vie des autres. Il me semble de bonne foi n'avoir plus de désirs, plus d'espérances, et plus de craintes. C'est peut-être une illusion que je me fais là.

Je suis tout occupée ces jours-ci à faire jouer la comédie aux élèves de la pension. On doit jouer le *Médecin malgré lui* et une bluette. Ce pourrait être un fiasco colossal. Nous verrons !

21 avril

Les préparatifs pour la comédie continuent. Les mamans en perdent la tête, plus encore que les petites filles. Je parie que dans toutes ces maisons, on parle de robes, de costumes et de perruques... et qu'on rêve la nuit.

L'esprit humain a besoin de se tourmenter, laissez-le faire, il saura toujours trouver sa quantité nécessaire de plaisir et de peine.

Elena Cardoso est venue hier. Comme cette femme se conserve merveilleusement fraîche et jeune, au moral comme au physique ! Est-ce seulement le bain d'or qui la préserve ainsi ? Il me semble qu'il y a en elle quelque chose d'ingénu, de simple qui aurait fleuri partout.

Pour moi elle est parfaite, affectueuse jusqu'à la tendresse. Je me cache et l'éloigne un peu parce que trop de différences d'idées et d'habitudes nous séparent, mais je l'aime beaucoup et son affection me fait beaucoup de bien.

Elle voulait emmener Marguerite à Florence ; c'eût été bien et mal. La réaction est déprimante pour Marguerite après quelques jours de vie trop brillante, quand il lui faut rentrer dans ce calme plat. Emmanuel a écrit une carte pour demander de l'argent. Je comprends qu'il préfère se passer de manger plutôt que se priver de se procurer des journaux de son parti et d'écrire ses articles etc. Que faire !

Je donne des leçons d'anglais à Humbert.

27 avril

La représentation donnée par nos élèves au théâtre *Strozzi* a été un gros triomphe. On nous complimente beaucoup et je sens que sans la présence des paroles, il y a réellement une satisfaction très réelle de la part des parents. Les journaux en ont parlé. J'ai reçu des cadeaux, des caresses, des remerciements et des lettres de tous les côtés. Enfin, il m'est très plaisant de croire à un succès. Emmanuel n'a pas répondu et Amédée n'écrit pas.

30 avril

Mme Ancona a télégraphié qu'elle arrive ce soir avec les enfants. Je les attendais demain ou après-demain. J'ai eu une journée de grosse occupation pour tout préparer pour leur arrivée et maintenant je les attends. Nous avons dîné, Laure est montée dans sa chambre. Marguerite lit le journal et Dedo médite en regardant mon agenda dans l'attente de pouvoir lire ce que j'écris. Au milieu de la table, la corbeille d'argent offerte par les élèves est toute garnie de fleurs fraîches et met sa note gaie. J'ai là un panier de linge à ravauder, mais je me suis promis de ne plus tant négliger ce journal, et le linge attendra.

Mme Franco a dit aujourd'hui que Julie partait la semaine prochaine. C'est vraiment triste de se séparer ainsi d'un être aussi charmant que l'on a aimé pendant sept ans. Nous oubliera-t-elle ? Peut-être pas.

8 mai

Il pleut à verse, les élèves ne viennent pas, j'ai une matinée presque libre, je puis reprendre mon journal.

Les petits Ancona sont chez nous depuis une semaine. Voici la troisième année que je les garde pour trois mois consécutifs. Cela fera presque une année de leur existence passée sous l'influence de notre *home*.

Quelle influence aurons-nous sur ces enfants ? Chez eux, ils deviennent grossiers et mal élevés, ici, ils pourraient se raffiner un peu. Leurs différences de caractères s'accentuent de plus en plus. Raoul est tout le portrait de son père, il a le type bon enfant aryen. Jacques, celui de son grand-père maternel, juif, intelligent, studieux et calculateur.

Hier soir, Gabrielle a dîné ici avec Gina Cave. M. Rodolfo et sa mère sont venus après-souper. Mme Adèle est bien cassée, elle se sent vieille et se raccroche à une vie qui pourtant ne doit pas être gaie pour elle. M. Rodolfo est toujours le même : il a pansé l'œil d'Humbert (que Raoul a poché l'autre soir), il a fait causer Gabrielle qui a besoin d'être *pulled out* (remontée), il a aidé Dedo à faire son devoir de latin ; enfin il est lui. Plus tard, Humbert est rentré du théâtre avec Gino Fabiani et ils ont dû souper avant de se séparer.

Nous nous sommes beaucoup liés avec les Fabiani. J'aime assez la mère, il me semble qu'elle me ressemble : bonne mère de famille, de bon sens quoiqu'un peu nerveuse, pas bête et pleine d'amour propre quand il s'agit de ses enfants. Le père, qui a des manières. Gino peut être un bon garçon ; il se montre peu. On le dit intelligent, il doit souffrir de la gêne de sa famille. Il aime à venir chez nous, et par conséquent, entre dans la catégorie des gens qui m'intéressent, de ceux qui s'intéressent à moi et aux miens.

3 juillet

Laure est allée à Marseille pour y passer un mois. Humbert a passé un premier examen de géométrie projective à l'Université et il a eu 28/30 comme note, ce qui l'a un peu surpris. Emmanuel voudrait obtenir un congé pour concourir à une bourse de perfectionnement. Il est peu probable qu'il obtienne le congé, encore moins la bourse. Emma Cardoso est fiancée, je ne l'ai pas encore vue, toute la famille est arrivée hier et Marguerite dîne chez eux aujourd'hui.

20 août

Plus d'un mois sans écrire, et cela parce que j'avais trop de choses à dire et surtout de celles qu'il est inutile de fixer sur le papier, car le souvenir en restera vivant et ineffaçable dans ma mémoire. Laure a résolu de rester à Marseille. Le 12 août je lui ai expédié une malle contenant tous ses effets et j'ai passé son bracelet à la brosse, en souvenir. Le chagrin que m'a causé ce départ, la douloureuse emprise de la séparation si souvent redoutée, tout cela ne sera pas oublié, j'ai inscrit la date et cela suffit.

Samedi dernier, Gabrielle m'a écrit un mot pour m'annoncer que Mme Cave lui donnait son congé. Je m'y attendais peu, mais je le désirais beaucoup. Cette pauvre enfant se sacrifiait bien inutilement et je suis très heureuse de la tirer de là. Hélas, ce n'est pas une vie de délices que je lui offre, mais pour dure et laborieuse que sera sa vie ici, elle vaudra toujours mieux que celle qu'elle menait là-bas ; et maintenant qu'elle a tâté du reste, elle sentira moins les petits froissements, les petites aspérités de la vie de famille.

Emmanuel, mon pauvre chéri, est sur les Alpes, en manœuvres, il était à Fenestrelle, il va à Cesena Torinese. Il prend son mal en patience et fait contre mauvaise fortune bon cœur. Il trouve moyen de m'écrire de temps en temps et, ce qui m'étonne davantage, c'est d'apprendre qu'il est un soldat modèle.

2 janvier 1897

Encore un long intervalle de silence, et encore une fois, regardons en arrière avant de nous raconter ici. Pas de changement depuis mon dernier gribouillage, rien d'inattendu. Emmanuel est de retour et pour le moment il cherche encore son premier client. Sa réputation de socialiste lui nuit pour l'instant et plus d'un avocat qui aurait accueilli à bras ouvert un stagiaire inconnu, ferme sa porte au nez du fondateur du club socialiste de Livourne. Bonne ou mauvaise, il faut maintenant qu'il suive sa voie.

Humbert a sa chambre à Pise. Il aime à se sentir un peu plus libre. Il travaille ferme, il croit avoir inventé une bouteille perfectionnée, enfin il s'efforce de se tirer le plutôt possible du bourbier de misère où l'incapacité et la malchance nous ont tous précipités. Pour moi, je travaille beaucoup, mais j'aime assez cette sensation assez nouvelle que me procure encore le travail rémunéré pour ne pas me plaindre de ma vie actuelle. Je voudrais voir les jeunes jouir de leur printemps. Mon automne est très supportable. En vérité, je me demande parfois si cette complète absence de désirs personnels est le dernier mot de la bêtise ou de la sagesse.

29 janvier

Hier, c'était ma fête. La journée a bien commencé par une bonne lettre de Marseille. Laure me semble assez sereine et cela m'étonne un peu et ne me fait plaisir qu'à moitié, car c'est la preuve que loin de moi elle peut supporter un état de choses qui lui aurait paru insupportable ici. Elle ne gagne rien, elle n'a rien en vue et pourtant elle est heureuse. Mon encombrante personnalité ne la gêne plus, son affection reprend le dessus – Assez –

Elena Cardoso m'a envoyé un cadeau, c'est très gentil de sa part de s'être souvenue de moi, malgré sa maladie récente et une série d'indispositions des siens. Mais j'ai été bien plus profondément émue par le cadeau d'Albertina. Une magnifique dentelle Renaissance qui a dû lui coûter plus de temps et plus de peine qu'elle ne veut le dire. Et Dieu sait qu'il ne doit lui manquer ni occupation, ni préoccupation chez elle. Je n'ai pas envie de mettre cette dentelle dans mon salon de peur de l'abîmer mais d'un autre côté, ce serait rendre la politesse.

26 mai

Toutes les fois que je rouvre ce cahier, je trouve tant de plaisir à retrouver notés les faits de notre vie de famille, que je me reproche de ne pas y écrire plus souvent.

L'hiver passé a été pour moi très fatigant, mais pas mauvais, j'ai donné en moyenne huit heures de leçons par jour, dont deux au moins dehors. J'avais les petits Ancona à surveiller et un surcroît de soins de ménage depuis que Gabrielle néglige presque tout pour se livrer à des orgies de piano. Pour courir après un idéal lointain, la pauvre enfant néglige de faire ce qui pourrait maintenant lui être bon et utile. Je n'ai aucune influence sur elle ; elle se gendarme au moindre mot et m'a même accusée une fois "de n'avoir d'autre plaisir que de la contrarier". L'accusation m'a semblée trop bête pour me fâcher, mais pour éviter des prises de bec aussi stupides, j'ai pris parti de la laisser faire. Au fond, je me connais et je sais que le jour où elle me demandera mon affection, je serai prête à la lui donner tout entière, mais je sais aussi que toute la bonne volonté du monde ne retiendra pas ma malheureuse langue, si je lui offre l'occasion de me taquiner le moins du monde. Dieu merci, rien que de bon à noter sur mes enfants. Emmanuel travaille et ne gagne pas grand chose. Je m'y attendais bien. Sa nature généreuse et enthousiaste ne le prépare pas du tout à la lutte pour la vie. Non, je me trompe, il luttera, mais pas pour lui. Son idéal l'entraînera à bien des bêtises, mais ce seront des bêtises comme celles qui ont fait mourir Jésus sur la croix ou Tyndale sur le bûcher. Ce matin, il m'a donné 5 francs dont j'avais besoin pour la dépense. C'était bien de les recevoir de lui, mais je tremble de l'attacher au joug, mon beau coursier indompté.

Marguerite a passé quelques jours à Florence : elle a dû y avoir des succès, mais cela n'a pas empêché qu'elle ait dû s'en revenir ici reprendre son travail. Il ne se trouvera probablement pas un garçon assez intelligent pour comprendre son mérite réel et la préférer à une mégère bien dotée. Tant pis pour lui.

11 juillet

(de la main d'Amedeo)

Sto prendendo gli esami. Ho gia fatto gli scritti latini e dovrei pigliare Miniam. Gli esami sono di quarta in quinta. Questo per l'esattezza degli annali di casa Modigliani. (Je suis en train de passer mes examens. J'ai déjà fait l'écrit de latin et je devrais faire mon *miniam*. Les examens sont pour passer de quatrième en cinquième. Ceci pour l'exactitude des annales de la famille Modigliani.)

Amedeo

Nous sommes en pleine crise d'examens et de concours. La moitié du genre humain passe l'année en revue à certaines époques et cela me semble être l'un des plus stupides résultats de notre vie moderne. Rien de vraiment bon ne doit sortir de cette lutte mesquine et souvent déloyale.

Ma pauvre Albertina est partie pour Venise, je me suis laissé raconter que, là aussi, elle va trouver des embêtements. Je n'en sais rien au juste, car elle n'aime pas à parler de ses affaires, mais je la plains tout de même, car avec cet air-là on n'est pas malheureusement... Certaines maladies de peau causent des réactions énormes au moindre contact, il y a des maladies de l'âme de la même espèce, le plus léger effleurement irrite le système ultra-délicat. Une cure de bonheur pourrait peut-être encore la guérir. Mais qu'il ne tarde trop !

Ici les jours se suivent et se ressemblent. Je continue à travailler à toute vapeur, mais malgré même une certaine chance, je n'arrive pas à joindre les deux bouts. Je me console, car enfin le plus dur devrait être passé. Emmanuel a bien certainement du talent, personne ne pense à le nier, il est parfaitement bon et affectueux, pourquoi ne finirait-il pas par gagner. Cet instinct généreux, qui aujourd'hui lui fait même mépriser le gain, lui fera désirer me donner le nécessaire quand il verra que j'en ai besoin.

Il y a plus d'un an que Laure est partie. Le temps n'a pas changé mon opinion sur cette brusque résolution, les événements semblent tourner mieux que je ne l'espérais, mais moralement ce changement de direction reste le même : un coup de tête, une bêtise. Nous avons pensé un moment changer de maison, puis en y réfléchissant mieux, nous nous sommes décidés à accepter une réduction de loyer. Pour moi, j'en suis enchantée, car j'aime ce quartier tranquille et cette maison riante. De nouvelles élèves étant entrées à la pension, c'était un encouragement à ne pas changer.

31 juillet

(de la main d'Amedeo)
Scrissi giorni or sono in questo giornale di famiglia dicendo che stavo prendendo gli esami, ora annuncio che li ho passati. (Il y a quelques jours, j'ai écrit dans ce journal de famille que j'étais en train de passer mes examens, j'annonce maintenant que j'ai été reçu.)
Amedeo

10 août

Non seulement Dedo a passé ses examens, mais il va faire son *miniam*. Ouf ! En voici encore un tiré d'affaire, ou à peu près ! J'ai presque fini mon temps ! Humbert m'inquiète, il s'est mis à soigner à cœur perdu un ami malade (Donati) et je tremble que cette fatigue ne lui fasse du mal. Mon pauvre chéri ne sait pas encore la morale mondaine, il se donne sans restriction et les restrictions sont la règle que donne le monde. Emmanuel n'a pas obtenu la bourse de perfectionnement qu'il demandait. Ses opinions et sa conduite politique lui ont valu ces déboires. *"Il seguito verrà"* (qui vivra verra), comme dit la chanson.

Il s'est fourré dans un guêpier terrible en choisissant la lutte contre l'ordre social et je ne vois pas comment il pourrait en sortir avec honneur. Persévérer c'est vouloir supporter toutes les avances que son enthousiasme ne soupçonne même pas pour le quart d'heure. Reculer... non, ce serait vil. Restent les restrictions, les limitations de la pensée qui s'appellent : le sens commun, et que Laure appelle la demi-vérité. Je compte aussi sur les surprises de l'existence, sur quelque tournant inattendu qui dissiperait toutes mes prévisions. Robert Padova ayant perdu sa mère (cette pauvre Alice) est venu se distraire à Livourne. Il m'a apporté des nouvelles de Marseille qui ne me plaisent guère. Il y a des sous-entendus qui me font trembler. Avec ça les mauvaises affaires d'Evariste forment un autre point noir...

On fait des réparations à la maison et je vais y rester encore un an. J'en suis enchantée, parce que j'aime ce quartier et cette *palazzetta* (petit immeuble) autant que je déteste les déplacements. J'ai donné vacances aux autres pour le mois d'août, je prendrai moi aussi dix jours de liberté du 20 au 30... Et puis... et puis tant mieux si la rentrée m'apporte beaucoup de travail, si ma santé me permet de le supporter et si mon budget se relève.

Mais avant tout, mon Dieu, la paix et la santé de l'âme et du corps pour tous les miens...

Pages du *"Journal de la famille"*, par Eugénie Garsin.

30 juin 1898

Presque un an sans rien écrire et pourtant il y aurait eu bien des choses à confier, c'est peut-être même parce que j'ai eu tant à faire, à travailler, à lutter que je n'ai pas trouvé le temps de rabâcher mes considérations.

Le 4 mai, Emmanuel a été mis en prison à Piacenza et nous ne savons pas encore aujourd'hui pourquoi il y est gardé et de quoi au juste il est accusé (outre que d'être un des plus actifs militants socialistes). Mon pauvre chéri, il supporte avec autant de simplicité que de véritable héroïsme ce qui doit être doublement dur à supporter pour sa jeunesse et son tempérament expansif. L'isolement doit lui peser terriblement. Il se console comme les Bénédictins dans leur cloître par la foi, la foi dans l'idéal très haut et très pur – trop beau peut-être et irréalisable – mais comme Mené est furieusement raisonnable et bon, je suis sûre qu'il trouvera de lui-même le chemin pour concilier le rêve et la réalité, pour ne plus me causer les angoisses actuelles et ne pas reculer dans la vie qu'il a choisie. Pour le moment, moi je me sentirais prête à toutes les lâchetés pour le voir seulement un moment ou pour le savoir en liberté.

Humbert a passé tous ces mois à Liège, il va me revenir lui aussi, mon très chéri. Je ne sais trop ce qu'il dit d'examens, qu'il ne peut pas passer ou qu'il retarde, mais ce dont je suis sûre là aussi, c'est qu'il a travaillé ferme et qu'il a fait tout son possible pour finir plus tôt et bien, et je l'attends avec une extrême impatience. Mon Dieu, si je puis me revoir assise entre mes deux garçons il me semble que je serais si heureuse que tous les autres ennuis de l'existence ne seront plus que de légères ombres au tableau. Rien ne m'importe réellement que le bonheur des miens, je m'en aperçois bien à la première épreuve. Il me semble que ma vie n'est qu'un relais de celle des autres.

Si je n'écrivais que pour moi je n'aurais...

14 juillet

La journée la plus angoissante de ma vie : aujourd'hui, on juge Emmanuel à Florence devant le tribunal militaire. Je suis folle d'énervement et de crainte. Je ne puis qu'inscrire cette date.

17 juillet

Emmanuel a été condamné à six mois de détention et à une forte amende. Vu l'injustice de ces tribunaux d'inquisiteurs, il faut se contenter qu'ils n'aient pas fait pire. Je suis heureuse de savoir qu'Emmanuel a eu une tenue admirable, sans reculer d'une semelle il a expliqué ses idées rejetant ce qu'on lui attribuait faussement, mais acceptant tout ce qu'il a toujours réellement dit ou pensé. Le plus dur maintenant, c'est de ne plus avoir de nouvelles qu'une fois par mois, à moins que nous ne puissions espérer quelque tour de faveur, ce qui est toujours plus probable par ici que la justice...

Humbert m'est arrivé tout à point comme la seule consolation possible en ce triste moment. Il est très bien, très sérieux, plein de projets et d'espérances. Gentil avec cela, et prévenant comme on ne l'est pas.

Dedo n'a pas été brillant aux examens, ce qui ne m'a guère surprise, car il avait fort mal étudié toute l'année. Il commence le premier août des leçons de dessin dont il a grande envie depuis longtemps. Il se voit déjà peintre. Pour moi, je n'aime pas trop à l'encourager de crainte qu'il ne néglige ses études pour courir derrière une ombre. Cependant j'ai voulu le contenter pour le sortir un peu de cet état de langueur et de tristesse où nous glissons tous plus ou moins en ce moment. Ah, mon pauvre cher Mené, que tu serais navré si tu pouvais me voir à toute heure ! Surtout depuis que je vois le spectre d'un nouveau procès à Piacenza. Non je ne puis en parler !...

29 juillet

Gabrielle est partie ce matin... Depuis vingt-quatre ans, voici le premier jour où je n'ai plus aucun des miens chez moi. C'est la fin d'un chapitre bien triste et douloureux et qui n'est pas sans me laisser quelques remords, mais somme toute, je puis en être fière.

10 avril 1899

Encore une longue interruption. L'histoire de ces mois passés serait longue à raconter. Emmanuel, menacé d'aller passer trois ans de domicile forcé, sa condamnation à Livourne, son absolution à Rome. La maladie de Dedo et sa guérison, tout cela a dû laisser des traces trop profondes dans les souvenirs de la famille pour que j'aie besoin de m'y appesantir. Laure était revenue depuis trois jours, quand Dedo s'est mis au lit. Tombant tout à coup au milieu de cette épouvantable détresse, elle en était si ahurie que c'est elle qui devrait la raconter plutôt que moi, d'autant plus qu'après deux ans d'absence elle devait être beaucoup plus à même de nous voir et de nous juger que je ne le puis faire. Elle a repris sans enthousiasme quelques-unes unes de ses anciennes élèves et travaille avec ardeur à des articles de journaux. Les sujets qu'elle traite ne sont pas de ma compétence, de sorte qu'elle ne m'en parle pas, et toute son existence intellectuelle passe aussi en dehors de mon domaine. Je constate que j'aurais autrefois beaucoup plus souffert de cet état de choses que je n'en souffre aujourd'hui. Je suis mieux trempée maintenant, et si j'ai moins d'ardeur à me réjouir des événements heureux , je suis aussi beaucoup plus cuirassée contre les blessures quotidiennes de la vie. Aujourd'hui, je suis seule à la maison avec Dedo et Flaminia. Laure et Marguerite sont allées hier à Florence pour y passer deux jours. J'espère qu'elles s'y amusent. Marguerite avait bien droit à quelque compensation, car elle bûche ferme avec sa classe et ses élèves particulières, et sa nature a besoin de gaieté. Emmanuel était tout hilare parce qu'il avait gagné une grosse somme (200 francs) sur une seule affaire, c'est la première fois que cela lui arrive et avec sa belle gaieté exubérante il ne doute plus de son succès futur. Et moi non plus je n'en doute pas, malgré les nuages politiques, je tremble qu'il n'ait encore des démêlés avec la police, mais de toutes les façons, persécuté ou non, il doit finir par percer, j'en suis sûre, et son triomphe sera d'autant meilleur qu'il sera un démenti éclatant à tous les mauvais présages que l'on me murmure aux oreilles depuis des mois.

J'ai reçu une bonne lettre d'Humbert aujourd'hui même. S'il avait eu de l'argent, il aurait fait un *trip* à Paris pendant ses vacances de Pâques. Il s'en console et continue à travailler assidûment. Encore quatre mois d'études et deux de préparation à la thèse pour qu'il ait fini. Dedo a renoncé aux études et ne fait plus que de la peinture, mais il en fait tout le jour et tous les jours avec une ardeur soutenue qui m'étonne et me ravit. Si ce n'est pas là le moyen de réussir, c'est qu'il n'y a rien à faire. Son professeur est très content de lui. Pour moi, je n'y entends rien , mais il me semble que pour n'avoir étudié que trois ou quatre mois, il ne peint pas trop mal et dessine tout à fait bien. Moi, j'ajoute à mes gains de professeur quelques sous que je gagne à faire des traductions de l'italien en anglais. J'ai déjà traduit un roman par M. Mongiardini qui a été refusé et plusieurs articles de Mondolfi qui ont été acceptés. J'ai en cours une traduction des poèmes de D'Annunzio et comme l'on m'avait pris une petite nouvelle originale cet été, il m'est venu l'ambition d'écrire tout un petit roman (Memmo).

En tous les cas je m'amuse à l'écrire.

15 avril

Il est minuit, tout le monde est couché, j'ai travaillé jusqu'à présent, mais je viens d'allumer une cigarette et j'irai me coucher quand je l'aurai finie. Je suis heureuse de savoir Amédée décoré (les Palmes académiques), je pense que cela doit lui faire plaisir et cette idée redouble ma satisfaction personnelle. Emmanuel a encaissé hier, tout en bloc, la somme énorme pour lui de 150 Francs, c'est la seconde fois qu'il se trouve à pareille fête aussi il s'en donne, avec tout l'entrain de sa nature impulsive.

Février 1905

Ce livre m'est revenu de Marseille, quand on a débarrassé les papiers de mon pauvre cher Amédée. Je ne pensais pas le reprendre si tôt. Comme je ne puis pas reprendre ici le fil de cette douloureuse histoire... Rien ne comblera le vide que cette disparition a laissé dans ma vie. C'était une affection trop complexe, trop éprouvée, faite de pitié et de confiance, et surtout d'une si complète communion d'âme que rien ne remplacera. Mais je démêle au fond de ma pensée égoïste qu'il ne pouvait jamais être heureux et que tout est pour le mieux. La douleur n'est que pour moi.

Récapitulons l'état de la famille.

Emmanuel, toujours à Livourne, toujours avocat débutant – mais toujours aimé, applaudi, caressé et... satisfait.

Mary à Grenoble, piochant son français. Mangeant de la mahiche aujourd'hui, en pensant au poisson... d'un meilleur emploi.

Son absence obscurcit toute ma vie.

Umberto est en bonne santé. Quand je l'ai vu à Milan, cela m'a fait du courage pour toute l'année. Il a des projets prometteurs.

Dedo à Venise a terminé le portrait de Olper et parle d'en faire d'autres. Je ne vois pas encore ce qu'il va devenir, mais comme jusqu'ici ce n'est qu'à sa santé que j'ai pensé, je ne puis pas encore – malgré la situation économique – donner de l'importance à son travail futur.

Laure à l'Umanitaria fait un travail qui lui plaît, s'entoure de gens qui lui plaisent, se case, se reprend. J'avais peut-être une influence déprimante dans sa vie. Sans le vouloir, elle se sent mieux loin de moi.

Gabrielle est chez Polacca et se plie à son sort qui est supportable et qui sera doux plus tard quand elle se reposera.

Moi... il court par le monde deux livres sortis de ma plume ; l'un italien, *R.W.*, qui représente trois ans de travail, l'autre, *Les Conférences*, deux mois. Pour le moment le côté argent n'est pas brillant, mais Rennard parle de deux éditions anglaises qui devraient rendre gros. Nous verrons.

Ce qui importe, c'est qu'arrivée au cap de la cinquantaine, je puis regarder en arrière et me serrer la main pour me congratuler. Etant donné les cartes que j'avais en mains... pouvais-je faire mieux ? Le monde autour de moi dit non. Moi je dis peut-être.

Ni succès mondain, ni succès d'argent, seulement la dignité pour tous et le développement intellectuel. Ce que nos vieux appelaient la *Karod* ! C'est peu et c'est beaucoup.

Décembre 1910

Via Giuseppe Verdi. Décidément je ne suis pas bavarde – sur le papier – car je n'ai jamais pensé à reprendre ceci et sans les surprises du déménagement, qui sait...

La mort de M. Castelnuovo, il y a six mois, m'a mise en possession de quelques sous – détente économique d'autant plus agréable que ni l'un ni l'autre des garçons ne pourraient, même en voulant, me donner un coup de main. Je suis encore sur la brèche malgré la maladie de foie qui me retient des semaines au lit et me cause d'atroces souffrances. *Kaparak !* si les miens sont heureux autour de moi. Et ils le sont (à l'exception de ma pauvre Marguerite), tant Emmanuel qu'Umberto, pour avoir choisi leurs femmes sans préoccupation d'intérêt, l'une et l'autre comme il les fallait pour leurs deux caractères. Ma petite Nori a six mois, la plus belle enfant que j'aie jamais vue. Ils doivent aller à *Catania* (Catane). Ils transportent leur nid un peu plus loin, je ne les verrai pas si je retourne à Karlsbad cet été.

Dedo à Paris, riche d'espérances. Laure idem, mais avec en plus une rente presque suffisante pour se lancer sans danger dans sa vie tout intellectuelle. Je pioche un premier volume d'histoire littéraire italienne en anglais, toujours la même meule à tourner.

Mars 1920

Florence. Ce livre retrouvé et le désir exprimé par Umberto de connaître l'histoire passée de notre famille me font reprendre la plume en vue de ceux qui viendront après.

Oh, la longue et douloureuse étape ! Comment en retracer le calvaire ?

C'est d'abord la fin tragique de Gabrielle. La triste nouvelle m'a trouvée malade. Je n'avais pu répondre à sa demande de conseil – qui était peut-être un appel – que par des lettres affectueuses qui devaient lui faire comprendre que les aigreurs des derniers contacts étaient effacées. Elle, la pauvre, a eu le beau geste au moment de son grand désespoir de nous léguer à Laure et à moi tout ce qu'elle possédait. Laure, hélas, n'a pas senti ce pardon qu'elle ne méritait guère ! Son air absorbé, son égoïsme féroce, auraient dû m'ouvrir les yeux dès lors. Je n'ai pas compris, et c'est seulement quand elle a eu à Paris une crise de délire que je me suis expliqué sa conduite. Elle est maintenant et depuis presque six ans dans la maison de santé de Monza. Pire que morte – desséchée, maniaque, rêvant de réformer le monde par un système – le *merisma* (maternalisme) – qui devait être un triomphe et un élargissement de l'amour maternel, elle, qui n'a jamais aimé ! Son isolement s'aggrave à la suite de froissements avec Umberto et Ida. Je suis persuadée qu'Umberto a agi très justement et n'a fait de tort qu'à lui-même en rompant un viager qu'il avait payé à un taux exagéré ; je comprends qu'Ida se soit impatientée, mais la position de Laure est terrible. A moins qu'Albert n'intervienne !

Une autre étape douloureuse. Le bébé d'Umberto, Luci, le plus délicieux, le plus prometteur des enfants de son âge, nous a été enlevé par une méningite. Irréparable perte : d'autant plus qu'Ida ne me semble plus en état de porter

44

Jeanne Modigliani dans les bras d'Eugénie.

Jeanne dans le jardin à Livourne.

1925, Eugénie Garsin à Karlsbad.

1926, Jeanne et Eugénie à Livourne.

un autre enfant. Mon pauvre Umberto ne se consolera jamais et moi non plus. Trop d'espoirs, trop de rêves, reposaient sur cette chère petite tête. Nous avions fait bien trop de projets pour ce cher petit être. A quoi bon la position sociale et même la richesse qu'Umberto a conquise... Nori est jolie et gracieuse, mais je ne sais pas encore ce qu'il y a en elle. Le danger pour elle est d'être gâtée, et puis dans un avenir lointain de se trouver un peu seule dans la vie. Je sais ce qu'un bon frère peut être.

Tout s'efface devant la plus atroce des douleurs. Mon pauvre cher Dedo. Vingt années d'angoisses endurées pour sa santé. Vingt années de larmes et de sacrifices pécuniaires ! Un an de répit... le sachant aimé, père, avançant à grands pas vers la gloire et puis... – Non – je ne puis écrire cela...

Il me laisse une petite fille. Mais si douce et si noble, Marguerite a devancé mon désir en proposant de la prendre chez nous. Un grand devoir commence pour nous deux qui avons peut-être assez fait nos preuves. Nous attendons l'enfant, notre Giovanna qui est pour le moment – depuis un mois – à Marseille, chez Albert. Des formalités légales ont retardé sa venue – mais elle ne tardera guère ! – Quelle émotion trouble ce sera pour moi de revoir en elle mon cher disparu ! Que de douleur ! Et quelle tenace confiance en la vie pour espérer encore quelque consolation, quelque joie. Et pourtant j'ai ma part de bonheur, que je ne sens pas en ce moment mais que j'appréciais si fort avant, que je retrouverais peut-être plus tard.

Emanuele, mon orgueil et ma joie, a gagné sa place au soleil. Et quelle place ! Sans rien perdre de sa bonté, de sa tendresse pour moi. Vera est pour lui une digne compagne et leur éloignement – dans l'espace – ajoute aux regrets, je pourrais presque dire remords, d'avoir quitté Laure.

Margherita, ma si forte, si tendre compagne, si elle n'est pas heureuse ce n'est certes pas faute d'avoir mérité le bonheur. Son abnégation, son énergie, toutes les qualités du cœur et de l'intelligence n'auront suffi qu'à lui faire mieux sentir l'amertume d'une destinée qui a dû – ou voulu – s'enfermer dans le sillon aride de l'enseignement et renoncer aux joies et aux espérances du mariage. Trouvera-t-elle en Giovanna une récompense ? Ce sera en tous les cas une occasion de reprendre les flots de cette vaillante tendresse qui est en elle. Ce sera l'oubli de soi-même en des pensées, des soucis, qui auront la douceur du sacrifice sinon la splendeur d'un espoir.

Moi, je travaille encore un peu, sans l'enthousiasme d'autrefois. J'ai reçu K. après des années de silence, et je donne quelques leçons. Je n'ai plus d'argent – ou presque – je ne voudrais pas peser trop lourd sur mes enfants ; aussi j'épargne tant que je peux, je me prive de bien des choses. D'ailleurs mauvaise santé et tristesse me tiendraient lieu de tout, de toute façon.

Août 1924

Je comptais sur l'énergie et la bonté de Margherita, mais ce qu'elle fait pour Nannoli (Giovanna) dépasse ma confiante prévision. Une mère n'est pas plus tendre ; aucune éducatrice n'est plus ferme et plus compréhensive. Et l'enfant est délicieuse, jolie, gracieuse, intelligente et surtout attirante.

Sa santé, qui nous inquiétait d'abord, s'affermit tous les jours. La grosse alerte qu'elle nous a donnée il y a trois ans a bien réellement été une bévue du docteur. Mon trésor chéri est parfaitement normale et saine. En ce moment, elle est à Livourne avec Margherita dans le petit appartement (*viale Margherita*) que nos implacables adversaires ont permis à Emanuele de garder. Oh, l'horreur de cette situation politique ! Quand l'histoire de ces années sera écrite, personne ne pourra croire à tant de bêtise et de lâcheté laissant libre cours à la frénétique invasion fasciste. Le crime Matteotti date d'il y a quarante jours, mais depuis la déclaration de guerre – depuis même l'expédition en Lybie – quel calvaire pour tous ceux qui aiment vraiment l'Italie et au-delà de l'Italie, l'humanité ! Tout cela veut dire un tourment aigu surajouté à ma tristesse et aux difficultés de notre existence. J'ai la sensation d'être comme les mères des soldats pendant la guerre. Mon fils est dans la tranchée. Pire, en ce moment c'est la bataille rangée – lui, la bête noire de Mussolini, est l'avocat des Matteotti – lui, un des leaders de l'opposition sur qui convergent les espérances de son parti. Trois fois il a été attaqué et plus ou moins malmené et dernièrement on voulait le tuer en duel, ce qui aurait été un assassinat déguisé. Mais, il est, lui, si foncièrement bon, si grand, que rien ne peut tarir sa foi en son idéal, ni faire naître en lui des pensées de colère et de vengeance. Et depuis plus de trois ans, je ne le vois pas. Ce serait un danger pour lui de venir, pour moi une angoisse.

Que de tristesses pèsent sur moi ! Ce cahier est tout plein de préoccupations économiques. Je pourrais continuer, car la gêne est encore là, mais il y a des croix plus lourdes à porter.

Je ne puis me consoler de la perte de Dedo. La mort d'un être si jeune et si cher était en soi l'une de ces douleurs dont on ne guérit pas. Mais que de circonstances aggravent mon état d'âme ! Dans mon entourage on les connaît toutes et je n'ai pas à faire l'effort de les énumérer ici, mais il est un point que je veux noter en y ajoutant la prière que, quelqu'un – plus tard – éclaire l'esprit de Nannoli – mon doux trésor. Les journaux du monde entier – pas ceux d'Italie – ont porté aux nues le génie de mon pauvre chéri – on le loue comme un maître, un créateur de formes d'art suggestives et personnelles, mais ce que l'on brode sur sa vie privée ! Qu'il ait mené la vie de bohème des artistes parisiens ; qu'il se soit laissé entraîner à user et à abuser des stimulants et des stupéfiants... c'est, c'est ce que l'on pourrait dire de bien d'autres que lui. Et puis, si ces désordres n'ont fait de mal qu'à lui, s'il n'y a rien à lui reprocher, et beaucoup au contraire à reprocher aux autres envers lui, il eût été humain de ne pas étaler cette ombre. Mais pourquoi a-t-on imaginé et répandu cette légende que sa famille l'a abandonné ? Je devrais – je voudrais – être indifférente aux jugements du monde, ma conscience et mes enfants répondront pour moi... mais, je ne le suis pas. Il me semble que le sort m'a joué là un tour diabolique. Tant d'années de travail assidu, de renoncement, de souci incessant, devaient-elles me rapporter cette humiliation ? J'espère bien mourir avant de voir dans les yeux de Nannoli un reflet de cette absurde et cruelle méprise ! Je n'ai rien à souhaiter pour après ma mort, rien à demander à des enfants tels que les miens, mais cette prière de faire savoir à Nannoli la vérité, je l'inscris et je veux la répéter. Je compte sur Margherita et sur Vera ; elles savent, et elles m'ont comprise et aimée.

Hélas, je ne compte pas sur Umberto et Ida, qui se détachent de moi. Une courte visite d'Umberto en janvier 1920 – il y a quatre ans – au moment de la mort de Dedo... et puis rien. Les voyages coûtent, disent-ils.

Août 1926

Deux ans d'intervalle me trouvent toujours à peu près au même point. Le gros de mon existence s'assombrit sous l'influence de mon implacable maladie de foie. J'ai passé au lit encore trois mois ce printemps et rien ne laisse prévoir que je ne recommencerais pas un de ces jours.

L'hiver a été long et triste. Par-dessus tout, l'angoisse continuelle – très justifiée – pour Emanuele. Après une brutale attaque à Naples d'où il n'a rapporté que diverses contusions, grâce au dévouement de quelques amis, parmi lesquels Cesare Riccardi et Ub..., après la dévastation et l'incendie partiel de son étude à Rome, il s'est décidé à partir. Il est à Vienne, très bien accueilli par des amis politiques, aidé, soutenu, peut-être même occupé par eux mais... mais c'est l'exil. C'est l'impossibilité de rentrer en Italie et probablement la misère. Quand je prévoyais, il y a trente ans, que ses opinions lui coûteraient des ennuis, je ne prévoyais ni les tentatives d'assassinat (*ad usum Amendola*), ni l'exil. Pour une fois encore, la réalité a été plus noire et diversement noire, que l'imagination.

Nannoli, *tesoro* (mon trésor), est à Antignano avec une colonie de *bagnanti* (curistes). Comme payante parmi des hôtes gratuits, et surtout comme élève recevant de nombreuses visites, elle s'y trouve en position privilégiée. C'est un gros sacrifice que nous avons fait-là, mais Margherita a une foi aveugle dans les propriétés régénératrices de l'air marin et si la petite n'avait pas eu sa saison de bains, elle s'en serait fait un remords. Pour moi, je suis plus confiante, je crois que Nannoli est maintenant sur le bon chemin, aussi sauve que de plus grosses et joufflues. Son intelligence très et même trop précoce, sa grâce, le tact dont elle fait preuve à tout moment, me semblent des promesses pour son développement futur. Certes, l'avenir est chargé de nuages, mais au travers des plus noirs, passe ce rayon de supériorité intellectuelle, géniale peut-être – qui lui vient de loin, d'une longue série d'intellectuels du côté de son père, et aussi du croisement de race – qui luira et éclairera sa vie.

La réputation – la gloire – de Dedo se répand de par le monde. Si en Italie la consigne politique est de l'ignorer ; les revues étrangères, et surtout les françaises, le proclament un Maître. Cela servira peut-être un jour à Nannoli. En attendant, elle reçoit quelques centaines de francs comme droits de vente et de reproduction sur les œuvres de son père. Aujourd'hui Margherita encaisse un chèque de 2400 francs.

Ici s'interrompt le journal d'Eugénie Garsin commencé de sa main le 17 mai 1886. Sa fille Margherita le poursuivra jusqu'au 20 septembre 1929.

(de la main de Margherita)
Le 27 juillet 1927, peu avant minuit, Mamma a cessé de souffrir. C'est moi qui l'ai assistée, avec le professeur Pieraccini venu par hasard. Umberto est arrivé le lendemain à 13 heures, il n'a pas reçu mes lettres où j'essayais de lui faire comprendre mon inquiétude ; il n'a reçu que mon télégramme désespéré.

J'ai pu avertir Emanuele à Paris, indirectement.

Et ainsi, elle s'est éteinte sans pouvoir *réembrasser* ni l'un ni l'autre de ses fils et peut-être avec l'amertume que je n'aie pas fait tout mon possible pour faire venir Umberto.

Nous l'avons accompagnée au cimetière des *Allori*, avec une cérémonie purement civile.

La petite Nannoli est encore au bord de la mer, dans quelques jours elle rentrera dans cette maison vide et triste.

21 septembre 1928

Incipit vita nova. Je suis rentrée aujourd'hui de Livourne où je m'étais précipitée pour assister papa dans ses derniers instants. Sa merveilleuse résistance est finie : il est passé d'un sommeil à l'autre, de la vie (si on pouvait encore appeler cela la vie) à la mort sans s'en apercevoir, sans une souffrance, sans une contraction, sans un sursaut. Umberto était avec moi. Nous l'avons mis au cimetière israélite de Livourne. Il a eu tous les honneurs qu'il aurait pu désirer, même ceux qui ne peuvent être rendus que par les enfants...

Et ainsi commence pour moi la vie à laquelle maman essayait de me préparer. Le tête-à-tête avec Nannoli. Quelle sera notre vie ? Réussirai-je dans ma tâche ? Si je ne réussis pas, ce ne sera certes pas la faute du *"ranocchio"* (petit gnome), qui bien qu'ayant quelques légers petits défauts, me paraît dès à présent merveilleusement douée sous tous les aspects. D'habitude, les gens me raillent lorsque je parle d'elle.

4 juillet 1929

Demain, nous partons à la mer, à Viserba. Le petit gnome a grandi et grossi : on dirait qu'elle n'est pas loin de la crise des treize ans. Physiquement, elle a rattrapé la moyenne des enfants de son âge. Intellectuellement, elle est toujours supérieure, à tel point qu'elle est passée en seconde au lycée avec une moyenne de seulement 6 et demi. Son professeur dit qu'elle ne réussit pas aussi bien qu'elle pourrait parce qu'elle est trop rêveuse et inattentive. Je le crois : cette petite est déjà trop absorbée par sa vie intérieure, et en même temps c'est à l'école qu'elle trouve sa vie et sa joie. Seule avec moi à la maison, elle est toujours si triste et si fatiguée, elle est très gentille mais elle s'ennuie ; à l'école, elle se défoule. La fatalité des circonstances va en augmentant notre solitude, et il est impossible, vu le vent qui souffle, de lui trouver des petites amies... sinon des amies, au moins pourra-t-elle se faire quelque camarade à Viserba – espérons !

Je fais des démarches pour l'adopter, en vue de ma retraite. Le président de la Cour d'appel m'a donné de bonnes espérances.

La décision interviendra probablement avant la fin du mois.

20 septembre 1929

Nous sommes rentrées depuis cinq jours. Le séjour à Viserba a été à peu près tel que je m'y attendais. Physiquement, il a fait du bien au petit gnome, moralement... je ne sais pas. Entourée d'enfants, certes inférieurs à elle par l'intelligence, les sentiments et la droiture morale, elle s'est pourtant laissée aller à me mentir pour la première fois. Ce fut une surprise douloureuse pour moi ; je me rends parfaitement compte qu'elle y a été entraînée, qu'ensuite – par une sorte de point d'honneur – elle a caché la vérité pour ne pas trahir sa complice, mais cette facilité avec laquelle elle s'est laissée entraîner à accomplir un acte qui pourtant lui répugne, m'effraie un peu. Faiblesse de caractère ? Inconscience ? Ivresse au moment du jeu ? Il faudrait pourtant que je comprenne, pour l'aider à se défendre contre elle-même, que ces natures si richement douées, mais si violemment impulsives, sont plus exposées que les autres et plus que les autres ont besoin d'un appui, d'un guide, d'un frein surtout, mais qui fasse sentir toute son affection. Et si je venais bientôt à lui manquer ?

Eugénie Garsin.   *Flaminio Modigliani.*

La maison natale de
Modigliani, via Roma
à Livourne.

Amedeo dans
les bras de sa nourrice
à Livourne.

Livourne, 1895, kermesse de fin d'année scolaire. Amedeo est le
2ème en haut à droite.

A droite, le jeune Amedeo en uniforme
à l'école de Livourne.

1893, Livourne, "Jacques le Bossu", encres de couleurs sur papier
par Amedeo Modigliani.

1895, Livourne, "Magasin des enfants", encres de couleurs sur papier
par Amedeo Modigliani.

Dedo

*"...parler de mes enfants, je ne saurais dire de quelle joie
et de quel orgueil ils ont rempli mon existence."*

Eugénie Garsin Modigliani

Une nuit suffocante et d'insomnie que celle du 11 au 12 juillet 1884 pour Eugénie Garsin et Flaminio Modigliani, son époux. La canicule qui asphyxiait la ville rendait l'air irrespirable dans leur grande maison, un hôtel particulier de deux étages au centre de Livourne, *38 via Roma*, précédemment *10 via Leonardo Cambini* et encore auparavant *4 via delle Ville*. Tourmentés par les moustiques, Eugénie et Flaminio s'étaient déjà levés plusieurs fois pour essayer de trouver un peu de fraîcheur dans la cuisine, près de la glacière. La cuisine avait une fenêtre sur la cour et un balcon qui donnait sur les arbres fruitiers du jardin.

Douze ans après leur mariage, ils attendaient la naissance imminente de leur quatrième enfant. Eugénie avait vingt-neuf ans, Flaminio quarante-quatre. De 1872, l'année même de leur mariage, à 1878, ils avaient eu trois enfants : Giuseppe Emanuele, douze ans, qui deviendra député socialiste, Margherita, neuf ans, qui sera institutrice et restera toute sa vie avec ses parents, et Umberto, six ans, futur ingénieur. Ils attendaient tous l'heureux événement avec impatience. La chaleur accablante et moite qui régnait sur la ville ajoutait à l'énervement général.

Déjà depuis quelques jours, la vaste, et d'ordinaire assez froide, maison bourgeoise était animée d'une grande fébrilité : va-et-vient incessant dans l'escalier, rires étouffés, chuchotements joyeux, un fourmillement de parents, pour la plupart des Garsin venus de Marseille, et qu'on avait installé au premier étage tandis que le deuxième était réservé à la famille Modigliani.

Aux premières lueurs de l'aube, la petite Margherita et ses deux frères furent réveillés en sursaut par leur père qui les bousculait tout en leur criant d'une voix inquiète et saccadée de rassembler le plus vite possible tous les objets précieux qu'ils pourraient trouver dans la maison et de les rassembler sur le lit de leur mère. Tous les autres parents, brusquement réveillés par cette agitation se joignirent aux enfants pour entasser une foule de choses sur et sous les draps d'Eugénie.

Flaminio, qui depuis quelques années gérait à grand peine une entreprise de bois et charbons en Sardaigne, avait fait de très mauvaises affaires et se trouvait pratiquement au bord de la faillite. Il savait que des huissiers n'allaient pas tarder à se présenter ce matin-là pour saisir une partie de ses biens. Il savait aussi qu'une heureuse loi de l'époque interdisait qu'on saisît tout ce qui se trouvait sur le lit d'une parturiente. Comme elle le racontera par la suite à sa nièce, Jeanne Modigliani, la petite Margherita comprit quelques années plus tard que les huissiers étaient venus, ce matin-là, pour saisir et emporter tout ce qui se trouvait dans la maison, et qu'en accumulant sur le lit de sa mère tout ce qu'ils pouvaient, ils avaient pu sauver une grande partie des objets de valeur de la famille.

Eugénie n'était au courant de rien. Depuis des années, Flaminio passait la majeure partie de l'année en Sardaigne pour ses affaires qui allaient assez mal. Par ailleurs, son caractère bourru, introverti, sa timidité maladive, sa soumission au conformisme social, familial et provincial, une certaine avarice, le manque d'intimité conjugale pesaient lourdement sur la vie d'Eugénie. Elle souffrait d'isolement, et les enfants avaient aussi parfois un peu le sentiment d'être abandonnés par leur père. Eugénie fera la confidence de ses difficultés morales et matérielles dans son *Histoire de la Famille :* "En un mot, ce commencement de vie conjugale fut terne et, pendant les quinze années qui suivirent, je puis dire que mon mari n'exista pas pour moi. Matériellement, il était toujours absent ; il venait pour une dizaine de jours à Pâques et une quinzaine en été, il ne me comprenait pas plus que je n'essayais de le comprendre. Je lui écrivais, comme je faisais toutes choses, par obéissance, et mes lettres qui devaient être envoyées ouvertes à la belle-maman pour qu'elle y mît – quand elle aurait fini ses autres occupations – quelques phrases stéréotypées, étaient aussi peu confidentielles que si nous avions été de simples connaissances. [...] La première année et la plus grande partie de la deuxième, je vécus chez mes beaux-parents. Je crois que jamais jeune femme ne fut aussi absolument enchaînée que moi. Le nombre, l'autorité, les traditions, tout pesait sur moi, qui n'avais pas la moindre idée que l'on pût non seulement désobéir, mais même pas regimber. Tout de suite, je constatais que sous les apparences – et alors aussi la réalité – de la richesse, on vivait ici plus mesquinement que chez nous. [...] Alors, je n'avais pas même voix consultative pour l'ameublement et la disposition des pièces. Ma belle-mère faisait tout, et quoiqu'elle me menât chez le tapissier, c'était elle seule qui choisissait meubles, étoffes et tapisseries. [...] les ordres de Flaminio à chaque départ étaient formels et mes beaux-parents veillaient à ce qu'ils fussent exécutés. Je devais passer chez eux les meilleures heures de la journée et toute la soirée [...] Je ne sais plus combien je devais recevoir par semaine – il me semble que c'était 60 francs – et encore fallait-il passer, en l'absence continuelle de Flaminio, par des fourches caudines du bureau ! La moindre dépense extra devait être approuvée par la synarchie, et l'effet que cela faisait sur moi qui n'avais jamais entendu une discussion, ni même une conversation, sur des questions d'argent, il n'est guère possible de l'imaginer. Inutile de me plaindre à Flaminio ; son parti était pris une fois pour toutes : j'avais toujours tort, ses frères toujours raison. [...] Aussi je m'habituais bientôt et très facilement à me priver d'une quantité de choses et à dissimuler ces privations sous des apparences et des poses. Habituée depuis mes fiançailles et mon trousseau aux robes de soie et de velours, je prétendais que je n'aimais que les robes de laine et très simples ; je disais que je ne sentais jamais le froid, car il m'eût été impossible de m'acheter un manteau d'hiver ; j'allais à pied quand tout le monde roulait en voiture et ainsi de suite. Bien entendu, la première économie se faisait sur la table ; la mienne, en l'absence de Flaminio était spartiate. D'autres privations m'étaient plus dures. D'abord de ne pouvoir rien envoyer à Marseille, puis de n'avoir jamais même un verre d'eau à offrir, car entre autres mesquineries, ma maison manquait du service décent de table, ni linge, ni assiettes, ni rien... que le pur nécessaire. [...] Je ne dis pas ceci pour me plaindre, certains embêtements semblent bien petits une fois passés, mais parce que je tiens à faire comprendre pourquoi j'ai si peu d'affection pour Flaminio."

Dans l'histoire de sa famille, rédigée de sa propre main avec une analyse aussi lucide que désabusée, Eugénie évoque les circonstances de sa "rencontre" avec son futur époux : "J'avais à peu près quinze ans quand les premiers nuages qui devaient amener tant d'orages se montrèrent à l'horizon. [...] En 69, Samuele Modigliani mourut, laissant dans la misère sa famille qu'on avait crue riche. [...] Ce fut je crois à cette occasion que Flaminio vint à Marseille et me vit. Je ne fis alors aucune attention à ce monsieur qui venait avec papa me prendre à midi [...] et dînait chez nous comme tant d'autres. En janvier 70, ce fut Isacco Modigliani qui vint tisser sa trame d'affairiste dans laquelle je devais être prise."

Eugénie avait donc quinze ans lorsqu'elle fut fiancée, sans même avoir été consultée, à Flaminio, qui lui en avait déjà trente, et dix-sept lorsqu'elle l'épousa en 1872. Mariage de raison, mariage d'intérêt, mariage arrangé entre deux vieilles familles juives italiennes liées par d'étroites relations d'affaires commerciales et financières.

A cette époque la famille Modigliani jouissait d'une assez belle fortune et vivait dans un hôtel particulier qu'Eugénie décrit en ces termes : "Tout d'abord, ce fut une impression de luxe : la maison de *via Roma* très grande, grouillante de domestiques ; les repas pantagruéliques et toujours table ouverte pour une infinité de parents ou d'amis romains ; réceptions en grand tralala dans les vastes salons en enfilade du premier étage, ou dans le salon du rez-de-chaussée qui donnait sur le jardin, grand, et alors assez bien entretenu."

Comme l'avait prévu Flaminio, peu de temps après avoir fait rassembler tous ses petits trésors domestiques sur le lit d'Eugénie, des huissiers firent irruption dans l'entrée et firent valoir leurs droits à la saisie. Mais tandis qu'ils procédaient aux premières formalités d'inventaire, Eugénie ressentit les premières douleurs. On envoya chercher Sara, la sage-femme qui avait déjà mis au monde les trois autres enfants, et après quelques heures, ce vendredi 12 juillet, à neuf heures du matin, avant même l'arrivée du médecin, naissait Amedeo Clemente, sur la grande table de marbre noir de la cuisine, la même table devant laquelle, tous les matins de sa petite enfance, sa fille Jeanne, "encore tout ensommeillée, avalera son café au lait et révisera ses leçons".

Huit jours plus tard, comme l'exige la tradition juive, le *mohel* pratiqua la circoncision du petit Amedeo qui entrait ainsi dans la communauté en l'an 5644 du calendrier hébraïque.

Le nom de Modigliani provient vraisemblablement de Modigliana, petit village romagnol aux environs de Forli. De là, à une époque ancienne, la famille se serait transférée à Rome malgré les restrictions imposées dans la ville

Rodolfo Mondolfi
à Livourne.

Margherita
et Uberto Mondolfi.

Uberto Mondolfi
et ses amis.

Portrait d'homme
par Modigliani.

1909, le port de Livourne.

Le "Caffè Bardi" à Livourne.

53

pontificale aux Juifs qui ne pouvaient posséder ni terres ni biens immobiliers. Comme dans bien d'autres endroits, les Juifs n'y pouvaient tirer leurs moyens d'existence que du commerce des étoffes, quelquefois de celui des bijoux, ou être chiffonniers. En revanche, à la différence des catholiques, il ne leur était pas interdit de prêter de l'argent.

Une des légendes de la famille Modigliani raconte qu'un ancêtre, prêteur sur gages ou banquier, avait rendu de tels services à un cardinal qu'il s'était cru pouvoir passer outre les interdictions et avait acheté un vignoble sur les coteaux Albani. L'impudence découverte, il aurait été vivement prié par les autorités ecclésiastiques de se défaire de son vignoble sous peine des plus graves sanctions et aurait aussitôt quitté Rome pour s'installer à Livourne avec toute sa famille. Lorsqu'elle l'évoque dans son ouvrage, Jeanne Modigliani redimensionne un peu cette histoire de famille : "Les Modigliani ont été banquiers du Pape", soupirait-on à la maison, les jours où joindre les deux bouts devenait particulièrement difficile. La vérité est plus modeste : en 1849, un Emmanuel Modigliani avait été chargé par le gouvernement pontifical de fournir le cuivre nécessaire à des émissions extraordinaires de monnaie dans les deux ateliers pontificaux. Convaincu alors de pouvoir transgresser la loi des Etats pontificaux qui interdisait aux Juifs de posséder des terres, il acheta une vigne. Il reçut l'ordre de la vendre dans les vingt-quatre heures ; furieux, il quitta Rome pour Livourne." D'après une autre légende familiale, les Modigliani, ainsi que toute la communauté juive de l'époque présidée par Samuele Alatri, auraient joué un rôle en soutenant le triumvirat du gouvernement de la République romaine. République autoproclamée le 9 février 1849, contre le pape Pie IX obligé de se réfugier à Gaeta sous la protection des armées bourboniennes. Pour la première fois, les Juifs romains auront le droit de quitter le ghetto et de se considérer comme des citoyens à part entière, mais le triumvirat de Mazzini ne durera que cinq mois et tombera le 2 juillet sous les coups du corps expéditionnaire français commandé par le général Oudinot. Beaucoup de Juifs suivront Garibaldi à travers l'Italie. Les Modigliani auraient alors choisi Livourne où ils s'installeront en 1849.

Les Garsin, eux, venaient de Tunis où un de leurs ancêtres, lecteur et commentateur de textes sacrés, était connu pour y avoir fondé une école talmudique "qui existait encore il n'y a pas longtemps" écrit Eugénie dans son *Histoire de la Famille*. Ils s'étaient transférés à Livourne à la fin du XVIIIème siècle où l'arrière-grand-père d'Amedeo Modigliani, Giuseppe Garsin était né en février 1793 de Salomon Garsin et de Regina Spinoza. En 1849, c'est-à-dire l'année même où les Modigliani arrivaient à Livourne, Giuseppe Garsin installait sa famille à Marseille.

Dès que le petit Dedo commença à marcher, le grand-père Isaac Garsin prit l'habitude de l'emmener promener le long des quais. Isaac, un petit homme sympathique, qui dans sa jeunesse à Marseille avait été un jeune homme élégant, distingué et un brin coureur de jupons, avait un faible pour la philosophie et l'Histoire. Il parlait plusieurs langues, jouait aux échecs, vivait dans le souvenir d'un passé encore brillant et pas encore complètement oublié. En 1873, lui qui avait été un habitué de la bourse et du commerce, avait dû fermer boutique et liquider les succursales de sa maison commerciale à Londres et à Tunis. Il s'était brouillé avec tout son entourage familial, avec ses associés, avec ses collaborateurs et ayant en plus perdu sa femme, il avait bien vite donné des signes évidents de déséquilibre. On l'avait alors envoyé à Livourne, chez sa fille Eugénie. Il devint vite un vieillard despote, grognon et coléreux, souvent en proie à des crises de neurasthénie. Il n'y avait que le petit Dedo qui le comprenait et bientôt, ils furent des compagnons inséparables. Ils se promenaient en regardant la mer, se plaisaient dans le vacarme du marché aux poissons ; ils parlaient des bateaux qui partaient pour de lointains voyages, ils regardaient les nuages qui passaient dans un ciel flamboyant, ils écoutaient pleurer les mouettes. L'enfant devenait grave et soucieux. On ne sait toujours pas ce que lui racontait le grand-père, on sait simplement que plus tard, Dedo fut surnommé "le philosophe".

Il est probable que pour Amedeo l'image du grand-père ait peu à peu effacé et remplacé celle du père et que sa vision du monde en fût changée. Peut-être est-ce ce grand-père Isaac qui mit dans la tête d'Amedeo la fabuleuse histoire selon laquelle le grand philosophe Baruch Spinoza aurait été un de leurs ancêtres. En fait, le grand-père paternel d'Isaac, Salomon Garsin avait épousé une femme du nom de Régine Spinoza, séfarade d'origine espagnole. Amedeo racontera souvent par la suite, à Paris, que sa mère descendait du grand philosophe. D'après les chroniques, Amedeo Modigliani aurait souvent pris prétexte de ces hypothétiques origines familiales pour justifier sa pensée libérale. Tout comme Spinoza remettait en cause les dogmes, aussi bien juifs que catholiques, dans le but de libérer les hommes des servitudes qui remplissent leur existence pour leur permettre d'accéder à la connaissance de la nature, Modigliani refusa de se laisser enfermer dans quelque ghetto intellectuel que ce fût, politique, culturel, artistique.

Très tôt, fasciné par les choses scientifiques, il se faisait accompagner à la gare par son grand-père pour voir les trains à vapeur ou découvrir la dynamique des voyages en wagon-lit. Quelques années avant la naissance de Dedo,

Isaac était parti de Marseille où sa maison commerciale avait fait faillite pour aller diriger une banque en Libye. Sa fille Clémentine l'accompagna dans ce long voyage. Elle n'avait que seize ans, elle était déjà fragile et malade. Elle avait, dira Eugénie, "un sourire plein de bonté et d'intelligence et des yeux noirs merveilleux." Elle mourut à Tripoli tout juste un an après leur arrivée, en mai 1884, deux mois avant la naissance de Dedo qui fut justement prénommé Amedeo Clemente en son souvenir, et en souvenir aussi d'Amédée Garsin, le petit frère d'Eugénie.

Amédée Garsin était le frère préféré d'Eugénie, pas seulement parce qu'il était son cadet de cinq ans mais aussi et surtout à cause de ses qualités morales et intellectuelles. Il était né en 1860, au moment de l'unité d'Italie. Dans l'*Histoire de la Famille*, on apprend qu'il "termina comme il put ses études à l'école commerciale et entra tout de suite après comme apprenti dans la maison Rabaud. Il était resté petit et frêle, comme Clémentine, pour avoir mal mangé et s'être trop fatigué pendant la période critique de l'adolescence. Une typhoïde grave lui avait laissé une lésion pulmonaire."

Amédée Garsin allait souvent chez sa sœur à Livourne et chaque fois, c'était pour Eugénie et ses enfants comme une bouffée d'air frais, de gaieté, de générosité, d'extravagance. Elle trouvait un grand réconfort dans le soutien moral et matériel d'Amédée. Mais Eugénie sentait le mal de vivre chez ce frère qu'elle aimait tant. En fait, Amédée dans la vie était un aventurier, jouisseur et joueur, et après avoir été très riche, avait fait des spéculations malheureuses qui l'avaient plongé dans la misère la plus noire. Il mourra en 1905, à l'âge de quarante-cinq ans et rien ne comblera jamais le vide qu'il laissera dans la vie de sa sœur comme elle le dira dans son journal : "Rien ne comblera le vide que cette disparition a laissé dans ma vie. C'était une affection trop complexe faite de pitié et de confiance et surtout d'une si complète communion d'âme que rien ne remplacera. Mais je démêle au fond de ma pensée égoïste qu'il n'aurait jamais pu être heureux et que tout est pour le mieux."

Entre les deux Amédée, était né un tel rapport d'affection que le jeune homme sera "adopté" par son oncle toute sa vie durant. Les seules traces qui restent de leur complicité sont deux cartes postales et un portrait de femme exécuté par Dedo à Livourne en 1902 et envoyé à Marseille pour la fiancée de l'oncle.

Dans son journal à la date du 17 mai 1886, Eugénie dit de Dedo qui a deux ans "qu'il n'est encore qu'un rayon de soleil fait enfant. Un enfant un peu gâté, un peu capricieux, mais joli comme un cœur."

A cinq ans, il sait déjà lire et écrire, ayant spontanément appris au contact des autres enfants qui fréquentaient la petite école privée que sa mère et sa tante Laure avaient créée dans la maison de la *via delle Ville* avec l'aide de quelques amis livournais : Marco Alatri, Giuseppe Moro, Padre Bettini, un prêtre catholique qu'Eugénie avait rencontré lors d'un séjour en villégiature à Vico, et le professeur Rodolfo Mondolfi.

Dans son *Livre de Raison*, Eugénie trace le portrait du père Bettini, "un des lambeaux chéris de sa jeunesse", avec esprit, talent, et une sensibilité révélatrice de l'estime qu'elle lui porte. "Ah ! Ce Padre Bettini ! [...] homme d'études, autrefois professeur, aux idées d'une largeur étonnante chez un prêtre, mais pourtant ayant assez de l'esprit de sa robe pour aimer à analyser, à surprendre et à confesser une âme. [...] de sa bouche même j'appris que jamais il n'arrivait au bout du saint office sans avoir des distractions horribles, il m'a raconté ses rêves : "Mais pourquoi me doit-il toujours passer par la tête l'image d'une saucisse, du jambon ou d'autres diableries quand je suis en train de célébrer la Messe ?". Il avait une grande expérience du monde, il avait des lettres, un enthousiasme juvénile pour certains poètes [...] Je regrette encore que l'étroitesse de mon budget et le manque d'initiative ne me permirent pas de lui donner les quelques douceurs que son grand âge et sa pauvreté réclamaient."

Rodolphe Mondolfi, professeur au lycée *F. D. Guerrazzi*, est un ami fidèle et intime d'Eugénie. Leur amitié, qu'on peut sans doute imaginer comme un peu amoureuse, d'autant plus que son mari est toujours absent, accompagne les moments parmi les plus heureux de sa vie. A preuve, ses écrits dans son journal qui ne sont jamais teintés du moindre souvenir affectif envers Flaminio Modigliani tandis que ses propos au sujet du professeur trahissent la grande tendresse qu'elle ressent pour lui : "J'aime beaucoup M. Mondolfi, sa bonté à lui n'est pas du genre passif, il est plein d'élan aussi désintéressé que l'on peut l'être et si son esprit était aussi sûr que son cœur je n'hésiterais pas à en faire mon conseiller intime et confidentiel. [...] C'est un homme qui ne vit que dans les livres bien que les nécessités de l'existence l'astreignent à un travail constant. Il donne entre douze et treize heures de leçons par jour, et malgré cela il est dans les nuages. Très bon, très délicat, s'élevant sans effort et tout naturellement au-dessus des bassesses et des nécessités de cette vie, c'est une de ces personnes qui désire et veut le bien, mais qui ne sait pas toujours trouver le chemin qui y conduit. [...] Je n'entreprends pas d'ailleurs de le juger, je l'aime beaucoup, je

Photographie de classe au Lycée Guerrazzi à Livourne. 4ème à droite de la première rangée.

Bulletins de notes du "Ginnasio F. D. Guerrazzi", à Livourne.

*Margherita et Eugénie
à Livourne.*

*1899, "Portrait de Corinne",
huile sur toile, Livourne.*

*Olga et Corinne Modigliani, artiste peintre
et céramiste.*

1897-98, "Portrait d'Amedeo", détail peint par Modigliani.

*1897-98, "Portrait d'Amedeo", huile sur toile,
par Uberto Mondolfi.*

*Uberto Mondolfi et Amedeo
à Livourne.*

*"Portrait de Vera", huile sur toile,
Livourne.*

*Vera et Giuseppe Emanuele Modigliani
à Livourne.*

*Giuseppe Emanuele Modigliani dit "Mené",
frère d'Amedeo.*

l'estime encore plus et je lui dois beaucoup de reconnaissance pour toute sa conduite envers moi. Il a été l'ami des jours tristes, j'ai toujours trouvé en lui un écho de sympathie chaleureuse et attendrie, un bon conseil ou un encouragement. C'est lui qui m'a poussée vers l'enseignement et c'est aussi à lui que je dois un peu de paix et d'apaisement."

S'il sait déjà lire et écrire à cinq ans, Amedeo montre aussi très tôt un intérêt marqué pour la calligraphie et le dessin, témoins les deux seuls livres restés de son enfance, hérités de sa tante Clémentine, *Jacques le Bossu* et *Le Magasin des Enfants,* emplis de griffonnages qui révèlent des exercices de caricature, datés de sa propre main de 1893 à 1895. Le plus amusant est de voir la manière dont il a très habilement surchargé le nom de sa tante "Clémentine" pour le transformer en "Clemente Amedeo".

Pendant l'été 1895, il contracte une pleurésie. Sa mère le note dans son journal en avril 1896 : "Dedo a eu une pleurésie très grave l'été passé, et je ne me suis pas encore remise de la peur terrible qu'il m'a faite. Le caractère de cet enfant n'est pas encore très formé pour que je puisse dire ici mon opinion. Ses manières sont celles d'un enfant gâté qui ne manque pas d'intelligence. Nous verrons plus tard ce qu'il y a dans cette chrysalide. Peut-être un artiste ?"

Uberto, le fils de Rodolfo Mondolfi, bien que de sept ans l'aîné d'Amedeo, fut son premier grand ami. Eugénie le considérait comme son fils "ajouté".

Les deux enfants sont inséparables. Ils vivent des expériences communes et réalisent ensemble une première "œuvre", que Jeanne Modigliani est parvenue à dater de 1896-97, en décorant une étagère sur les montants de laquelle ils peignent d'un côté une tête de mort et une tête de femme d'une coloration très vive ; de l'autre, le portrait d'un vieil homme à la longue barbe. La tête de femme et la tête de mort devaient symboliser "l'amour dans toute sa puissance destructrice", tandis que l'homme devait symboliser le mâle "succube tel qu'il est trop souvent". Ces mots sont d'Uberto Mondolfi, précise Jeanne dans sa biographie, et elle ajoute : " Amedeo n'avait alors que 12 ans mais il faisait déjà preuve, selon Mondolfi, d'une imagination précoce et d'une telle intolérance à l'égard du conformisme familial et surtout de l'autorité paternelle, qu'une fois, le vieux Rodolfo Mondolfi crut devoir lui adresser d'âpres reproches…"

Il importe en revanche, souligne aussi Jeanne, de détruire, à la source, la légende d'une vocation artistique soudaine jaillie des abîmes de l'inconscient grâce à un facteur étranger, contingent et pathologique. En réalité, le petit Dedo peignait déjà avant sa maladie.

Dedo se souviendra toute sa vie qu'il devait une grande partie de sa culture à la fréquentation des Mondolfi. Rodolfo, le père qui lui avait enseigné le latin et avait été une sorte de maître de vie, et le fils, Uberto, un bon compagnon à l'esprit généreux, un homme de cœur, homme de lettres et de culture, en un mot un humaniste qui participera activement à la lutte socialiste et deviendra plus tard, de 1920 à 1922, maire de Livourne.

En 1897, Dedo fréquente le lycée *Guerrazzi* avec des résultats scolaires passablement médiocres. Les notes de ses bulletins trimestriels sont à peine supérieures à la moyenne. Le 11 juillet, il écrit de sa main dans le journal d'Eugénie : "Je suis en train de passer mes examens. J'ai déjà fait l'écrit de latin et je devrais faire mon *miniam*. Les examens sont pour passer de quatrième en cinquième. Ceci pour l'exactitude des annales de la famille Modigliani." Contrairement à la pratique française qui compte les années scolaires par ordre décroissant, les classes italiennes sont numérotées par ordre ascendant. Selon l'ordre français, Dedo passait donc de cinquième en quatrième. Le 31 juillet, toujours dans le journal de sa mère, il ajoute : "Il y a quelques jours, j'ai écrit dans ce journal de famille en disant que j'étais en train de passer mes examens, j'annonce maintenant que j'ai été reçu." Et sa mère de conclure le 10 août 1897 : "Non seulement Dedo a été reçu à ses examens, mais il va aussi faire son *miniam*. Ouf ! En voici encore un tiré d'affaire ou à peu près !"

A treize ans, réalisant le rêve de son grand-père Isaac qui l'avait initié dès son plus jeune âge à l'histoire et à la religion familiale, Amedeo entrait solennellement dans la communauté des adultes, et démontrait sa préparation dans la connaissance de la tradition hébraïque. C'est peut-être là, la clef des conversations mystérieuses dont ils s'entretenaient longuement durant leurs promenades livournaises au coucher du soleil. On retrouvera quelquefois, plus tard dans sa peinture, et particulièrement au dos de certains de ses tableaux, des caractères hébraïques ou des signes kabbalistiques issus des préoccupations métaphysiques qui tourmentaient son âme comme autant de flèches de lumière.

Un samedi, il avait donc lu la *Parasciah* de la semaine (chapitre de la Bible) devant l'assemblée des fidèles à la synagogue et il avait récité les prières en présence de dix hommes, ce qui en hébreu se dit *miniam*, c'est-à-dire dix. Ce nombre de dix étant nécessaire pour solenniser la lecture des textes sacrés et les prières.

Meuble-étagère
peint par Modigliani et assemblé
par Mondolfi.

Meuble-étagère
peint par
Modigliani (verso).

"Tête de femme et crâne", huile sur bois,
détail, 87,2 x 12 cm. Livourne.

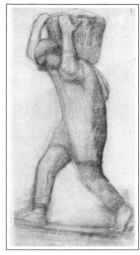

"Homme à la longue barbe", huile
sur bois, détail, 87,2 x 12 cm.
Livourne.

"Paysan de Toscane",
huile sur bois,
Livourne.

1898, "Le déchargeur",
fusain sur papier, 44 x 22 cm.
Livourne.

La communauté juive de Livourne était alors nombreuse. Elle comprenait environ cinq mille membres, descendants de ces Juifs séfarades chassés d'Espagne et du Portugal que les Médicis avaient accueillis en Toscane, leur donnant asile dans cette nouvelle ville de Livourne ouverte aux échanges maritimes et commerciaux. Depuis la fin du XVIIème siècle, ils jouissaient des privilèges d'une loi dite *livornina* par laquelle le grand-duc de Toscane, Ferdinand II, leur avait permis de vivre sans les restrictions du ghetto en vigueur dans les autres villes italiennes, de pratiquer leur religion et le culte de leurs ancêtres, de commercer librement et de fréquenter l'Université de Pise. Livourne était alors, par importance, le deuxième port d'Italie après celui de Gênes.

Pour Amedeo, l'année scolaire suivante, 97-98, est encore moins brillante que les précédentes. Quatre sur dix en italien et quatre en grec, ce qui désespère sa mère. Amedeo est bien loin des notes de son frère Giuseppe Emanuele qui, passant son bac en 1890, avait reçu neuf en italien, neuf en philosophie, dix en latin, dix en grec, dix en mathématiques, dix en histoire-géographie, etc. En conduite, les notes d'Amedeo, rarement supérieures à cinq-six, démontrent un état persistant d'instabilité. Il sera obligé de passer des examens de rattrapage. Le 17 juillet 1898, Eugénie écrit : "Dedo n'a pas été brillant aux examens, ce qui ne m'a guère surprise car il avait fort mal étudié toute l'année. Il commence le 1er août des leçons de dessin dont il a grande envie depuis longtemps. Il se voit déjà peintre. Pour moi, je n'aime pas trop à l'encourager de crainte qu'il ne néglige ses études pour courir derrière cette ombre. Cependant j'ai voulu le contenter pour le faire sortir de cet état de langueur et de tristesse où nous glissons tous plus ou moins en ce moment."

Période en effet difficile et pesante pour la famille qui traverse, une fois de plus, une crise économique. Depuis des années, Eugénie est restée seule pour entretenir la famille, élever et faire étudier convenablement toute sa nichée. Elle y parvient tant bien que mal grâce aux revenus, somme toute modestes, qu'elle tire de son activité d'enseignante à la petite école privée Garsin.

Les frères d'Amedeo terminaient brillamment leurs études. Giuseppe Emanuele qui avait obtenu son doctorat en droit en 1895, devient avocat et parallèlement se lance dans la politique. Umberto achève ses études d'ingénieur à Pise et à Liège. Quant à Margherita, malgré son instabilité et ses crises d'irascibilité, elle obtient des diplômes en langues étrangères.

En août 1898, peu après avoir commencé les cours de dessin "dont il avait grande envie depuis longtemps", en l'atelier du peintre livournais Guglielmo Micheli, Amedeo est à nouveau touché par la maladie : une fièvre typhoïde. Il reste pendant des jours entre la vie et la mort. Jeanne avait peut-être entendu parler de cette typhoïde par sa tante ou par sa grand-mère mais c'est auprès de Gina Micheli, la fille du peintre, citée par Silvano Filippelli, qu'elle en recueille le témoignage le plus précis : "Modigliani avait eu une typhoïde, il entra dans le salon et maman, la femme du maître, alla à sa rencontre et s'écria en caressant sa tête rasée : quelle jolie tête tu as maintenant, Amedeo !"

Dures semaines d'angoisse et de désespoir pour Eugénie qui se débat désespérément dans les difficultés morales et matérielles. Depuis des années, elle est restée de plus en plus seule, Flaminio ne faisant que de rares apparitions en famille entre deux voyages d'affaires, seule pour élever ses enfants, seule aussi pour subvenir aux besoins de la maison depuis qu'elle a rompu avec les autres parents Modigliani, qui par ailleurs ont perdu ce qui restait de la fortune familiale dans des transactions hasardeuses.

Parallèlement à la maladie d'Amedeo, une autre tragédie frappe la famille. Giuseppe Emanuele, fondateur du Club Socialiste de Livourne, a été arrêté le 4 mai pendant une manifestation politique et écroué à la prison de Piacenza comme subversif. *L'Avanti* du 10 juillet 1898 rapporte : "Le compagnon Modigliani, avocat à Livourne, directeur de *La Montagna*, arrêté début mai à Piacenza où il s'était rendu à l'invitation de la section socialiste de cette ville, pour y remplir la charge de conférencier rétribué, fut transféré hier après-midi à Florence, pour répondre à ce que l'on en sait, d'incitation à la révolte. Il sera jugé la semaine prochaine devant notre tribunal militaire. Restant encore à juger 1200 accusés, il a été décidé d'instituer une troisième section du tribunal militaire."

Giuseppe Emanuele Modigliani est jugé par le tribunal militaire de Florence le 14 juillet et le 17, Eugénie note dans son *Livre de Raison* : "Emmanuel a été condamné à six mois de détention et à une forte amende". Elle soutient les idées socialistes de son fils mais elle prévoit déjà pour lui un avenir de luttes et de sacrifices.

Une fiche rédigée par la préfecture de Livourne en date du 9 août 1898 le classant comme "socialiste révolutionnaire" est communiquée à la Direction générale de la sûreté du Ministère de l'intérieur sous le numéro 10957.

L'avocat Giuseppe Emanuele Modigliani ne jouit pas d'une bonne réputation parmi ses concitoyens cultivés et attachés aux principes d'ordre à cause de son caractère audacieux et de ses principes socialistes révolutionnaires notoires. Il est bien élevé, intelligent, cultivé, et exerce le métier d'avocat mais n'en tire pas de moyens suffisants d'existence. Il fréquente de préférence les dirigeants des partis subversifs et, notamment les socialistes convaincus d'activisme et les personnes les plus influentes des classes ouvrières. Au cours de l'année 1897, le parti socialiste de Livourne dont il est l'âme et le véritable chef, le présenta aux élections générales administratives, mais il ne fut pas élu. Avant de se manifester socialiste et révolutionnaire, il n'appartenait à aucun parti politique. Il exerce une grande influence sur le parti socialiste toscan, qui s'étend également aux autres régions du royaume...

En 1892, était né à Gênes le Parti des travailleurs italiens qui deviendra Parti socialiste italien en 1895. La même année, Giuseppe Emanuele Modigliani soutenait une thèse de doctorat sur *La fin de la lutte pour la vie parmi les hommes,* publiée chez l'éditeur Sandron. Elu secrétaire de la Fédération régionale, *La Martinella,* en août 1897 lors du Vème Congrès socialiste toscan, il collabore, en 1898, au journal *Critica Sociale* et dirige *La Montagna,* journal socialiste de Piacenza. Le plus engagé dans la propagande et dans le journalisme parmi les socialistes toscans, il adhère aux idées réformistes de Filippo Turati qui, tout en s'éloignant de la violence révolutionnaire, envisage une collaboration avec les membres les plus démocratiques de la classe dirigeante, comme Giolitti.

Giuseppe Emanuele retrouvera la liberté le 3 décembre 1898, au moment de la première sortie d'Amedeo convalescent, heureuse coïncidence qui soulage toute la famille comme le racontera plus tard Margherita. Giuseppe Emanuele veut continuer sa politique, Amedeo veut devenir artiste. Une certaine désillusion pour Eugénie qui avait tant rêvé pour ses enfants de professions libérales, elle qui s'était elle-même libérée de tous les préjugés et du peu de chances que le milieu conservateur de Livourne accordait aux femmes. Elle permettra donc à Giuseppe Emanuele de devenir politicien et à Amedeo d'abandonner ses études pour devenir artiste. Elle ne sera même pas choquée lorsque Laure, sa sœur cadette, négligeant l'enseignement, s'adonnera à la rédaction d'articles philosophiques ou sociaux pour les journaux. Spinoza, Uriel da Costa, Nietzsche, Bergson, Kropotkine, deviennent ses auteurs de prédilection, ceux qu'elle fera lire un peu plus tard à Amedeo. Eugénie, elle-même, se lance à son tour dans la littérature : "J'ai en cours une traduction des poèmes de D'Annunzio et comme l'on m'avait pris une petite nouvelle originale cet été, il m'est venu l'ambition d'écrire tout un petit roman. En tous les cas je m'amuse à l'écrire." Pendant des années, elle écrira comme nègre pour un universitaire américain toute une série d'essais sur la littérature italienne.

Elève très moyen, pour ne pas dire médiocre, Amedeo ne retournera pas au lycée *Guerrazzi* après sa fièvre typhoïde. En revanche, il continue à fréquenter assidûment et avec grand enthousiasme les cours de dessin de Guglielmo Micheli. Le 10 avril 1899, Eugénie confie à son *Livre de Raison* : "Dedo a renoncé aux études et ne fait plus que de la peinture, mais il en fait tout le jour et tous les jours avec une ardeur soutenue qui m'étonne et me ravit. Si ce n'est pas là le moyen de réussir, c'est qu'il n'y a rien à faire. Son professeur est très content de lui. Pour moi, je n'y entends rien, mais il me semble que pour n'avoir étudié que trois ou quatre mois, il ne peint pas trop mal et dessine très bien."

"Nu de jeune femme", fusain sur papier, Livourne.

"Portrait", technique mixte, Livourne.

"Autoportrait", crayon sur papier, Livourne.

"Portrait du fils de Micheli",
technique mixte, Livourne.

*Livourne, 1900 : Amedeo dans l'atelier
de Gino Romiti entouré de Benvenuto Benvenuti,
Aristide Sommati, Lando Bartoli.*

*1898, "Petite route toscane", huile sur carton.
Pinacothèque G. Fattori, Livourne.*

*1900, "Tête de Gorgone",
huile sur terre cuite, diam. 22 cm. Livourne.*

1902, "Paysage", huile sur panneau, Livourne.

Le premier atelier et les amis de Livourne

"Une vocation est un miracle qu'il faut faire avec soi-même."

Louis Jouvet

Amedeo avait donc abandonné ses études et s'était mis à fréquenter les cours que le peintre paysagiste livournais, Guglielmo Micheli, donnait dans son atelier, "une grande pièce avec trois fenêtres au rez-de-chaussée de la villa Baciocchi", nous dit Jeanne, "face à la boutique d'un cordonnier *via delle Siepi* à Livourne", précise Manlio Martinelli, un autre élève de cet atelier.

Fils d'un typographe, resté orphelin de père à l'âge de douze ans et obligé de subvenir aux besoins de sa mère et de sa sœur, Guglielmo Micheli avait dû, pour ne pas renoncer à sa vocation, suivre les cours de l'école communale de peinture. A vingt ans, ayant obtenu une bourse d'études, il s'était inscrit à l'Académie des Beaux-Arts de Florence où il avait été l'élève du maître Giovanni Fattori, l'un des principaux chefs de file du mouvement *macchiaiolo*.[1]

Dérivant de *macchia* (tache), le mot *macchiaiolo* désigne une tendance antiacadémique qui, tout en restant dans la lignée des peintres florentins de la Renaissance et sans la renier, consistait à clamer haut et fort la modernité et à utiliser des taches de couleur pour rendre les impressions reçues de la vérité, une sorte d'impressionnisme italien, et même toscan. Déjà sensibilisés par l'expérience de peintres napolitains comme les frères Palizzi, des artistes toscans en quête d'un renouveau de la peinture, Serafino De Tivoli, Telemaco Signorini, Odoardo Borrani, Vincenzo Cabianca, allaient quelquefois peindre sur le motif dans la campagne florentine dès les années 1850. Mais c'est surtout au retour du livournais Serafino De Tivoli qui s'était rendu, en compagnie du napolitain Saverio Altamura, à l'Exposition Universelle de Paris en juillet 1855 et y avait admiré les paysages d'après nature surchargés de pâte de leurs collègues de l'Ecole de Barbizon, Camille Corot, Théodore Rousseau, Jean-François Millet, Constant Troyon, ainsi que ceux plus légers de Charles-François Daubigny, que les enseignements académiques néoclassiques furent sévèrement remis en question. Puis, phénomène crucial sur le plan historique et politique qui aura des répercussions sans doute moins évidentes mais non moins importantes sur l'histoire de la peinture : l'Unité d'Italie en 1860. Certes les peintres ne l'avaient pas attendue pour voyager à l'intérieur comme à l'extérieur des frontières de la péninsule mais leurs échanges en sont désormais facilités et de toutes parts de l'Italie affluent de jeunes peintres qui se regroupent en cette seconde moitié du XIXème siècle autour de Florence, et discutent à n'en plus finir le soir, attablés dans son célèbre café *Michelangiolo* de la *via Larga* devenue *via Cavour,* café qu'avaient par ailleurs beaucoup fréquenté les partisans de l'unité italienne. L'année 1861 peut être considérée comme une année décisive pour la jeune peinture italienne : Signorini, déjà enthousiasmé par son premier voyage à l'Exposition Universelle de 1855, retourne à Paris et y rend visite à Corot en compagnie de Cristiano Banti et de Cabianca ; et la même année a lieu à Florence la première Exposition des arts de l'Italie Unifiée. De tous ces échanges, allaient naître les *macchiaioli*, mouvement artistique le plus important du XIXème siècle italien. Rompant définitivement avec le clair-obscur romantique du XVIIIème, les *macchiaioli* œuvrant pour le renouveau de la peinture italienne, s'orientent vers des recherches sur la couleur naturelle et, allant peindre sur le modèle, remontant aux sources même de cette couleur dans la nature, s'attachent à communiquer une nouvelle manière de voir les choses, une manière vivante par la lumière-couleur.

---

(1) Au début du siècle, les étudiants des Beaux-Arts reçoivent un enseignement dont la forme reste pratiquement inchangée depuis l'époque romantique. Ils dessinent d'après des moulages de statues antiques, puis passent aux modèles vivants. Le professeur évoque des souvenirs d'atelier pour transmettre une méthode, un savoir-faire, puis il fait copier les portraits et compositions du passé, l'œuvre de Raphaël, surtout. Il recommande la lecture des traités de peinture des XVème et XVIème siècles, composés par Cennini, Alberti ou Vinci. Un petit nombre de maîtres italiens innove et conduit élèves et modèles sur le motif, pour analyser les jeux de lumière et d'ombre en pleine nature. C'est la leçon *macchiaiola* des pleinairistes que reçoit Modigliani à Livourne, dès l'adolescence.

Comme ce sera le cas plus tard pour le fauvisme, le terme de *macchiaiolo* fut employé pour la première fois en manière sarcastique par un critique du nom de De Luigi dans un article de la *Gazzetta del Popolo* du 3 novembre 1862 répondant à un article de Signorini dans *La Nuova Europa* du 19 octobre 1862 : "Ce sont de jeunes artistes qui se sont mis en tête de réformer l'art, partant du principe que l'effet est tout [...] Que l'effet doive être, qui songerait à le nier ? Mais l'effet au point de tuer le dessin jusqu'à la forme, c'en est trop."

Paradoxalement, celui qui fit le plus pour tous ces jeunes peintres rénovateurs et leur mouvement n'est pas un peintre, mais un critique, Diego Martelli. Personnage résolument d'avant-garde qui ouvrit la route de la France à tous les peintres italiens, critique génial et fédérateur, Diego Martelli commença à s'intéresser au mouvement *macchiaiolo* à partir de 1861 lorsqu'il accueillit dans sa villa de Castiglioncello, à quelques kilomètres au sud de Livourne sur les côtes de la Méditerranée, les peintres Giuseppe Abbati, Odoardo Borrani, Raffaello Sernesi, Giovanni Fattori, Luigi Bechi, Telemaco Signorini, Michele Tedesco, Giovanni Boldini, Federico Zandomeneghi. "Quand il hérita de ses villas de Castenuovo et Castiglioncello, dit Giovanni Fattori, il invita les amis les plus intimes de cette jeunesse artistique qui a tant besoin de vie et de mouvement, à partager sa fortune. La belle figure de Diego, véritable habitant de la Maremme, à l'allure fière, ouvert, franc, allègre, généreux pour nous tous, nous incita à accepter, l'un après l'autre, d'aller vers cette belle et joyeuse campagne [...] Nous fîmes un nouveau pas dans cet art qui s'appela la *macchia* [...] Diego, avec son sentiment d'artiste enthousiaste pour le progrès, fut avec nous, nous accueillit dans son domaine sans préjugé et nous dit : Travaillez, étudiez, il y a de quoi faire pour tout le monde, et ce fut une vraie bohème. Nous étions heureux, bien nourris, sans problème. Nous nous jetâmes dans l'art et nous amourachâmes de cette belle nature aux grandes lignes sérieuses et classiques."

Ces *macchiaioli,* "doués du goût le plus sûr et le plus international qui faisait d'eux le vrai trait d'union entre Guardi et Modigliani", dira plus tard Lionello Venturi dans la *Gazette des Beaux-Arts*, et Alessandro Bonsanti soulignera dans son étude sur la littérature des *macchiaioli* publiée en 1942 dans *Il Primato*, "le fait que les *macchiaioli* s'étaient tout de suite inventés une technique picturale originale, recherchant dans le vrai, souvent en plein air, leurs sujets, aimant surprendre leurs modèles sur le vif..."

Diego Martelli, anticonformiste, incompris, mauvais homme d'affaires, mauvais gestionnaire de ses biens, en butte à d'importants problèmes économiques, décide de quitter la Toscane en 1878 pour se réfugier à Paris, où il s'initie à la profession de journaliste, position qui non seulement lui procure des ressources mais lui permet de s'affirmer comme critique et historien d'art et de conquérir le statut de correspondant italien en France. Pendant l'Exposition Universelle de 1878, il assurera la correspondance pour divers revues et quotidiens italiens, écrivant notamment dans *La Sentinella Bresciana, La Rivista Europea*, la *Gazzetta d'Italia*. C'est son quatrième voyage à Paris. Il fréquente les artistes français et des artistes italiens de Paris. Introduit dans le salon à la mode du peintre Giuseppe De Nittis et de sa femme Léontine quelques jours après son arrivée dans la capitale française, il y rencontre des gens de lettres et des peintres connus : les frères Goncourt, l'éditeur Charpentier, Emile Zola, Edouard Manet, Edgar Degas, Serafino de Tivoli. "J'ai vu une dizaine de tableaux que De Nittis a fait venir pour l'exposition, écrit-il à Fattori, ce sont en majorité des vues de Londres, mais des choses vraiment belles, belles, belles... [...] Il faut prier Dieu pour que De Nittis puisse exposer parce que cela amènera tous ses amis français dans la section italienne, ce qui fera découvrir vos travaux qui appartiennent au genre des intransigeants et des impressionnistes ; et étant donné que De Nittis a besoin de former un groupe, tu verras que cette année-ci, on fera la grande découverte qu'en Italie il y a aussi un art au-delà de Fortuny et de Morelli..."

A la *Quatrième Exposition collective* qui réunit 16 artistes impressionnistes du 10 avril au 11 mai 1879 au 28 avenue de l'Opéra, Diego Martelli découvre des similitudes entre les divers impressionnistes, intransigeants, ou indépendants français, comme ils se qualifiaient eux-mêmes, et les *macchiaioli* italiens et il fait un rapprochement entre certaines œuvres de Pissarro et de Fattori. " Je te dis en plus que les impressionnistes sont moins en avance que vous... écrit-il à Fattori. Ils cherchent leurs résultats ton par ton, et pas par contour, ils ne font pas exactement de la *macchia*, comme on faisait à Florence du temps de Serafino Tivoli. La peinture des impressionnistes est cherchée dans une gamme claire et sereine ; nous cherchions les taches en clair-obscur. "

Diego Martelli eut l'intuition universelle de l'impressionnisme qu'il apprécia à sa juste valeur et fit des efforts considérables pour le faire connaître et le répandre en Italie, convaincu qu'il pouvait ainsi faire progresser l'art en Italie. C'est à *La Nouvelle Athènes*, café de la place Pigalle, qu'il rencontrait ses amis Manet, Marcellin Desboutin, Zandomeneghi, Degas, Pissarro. Homme de lettres, collectionneur, critique, il avait compris les phénomènes artistiques progressistes de la peinture des *macchiaioli*, de celle des réalistes, et de celle des impressionnistes. Dans un article titré *Diego Martelli et la critique du novecento*, Ettore Spaletti dit de lui : "Diego Martelli veut ouvrir une fenêtre à l'art italien, il veut vivement démontrer, même aux "siens" qu'il ne suffit pas de lutter contre le passé, mais qu'il faut aussi ouvrir les deux yeux tout grands au présent."

Giovanni Fattori, lui aussi livournais, ayant lui aussi éprouvé la pauvreté, et n'ayant pas eu d'enfant malgré trois mariages, avait quasiment adopté Guglielmo Micheli comme un fils et lui avait transmis tous les secrets de sa propre expérience. Homme simple, épris de nature, et d'une grande sensibilité poétique, Micheli savait faire chanter sur la toile la magie des paysages toscans avec une prédilection pour les marines. Les titres mêmes de ses tableaux : *Lo Scoglio della Ballerina* (Le Rocher de la Danseuse), *Veliero davanti a Livorno* (Voilier devant Livourne), *Barche al Sole* (Barques au Soleil), *Tartana* (Tartane), *Sottovento* (Sous le Vent), *Marina in grigio* (Marine en gris)... révèlent sa dimension poétique. Il recommandait à ses élèves de rester humble et de ne jamais trahir la nature : "Faites ce que vous ressentez mais avec la plus grande honnêteté", disait-il à ses élèves, un peu en écho à la devise d'enseignant de son propre maître, Giovanni Fattori, qui était : "Faites ce que vous sentez et n'aimez pas ce que font les autres."

"Je veux seulement peindre et dessiner !", n'avait cessé d'affirmer Amedeo pendant sa convalescence. Lorsqu'il y entre, en août 1898, l'atelier du maître de Micheli, implanté dans l'esprit artisanal des boutiques florentines du *Quattrocento* italien, avec son atmosphère intime et laborieuse, était fréquenté par Gino Romiti, Manlio Martinelli, Silvano Filippelli, Benvenuto Benvenuti, Aristide Sommati, Lando Bartoli, Renato Natali, Llewelyn Lloyd, Oscar Ghiglia, tous ces jeunes peintres dont certains deviendront des compagnons de route artistique et même des amis pour Amedeo. Le souvenir de Lloyd dans son ouvrage *Tempi Andati* nous donne un instantané vécu de cette époque : "Une année, entra avec nous à l'atelier un petit jeune homme malingre, pâle, avec de proéminentes lèvres rouges ; bien élevé. C'était Dedo Modigliani, d'une très bonne famille juive livournaise. Ils étaient tous érudits dans sa famille. Son père, un petit homme grassouillet, qui portait toujours une redingote à queue de pie et un chapeau melon, bien que courtier en affaires, était très cultivé. Son frère Emanuele était avocat, sa sœur professeur de français. Dedo dessinait et peignait davantage avec le cerveau qu'avec les yeux et le cœur. Il aimait raisonner et discuter, me mettant plus d'une fois dans l'embarras avec son puits de science. Moi, pauvre gars qui n'avais pas assez de mes yeux pour dialoguer avec la nature, qui cherchais sur la palette comment rendre le scintillement d'une feuille, comment obtenir la profondeur infinie d'un ciel, comment pouvais-je approfondir une théorie de Nietzsche ou une pensée de Schopenhauer ? Nous allions peindre ensemble à l'air libre dans les environs de Livourne. Puis, nous fréquentâmes l'école de dessin anatomique de Pise, mais Amedeo, lui, en étudiait l'aspect scientifique dans les textes. Et comme il ne dessinait jamais, un jour où il n'observait même pas le cadavre, moi, le voyant ne rien faire près de moi, j'ai tracé son effigie au dos d'un dessin de squelette qui est encore dans mes cartons et que j'ai regardé plus d'une fois."

Le dimanche, les jeunes artistes livournais se retrouvaient dans l'atelier pour faire du nu ensemble et partager ainsi les frais du modèle. Manlio Martinelli fut le dernier à s'inscrire au cours de Micheli, il arriva au mois de juin 1899, Modigliani était déjà là depuis une vingtaine de jours. Martinelli raconte : "Quand je suis arrivé chez Micheli, Dedo dessinait une nature morte au fusain sur un carton entoilé, un vase sur fond de draperie ; la technique de ces dessins consistait souvent à brûler partiellement le papier, en employant le noircissement comme demi-teinte. Fattori regarda le dessin et l'apprécia beaucoup." Le vieux maître Giovanni Fattori avait en effet eu l'occasion d'apprécier le travail du jeune Amedeo et de le complimenter lors de l'une de ses visites à l'atelier de Micheli où il se rendait volontiers lorsqu'il avait l'occasion de passer par Livourne. Dans une autre occasion Martinelli se rappelle avoir vu Amedeo peindre le fameux *Garçon assis* pour lequel posait le fils de Micheli. Cette œuvre fut réalisée dans l'atelier de *Piazza Goldoni* où l'école, précédemment installée dans la propre maison natale de Micheli, s'était déplacée pendant environ deux mois, époque qualifiée d'héroïque par Martinelli.

Ils étaient tous jeunes et sans argent et lorsque Eugénie les invitait à goûter, c'était pour eux un cadeau du ciel. Gino Romiti parle de "décor bourgeois" et de "niveau social de premier ordre". D'après un témoignage de Renato Natali : "Amedeo appartenait à une famille qui, à nous, jeunes sans un sou en poche, nous semblait riche mais qui n'était peut-être qu'à peine aisée."

Eugénie était une intellectuelle de grande culture, anticonformiste et chez les Modigliani, outre l'italien chacun parlait le français, l'anglais et l'espagnol.

Selon Silvano Filippelli, Amedeo avait l'air d'un bourgeois bien élevé. A quinze ans, il lisait *Les Vierges au Rocher* de D'Annunzio, *Ainsi parlait Zarathoustra* de Nietzsche. Le bon Micheli le surnommait avec dérision "le surhomme" tandis que son père, Flaminio, aimait l'appeler avec humour et tendresse "Botticelli". Silvano Filippelli parle encore d'un Dedo admirateur des préraphaélites anglais et entiché de Baudelaire.

Le photographe Bruno Miniati le décrit comme un jeune homme en proie aux premiers émois et à la timidité, traits d'ordinaire assez naturels et banals de la prime adolescence : "Dedo était très introverti, très timide. Il rougissait pour un rien. Il parlait volontiers de femmes. Déjà très jeune, il avait un tempérament érotique. Il voulait séduire la bonne de Micheli, une petite pâlichonne aux yeux noirs comme le charbon. Puis lorsque nous allions faire un tour *via dei Lavatoi* ou *via del Sassetto*, où se trouvaient les maisons closes, Dedo se dégonflait. Il avait honte." A Martinelli, il aurait dit un jour en clignant de l'œil : "Tu n'aimerais pas te faire recoudre un bouton à ton pantalon par elle ?"

Entre deux tasses de thé servies par Eugénie, Martinelli avait pu apercevoir sur les murs de la maison Modigliani, les œuvres de son jeune ami. Il en était si enthousiaste qu'il résolut de le suivre partout. C'est ainsi qu'ils commencèrent à sillonner la campagne toscane pour aller peindre sur le modèle. Manlio Martinelli évoque le jour où ils étaient tout occupés à peindre une vue de l'Ardenza, une localité à trois kilomètres au sud de Livourne : "Près du pont sous la passerelle du chemin de fer, un gamin se mit à jeter des pierres, visant avec une précision surprenante la boîte de couleurs, nous obligeant à nous abriter avec tout l'attirail sous la voûte" ; et cette autre fois où les deux jeunes peintres, alors qu'ils parcouraient la campagne livournaise, leur boîte de couleurs en bandoulière, s'entendirent demander par une brave paysanne s'ils vendaient des peignes ? De ces promenades picturales, un seul tableau, peut-être même le tout premier du peintre qui n'avait alors que 14 ans, a été conservé. Il s'agit de *Sottobosco*, un tout petit paysage (18x30 cm) peint en 1898, représentant des arbres dénudés dans une prairie en fleurs, où l'ébauche d'une très simple ligne d'horizon parvient à donner la sensation d'une extraordinaire profondeur de champ. Ce précieux petit tableau, qui peut être considéré comme une relique, a échappé à la destruction générale de ses œuvres de jeunesse voulue par Amedeo, grâce à sa sœur Margherita qui l'avait oublié pendant des années chez un ami. Elle avait eu l'intention de le conserver comme modèle pour s'en inspirer dans ses propres recherches picturales.

Modigliani, lui, admirait beaucoup Gino Romiti, de trois ans son aîné, et voulait avec lui mettre au point une manière de peindre "plus fluide". A dix-sept ans, Romiti avait déjà produit l'une de ses œuvres *Il ruscello* (Le Ruisseau) à une exposition permanente de Milan. Plus tard, lorsque Modigliani louera un atelier près du marché, un grand espace où se donner complètement à la peinture et surtout à la sculpture à laquelle il se serait particulièrement intéressé, selon Jeanne, depuis un voyage, en 1902, chez des amis de son père, à Pietrasanta près de Carrare où il avait visité les carrières de Michel-Ange, Gino Romiti sera l'un des rares privilégiés à y être invité. En 1903, Romiti exposera à la Biennale de Venise sa toile *Armonia dei Suoni* (Harmonie des Sons), représentant une personnification féminine de la musique dans un sous-bois, qui lui procurera un grand succès et une bonne renommée. C'est aussi dans l'atelier de Romiti que Modigliani avait rencontré Giulio Cesare Vinzio, ancien élève d'Enrico Banti à Livourne puis de Giovanni Fattori à Florence qui l'avait initié à la peinture divisionniste. Vinzio avait adapté cette théorie au paysage toscan dans un jeu de formes et de lumières romantiques. Il avait exposé avec succès à Florence au *Palais Corsini*, mais Modigliani n'aimait pas beaucoup sa manière paisible et presque "léchée" de peindre.

De la *Torre del Marzocco* jusqu'à l'*Accademia navale*, de la statue du grand-duc Ferdinand Ier flanquée de quatre esclaves turcs, les *Quattro Mori*, jusqu'à la place Micheli, de l'église Saint-Ferdinand à la cathédrale, de la synagogue à la Vieille Forteresse, Amedeo arpentait la ville, promenait sa nostalgie dans les ruelles douteuses, au bord des canaux du vieux Livourne ou sur le Vieux port des Médicis à la recherche d'inspiration. Il pouvait errer dans les quartiers populaires en assumant le personnage du *macchiaiolo*, mais comme l'affirme un camarade de cette époque, Renato Natali : "Amedeo détestait peindre les paysages. Il aimait aller dans les musées pour admirer ses maîtres préférés, les siennois par exemple. Il haïssait le passé récent. [...] C'était peut-être dans les nus qu'il exprimait une certaine autonomie en donnant libre cours à son goût de la ligne."

Sont de cette époque ses premières œuvres livournaises d'une certaine authenticité et autonomie d'expression : *Sottobosco, Un Port, La Route de Salviano* et le *Garçon assis*, où l'on découvre son goût pour la ligne limpide, à la manière de Fattori, qu'il avait assimilée dans l'atelier de Micheli ou dans celui de Romiti. *Sottobosco*, huile sur bois de petit format où la lumière filtre à travers les ramures est de facture presque impressionniste. *Le petit Port* évoque celui des pêcheurs livournais, très souvent représenté par tous les jeunes peintres toscans.

Dans les archives Sommati, on trouve les preuves que le portrait du fils de Micheli, peint à Livourne, ainsi que *La Stradina* (La petite Route), actuellement exposée au *Museo Civico di Livorno*, étaient sa propriété, ce qui semble avéré par les souvenirs de Silvano Filippelli selon lesquels Sommati avait de beaux tableaux de Modigliani, mais dont il s'était défait l'un après l'autre. "L'honnêteté et la modestie du trait font penser aux dessins de jeunesse de Van Gogh sur les mineurs", nous dit Sommati.

Le soir venu, tous les élèves de Micheli se réunissaient devant une bonne bouteille au *Caffè Bardi* qui se trouvait entre *via Cairoli* et *Piazza Cavour* au centre de Livourne et qui était devenu le bistrot culturel à la mode. Là, ils passaient des heures et des heures à discuter et à boire dans une atmosphère bruyante et surchauffée. Gastone Razzaguta, journaliste et peintre, écrira plus tard : "Quand Amedeo Modigliani, dit Dedo, était un jeune distingué, discipliné et studieux de l'atelier Micheli, il dessinait avec beaucoup de soin et sans la moindre déformation. Sa manière de présenter le sujet, presque toujours avec les mains sur les genoux, reproduit certes une attitude naturelle de repos, mais elle a quelque chose de typiquement toscan et se retrouve aussi dans Fattori. Il s'agit, en somme, d'une paisible vision de chez nous, émigrée et dramatisée en France."

La même année 1899, Aristide Sommati, Manlio Martinelli et Amedeo louent dans le quartier populaire de San Marco, un atelier dans la *via della Scala* dont Margherita écrit : "Un jeune peintre mort de tuberculose, avait laissé son atelier à la bande des élèves de Micheli. Il est probable qu'Amedeo a attrapé dans cet atelier l'infection qui avait aussi contaminé deux autres membres de la bande." Cet atelier avait aussi appartenu à Romiti.

Amedeo s'entendait très bien avec Aristide Sommati ; tous les deux avaient un tempérament inquiet et manquaient de confiance mais ils avaient les mêmes goûts pour la lecture, pour la musique, pour la peinture. Très doué, Sommati avait fréquenté l'école des arts et métiers de Livourne, y avait appris la technique chromatique qu'il avait développée en matière de fresques, et l'avait transmise à Dedo. Il abandonnera plus tard la peinture lorsque, à la veille d'une exposition, un incendie détruira tous ses tableaux, et deviendra alors boulanger pour nourrir sa nombreuse famille. Il reste au *Musée civique* de Livourne un portrait du peintre Sommati exécuté au *Caffè Bardi* par Modigliani, probablement en 1908.

En septembre 1900, Amedeo retombe gravement malade. Il a des lésions aux poumons et des hémorragies, séquelles des affections précédentes. Les médecins lui conseillent un séjour au chaud dans le sud. C'est l'oncle Amédée Garsin qui paiera le voyage et le séjour. Amédée Garsin écrit à sa sœur : "Chère Eugénie, je considère ton fils comme le mien. Je me charge de toutes les dépenses que tu jugeras nécessaires."

Quelques jours plus tard, ayant reçu l'argent, la mère et le fils partent pour Naples. Ils séjournent à l'hôtel *Vésuvio*, visitent les églises baroques, les musées, Torre del Greco où ils descendent au grand hôtel *Santa Teresa*, Amalfi, puis Capri en janvier 1901 à l'hôtel *Pagano*.

L'île de Capri est alors la villégiature de prédilection des riches touristes nordiques. Parmi eux, le baron prussien Wilhelm von Gloeden devenu célèbre pour la beauté plastique et la perversité de ses photos de jeunes pêcheurs qu'il faisait poser nus, la tête ceinte de feuilles de vigne, une flûte de Pan à la main ; et le non moins célèbre Alfred Krupp, le magnat de l'acier, l'ami du Kaiser Guillaume II, dont les orgies l'avaient à tel point rendu indésirable qu'il fut déclaré *persona non grata* par le gouvernement italien et prié de quitter l'île.

Margherita écrit : "Maman voulut quitter Capri en toute hâte, impressionnée par le milieu de ces Allemands dont les turpitudes furent plus tard révélées au grand public."

Tout au long du voyage, Amedeo s'intéresse aux fouilles, à l'archéologie romaine, aux fresques. Il passe des heures dans les ruines des villas impériales ou devant la sculpture classique. Il est particulièrement fasciné par diverses statues du Musée national de Naples : un silène ivre, un garçon s'ôtant une épine du pied, un Hermès, une Aphrodite aux multiples mamelles. Ce voyage prend des allures d'étude et s'il lui fait oublier sa maladie, il l'éloigne aussi considérablement de Livourne et de l'atelier de la *via Baciocchi*. Sa correspondance avec son ami Oscar Ghiglia, dans un style très romantique et exalté à la manière de D'Annunzio, nous donne une vision des mythes et des fantômes de sa jeunesse et aussi un profil plus précis de lui-même se confessant à lui-même. Ces lettres, publiées pour la première fois par Paolo D'Ancona dans *L'Arte*, (fasc. III, Torino, maggio 1930, pp. 257-264), révèlent son admiration pour Ghiglia, peintre qui avait vu le jour, comme lui à Livourne, le 23 août 1876.

Amedeo Modigliani n'a jamais réussi à se familiariser avec quelqu'un. Il fit souvent partie de groupes sans jamais vraiment s'y intégrer et se fit beaucoup d'amis, mais n'ouvrit son cœur à aucun, à l'exception d'Oscar Ghiglia pendant les trois ans que dura leur amitié. Moment particulièrement important de l'adolescence d'Amedeo, en manque de tendresse et de compréhension, en pleine crise, comme en vivent la plupart des garçons de son âge. Timide, tourmenté par son inexpérience, par son éducation bourgeoise qui l'étouffait, il communiquait difficilement et superficiellement. Hanté par la maladie dont il craignait qu'elle ne l'empêchât de porter à terme une œuvre en gestation, il avait peur de s'exposer et portait en lui un pressentiment d'échec. C'est sans doute la raison pour laquelle ses lettres à Ghiglia sont une profession de foi aux valeurs de la vie, aux rapports humains fondés sur la générosité, à la délicatesse des sentiments. Il tenait à faire partager à son ami ses découvertes, ses sensations, sa vision de l'art. Dans sa première lettre à Oscar, du moins de celles qui ont été retrouvées, il tente de lui faire sentir son désir revivifié de se consacrer entièrement à la peinture.

Très cher, ...et cette fois-ci réponds, à moins que les lauriers ne pèsent trop sur ta plume. Je viens de lire dans la Tribuna *l'annonce de ton acceptation à Venise : Oscar Ghiglia,* Autoportrait. *Je pense que c'est le portrait dont tu m'as parlé et auquel tu pensais déjà à Livourne. Je te félicite vraimît très sincèrement. Tu peux imaginer comme cette nouvelle m'a ému ! Je suis ici à Capri, lieu délicieux entre parenthèses, où je fais une cure... Et il y a maintenant quatre mois que je n'ai rien réalisé, j'accumule du matériel. J'irai bientôt à Rome, puis à Venise pour l'exposition... je fais comme les Anglais. Mais le moment viendra où je m'installerai, à Florence sans doute, pour y travailler, et dans le vrai sens du terme, c'est-à-dire pour m'y consacrer avec foi, corps et âme, à l'organisation et au développement de toutes les impressions, de tous les germes d'idées que j'ai recueillis dans cette paix, comme en un jardin mystique. Mais venons-en à toi : nous nous sommes quittés au moment le plus critique de notre développement intellectuel et artistique et nous avons pris des chemins différents. Je voudrais te retrouver maintenant et parler avec toi. Ne prends pas cette lettre pour une lettre quelconque de félicitations, mais comme le témoignage de l'intérêt sincère que te porte ton ami,*

Modigliani
Hôtel Pagano, Capri

On ne sait pas comment était née cette amitié avec Oscar Ghiglia. Llewelyn Lloyd, grâce à qui ils s'étaient rencontrés au *Caffè Bardi*, raconte que Ghiglia habitait, comme lui, la *via Paoli*, qu'il avait été commis auprès de son beau-frère marchand d'étoffes dans un magasin à Pistoia puis à Viterbo, et qu'il avait fait du porte à porte. Lloyd avait vu Oscar Ghiglia peindre sans chevalet dans la cuisine de sa mère.

Oscar Ghiglia avait étudié l'autoportrait à Florence avec Giovanni Fattori. A Florence, il s'enfermait chez lui pendant de longues heures pour peindre devant sa glace. Un jour, il avait montré à Lloyd une toile titrée *Allo Specchio* (Au Miroir) dans laquelle on le découvre assis, palette et pinceaux en mains. Lloyd aima beaucoup cette peinture, lui conseilla de l'envoyer à la Commission de sélection internationale de la Biennale de Venise et en dessina lui-même le cadre. Le tableau, exposé en 1901, rencontra un grand succès tant auprès de la presse que du public. Quelques mois plus tard, Ghiglia devint en Italie un peintre important qui influencera provisoirement beaucoup Modigliani, à preuve le témoignage d'Anselmo Bucci : "Pour Amedeo, en Italie, il n'y avait de bon en peinture qu'Oscar Ghiglia."

La deuxième lettre d'Amedeo Modigliani à Oscar Ghiglia, datée du 1er avril 1901, qui sera expédiée de la *Villa Bitter* – Anacapri – Isola di Capri, contient une sorte de reniement à l'égard de Guglielmo Micheli. Sans doute est-ce le signe qu'Amedeo, qui n'a encore que dix-sept ans, qui est certes depuis longtemps très enthousiaste, qui est aussi en pleine recherche, en pleine incertitude, mais n'a encore rien fait, ébloui par l'abondance, la richesse, la diversité et la beauté des chefs-d'œuvres qu'il lui est donné de visiter, pense déjà devoir et pouvoir surpasser son maître.

Très cher Oscar,
Encore à Capri. J'aurais voulu attendre et t'écrire de Rome. Je partirai dans deux ou trois jours, mais le désir de bavarder un peu avec toi me fait prendre la plume. Je crois bien volontiers que tu as dû changer sous l'influence de Florence. Croiras-tu que j'ai changé en voyageant par ici ? Capri, dont le nom suffisait seul pour éveiller en mon esprit un tumulte d'images, de beauté et de volupté antique, m'apparaît maintenant comme un endroit essentiellement printanier. Dans la beauté classique du paysage, il y a, à mon sens, un sentiment toujours présent et indéfinissable de sensualité, et même malgré les Anglais qui envahissent tout avec leur Baedeker, une fleur éclatante et vénéneuse qui surgit de la mer. Suffit pour la poésie. Imagine du reste – ce sont des choses qui n'arrivent qu'à Capri – que je me suis promené hier avec une jeune fille norvégienne, très érotique en vérité, et aussi très jolie. Je ne sais pas encore avec précision quand je serai à

1901, Cartes postales dédicacées à Suzanne et Emmanuel Mossé par Modigliani.

Venise, je te le ferai savoir. Je désirerais visiter cette ville avec toi. Micheli ? Mon Dieu, il y en a à Capri... des régiments ! Comment va Vinzio ? Il avait bien commencé avec son petit tableau. Avance-t-il ou piétine-t-il ? Réponds-moi. C'est pour cela au fond que je t'écris, pour avoir des nouvelles de toi et des autres. Mon souvenir à Vinzio. Salut.

Dedo
Ecris : Rome - Poste Restante

Parvenu à l'étape romaine de son voyage, Amedeo libère son énergie dans sa troisième lettre à Oscar, exprime son ardeur et peut-être quelques prémices de son futur génie dans un débordement lyrique et une frénésie destinés à formuler ses propres conceptions de l'art et de la vie.

Cher ami,
J'écris pour m'épancher et pour m'affermir vis-à-vis de moi-même. Je suis moi-même le jouet d'énergies très fortes qui naissent et meurent. Je voudrais au contraire que ma vie soit comme un fleuve très riche qui coule avec joie sur la terre. Tu es désormais celui à qui je peux tout dire : eh bien, je suis désormais riche et fécond de germes et j'ai besoin de l'œuvre. Je suis plein d'excitation, mais de cet orgasme qui précède la joie à laquelle va succéder l'activité vertigineuse et ininterrompue de l'intelligence. Déjà, rien que de t'avoir écrit ceci, je pense que cette excitation est bénéfique. Et de cette excitation je me délivrerai en jetant à nouveau une énergie et une lucidité inconnues jusqu'ici dans la grande lutte, dans le hasard, dans la guerre. Je voudrais te dire quelles sont les nouvelles armes avec lesquelles j'éprouverai à nouveau la joie de la guerre. Un bourgeois m'a dit aujourd'hui – il m'a insulté – que moi, ou du moins que mon cerveau paressait. Cela m'a fait beaucoup de bien. Il me faudrait un avertissement semblable tous les matins au réveil : mais ils ne peuvent nous comprendre, comme ils ne peuvent comprendre la vie. Je ne te dis rien de Rome. Rome, qui est non pas en dehors mais au-dedans de moi-même tandis que je te parle, semblable à un joyau terrible serti sur ses sept collines comme sur sept idées impérieuses. Rome est l'orchestration dont je me ceins, la circonscription où je m'isole et place ma pensée. Ses douceurs fiévreuses, sa campagne tragique, ses formes de beauté et d'harmonie, toutes ces choses sont miennes, à travers ma pensée et mon œuvre. Mais je ne puis te dire ici toute l'impression qu'elle me fait, ni toutes les vérités que j'ai su puiser en elle. Je vais me mettre à une nouvelle œuvre et depuis que je l'ai précisée et formulée, mille autres aspirations ressortent de la vie quotidienne. Tu vois la nécessité de la méthode et de l'application. J'essaie en outre de formuler avec le maximum de lucidité possible les vérités sur l'art et sur la vie que j'ai recueillies éparses dans la beauté de Rome[2] ; et comment leur lien intime m'est venu à l'esprit, j'essaierai de le révéler et d'en recomposer la construction, je dirais presque l'architecture métaphysique, pour en créer ma vérité sur la vie, sur la beauté et sur l'art.
Adieu. Parle-moi de toi comme je te parle de moi. N'est-ce pas là le but de l'amitié, de composer et d'exalter la volonté suivant son penchant, de se révéler l'un à l'autre et à nous-mêmes ? Adieu.

Ton Dedo

Toute l'exaltation de cette correspondance traduit le désir impérieux du jeune Amedeo de conquérir sa propre personnalité, de se réaliser, et son ambition de figurer au rang des innovateurs. Selon Llewelyn Lloyd : "... au retour de ses voyages, il rapporta diverses études de têtes, influencées par l'école napolitaine contemporaine, entre les frères Palizzi et Domenico Morelli, et l'ébauche d'un tableau intitulé *Il Canto del Cigno* (Le Chant du Cygne), peinture commencée à Rome après avoir fréquenté l'atelier de Nino Costa. C'est justement de la propre bouche de Modigliani que j'entendis parler de certaines préparations, de certains "fonds dorés", de certaines esquisses à la terre verte, d'un prodigieux "noir de vigne", une pure merveille pour faire les ciels. En fait, pour ce tableau qui allait devenir *Le Chant du Cygne*, une vue boisée de la Villa Borghese en automne, il avait fait de nombreuses études de grattage et raclage au couteau sur de mystérieux fonds dorés, de terre verte, de rouges de Pouzzoles."

Du témoignage de Llewellyn LLoyd, on apprend qu'Amedeo avait fréquenté l'atelier de Giovanni Costa, dit Nino. Ce peintre romain, néoclassique à l'origine, est l'un des premiers à être sorti de son atelier pour aller peindre

---

(2) Uberto Mondolfi nous décrit la promenade avec Amedeo dans une lettre adressée aux parents : *"Dans l'après-midi avec l'ami Modigliani nous avons visité le Palatin, misérables ruines ! Nous avons vu le palais de Tiberio, de Caligola, d'Augusto, la maison de Livia, (Sur les murs les fresques magnifiques de la nymphe Io) les murs de Rome antique, les murs de Romulus. Est-t-il possible que tant des restes archéologiques puissent disparaître sous terre ?"*

dans la nature. Mais avant de se tourner vers la peinture vériste, il avait rejoint le groupe des *macchiaioli* à Florence pendant une dizaine d'années (1860-1870) et leur avait apporté l'écho de ses expériences à Paris où il avait rencontré Corot et à Londres où il avait pris contact avec le critique d'art John Ruskin et les préraphaélites. Après son retour à Rome, il participe activement à des associations de peintres comme l'Ecole étrusque et prône le renouvellement de l'art à la lumière des récentes tendances préraphaélites.

Sept jeunes artistes anglais, Dante Gabriel Rossetti, peintre et poète, fils de l'écrivain napolitain Gabriele Rossetti exilé à Londres pour des raisons politiques, et les peintres William Holman Hunt, John Everett Millais, William Dyce, Ford Madox Brown, Edward Burne-Jones, William Morris, s'étaient réunis dès 1848, l'année même où Marx et Enghels publiaient leur *Manifeste du parti communiste,* sous le nom de Confrérie Préraphaélite. Rompant avec la peinture victorienne, réagissant violemment contre le modernisme industriel, ils s'étaient tournés vers un retour à la pureté de lignes et au spiritualisme fervent des prédécesseurs de Raphaël. Encouragés et soutenus par le critique John Ruskin, ils se dédièrent au naturalisme et au symbolisme.

A Naples, c'est le portrait d'un mendiant napolitain qui l'avait beaucoup intrigué, qui passionna Amedeo par-dessus tout, à tel point qu'il devint son modèle préféré. Ce portrait fétiche qui est une peinture à l'huile a malheureusement été perdu dès son retour à Livourne. De cette période, il ne reste qu'une assiette en terre cuite, peinte à l'huile, représentant une tête de Méduse d'inspiration à la fois mythologique et Renaissance.

L'horizon clos et provincial de Livourne est désormais loin. Modigliani vient de découvrir la grande peinture italienne et l'atmosphère bouleversante de Naples. Ce voyage lui laisse une empreinte durable et lui fait ressentir les émois d'un esthétisme profond. C'est à Naples, "avec un bon quart de siècle d'avance sur les érudits", selon la formule d'Enzo Carli, le professeur de Jeanne, comme elle le rapporte dans sa biographie, que Modigliani a découvert et apprécié l'originalité de l'œuvre du sculpteur siennois Tino di Camaino, le premier, au début du XIVème siècle, à avoir élaboré des tombeaux monumentaux : ceux de Henri VII à Pise, de l'évêque Orso à Florence, de Marie de Hongrie en l'église Santa Maria Donnaregina à Naples et de Charles de Calabre au monastère de Santa Chiara.

Jeanne pense que c'est en visitant les églises San Lorenzo, San Domenico, Santa Maria Donnaregina, Santa Chiara à Naples que Modigliani aurait trouvé, la solution aux problèmes plastiques qui se poseront à lui quelques années plus tard : les ovales de ses visages sur de longs cous, son maniérisme décoratif, la densité de ses œuvres, la simplicité de la ligne pour contenir le volume des formes. Avec Tino di Camaino, il venait de découvrir à la fois la contradiction et la complémentarité ligne-volume de la sculpture.

Carte postale de Naples envoyée par Modigliani
à son frère ingénieur Umberto à Pise.

Carte postale de Pompéi
adressée à sa famille de Livourne.

Amedeo Modigliani.

Florence

*"...l'art est lié à l'espoir passionné qui anime Florence depuis que la coupole
de Brunelleschi a commencé de s'élever au-dessus de la ville...
La déesse surgie dans l'atelier de Botticelli entre les Vierges inachevées,
tandis que sonnent à toute volée les cloches florentines,
c'est la déesse de l'art, qui découvre son nom."*

André Malraux

Les paysages de la campagne livournaise, tels que la Banditella, Castiglioncello, Montenero, entre la mer et les montagnes, sont des lieux de recueillement si variés et si chargés d'Histoire qu'on peut difficilement les passer sous silence ou faire abstraction de leur intensité chromatique. Toute cette beauté que renferment les témoignages artistiques de la Renaissance est d'une nature exigeante et possessive. Mais pour un peintre comme Modigliani qui aime étudier les formes et les secrets du corps humain, la nature devient un souci, presque un désagrément, et la peinture paysagiste d'un ennui presque déprimant. Les très rares paysages qu'il a peints sont éclairés par son expérience juvénile de *macchiaiolo* sans qu'elle y eût laissé d'empreinte particulière.

Fuyant l'atmosphère confinée de Livourne, la monotonie des déjeuners en famille et des visites à la synagogue, la banalité quotidienne des commentaires du journal local, *La Gazzetta*, les défilés de l'académie navale, les sempiternelles promenades sur les remparts, tout ce par quoi il se sentait enchaîné comme l'un de ces esclaves du monument des *Quattro Mori*, prisonnier de l'ambiance petite-bourgeoise d'où il lui fallait à tout prix s'évader, prisonnier de lui-même, il décide de quitter celle que Montesquieu appelle "le chef-d'œuvre de la dynastie Médicis", Livourne ; et se rend à Florence où, le 7 mai 1902, il s'inscrit à l'École libre de nu de l'Académie, cette école que le peintre, écrivain et poète Ardengo Soffici décrit comme : "une école qui semblait aux bien-pensants de l'époque être le refuge de toutes les paresses ou de toutes les impuissances alors que c'était la seule institution utile dans ce séminaire de stupides académismes si bien que plus tard elle fut fermée."

Parallèlement, Amedeo suit les cours de Giovanni Fattori, dont l'atelier se trouvait dans une dépendance du Palais de l'Académie. C'était une grande pièce délabrée et mal chauffée, au plafond bas plein de toiles d'araignées, aux murs sales et fissurés, où régnait un incroyable désordre. Enveloppé d'une cape de laine noire et coiffé d'un grand chapeau à larges bords, le vieux maître arrivait le matin et s'asseyait devant son chevalet dans un fauteuil défoncé. D'un geste théâtral, il sortait un carnet d'esquisses de sa poche, prenait ses pinceaux et se mettait à peindre sous le regard fasciné d'Oscar Ghiglia, de Modigliani et de tous les autres élèves qui lui portaient une admiration et un respect sans bornes.

A Florence, Amedeo visite les Uffizi, le Palais Pitti, le gothique Bargello qui abrite de nombreuses œuvres de Michel-Ange dont la *Victoire,* œuvre inachevée destinée au monument du pape Jules II, le *Bacchus adolescent ivre*, le buste inachevé de Brutus rappelant la liberté opprimée à Florence. Il visite les églises : Santa Croce et sa chapelle des Fous, Santa Maria Novella, Il Battistero que Dante appelait "mon beau San Giovanni", l'église Sant Ambrogio avec sa chapelle du Miracle, l'hospice des enfants trouvés. Il visite la Casa Buonarroti que Michel-Ange avait achetée pour son neveu et dans laquelle il découvre une collection de souvenirs du grand sculpteur. Il visite le Palais Strozzi, le Palais de la Crocetta qui contient le musée archéologique, une galerie de tapisseries et au rez-de-chaussée le musée étrusque. Il visite, il récupère, il revisite, il contemple, il réfléchit, il rumine... La vue de tous ces chefs-d'œuvre l'excite et l'enthousiasme. Les sculptures suscitent en lui une très grande émotion. La possibilité de creuser, tailler, dominer, violenter la pierre, d'en tirer une figure humaine, de lui donner vie, l'intrigue et le fascine. L'approche de Michel-Ange le transporte. Outre la peinture, il étudie aussi l'architecture et la sculpture. Son immense admiration pour son maître le pousse à convaincre ses amis, ainsi que sa famille, d'acquérir des œuvres de Giovanni Fattori. Ses parents achètent chez le vieux maître toute une série d'eaux-fortes qui plus tard seront réparties entre les frères et sœur Modigliani. Mais nonobstant sa passion pour l'art et malgré sa timidité maladive, Amedeo, si l'on en croit Margherita, est d'un caractère ombrageux et turbulent, jamais le dernier à faire une bêtise. Elle aura l'occasion de raconter à Jeanne une bagarre survenue à la Bibliothèque nationale de Florence. Arrêtant Amedeo au sortir de la salle de lecture, un garçon de salle l'accuse d'avoir volé un livre, et le voilà impliqué dans un procès dont il sortira disculpé grâce à l'avocat Pescetti. Le garçon de salle qui avait lui-même volé le livre voulait en l'accusant se venger de ses manières méprisantes.

Le soir, tous les élèves des Beaux-Arts se retrouvent à la *trattoria Cencio Maremmano* du Borgo Pinti, non loin de la si malfamée *via Nuova* ainsi décrite par Soffici : "Cloaque aux murs ulcérés, délabrement des portes et fenêtres condamnées aux regards malsains, blennorragie excrémentielle, puanteur tortueuse au long des trottoirs, purulence de fleurs déshonorées emprisonnées derrière des barreaux de grilles, légumes desséchés pourrissant dans les paniers et sur les étalages privés d'air : VIA NUOVA..."

A la brasserie *Gambrinus,* place Vittorio-Emanuele, ils échangent des idées et refont le monde en compagnie des célébrités et des intellectuels du moment. Parmi eux : le journaliste-écrivain Giovanni Papini, autodidacte de grand talent, polémiste ardent, fondateur et directeur de plusieurs revues d'avant-garde. Il y a aussi Oscar Ghiglia, les peintres De Karolis et Costetti, le sculpteur Gemignani, et le poète à la folle tignasse, Ercole Luigi Morcelli, le seul à qui Modigliani consent parfois à montrer ses dessins dans son atelier de la *via dei Robbia*.

C'est à cette période qu'Amedeo réalise le petit portrait de femme, savamment exécuté pour la fiancée de l'oncle Amédée Garsin. L'œuvre affective, destinée à prouver sa reconnaissance et son talent à l'oncle si généreux avec lui, est de facture impressionniste et se situe dans l'optique de l'enseignement de Fattori.

Egalement de l'époque florentine d'Amedeo, son portrait de Llewelyn Lloyd sur fond verdâtre exécuté dans les circonstances rapportées par Lloyd lui-même dans *Tempi andati :* "J'allais souvent trouver mon ami dans sa tanière de *via Boccaccio*. Un matin en plein hiver j'y arrivai tout emmitouflé dans un épais pardessus, un bonnet sur la tête et les mains fourrées dans une paire de gros gants. J'étais fatigué ; je m'assois sur l'un de ces tabourets de Barga en bois clair. Comme j'en ai l'habitude, je me tenais les pieds écartés de chaque côté, c'est-à-dire reposant sur la pointe et le talon en l'air. Il me regarda ; je l'intéressai. Il y avait longtemps qu'il m'étudiait ; il me dit : – Tu te sens de garder la pose jusqu'à ce soir ? – Bien sûr ; prends palette et pinceaux et commence. Tu peux être tranquille. Il devait être neuf heures du matin ; nous sommes arrivés à midi sans manger et moi sans bouger d'un cil. A quatre heures de l'après-midi, lorsque la lumière déclinait mon portrait était fini, et c'était et c'est un chef-d'œuvre."

Au début de l'année 1903, lassé par le climat du milieu des *macchiaioli* dont il pense sans doute qu'il est trop semblable au milieu livournais et ne peut plus l'aider à progresser dans sa quête artistique d'identification personnelle, Amedeo décide brusquement de quitter Florence pour Venise.

"Madame Micheli",
huile sur toile, Livourne.

Venise, 1903 : l'atelier de Modigliani.

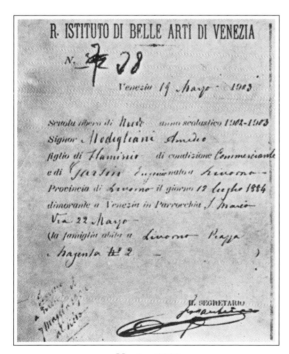

*Venise, 1903 :
inscription aux Beaux-Arts.*

*Venise, "Portrait de Cadorin",
huile sur toile.*

Venise, "La Duse", huile sur toile.

*Albertina Olper, fille de Leone Olper,
professeur de latin d'Amedeo.*

*Venise, "Albertina Olper",
huile sur toile. 1903.*

Venise

*"A Venise - Il faut faire usage à chaque instant de la civilisation
la plus raffinée... Venise est un lieu de perdition.
On y est en effet perdu pour tout le monde sauf pour soi-même."*

Jean Giono

Le reçu de son inscription à l'Ecole libre de nu de l'Institut des Beaux-Arts de Venise porte en haut à droite la date du 19 mars 1903 – Année scolaire 1902-1903 – et en bas à gauche, inscrit au crayon, le rappel de sa précédente inscription "7 mai 1902" à l'Ecole libre de nu de Florence. Flaminio, le père de Modigliani, y est mentionné comme commerçant habitant à Livourne, *2 Piazza Magenta*. Sa mère, restée seule avec sa sœur Margherita, avait alors emménagé dans un petit appartement.

D'après une notice rédigée par Margherita, bien que n'ayant pas l'intention de fréquenter l'Académie de Venise, Amedeo se serait présenté par bravade au concours d'entrée et l'aurait brillamment réussi, ce que Jeanne Modigliani met en doute, soulignant que l'inscription à l'Ecole libre de nu n'exigeait aucun concours. Mais, Clemente Fusero, qui rapporte aussi ce fait dans son *Romanzo di Modigliani*, en veut pour preuve le passage d'une lettre écrite à Eugénie : "Mon succès c'est à toi que je le dois, parce que tu m'as poussé à le conquérir. Peut-être, que cette fois-ci ton fils éloigné ne t'a pas déçue."

Malgré ses modestes moyens financiers, Modigliani s'installe dans la *via 22 Marzo*, une élégante rue de Venise dans la Paroisse San Marco. Peut-être pour se rassurer, peut-être pour éblouir les autres, il avait pris l'habitude chaque fois qu'il arrivait dans une nouvelle ville de s'offrir quelques jours de confort bourgeois. C'est toujours l'oncle Amédée Garsin qui prend en charge les besoins matériels du jeune peintre, ce qui se poursuivra en quelque sorte même après sa mort, survenue en 1905, car grâce au petit héritage laissé en sa faveur, Eugénie pourra continuer à subvenir aux besoins d'Amedeo jusqu'en 1908 et lui envoyer régulièrement des mandats à Paris.

La ville des Doges enchante Dedo, sa beauté lui coupe le souffle. Une fois inscrit, il délaisse l'Académie, va rarement aux cours, préférant dessiner dans les cafés. Ses camarades, Fabio Mauroner, Guido Marussig, Mario Crepet, Guido Cadorin, l'accompagnent souvent dans ses visites des églises et des musées, à la découverte de la peinture vénitienne ancienne et moderne et dans toutes ses escapades aux *campielli* et aux *calli* solitaires, aux environs de Venise, au Lido, dans les îles. Au Musée civique, il aura particulièrement l'occasion de s'intéresser aux collections ethnographiques d'Afrique et particulièrement aux bois sculptés et aux pierres gravées... Comme précédemment à Florence, il se comporte en véritable écumeur de musées, visitant et revisitant sans cesse.

C'est dans cet état d'excitation qu'en 1903 Ardengo Soffici le rencontre à Venise : "A cette époque, c'était un jeune homme avec de très jolis traits de visage, il n'était ni grand ni petit, mince et vêtu d'une sobre élégance. Ses manières étaient gracieuses et tranquilles ainsi que sa personne ; et ce qu'il disait, inspiré d'une grande intelligence et de sérénité. Nous avons passé ensemble, très agréablement plusieurs heures pendant mon séjour à Venise, en nous promenant dans la surprenante ville dont il me faisait les honneurs. Il nous conduisit dans une trattoria populaire, où, pendant que nous mangions du poisson frit, dont je me rappelle encore le fort parfum, notre nouvel ami nous parla de ses recherches, de ses techniques picturales d'après des ébauches de nos maîtres primitifs ; et aussi de ses études passionnées sur l'art des maîtres siennois du XIVème siècle ; et spécialement du vénitien Carpaccio, pour lequel à cette époque il semblait avoir une prédilection. J'ai remarqué qu'à ces occasions, il mangeait frugalement, à l'italienne, et qu'il buvait de l'eau rougie, pour ne pas dire de l'eau."

A cette période, Ardengo Soffici, qui avait vingt-quatre ans, rentrait d'un premier séjour à Paris où il s'était rendu après avoir fréquenté, deux ans avant Amedeo, l'atelier de Giovanni Fattori à Florence. Très beau, très intelligent, élégant, d'une grande culture classique, il parla à Modigliani de Paris comme d'un musée permanent de l'art révolutionnaire où confluaient les artistes de toutes les nationalités. Il lui parla aussi du Salon d'Automne, du Salon des Indépendants dont la devise était "ni jury ni récompense" et dont les expositions étaient bien loin de tout esprit mercantile, bien loin des réunions de pseudo-intellectuels, bien loin des académiciens impuissants qui ne s'intéressaient qu'à leurs propres affaires.

Tourmenté par son pouvoir créateur en pleine effervescence, sur le point d'éclore, mais qu'il ne parvient pas encore à libérer, tourmenté par l'incompréhension de ses camarades, tourmenté également par sa santé toujours fragile, Amedeo décide d'aller se reposer quelques jours en montagne, dans le petit village de Misurina, non loin de Cortina d'Ampezzo sur les Dolomites. C'est encore une fois à Oscar Ghiglia qu'il confiera ses angoisses et le malaise de son âme :

Très cher Oscar,

Tu m'avais promis le journal de ta vie depuis que nous nous sommes quittés jusqu'à aujourd'hui. Je l'attends avec impatience. Quant à moi, je manque à ma promesse, c'est-à-dire que je ne puis la tenir, car je ne peux écrire de journal. Non seulement parce qu'aucun événement extérieur ne s'est produit pour l'instant dans ma vie, mais parce que je crois que même les événements intérieurs de l'âme ne peuvent être traduits tant que nous sommes en leur pouvoir. Pourquoi écrire tandis que l'on ressent ? Ce sont des évolutions nécessaires à travers lesquelles il nous faut passer, et qui n'ont d'importance que le but où elles mènent. Crois-moi, seule l'œuvre arrivée à son stade complet de gestation, qui a pris corps et s'est libérée des entraves de tous les incidents particuliers qui ont contribué à féconder et à la produire, seule cette œuvre vaut la peine d'être exprimée et traduite par le style. L'efficacité et la nécessité du style résident justement en ce qu'il éclaire l'idée de l'individu qui a conçu l'œuvre, et laisse la voie ouverte à ce qui ne se peut, ni ne se doit dire ; en outre il est l'unique vocabulaire capable d'extérioriser cette idée. L'on devrait considérer toute grande œuvre d'art comme toute autre œuvre de la nature. D'abord dans sa réalité esthétique, ensuite en dehors de son développement et des mystères de sa création, de ce qui a agité et ému son créateur. Ceci est d'ailleurs du pur dogmatisme. Mais pourquoi ne m'écris-tu pas ? Et que représentent tes tableaux ? J'ai lu la description de l'un d'eux dans un article du Corriere. *Pour ma part, je ne puis encore prétendre au tableau ; ici, je suis obligé de loger dans un hôtel ; tu comprends donc l'impossibilité où je me trouve de me dédier pour l'instant au tableau ; mais j'y travaille beaucoup mentalement et dans la contemplation de la nature. Je crois que je finirai par changer de résidence : la barbarie des touristes et des vacanciers me rend impossible le recueillement dans les moments où j'en aurais le plus besoin. Je finirai par monter jusque dans le Tyrol autrichien. N'en parle pas encore chez moi. Ecris toujours Hôtel Misurina.*

Adieu.

Ecris-moi, envoie-moi ce que tu m'as promis.

L'habitude de la contemplation de la campagne et de la nature alpestre marquera, je pense, l'un des changements les plus grands dans mon esprit. Je voudrais te parler de la différence qu'il y a entre les œuvres des artistes qui ont le plus communiqué et vécu avec la nature et ceux d'aujourd'hui qui cherchent leur inspiration dans l'étude et veulent s'éduquer dans les villes d'art.

S'amuse-t-on à Livourne?

Venise, c'est aussi pour Amedeo la période des premières expériences de débauche. Un jeune napolitain qui fait partie du Cercle du fantastique, le baron Croccolo, l'entraîne souvent dans les églises désaffectées où ils boivent de l'alcool, fument du haschisch et s'adonnent à l'occultisme en compagnie de nouveaux amis et de quelques jeunes filles.

L'hypnotisme et Freud étaient à la mode à Venise et les jeunes héros "magnétisés" s'en donnaient à cœur joie. L'image du pouvoir bénéfique de l'hypnotiseur attirait Modigliani. Il savait que cette façon de communiquer n'était pas neutre et lui donnait un pouvoir enivrant, surtout si elle était accompagnée de quelques bons verres de vin ou d'absinthe.

D'après un témoignage de Margherita, Amedeo avait déjà été initié à des séances de spiritisme, dès l'âge de quinze ans, à Florence, par un camarade plus âgé que lui et dépourvu de sens moral.

A Venise, tout semblait facile et possible à Amedeo. Il "planait" dans une sorte d'enthousiasme à la D'Annunzio et dans une supériorité intellectuelle qu'il essaie, dans une de ses lettres, de faire partager à Oscar Ghiglia :

Très cher Oscar,

J'ai reçu ta lettre et je regrette terriblement d'avoir perdu la première que tu dis m'avoir envoyée. Je comprends ta douleur et ton découragement – hélas, par le ton de ta lettre bien plus que par l'aveu que tu en fais. J'en saisis à peu près les raisons, et j'en ai éprouvé et en éprouve, crois-moi, une sincère douleur. Je n'en connais pas encore les causes exactes et les circonstances, mais je sens que sur toi, qui es une âme noble, elles doivent produire une terrible affliction pour te réduire à cet état de découragement. Je ne sais de quoi il s'agit, je répète, mais je crois que le meilleur remède pour toi serait que je t'envoie d'ici, de mon cœur si fort en ce moment, un souffle de vie, car tu es fait, crois-moi, pour la vie intense et pour la joie. Nous autres (excuse ce pluriel), nous avons des droits différents des gens normaux, car nous avons des besoins différents qui nous mettent au-dessus – il faut le dire et le croire – de leur morale. Ton devoir est de ne jamais te consumer dans le sacrifice. Ton devoir réel est de sauver ton rêve. La Beauté a, elle aussi, des droits douloureux, qui créent cependant les plus beaux efforts de l'âme. Tout obstacle franchi marque un accroissement de notre volonté, produit la rénovation nécessaire et progressive de notre aspiration. Aie le feu sacré (je le dis pour toi... et pour moi) de tout ce qui peut exalter et exciter ton intelligence. Essaie de les provoquer, de les perpétuer, ces stimulants féconds, car ils peuvent seuls pousser l'intelligence à son pouvoir créateur maximum. C'est pour cela que nous devons lutter. Pouvons-nous nous renfermer dans le cercle d'une morale étroite ? Affirme-toi et dépasse-toi toujours. L'homme qui ne sait pas tirer de son énergie de nouveaux désirs, et presque un nouvel individu, destinés à toujours abattre tout ce qui est resté de vieux et de pourri pour s'affermir, n'est pas un homme, c'est un bourgeois, un épicier, ce que tu voudras. Tu aurais pu venir à Venise ce mois-ci, mais décide-toi, ne t'épuise pas, habitue-toi à mettre tes besoins esthétiques au-dessus de tes devoirs envers les hommes. Si tu veux fuir Livourne, je peux t'aider dans la mesure de mes moyens mais je ne sais si cela est nécessaire. Ce serait une joie pour moi. De toute façon, réponds-moi. J'ai reçu de Venise les enseignements les plus précieux pour la vie ; j'ai l'impression de sortir de Venise grandi, comme après un travail, me semble-t-il. Venise, la tête de Méduse aux innombrables serpents azurs, œil glauque immense où l'âme se perd et s'exalte dans l'infini.

Dedo

Guido Cadorin, qui n'avait à l'époque que quatorze ans, confessera une trentaine d'années plus tard que les soirées vénitiennes de spiritisme se terminèrent par l'irruption des carabiniers, qu'ils avaient tous été vertement tancés, et qu'Amedeo avait été contraint de rentrer à Livourne pour au moins deux mois.

Le séjour vénitien d'Amedeo eut donc des parenthèses livournaises, volontaires ou forcées, pendant lesquelles il retrouva ses compagnons de chez Micheli. Llewelyn Lloyd continuait avec un certain succès sur son chemin divisionniste avec des incursions dans la pure tradition toscane. Gino Romiti se rapprochait de plus en plus de Fattori et commençait à donner libre cours à ses visions sous-marines. Manlio Martinelli qui était autrefois parti avec Dedo à la conquête de la campagne livournaise, était resté fidèle au paysage auquel il avait apporté les couleurs *"de la terre"* claires et modulées des pleinairistes. Renato Natali, d'une année plus âgé qu'Amedeo montrait une grande technique et une forte personnalité aux couleurs vives. Il s'inspirait des scènes populaires de la vie quotidienne, des bagarres, des lupanars, des intérieurs de cafés, des scènes de rue. Autodidacte, il avait une gaieté envahissante, une spontanéité, une sûreté dans sa manière de peindre qui plaisaient à Modigliani. Natali, lui, admirait la culture d'Amedeo, sa sensibilité, son éducation.

Ensemble, ils décidèrent de repartir pour Venise.

Amedeo se met à la recherche d'un modeste atelier d'artiste, pas très cher, et le trouve au *campiello Centopiere* à niveau de canal. Cinquante mètres carrés lui suffisent pour remplacer sa précédente résidence de la *via 22 Marzo* qui ne correspondait plus à ses moyens.

Amedeo sert de guide à Natali, lui fait visiter les galeries, lui montre les œuvres des grands peintres vénitiens.[3]

---

(3) Venise est la patrie des meilleurs coloristes de tous les temps, Le Tintoret et Le Titien, et si Modigliani va préférer la juxtaposition des tons sourds à leur palette éblouissante, il n'oubliera pas leur maîtrise. Par ailleurs, il s'entraîne au dessin sans relâche et fait des croquis de la vie quotidienne dans les cafés vénitiens au lieu de suivre les cours.

Ils échangent leurs impressions, mais Amedeo supporte mal qu'on soit d'un avis différent du sien, leurs discussions s'animent de plus en plus, jusqu'à la querelle. Un soir, au *Caffè Florian,* ils rencontrent le peintre Plinio Nomellini en compagnie d'un autre toscan, Giacomo Puccini, tout ragaillardi du récent succès (le 28 mai 1904) au *Teatro Grande* de Brescia de sa *Madame Butterfly* remaniée après l'échec de sa création (17 février 1904) à la *Scala* de Milan. Nomellini pensa faire de l'esprit en glissant aux deux livournais qu'il était imprudent pour deux jeunes provinciaux de rester dehors si tard dans Venise et qu'ils risquaient de mauvaises rencontres. Modigliani ne supporta pas la plaisanterie et répliqua avec une série d'insultes et de menaces qui, sans l'intervention du garçon de café, auraient dégénéré en véritable bagarre.

En 1905, franchissait les portes de la Biennale de Venise Llewelyn Lloyd avec deux paysages, *Marina* (Marine) et *Paese* (Campagne). Oscar Ghiglia y revenait avec deux nouvelles toiles : *La Moglie* (L'Epouse) et *L'Ava* (L'Aïeule).

Fabio Mauroner aurait voulu intéresser Amedeo à la technique de la gravure, mais il n'y a aucune trace de cette brève expérimentation. Il ne reste que le témoignage de Mauroner qui occupa un temps un atelier contigu au sien près de l'église San Sebastiano dans le quartier *delle Zattere :* "Déjà à cette époque Amedeo cherchait la ligne qu'il voyait comme une valeur spirituelle de simplification, d'accomplissement et de solution de l'essentiel. Mais durant son séjour à Venise, cette aspiration n'était encore qu'une idée vague et abstraite. L'expérience et la pratique étaient encore loin."

Un témoignage de Llewelyn Lloyd qui rencontra Amedeo à Venise en 1905 confirme ses préoccupations plastiques et philosophiques : "Une année que j'étais à Venise pour étudier, pas à *l'Accademia*, mais quelques heures dans les musées et beaucoup d'autres dans les ruelles vénitiennes, un matin, j'ai rencontré Modigliani sur la place Saint-Marc. Il commença immédiatement à parler de problèmes techniques et picturaux, passant de l'art à la philosophie et ainsi de suite. La journée était belle, la place était un enchantement, les pigeons roucoulaient autour de nous, les foulards des Vénitiennes faseyaient dans la brise de la Lagune. Je n'en pouvais plus. Je l'ai quitté. Il a dû penser que j'étais un ignorant, inculte, superficiel, une cervelle vide. Une fois libéré, je m'en consolais en regardant la voile orangé d'une barque de pêcheur prendre le vent *Riva degli Schiavoni.* Je ne l'ai pas revu."

En février 1905 Eugénie Garsin avait écrit dans son journal : "Dedo à Venise a fini le portrait de Olper et parle d'en faire d'autres. Je ne vois pas encore ce qu'il va devenir mais comme jusqu'ici ce n'est qu'à sa santé que j'ai pensé, je ne puis pas encore, malgré la situation économique, donner de l'importance à son travail futur."

Leone Olper était le père d'Albertina. Née à Livourne le 8 juillet 1872, Maria Berta Olper, dite Albertina, était une amie intime de la famille Modigliani. Professeur de litterature française à l'Ecole Normale, depuis 1898 elle s'était établie avec sa famille à Venise où elle habitait le N° 1888 Paroisse San Marco, tout près d'Amedeo qui profitera de ce voisinage pour faire d'elle un élégant portrait dans des tonalités fortes.

Les œuvres connues de cette période vénitienne sont un portrait de *madame Cadorin* ; le portrait de *mademoiselle Albertina*, le *Jeune Etudiant au tablier* et un *portrait de Fabio Mauroner* qui fut exposé à la rétrospective Modigliani de la Biennale de 1930, aux côtés d'un portrait d'Amedeo par Mauroner, les deux artistes amis ayant réciproquement posé l'un pour l'autre. Le portrait de Fabio Mauroner par Modigliani est un pastel presque monochrome qui retrace les traits fins et aristocratiques de son ami. Quant à Mauroner, il décrit Modigliani comme un homme élégant, plein de charme et de séduction dans sa façon d'être et de parler.

Les profonds changements qui s'opèrent à Venise dans la peinture et le comportement d'Amedeo, sont déjà très lisibles dans les portraits d'Albertina et du *Jeune Etudiant au tablier*, deux œuvres particulièrement réussies du point de vue chromatique, presque monochromes, mais dont les visages à la couleur aussi ardente que légère révèlent à la fois la forte présence des modèles et la solidité de l'influence *macchiaiola* sur le peintre. C'est à ses amis proches qu'il donne le meilleur de lui-même et le spectateur peut ressentir l'amusement, la compassion ou les sentiments qu'il éprouve à l'égard de son modèle : fière de son élégance, mademoiselle Albertina Olper laisse filtrer un sourire satisfait.

On estime que Modigliani a pu peindre en moyenne, et au minimum, une œuvre par semaine au temps où il suivait les cours de l'école d'art. Mais presque toutes ses œuvres de jeunesse ont été perdues. Est-ce parce que, comme le dit sa sœur, Amedeo, "toujours insatisfait, toujours dépassé par un idéal nouveau, détruisait chaque nouvelle tentative", ou est-ce parce qu'on a opté pour le penchant romantique de l'éternelle insatisfaction des artistes ?

La seule chose certaine dont parlent les critiques et que l'on peut trouver dans le catalogue de la rétrospective Modigliani à la *Galerie de France* en décembre 1949 est relative à la furie destructrice de ses propres œuvres par Amedeo : "Les premières peintures de Modigliani que nous possédions encore marquées par des influences, datent de 1908 ; car les œuvres réalisées antérieurement en Italie furent détruites par sa volonté."

L'important de l'expérience vénitienne consiste en une approche de la mise en scène de la peinture sous un nouvel éclairage, dans une nouvelle scénographie influencée à la fois par le chromatisme de la Renaissance et par le Sécessionnisme viennois dont la devise, "A chaque époque son art, à l'art sa liberté", inscrite au fronton du Palais de la Sécession à Vienne, n'était pas faite pour déplaire à Modigliani, pas plus que son style féerique ornemental principalement caractérisé par des formes curvilignes et stylisées. La rupture de Modigliani avec ses amis peintres livournais a pu être déterminée par cette nouvelle expression artistique et par une idéologie différente. L'espace entre les différents courants devenait insurmontable et pour mieux dire incompréhensible. La rupture était inévitable car il n'y avait plus de dialogue entre les différentes tendances picturales. Celle des peintres livournais résistait encore car les fidèles de Fattori suivaient avec méthode et obstination l'enseignement du maître, même s'ils commençaient à s'éloigner de la vision esthétique de la réalité *macchiaiola*.

Sur l'apport du passage par Venise à la maturation esthétique d'Amedeo, le témoignage de Fabio Mauroner est intéressant et précieux : "Il passait ses soirées, jusqu'à une heure avancée de la nuit, dans les bordels les plus perdus où, disait-il, il apprenait davantage que dans n'importe quelle académie [...] Plus tard, j'ai eu l'occasion de lui montrer des fascicules de Vittorio Pica, *Attraverso gli albi e le cartelle* (A travers albums et feuillets), la première et peut-être la seule étude italienne sur les graveurs et dessinateurs modernes. Il en resta extraordinairement impressionné, au point qu'il décida de quitter Venise pour Paris, afin de mieux connaître ces artistes qui l'avaient le plus ému ; surtout Toulouse-Lautrec."

De plus en plus, Amedeo songe à partir pour Paris.

Il y est fortement incité par le peintre chilien Manuel Ortiz de Zarate qui, avant de séjourner à Venise, avait déjà pas mal vécu dans la capitale française. Ortiz était né à Côme lors d'une tournée en Europe de son père qui était compositeur et pianiste, mais il avait grandi à Santiago du Chili. Comme Modigliani, il avait quitté sa famille ; et comme lui, qui se vantait volontiers de ses ancêtres Spinoza, il se plaisait à se présenter comme un descendant des Conquistadores : "Moi, Manuel Ortiz de Zarate Pinto Carrera y Carvacal, descendant d'une des plus glorieuses époques de l'histoire, bourgeon de héros mythiques et de princesses, héritier des compagnons d'aventure du grand capitaine François Pizarre, conquérant du Pérou et du Chili..."

Ortiz avait donc vécu à Paris. La facilité des rencontres avec les femmes, ses descriptions merveilleuses de la ville et des milieux artistiques qui s'y expriment, en particulier la diversité des nouveaux courants, motivent fortement Amedeo. A lui qui admire tant l'impressionnisme [4] et qui avait eu l'occasion de voir des œuvres de Claude Monet, Jean-François Raffaëlli, Pissarro, Alfred Sisley, Auguste Renoir aux Biennales de 1903 et de 1905, Ortiz raconte les débuts, certes souvent difficiles, mais assez rapidement couronnés, des noms qui remplissent les revues d'art. Il lui raconte la défiance, la désapprobation et la critique qui ont accueilli les premières œuvres des Degas, Renoir, Monet, Sisley, Toulouse-Lautrec, Gauguin, Van Gogh, et même du plus grand de tous, du pionnier qui ouvrira la voie à la peinture du XXème siècle, Paul Cézanne. Amedeo l'écoute bouche bée, pose des questions. Pourquoi ne devrait-il pas y tenter sa chance lui aussi ? Il est certain que l'oncle Amédée financerait son séjour aussi généreusement que celui de Venise.

Malheureusement l'oncle Amédée meurt à Marseille en 1905. Amedeo devra attendre 1906 pour réaliser son projet.

A la fin de 1905, Modigliani reçoit une visite d'Eugénie à Venise. Elle lui apporte une édition de la *Ballade de la geôle de Reading* d'Oscar Wilde illustrée par Aubrey Beardsley, publiée en 1899 à la mémoire d'un *horseguard* qui

---

(4) Il est vrai qu'en réaction contre la tradition académique s'est constituée en France, trente ans auparavant, la dernière école que l'on puisse considérer comme cohérente, celle de l'impressionnisme. C'est bien là le dernier groupe d'artistes réunis autour d'un *beau métier*. Le point important, c'est que l'intérêt principal est concentré sur la disparition de la représentation figurative traditionnelle de l'espace, en opposition à celle de la Renaissance italienne, en contraste à l'imagerie du XIXème siècle.

avait été pendu pour avoir tué la femme qu'il aimait. Hymne à la liberté, le poème est un cadeau symbolique d'Eugénie à son fils. Prémonition ou encouragement ? Qui sait ? Elle sent confusément que Venise ne suffit plus à Amedeo, qu'il aspire lui aussi à son "minuscule lopin d'azur" comme le personnage de la Ballade. "Tout être tue ce qu'il aime", dit l'un des derniers vers, comme Amedeo lorsqu'il détruit ses œuvres, comme Amedeo qui veut partir pour Paris.

Son séjour à Venise avait duré trois ans avec de fréquents retours à Livourne. Avant son départ, son ami Fabio Mauroner lui acheta ses chevalets et les quelques objets qui meublaient son atelier. L'ayant revu, quelques années plus tard à Paris, Fabio Mauroner dira d'Amedeo : "Je l'ai revu, ravagé par le mal et par les privations."

Amedeo Modigliani.

Paris, 1906, les ateliers dans le "maquis" de Montmartre.

Montmartre, "Le Lapin Agile".

Montmartre, *"Le Sacré-Cœur"*.

Montmartre, *"Le Moulin de la Galette"*.

Paris

*"L'imagination des peuples énervés tourne autour d'une invisible flamme
dont le foyer est à Paris".*

Elie Faure

Au sortir d'un XIXème siècle qui avait vu l'essor de la recherche scientifique et, dès le lendemain de la Révolution française, celui des techniques et de l'industrie, la France redevient, comme elle l'avait été à la Renaissance puis au Grand Siècle, un centre d'attraction, et Paris, la ville lumière, la destination rêvée pour tous les artistes en quête de nouveauté, de liberté, d'espoir, le passage obligé pour tous ceux qui veulent créer.

A partir de 1850, avant même l'unité d'Italie, Paris était devenu un pèlerinage pour beaucoup d'artistes italiens car, à Paris, on devenait un soldat de l'art, à la conquête de nouveaux espaces artistiques. Parmi tous ces artistes : Medardo Rosso, Alberto Pasini, Nino Costa, Telemaco Signorini, Francesco Mancini, Giovanni Boldini, Antonio Fontanesi, Federico Zandomeneghi, Alessandro Zezzos et même Giovanni Fattori pour un bref séjour.

Medardo Rosso (Turin 1858-Milan 1928), peintre et sculpteur, qui fut en relation avec Rodin qu'il a peut-être même inspiré et dont le modelé nuancé et fugace apportait à la sculpture ce que l'impressionnisme était en train de révéler dans le domaine de la peinture.

Alberto Pasini (Parme 1826-Turin 1899), le peintre orientaliste italien le plus important qui tirant son inspiration de ses voyages fut davantage apprécié des amateurs que des critiques et que le critique Ugo Ojetti a pu qualifier de "plus délicat et lumineux des orientalistes, même s'il était plus narratif que poète", avait dû quitter Paris, chassé par les troubles de la Commune.

Francesco Mancini (Naples 1830-Naples 1905), paysagiste et animalier au goût à tel point raffiné qu'il lui valut le surnom de "lord", s'était consacré pendant ses séjours à Londres et à Paris à la représentation de scènes élégantes et tranches de vie imprégnées par l'influence de De Nittis.

Giovanni Boldini (Ferrare 1842-Paris 1931), parti du mouvement *macchiaiolo* s'en était séparé pour s'installer d'abord à Londres, puis au lendemain de la Commune, en 1871, définitivement à Paris, où s'insérant dans la peinture française de la fin du XIXème siècle, grand ami de Degas et maître de Jean-Gabriel Domergue, il devint le portraitiste absolu des élégances féminines.

Antonio Fontanesi (Regio Emilia 1818-Turin 1882), qui dans sa jeunesse s'était engagé dans les troupes garibaldiennes, eut également l'occasion de passer plusieurs fois par Londres, par le Dauphiné et par Paris bien qu'il n'y séjourna pas longuement. Plutôt paysagiste et romantique, il avait passablement flirté avec les *macchiaioli* et surtout avait vu la fameuse Exposition Universelle de 1855 qui fut si importante pour le devenir moderne de tous les courants de la peinture italienne.

Federico Zandomeneghi (Venise 1841-Paris 1917), arrivé à Florence la même année que Giovanni Boldini (1862) avait lui-aussi subi l'influence des *macchiaioli* avant de s'en émanciper et de rejoindre Paris où son histoire se confondra avec celle des impressionnistes français qui le surnommeront affectueusement Zando.[5]

---

(5) Les peintres italiens venus à Paris au XIXème siècle : Alberto Pasini, Giovanni Boldini et Federico Zandomeneghi avaient leurs ateliers à Montmartre. Ce dernier, arrivé en 1874, s'installe en 1877 au 25, passage de l'Elysée des Beaux-Arts, puis vers 1886 au 7, rue Tourlaque. Dans le même immeuble se trouvent Toulouse-Lautrec, Suzanne Valadon et son fils Maurice Utrillo âgé de trois ans. *Zando*, ainsi que l'appelaient ses amis, présenta Valadon à Lautrec qui en fit sa maîtresse. Il en était très amoureux, mais lorsqu'il se rendit compte que la belle Suzanne et sa mère lui faisaient un chantage au mariage, il rompit comme le rapporte le témoin Gauzi.

Alessandro Zezzos, portraitiste et ambiantaliste d'origine vénitienne, installé à Paris depuis longtemps rencontrera Amedeo Modigliani à Montparnasse et lui offrira l'hospitalité de son atelier comme en témoignent les propos de son fils Rossano Zezzos rapportés par Clemente Fusero dans *Il Romanzo di Modigliani* : "Je sais ce qu'est la vie d'un jeune artiste, surtout dans une ville comme Paris. Tant que je resterai ici, mon atelier est à votre disposition. Toiles, couleurs, pinceaux, tout. Venez quand vous voulez, ça me fera plaisir." Vingt-cinq ans après cette scène, Rossano Zezzos évoquant ses souvenirs fera ce portrait d'Amedeo : "De son col ouvert, émergeait un cou fin comme une tige brisée, trop fragile pour soutenir le poids de sa tête qui se laissait souvent retomber en arrière dans une attitude malade et fatiguée. Pourtant, se dégageait de celui qui me faisait face une ardeur impétueuse de vie et de force qui bouleversait : il me faisait penser parfois au Lago Morto – le petit lac encaissé dans les montagnes du Cansiglio entourant mon village – et parfois à la cascade sonore du Meschio, bruissant tout autour des hauts-fourneaux de ciment, sur la route de Fadalto. Il s'était fait offrir par mon père un peu d'eau de vie, et buvait à petites gorgées, avec l'expression tragique et béate qui révèle le buveur."

Plus tard, au début du XXème siècle, d'autres artistes italiens suivront, et pas seulement des peintres ou des sculpteurs mais aussi des poètes, des hommes de lettres, des musiciens. Le Piémontais Giovanni Cena qui envoyait des correspondances à la *Nuova Antologia* à propos de l'exposition de 1900, écrivait ainsi à une amie : "Enfin nous sommes vraiment dans le cerveau du monde, peut-être un peu fêlé, fêlé comme un oignon ; mais on ne peut pas dire que celle-ci n'est pas la ville de l'intelligence. Paris est un creuset. [...] Qui n'est pas allé à Paris au moins quinze jours n'est pas digne de vivre en ce siècle. [...] Qui ne vient pas à Paris ne peut pas comprendre ce sentiment de désarroi qu'on éprouve en face des éléments d'une complète transformation de civilisation qui s'annonce ici d'une façon si forte. Il se peut que je revienne de Paris un autre homme. Vous ne pouvez pas imaginer combien j'ai mûri dans cette ambiance... Paris est tout une école."

Ardengo Soffici,[6] Giovanni Costetti, Umberto Brunelleschi, Gino Severini, Gabriele D'Annunzio, Lorenzo Viani, Giotto Sacchetti, Alberto Magnelli, Carlo Carrà, Giorgio de Chirico et son frère Alberto Savinio, Anselmo Bucci, Ubaldo Oppi, Osvaldo Licini, Renato Paresce, Luigi Toffoli étaient allés ou iraient à Paris.

Tout en restant un carrousel de petits villages, Paris est devenue une grande ville de diplomatie et d'affaires, mais aussi le centre de la nouvelle peinture, le temple de la nouvelle poésie, le berceau de la nouvelle musique, la scène du nouveau théâtre, enfin, la capitale où l'on parle ce nouveau langage universel, l'art. Les marchands du monde entier y viennent acheter de l'art.

La nouvelle poésie, initiée à la fin du siècle dernier depuis Verlaine, Rimbaud, Mallarmé, Moréas et les symbolistes, c'est désormais Paul Fort, Emile Verhaeren, Maurice Maeterlinck, Francis Jammes, Jules Romains, Francis Carco, Guillaume Apollinaire, puis viendront Blaise Cendrars, Jean Cocteau, Max Jacob et bien d'autres. Le vers s'est définitivement libéré, la rime atténuée en assonance ou disparue, et la classique division strophique progressivement muée en quasi-prose rythmée. Il n'est pas rare de voir les futurs écrivains commencer par des recueils de poèmes. Les revues, écoles, manifestes fleurissent, notamment celui du futurisme, venu d'Italie, qui aura une influence essentielle sur l'art du XXème siècle ; et, dans les cafés littéraires du Quartier Latin, de Montmartre, de Montparnasse, la bohème littéraire rejoint et cousine avec la bohème des peintres.

---

(6) Ardengo Soffici arrive à Montmartre en 1899 et fut l'un des premiers à s'installer au Bateau-Lavoir. Plus écrivain que peintre il réunit autour de lui le futur groupe des futuristes. Ami entre autres d'Apollinaire qui publie ses dessins dans sa revue *La Plume*. La baronne Œttingen, sœur de Férat, semblait alors ne pas quitter Soffici qui retourne dans son pays en 1907.

D'autres artistes italiens passèrent à Montmartre tels que Magnelli, Balla, Marinetti et Carrà sans vraiment s'y installer. Par contre Gino Severini, arrivé à Paris en 1906, partage avec Anselmo Bucci un atelier au 36, rue Ballu; il prend ensuite, grâce à Raoul Dufy, un atelier en 1909 au 5, impasse Guelma bientôt rejoint par Braque, Utter, Suzanne Valadon. Montmartre sera pour lui une source féconde d'inspiration et un lieu de rencontre avec les autres artistes. Il fréquente les cabarets et les boites de nuit, le *bal Tabarin*, le *Monico*, le *Moulin de la Galette* et peint ses premières œuvres sur les cabarets et les danseuses.

Anselmo Bucci (1887-1955) s'installe en 1910 au 29, rue Caulaincourt puis au 63 en 1930. Ami de Modigliani il participa activement jusqu'en 1914 à la vie artistique de la Butte en compagnie de Picasso, Max Jacob, Pierre Reverdy, Raoul Dufy, Braque, Apollinaire. Ils allaient au *Lapin Agile* et dans les cafés artistiques et les restaurants où l'on faisait crédit. Bon graveur il faisait tirer ses estampes dans le fameux atelier d'Eugène Delâtre, rue Lepic.

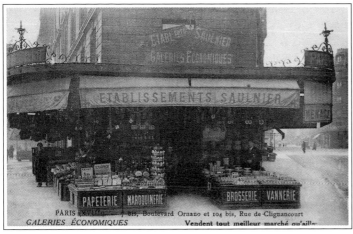

Montmartre, "La boutique des fournitures".

Rue Lepic, "Le Moulin de la Galette".

La terrasse du cabaret du "Lapin Agile" à Montmartre.

Carte postale dédicacée par Modigliani.

Montmartre, Place Clichy.

Carte postale dedicacée à son ami Christian Pechin par Modigliani.

Dans le domaine de la musique, Gabriel Fauré, Claude Debussy, Erik Satie bouleversent l'harmonie, renouvellent l'écriture, modernisent les techniques de composition et innovent dans les formes.[7]

Dans celui du théâtre, Alfred Jarry insuffle un nouveau langage, August Strindberg, installé à Paris depuis 1883, y triomphe avec son théâtre intime et André Antoine révolutionne la mise en scène. Par ailleurs, réalisant le vieux rêve de l'humanité de conserver les sons, que personne n'a jamais aussi bien exprimé que Rabelais quand il "gelait en l'air paroles, cris et bruits de bataille en dragées perlées de diverses couleurs", les inventions géniales de Charles Cros et de Thomas Edison avaient fait leur chemin. Pour l'image, grâce à Louis et Auguste Lumière qui ont mis au point un procédé couleur, la photographie s'impose comme un art à part entière. Enfin, le tournant du siècle assiste aussi à la naissance du cinéma, le Septième Art, selon le terme employé pour la première fois par le journaliste Riciotto Canudo, et les premières salles voient le jour sous l'impulsion de Léon Gaumont, de Georges Méliès, de Charles Pathé.

A Paris, c'est surtout Montmartre qui fascinait le plus les jeunes artistes.

Déjà en 1570 Le Tasse écrivait que deux choses l'avaient particulièrement frappé à Paris : les vitraux de Notre-Dame et les moulins montmartrois. Et Montmartre, comme dit Léon Daudet, "est un Paris dans Paris, une cité à part, infiniment curieuse, tout en contrastes, en coins d'ombre et même de ténèbres, en échappées de lumières, en aspects de douceur provinciale, d'intimité, de jardinets à amoureux candides, puis de vice, de sale débauche, de taudis louches et de crimes, puis de lieux dits de plaisir, en fait de navrance, de paresse, de crevaison, de poisons chroniques et de maladies honteuses, c'est le cas de le dire. Le cabaret, dit artistique, a commencé à Montmartre, après avoir hésité un moment entre Montmartre et son rival Montrouge, avec le *Chat Noir* où se saoulait ce pauvre diable, grand dessinateur, bohème communard et sans cœur qui mourut fou d'absinthe et d'alcool. Il a continué avec le "Lapin à Gill" ou "Agile"..."

Cette profusion de bistrots et d'ateliers, cette liberté de mœurs, le goût pour l'alcool et la drogue "stimulent" apparemment les qualités artistiques et intellectuelles de tous les jeunes artistes. Mais le manque d'hygiène, la faim, l'ivrognerie grandiloquente, le malheur, la souffrance, la débauche provoquent des maladies graves. D'après un passage du critique André Warnod : "Un signe caractéristique de la bohème de ce temps-là, la promiscuité entre les artistes et les filles, les souteneurs, les voleurs, les mauvais garçons de toute sorte. Ils menaient, les uns et les autres une existence assez libre pour qu'il n'y ait eu de frottement qu'assez rarement."

Les victimes de la syphilis et de la tuberculose étaient plus nombreuses que celles de la drogue et de l'alcool. Ils manquaient de médicaments. Personne ne mangeait à sa faim. Les ateliers étaient humides et mal chauffés. Le bois et le charbon coûtaient cher et ils préféraient tous se réfugier, pour se chauffer et boire un verre, dans les bistrots où il y avait les filles, la musique, et où l'on chantait en fumant du haschisch, en buvant du gros rouge, du rhum, et parfois même de l'absinthe pour se donner du courage. "En ce temps-là, dit Pierre Reverdy, le charbon était devenu aussi précieux et rare que des pépites d'or et j'écrivais dans un grenier où la neige en tombant par les fentes du toit, devenait bleue."

A Montmartre, les cabarets et les cafés-concerts sont bondés d'un public enthousiaste. C'est l'époque du *Bal du Moulin de la Galette* immortalisé par Renoir, du *Chat Noir* de Rodolphe Salis, du *Mirliton* d'Aristide Bruant, du *Moulin Rouge* où Lautrec immortalise les acteurs de la fête.

---

(7) Après Hector Berlioz (1803-1869), qui avait habité rue du Mont-Cenis à l'époque romantique, d'autres musiciens viennent au XXème siècle s'installer sur la Butte, en particulier certains membres du groupe des Six, dont Darius Milhaud (1892-1974) au 8, boulevard de Clichy.

Debussy (1862-1918) fréquentait les Zutistes et les Hydropathes qu'il retrouvait au *Chat Noir* avec Satie. Là, il rencontrait les artistes de Montmartre. Steinlen le prit comme modèle dans un de ses dessins : collaborait à la *Revue Blanche*, ainsi qu'au *Gil Blas*.

Après quelque temps passé au Conservatoire, puis à l'armée, Erik Satie, compositeur, aquarelliste (Honfleur 1866-Paris 1925) est engagé par Salis comme pianiste de bar au *Chat Noir*, et à l'*auberge du Clou* 30, avenue Trudaine. C'est là qu'il fait la connaissance de Debussy et compose en 1888 les *Gymnopédies* ; en 1890 *Trois gnossiennes* ; en 1892 le *Fils des étoiles* ; et en 1897 *Pièces froides*. L'un de ses carnets musicaux illustrés de dessins contient plusieurs dessins dédiés par Modigliani à ses amis. Un autre a été utilisé aux soirées Lyre et Palette, en 1916, rue Huyghens. En 1893, il dédie une "œuvre minuscule" *Bonjour Biqui* à Suzanne Valadon avec laquelle il a une liaison ; celle-ci fait son portrait qui est conservé au Musée d'Art Moderne de Paris. Santiago Rusinol les représente tous les deux au piano dans Une romance, aujourd'hui au Musée d'Art moderne de Barcelone. De 1887 à 1898, il réside au 6, rue Cortot. Cette maison abrite le plus petit musée du monde, environ 20m², appelé le "Placard d'Erik Satie".

Le peintre Edmond Heuzé (1884-1967) connut bien ce Montmartre du début du siècle où il était arrivé à l'âge de dix ans lorsque sa famille s'était installée au 11, rue Custine en 1894 et où il devait vivre jusqu'en 1965. Il y avait été le camarade de classe d'André Utter, l'élève de Suzanne Valadon, le maître de Maurice Utrillo, parfois fort des halles, Monsieur Loyal à *Médrano*. Comme en témoigne André Roussard : "pour vivre il dut exercer tous les métiers de ceux qui n'en ont pas, y compris directeur de la galerie Sagot, rue Laffitte où il exposa, vers 1919, ses "Masques". C'est le mime Farina qui lui fit découvrir le cirque Medrano, ex-cirque Fernando autrefois fréquenté par Georges Seurat (1859-1891) qui en fit sa principale source d'inspiration et aura une grande importance pour le Cubisme et le Futurisme". Avant de finir professeur de portrait aux Beaux-Arts et membre de l'Institut, Edmond Heuzé avait aussi été le partenaire de La Goulue au *Moulin rouge*, période qu'il évoque dans son livre *Du Moulin Rouge à l'Institut* : "J'ai souvent vu Lautrec à ce moment. Il venait tous les soirs au bal, mais je ne lui ai jamais parlé. Je le tiens pour un homme extrêmement cruel. Il s'amusait à exciter Aïcha, un modèle noir et La Goulue pour qu'elles se battent. Lorsqu'elles roulaient dans le ruisseau, il les séparait à coups de canne." Toujours à propos de Montmartre : "A ta droite tu trouves Derain, à ta gauche Utrillo l'innocent, pas loin Picasso qui ne connaît pas l'art nègre et qui te feint. Il sait par contre comprendre Seurat, ce qui lui permet de le suivre sans l'imiter", se plaisait à dire Max Jacob.

EXTRAITS DU DICTIONNAIRE

par André Roussard

De 1880 à 1920, plusieurs centaines de cabarets ont ouvert et fermé leurs portes dans le sud du XVIIIème arrondisssement et le nord du IXème. Plusieurs raisons sont à l'origine de cette éclosion de cabarets, bars et guinguettes au pied de la Butte. Ce fut d'abord un lieu de production du vin jusqu'en 1850. L'enceinte des Fermiers généraux érigée en 1784, entourant Paris passait au milieu des boulevards de Clichy et de Rochechouart. A chacune des entrées appelées Barrières, les marchandises payaient un octroi : le vin était donc moins cher hors des murs. Une clientèle motivée était disponible : les ouvriers des carrières, les maçons venus participer à l'urbanisation de Montmartre puis les apaches, leurs compagnes et leurs clients ; enfin les artistes qui surtout à partir de 1850 peuplèrent en masse le Montmartre intra-muros et extra-muros. Ce mouvement une fois lancé puis relancé par les impressionnistes se nourrit de lui-même et dura jusqu'en 1914."

"C'est au pied de la Butte que naquirent les cabarets dès le XVIIIème siècle ; à cette époque la rue des Martyrs était bordée de nombreux établissements aux noms évocateurs et licencieux. Le Moulin de la Galette, *plus guinguette et bal populaire que cabaret, marqua la reconversion des meuniers en tenanciers vers 1850. Cependant la grande vogue commença avec* Le Chat Noir *– 1881-1897 – de Rodolphe Salis, le* Mirliton *– 1885-1895 – de Bruant et surtout le* Moulin Rouge *ouvert en octobre 1889 et rendu illustre par Lautrec. Par la suite, c'est le* Lapin Agile *qui devint le lieu de rendez-vous de la nouvelle bohème.*

Le Chat Noir, *fondé par Rodolphe Salis en 1881 au 84, boulevard de Rochechouart, puis acheté en sous-main par Aristide Bruant qui en fit* Le Mirliton, *fut transféré en 1885 au 12, rue de Laval et ferma en 1897, fut l'un des symboles du Montmartre de la fin du XIXème siècle. Le second Chat Noir, installé rue de Laval dans l'ancien hôtel baroque du peintre belge, Alfred Stevens, devint célèbre pour son Théâtre d'ombres animé par Henri Rivière. Le journal du cabaret, "Le Chat Noir", dit aussi "l'organe des intérêts de Montmartre"   1882-1896 –, eut les meilleures signatures : Verlaine, Léon Bloy, Courteline, Allais, Rollinat, ainsi que les illustrateurs les plus connus de l'époque dont André Gill, Willette, Rivière et Steinlen auteur du fameux Chat Noir de l'affiche et de l'enseigne. Le cabaret servait de cimaises à Chéret, Marcellin Desboutin, Raffaelli, Forain et Willette qui a signé le fameux "Parce Domine". Erik Satie était au piano. Et le tout Montmartre pictural s'y retrouvait: van Gogh et son frère Théo, Lautrec, Pissarro, Anquetin, Seurat dont on peut penser qu'il fut influencé par le Théâtre d'ombres pour ses dessins. Y venaient aussi Caran d'Ache, Henri Pille, Mac Nab, Vincent Hyspa, Maurice Donnay, Conder, Charles Cros... Salis, dit le gentilhomme cabaretier, eut l'immense mérite de réunir de grands talents autour de lui mais sa brusquerie et sa ladrerie lui valurent nombre d'inimitiés ; certains de ses collaborateurs tentèrent de le concurrencer, le plus souvent sans grand succès.*

Le Mirliton *succéda au Chat Noir du 84, boulevard de Rochechouart. La fameuse affiche de Toulouse-Lautrec montrant Bruant de profil, cape noire, écharpe rouge et large chapeau, a plus fait pour sa postérité que son talent de chansonnier populaire.* Le Mirliton *avait également son journal, comme la plupart des cabarets de cette époque ; vendu deux sous, il était illustré de gravures sur bois, notamment par Lautrec. Le bourgeois venait volontiers s'y faire insulter par Bruant et écouter des chansons réalistes.*

Le Moulin Rouge *ouvert en 1889 par deux entrepreneurs de spectacles, Charles Zidler, le propriétaire de l'Hippodrome, et son associé Joseph Oller. Concurrent direct de l'Elysée Montmartre,* Le Moulin Rouge *profita de la vogue du bas Montmartre où se trouvaient à cette époque : le cirque* Férnando, Le Mirliton *et* Le Chat Noir. *En 1890 un article du* Figaro *décrit ainsi le Moulin : "un magnifique jardin pouvant contenir plus de 6000 personnes, à l'ombre de grands arbres". La scène présentait tous les soirs un concert-spectacle de 20h30 à 22h, avant la danse. L'éléphant monumental, rescapé de l'Exposition Universelle, était encore là. Les attractions étaient diverses et changeaient régulièrement afin de se mettre au goût du public.*

L'attraction principale "le Chahut", danse dérivée du Quadrille naturaliste, appelée plus tard French-Cancan, était composée de 14 chahuteuses : La Goulue - la Môme Fromage - Nini Pattes en l'air - Cha-U-Kao - Jane Avril dite La Mélinite dite la Petite Secousse - La Sauterelle - Grille d'Egoût - Miss Rigolette - Rayon d'Or - la Macarona - Pomme d'Amour. S'y ajoutait la troupe de Mlle Églantine composée de trois danseuses : Cléôpatre - Eglantine - la Gazelle. La Belle Fatma était danseuse du ventre.

Tous les acteurs de la fête : les grisettes et leurs amis de cœur, les ruffians, les voyous accompagnés de leurs "dames", les gens du monde venaient composer une foule réunie pour la fête que Toulouse-Lautrec immortalisa en peintures, en affiches et en estampes.

Le théâtre de La Cigale *à l'emplacement de* La Boule Noire, *une goguette fondée en 1822 par la Belle en cuisses, fréquentée vers 1830 par Béranger, Emile Debraux et Charles Lepage était située au 120, boulevard de Rochechouart. En 1857 Rigolboche y fait ses débuts. C'est là que le 18 mars 1871, devant la porte du bastringue, le général Clément-Thomas fut arrêté, ce fut le début de l'insurrection de la Commune. En 1906 un nouvel immeuble est construit, détruite l'ancienne entrée au coin de la rue des Martyrs pour une nouvelle sur le boulevard. Le café restaurant est ouvert et marche très fort.* La Cigale *présente des chansonniers, Prince, Maurel, Spinelle et le père de l'acteur Jean Gabin.*

BAR DES NOCTAMBULES
(Quartier Latin)

LE QUADRILLE DU MOULIN-ROUGE

Peinture de G. Leroux,
Grand Prix de Rome.

Amedeo Modigliani.

1906

"Mon centre artistique est dans mon cerveau
et pas ailleurs et je suis fort parce que je ne suis jamais dérouté
par les autres et que je fais ce qui est en moi."

Paul Gauguin

En peinture, la tradition académique est minée. Après Cézanne, les principaux interprètes de la révolution plastique s'insèrent avec succès dans la vie culturelle parisienne en y apportant leur originalité. D'autres conseillent de s'appuyer sur des théories codifiant la création artistique, comme *la Grammaire des Arts du dessin*, publiée en 1867 par Charles Blanc, l'ami de Delacroix, ou comme *De la loi du contraste simultané des couleurs* du chimiste et physicien Chevreul, paru en 1839, ainsi que les travaux des opticiens allemands ou américains. Tous les futurs peintres sont donc appelés à résoudre les problèmes posés par la science des couleurs, les implications psychologiques du dessin et les règles des proportions, en particulier ceux qui sont tentés par les grandes compositions ou les fresques, remises au goût du jour par Puvis de Chavannes. Les avant-gardistes s'affrontent. Les revues d'art prolifèrent.

Depuis dix ans les journaux italiens consacraient des pages entières aux peintres exposés dans les salons, à leurs aventures, à leurs lieux de débauche, à leur capacité d'inventer. Modigliani n'a qu'une idée en tête : aller à Paris qui le fascine et plonger dans ce monde artistique le plus fécond du siècle.

Avant de partir pour la grande aventure, il se fait photographier dans sa tenue d'artiste qui surprendra par sa personnalité. Un costume de velours côtelé, des bottines de cuir noir qui montent jusqu'aux chevilles, de larges chemises de toile blanche, un foulard rouge autour du cou, un chapeau à bords larges. Une boîte de couleurs, des feuilles à dessin, des livres parmi lesquels *La Divine Comédie* de Dante et *Ainsi parlait Zarathoustra* de Nietzsche dont il savait des passages entiers par cœur, des photos des œuvres d'art italiennes achetées dans tous les musées de la péninsule, en particulier des reproductions des tableaux de Simone Martini, d'Agostino di Duccio di Buoninsegna, de Vittore Carpaccio complètent ses bagages. Amedeo débarque à Paris au début de l'année 1906, nous dit Jeanne, et le peu d'argent qu'il a en poche lui a été donné par Eugénie sur le petit héritage laissé par son frère Amédée Garsin.

Comme à son habitude, il commence par s'installer dans un hôtel élégant du quartier de la Madeleine, laissant volontiers croire à tous qu'il est un homme riche.

Sa première visite sera pour le peintre et sculpteur russe Sam Granowski[8] dont Ortiz de Zarate lui avait donné l'adresse à Venise. Granowski, est un personnage excentrique, habillé en cow-boy, assez attachant, toujours prêt à faire la fête. Dès le début, Amedeo confie à Granowski qu'il veut faire de la sculpture, des monuments imposants qui monteraient jusqu'au ciel.

A peine arrivé, Amedeo se met à visiter les galeries d'art du quartier. Celle de Georges Petit, dans un hôtel particulier de la rue de Sèze où se côtoyaient tableaux du plus pur pompier et portraits mondains de l'époque ; et les trois galeries de la rue Laffitte : Durand-Ruel qui exposait les impressionnistes, Clovis Sagot qui avait transformé une vieille pharmacie en galerie d'art et qui le premier eut le coup de foudre pour la période bleue du jeune Picasso, et

---

(8) Sam Granowski (né en Russie en 1889, mort en déportation) avait été aux États-Unis un vrai cow-boy avant de tenir ce rôle au cinéma. Il en gardera l'accoutrement à Montparnasse puis sur la Butte au 189, rue Ordener ("Montmartre aux Artistes"). Purement autodidacte, il n'en participa pas moins au Salon des Indépendants à partir de 1907 avec des vues de Montmartre, des nus et des scènes animalières.

Ambroise Vollard qui faisait sortir de sa cave poussiéreuse, comme un prestidigitateur un lapin de son chapeau, des Cézanne, des Renoir, des Degas. Amedeo admire, chez Daniel-Henri Kahnweiler, rue Vignon, Matisse, Vlaminck, van Dongen, Rouault, Derain, Dufy, Braque, ces fauves, comme les avait qualifiés le journaliste et critique du *Gil Blas*, Louis Vauxcelles, qui, au Salon d'Automne de 1905, voyant une tête d'enfant de style classique au milieu de leurs tableaux aux couleurs criardes, s'était exclamé : "Ils ont même mis un petit Donatello dans cette cage aux fauves." La tête d'enfant était d'Albert Marquet.

L'arrivée d'Amedeo à Paris coïncide avec la réhabilitation définitive du capitaine Alfred Dreyfus par un arrêt de la Cour de Cassation qui referme la blessure sociale créée par douze ans de vicissitudes judiciaires. Mais l'affaire Dreyfus avait contribué à la naissance d'un bloc républicain et anticlérical qui bien qu'ayant remporté les élections de 1902 avait aussi suscité l'essor d'un nationalisme encore empreint d'une pointe d'antisémitisme. Amedeo ne s'intéresse pas à la politique, pas plus qu'à la religion. Il ne va plus à la synagogue, il ne mange pas casher. Sa judaïcité est latente. Le sculpteur américain Jacob Epstein se souvient "que Modigliani était profondément orgueilleux de ses origines juives et disposé à soutenir avec une absurde véhémence que même Rembrandt l'était. L'explication, selon lui, était dans le profond humanisme de l'artiste." D'après un autre témoignage du peintre anglais Augustus John qui lui demanda un jour : "Alors, c'est malheureux d'être juif ?", Modigliani aurait répondu : "Oui, c'est malheureux." Amedeo se définissait quelquefois comme un Juif patricien. Une autre histoire rapportée par l'amateur d'art, Louis Latourette, raconte qu'un soir, alors qu'il dînait en compagnie d'Amedeo au restaurant *Chez Spielmann* place du Tertre, ils entendirent des propos antisémites proférés par deux monarchistes en goguette qui mangeaient à la table voisine. Amedeo se leva brusquement, fâché, et d'une voix forte leur cria : "Je suis juif et je vous emmerde !"

Selon l'historien Emile Schaub-Koch : "Les descendants de la race de David ont dans leur sang depuis leur naissance les splendeurs apportées par l'argent et tendance à aller vers la beauté et le raffinement. Le côté triste de cette chose est que même quand l'argent manque, on conserve l'instinct qui pousse à se comporter comme s'il y en avait en abondance. C'est une question de vieilles habitudes."

Jour après jour, Amedeo découvre Paris, le Paris des couturiers, des antiquaires, des bottiers, des marchands de quatre-saisons, des bouquinistes, des philatélistes, des marchands de livres anciens et d'estampes, le Paris grouillant de monde, les lumières, les ruelles, les cafés, les gens qui s'y bousculent pour se rendre au travail, les jeunes gens et les étudiants qui vont danser à l'Académie de la Grande-Chaumière, 14 rue de la Grande-Chaumière et à *La Closerie des Lilas*. Il voit les vieilles écuries se transformer en ateliers qu'on peut louer pour quelques sous. Paris est en pleine ébullition. Les deux quartiers célèbres, Montmartre au nord et Montparnasse au sud, rivalisent de créativité, de sensualité, de modernisme.

Peu après son arrivée, Amedeo s'est inscrit à l'Académie Colarossi, 10 rue de la Grande-Chaumière à Montparnasse, académie fondée au début du XIXème siècle qui avait eu des élèves prestigieux comme Rodin, Gauguin, Whistler, mais il ne la fréquente pas vraiment assidûment, .

Chez Colarossi, Amedeo exécute quelques dessins de modèles dans des poses académiques, qui sont pour la plupart encore aujourd'hui réunis dans un carnet offert à son ami, Joseph Altounian. Ce petit carnet qu'on a pu identifier comme provenant de la boutique, alors située sous le Bateau-Lavoir à l'angle des rues Garreau et Ravignan, où Modigliani et Max Jacob achetaient sans doute leurs "petits carnets". Le samedi, c'est Jeanne-Louise Gé, la petite-fille de la commerçante qui rendait carts postals, journaux et tuves de couleurs aux grands peintres d'avant-guerre. Née au 23 rue lepic, Jeanne-Louise (1896-1988) fut elle-même un peintre précoce. A 15 ans, elle avait reçu un prix au Salon des Artistes français. Sa obtenu jeunesse et sa beauté attisaient la convoitise des artistes et parmi eux, elle a souvent cité Amedeo qui l'appelait "Belle enfant". Ses dessins de cette période se réfèrent encore à la tradition classique, il en est conscient et ressent la nécessité impérieuse de faire autre chose. Il décide alors d'aller à la recherche des différents courants parisiens et c'est à Montmartre qu'il les trouvera.

Comme beaucoup d'artistes qu'il fréquente alors, Modigliani sait que le désir de changement est bien intérieur. Il ressent que la surface de la toile, le *tableau de chevalet*, est trop limitée. Toute expérimentation consiste (à faire) sortir mentalement la peinture de cette dimension préconçue en essayant d'englober la dimension de l'espace ambiant pour se l'approprier. Il faut en outre oublier une fois pour toute les canons de la beauté et s'éloigner de la représentation de l'image académique de la femme. Il s'agit de découvrir la structure intime de la personnalité du modèle. Les secrets et les mystères sont affranchis de l'expérience technique de la peinture.

"Lorsque Modigliani arrive à Montmartre en 1906 il rejoint des artistes déjà installés sur la Butte depuis le début du siècle : Picasso est au Bateau-Lavoir, ainsi que van Dongen, Juan Gris et l'écrivain Pierre Mac Orlan ; André Derain est au 22, rue de Tourlaque ; Marie Laurencin rue Léonie ; Georges Braque au 48, rue d'Orsel, près du théâtre de l'Atelier ; Camoin et Demetrius Galanis habitent au 12, rue Cortot. A la m'adresse, 12, rue Cortot, Emile Bernard occupa l'atelier qui sera celui de Valadon et d'Utrillo qui, pour l'heure, habitent Montmagny. Marcel Duchamp est domicilié au 65, rue Caulaincourt dans l'immeuble du légendaire restaurant Manière. Metzinger est arrivé en 1905, au 123, rue Lamarck. Pascin occupe une chambre de l'hôtel Beauséjour, rue Lepic. Francis Picabia se trouve au 15, rue Hégésippe Moreau. Severini et Bucci partagent un atelier au 36, rue Ballu. En cette année 1906, Othon Friesz cède son atelier du 12, rue Cortot à Raoul Dufy. Valmier est au 38, rue Ramey ; André Salmon rue Saint-Vincent et Marcoussis au 33, boulevard de Clichy.

Kupka, Jacques Bon, Jacques Villon et son frère le sculpteur Duchamp-Villon viennent de quitter la Butte pour s'installer à Puteaux.

Parmi les anciens, Renoir a toujours une adresse au 43, rue Caulaincourt et au 38bis, boulevard de Rochechouart ; Edgar Degas est au 37, rue de Laval. Pierre Bonnard réside 65, rue de Douai avant de louer en 1911 l'atelier des Fusains qu'il gardera toute sa vie. Edouard Vuillard s'est absenté de Montmartre mais y reviendra en 1907 rue de Calais puis sur la place Vintimille pour ne plus la quitter ; Steinlen est au 73, rue Caulaincourt, Roybet place Pigalle et Willette 20, rue Caulaincourt.

L'atelier-école de Fernand Cormon fonctionne toujours au 104, boulevard de Clichy ; l'illustre peintre académique avait eu l'honneur d'y recevoir les avant-gardises, Lautrec et van Gogh."

1906 c'est malheureusement l'année de la mort de Cézanne, d'Alfred Stevens et du sculpteur Eugène Carrière."

C'est en décembre 1906 que le peintre Anselmo Bucci, en passant devant une petite boutique tenue par la poétesse anglaise Laura Wylda, *l'Art Gallery*, au coin du boulevard Saint-Germain et de la rue des Saints-Pères, vit en vitrine une nouveauté : "trois visages de femmes exsangues et hallucinés, presque monochromes, peints avec des terres vertes en pâte maigre sur de petites toiles." Ayant demandé qui en était l'auteur, Anselmo Bucci s'entendit répondre qu'elles étaient de Modigliani, "un peintre italien qui habite Montmartre", et décida aussitôt d'aller à sa rencontre.

Anselmo Bucci, qui venait lui-même d'arriver à Paris avec deux amis, Leonardo Dudreville et Mario Buggelli, décrit ainsi son arrivée dans son autobiographie *Pane e Luna* : "Il y a quarante-cinq ans, au mois de novembre à minuit nous sommes arrivés tous les trois à Paris. Nous avions à trois cinquante-huit ans, trois valises, une adresse et douze francs. [...] Avec Leonardo Dudreville, à Montmartre, nous avons demandé Modigliani dans un hôtel estaminet du coin. Le patron Bouscarat l'appela... et celui-ci répondit de sa chambre. Et nous vîmes rapidement descendre par le petit escalier très raide un jeune homme avec un chandail rouge de cycliste, il était gai, petit, souriant, avec une splendide dentition ; et tout frisé. Il nous demanda si nous étions des peintres italiens. Souvent les jeunes Juifs ont une tête classique, et même romaine : Modigliani avait une tête d'Antinoé... On se querella aussitôt... – En Italie il n'y a rien. Je suis allé partout. Il n'y a pas un seul peintre valable... En Italie, il y a Ghiglia ; il y a Oscar Ghiglia et c'est tout... Et en France, il y a Matisse... il y a Picasso... et il allait dire : il y a moi. Mais il se retint... et il interrompit le silence. J'ai souvent revu Modigliani au Quartier Latin ; et nous sommes devenus presque des amis. Presque... parce qu'il y avait toujours entre lui et moi ce sourire livournais comme un écran de cristal. Au *Café Vachette*, on s'abritait du froid, on écoutait l'orchestre de jazz, on dessinait. Il dessinait, il scrutait mon album avec un sérieux et une attention que je n'ai jamais vus chez personne à l'exception de Boccioni..."

L'un de ces dessins de Modigliani, exécutés au *Café Vachette*, et offert à Anselmo Bucci, retrace à grands traits larges et rapides, à la manière du portraitiste mondain Giovanni Boldini, le philosophe, publiciste, homme de lettres et sculpteur d'origine sicilienne, Mario Buggelli, avec l'air rêveur d'un dandy de province. Le dessin trahit l'influence du climat post-impressionniste et du graphisme des affichistes, de Jules Chéret à Toulouse-Lautrec. Dans son *Modigliani dal vero*, Anselmo Bucci confie : "... J'ai un feuillet de sa main, un simple dessin du premier jet signé et dédicacé ; un merveilleux portrait orthodoxe, sans cou allongé, sans gifles sur les joues : un dessin comme il en faisait en ce temps-là, la main guidée par son bon ange."

"Et à bien regarder le dessin, le bon ange devait être Toulouse-Lautrec", commente Jeanne Modigliani.

Un autre portrait de Mario Buggelli, esquissé par Anselmo Bucci, et qui figure dans l'un de ses albums de 1907 aux côtés de plusieurs visages de femmes à grands chapeaux, d'une violoniste et de femmes attablées, porte, en bas à droite, la dédicace au crayon : "Au Café Vachette avec Modigliani."

En ce début de siècle à Paris coexistent deux courants. Celui de l'art officiel qui perpétue la tradition de la représentation chère à la bourgeoisie, défend sa morale et ses idées conservatrices, reçoit des médailles au Salon et a une valeur marchande presque immédiate. Le second, dont faite entre autres partie Modigliani, cherche à sensibiliser l'observateur à des problèmes, des idéologies, des croyances différentes ; c'est celui des artistes aux préoccupations sociales, des étrangers qui se grouperont à Montmartre et qui ne se plieront à aucune contrainte.

Les premières œuvres d'Amedeo Modigliani sont l'explosion d'un tempérament de peintre révélé à l'artiste. Eclaboussures de bleus, de rouges, empâtements fougueux, crayonnés impulsifs qui lui font parfois "oublier" le dessin et ses limites trop "finies" pour rejoindre des formes et des volumes le rapprochant de Toulouse-Lautrec. Il est violent, pris du délire de peindre ; il cherche la ressemblance des visages dans des compositions fulgurantes où le thème et la figure disparaissent dans l'ardeur de créer.

Il n'est pas difficile de voir apparaître dans ses nouveaux tableaux les difficultés qui vont naître précisément à Montmartre, de la tentative d'identifier l'opposition entre art classique figuratif et théories d'avant-garde : fauvisme et cubisme.

A Montmartre, l'Art est un jeu que l'univers joue avec lui-même : "L'homme n'est plus artiste, il est devenu œuvre d'art."[9]

Toujours en décembre 1906, Modigliani rencontre à Montmartre un autre Italien, Gino Severini : "... quand j'étais à Paris depuis à peine deux mois, le hasard me fit rencontrer Modigliani. Je montais la rue Lepic pour aller vers le Sacré-Cœur, quand, en face du fameux bal du *Moulin de la Galette*, je croisai un autre petit jeune homme brun, le chapeau mis de telle manière que seuls les Italiens savent et peuvent faire... Nous nous sommes dévisagés, puis, après quelques pas, nous nous sommes retournés tous les deux pour revenir en arrière. Les paroles habituelles qui se prononcent dans ce cas et peut-être qu'il n'y en a pas d'autres sont les suivantes : "Vous êtes italien, il me semble?", à quoi il est répondu : "Bien sûr et vous aussi, j'en suis sûr." Nous nous sommes donc présentés à peu près ainsi ; puis, nous avons compris que nous étions tous les deux peintres, que nous étions toscans et que nous habitions Montmartre. Son petit atelier était à deux pas. De la rue Lepic on voyait une espèce de serre à fleurs ou de cage de verre, située en haut du mur, et au fond d'un petit jardin. C'était un atelier tout petit mais agréable ; fermé des deux côtés par des verrières, ce pouvait être une serre ou un atelier sans être parfaitement ni l'un ni l'autre. En tous cas, Modigliani arriva à Paris un peu plus riche que je ne l'étais, et ainsi il avait pu se louer cette petite demeure peu confortable mais suffisante. Il en était très satisfait, et à vrai dire, elle me plaisait davantage que mon sixième étage. Mais il vivait là dans un isolement absolu, tandis que moi, heureux parmi les femmes, j'étais même un peu trop entouré. Ce fut lui qui m'indiqua, pour que l'on s'y retrouve bientôt et souvent, le *Lapin Agile*, cabaret rustique, vraiment typique, fréquenté surtout par les artistes."

Situé au carrefour de deux ruelles de Montmartre, la rue des Saules et la rue Saint-Vincent, ce *Lapin Agile*, ex-*Au Rendez-vous des Voleurs,* puis *Le Cabaret des Assassins* et enfin baptisé *A ma Campagne* par une ancienne danseuse de Cancan, appartenait alors à Frédé, de son vrai nom Frédéric Gérard, un ancien marchand de poissons ambulant qui avait fait ses premiers pas d'aubergiste dans un petit estaminet minable de la place Jean-Baptiste Clément, le *Zut*, avant de s'installer dans ce cabaret de sinistre mémoire que lui avait légué Aristide Bruant. En 1879, le peintre caricaturiste André Gill y avait peint une enseigne représentant un lapin sautant d'une casserole : le lapin à Gill qui se transforma tout naturellement en lapin agile. En 1903 Aristide Bruant avait racheté le *Lapin Agile* pour le sauver de la

---

(9) Chez Nietzsche, on trouve plusieurs définitions de l'Art, mais pour Modigliani sont valables deux principes en opposition : l'*apollinien* et le *dionysiaque*. L'*apollinien* est le domaine du principe de l'individuation, de l'être phénoménal ; le *dionysiaque* en revanche est le lieu de l'unité au-delà de toute représentation. Et avant d'être des pôles artistiques, l'*apollinien* et le *dionysiaque* sont les deux grands principes cosmologiques. D'où le lien intime entre l'art du portrait et le jeu esthétique de l'univers : la mise en scène artistique de la lutte des deux principes. Pour Nietzsche, l'Art est une activité proprement métaphysique : le génie voit jusqu'au fondement des choses.

destruction.[10] Personnage truculent, bourru, mais jovial et sympathique, le père Frédé, en costume de velours côtelé, botté et coiffé été comme hiver d'un éternel bonnet de fourrure, aimait à y accueillir ses clients une guitare à la main, les rudoyait amicalement et poussait volontiers la goualante en leur disant : "on va faire de l'art". Max Jacob, un soir, laissa sur son livre d'or en guise de dédicace ces quatre vers :

Paris, la mer qui pense apporte
Ce soir, au coin de ta porte,
O Tavernier du quai des Brumes,
Sa gerbe d'écume.

Né en Bretagne, Max Jacob était le fils de l'antiquaire Lazare Jacob. Il avait été marin, avait voyagé en Orient et en Australie. De sa Bretagne natale et de la mer, il avait gardé le goût du mystère et la foi pour le surnaturel dans son cœur innocent de marin. A Paris, il apprend l'art et l'ironie. La fréquentation des artistes affine son âme de poète déjà disposée pour la rêverie et la poésie. A vingt ans, signant du pseudonyme de Léon David, il est critique d'art. Il deviendra l'ami de Picasso avec qui il partagera, un temps, une chambre de bonne boulevard Voltaire et dont il écrira plus tard : "Picasso est mon ami depuis seize ans : nous nous détestons et nous nous sommes fait tant du mal que du bien, mais il est indispensable à ma vie."

---

(10) C'est sans doute depuis 1860 qu'existe le curieux petit bâtiment qui abrite *le Lapin Agile*, à l'angle des rues Saint-Vincent et des Saules ; c'était à l'époque une sorte de caboulot à l'enseigne de *Ma Campagne*, perdu dans une végétation plutôt sauvage ; la clientèle était rare. Il était tenu par un certain Salz, sous-chef de bureau à la Mairie du IXème, sa femme faisait la cuisine. Clémenceau venait parfois y dîner. L'affaire fut reprise vers 1886 par la mère Adèle, une ancienne danseuse du *Chahut* et ce jusqu'en 1902 environ ; elle fonda alors un restaurant rue Norvins *Le Vieux Chalet,* une baraque de bois montée sur un terrain de la Ville de Paris, une sorte de cantine où pour 2f50, un prix élevé pour l'époque, elle offrait sa bonne cuisine et sa bonne humeur ; le samedi elle organisait pour ses amis artistes un dîner composé le plus souvent d'un gigot de mouton, vin et calvados à discrétion, qu'elle comptait 40 sous, mais présentait rarement la note. Un piano dans une petite salle décorée de tableaux libertins signés Julien Callé et une soupente où couchait Adèle, constituaient tout l'espace de l'auberge. En 1912, à 70 ans, elle se retira sur la Butte Pinson. Mariée à un cul-terreux, elle mourut le 13 décembre 1922.
Mais, au *Lapin Agile* entre-temps, l'enseigne avait changé en *Cabaret des Assassins* en raison d'une décoration rappelant la sanglante affaire Troppmann qui défraya la chronique. Les réserves du Musée Carnavalet conservent un dessin à la mine de plomb du peintre académique Gérôme qui avait son atelier au 65, boulevard de Clichy ; un jour, au Palais de Justice, un juge d'instruction lui avait proposé de faire le portrait d'après nature d'un prévenu qu'il allait interroger ; c'était un homme au visage glabre avec un fort accent allemand. Le peintre emporta alors chez lui le portrait d'un "killer", le fameux Troppmann.
Berthe exploita ensuite l'établissement avant de se marier avec Frédéric Gérard, dit Frédé. En 1905, Bruant acheta les murs du cabaret afin d'éviter sa destruction lors de l'aménagement et du nivellement de la rue Saint-Vincent ; cette rue doit son appellation non au saint patron des vignerons mais au propriétaire des terrains alentours, un certain Vincent Compoint dont une autre rue de Montmartre porte le nom. Bruant ne s'est jamais produit au Lapin mais l'avait loué à Berthe et Frédé avec lequel il eut quelques soucis d'argent. De retour sur la Butte en 1915 après une *guerre brillante* qu'il termina avec le grade de capitaine, des citations et une croix de guerre, Paulo, le fils de Frédé né en 1895, fut pris en mains par Aristide Bruant qui avait perdu son propre fils à la guerre. Le célèbre chansonnier lui donna des cours de chant. Paulo travaillait au *Lapin* avec son père. L'ayant pris en amitié Bruant proposa de lui vendre les murs du *Lapin* à crédit, ce qu'il fit et Paulo, ayant ponctuellement réglé les mensualités, devint le propriétaire de son père. Cependant la licence était toujours au nom de Berthe, et ce n'est que dix ans plus tard, vers 1935, sous la pression de Mac Orlan marié avec Marguerite Luc dite Margot la belle-fille de Frédé, qu'elle consentit à céder la licence à Paulo. Frédé ne fut jamais le propriétaire du *Lapin*. Entre-temps, une belle chanteuse, Yvonne Darle, venue se produire dans le cabaret, se maria avec Paulo ; elle avait un fils, Yves Matthieu, l'actuel propriétaire.
C'est vers 1880 que le peintre André Gill réalisa une pochade reproduite ensuite par Osterlind qui devint l'enseigne du Lapin. On y voyait un lapin coiffé d'une casquette de voyou, un litre de vin rouge à la main bondir d'une poêle à frire ; d'où le Lapin à Gill qui devint naturellement le Lapin Agile. La légende de Tabarant offrant l'enseigne peinte à Frédé est d'autant plus fausse qu'elle était déjà accrochée au temps de la mère Adèle. L'enseigne est conservée au Musée de Montmartre. Ce serait le peintre Georges Delaw qui aurait initié le livre de bord (livre d'or) du Lapin.
Le sculpteur anglais Léon John Wasley, qui eut d'abord son atelier au Bateau-Lavoir, puis près du château des Brouillards, amena le jour de Noël 1900 un grand Christ en plâtre qu'on accrocha au mur du cabaret ; il y est encore aujourd'hui. Vers 1905, Frédé punaisa le long des jambes de ce Christ sur le mur du cabaret une grande toile de Picasso le montrant lui-même, Frédé, en compagnie de Laure Pichot et du peintre habillé en arlequin. Sept ans plus tard sur l'insistance d'un maître de ballet suédois, Frédé ayant besoin d'argent lui vendit le tableau pour une somme ridicule ; André Warnod écrivit que l'acheteur s'appelait Rolf de Maré. Cette toile, connue sous le titre *Au Lapin agile,* fut adjugée au marteau près de 41 millions de dollars, le 15 novembre 1989 chez Sotheby's à New York. Yvonne Darle racontait l'anecdote avec beaucoup d'humour sans laisser paraître le moindre regret ; âgée à ce moment de près de 90 ans, mince, élégante et encore alerte elle avait l'allure d'une grande dame.

Le *Lapin* était le lieu de rendez-vous de la bohème locale, outre les peintres on y voyait Charles Dullin dire des poèmes de Jules Laforgue et de Villon ; Warnod parle d'un habitué du nom de Pageol, une brute qui tirait les cartes dans les lavoirs et les bordels sans que l'on sache s'il était de la police ou d'une bande. En 1916 Modigliani réalise le portrait de Lolotte, servante au cabaret.

Germaine Pichot, modèle de Picasso, qu'on appelait tante Laure était propriétaire de *la Maison Rose* ; c'est à cause d'elle que le peintre Casagemas, ami de Picasso, se suicida en 1901 dans un restaurant de la place Clichy. On dit que ce suicide fut la cause du début de la période bleue de Picasso.

Avant d'animer le Lapin, Frédé dirigeait le cabaret le *Zut*, sur la future place Jean-Baptiste-Clément. L'endroit était dangereux, mal famé, les bagarres y étaient fréquentes. La recette ne suffisant pas à le nourrir il vendait, en dilettante, de la marée, en jouant de la clarinette derrière son âne chargé de hottes de poissons. La salle avait été décorée par Picasso de nus aux traits bleus et d'un portrait géant de Sabartès. Pichot sur un autre mur avait dessiné une tour Eiffel survolée par le dirigeable de Santos-Dumont.

Max Jacob par Modigliani.

Max Jacob par Modigliani.

"Jeu à quatre mains "par M. Jacob et Modigliani.

Max Jacob par Modigliani.

Montmartre, "Le Maquis".

1907

*"Je peux à peine comprendre l'importance donnée au mot recherche
dans la peinture moderne. A mon avis, chercher ne signifie rien en peinture.
Ce qui compte, c'est trouver."*

Pablo Picasso

A Montmartre, l'atelier d'Amedeo se trouve dans le célèbre Maquis, terrain couvert de baraques qui s'étendait sur l'actuel emplacement de l'avenue Junot où l'on commençait déjà à construire les nouveaux immeubles côté pair de la rue Caulaincourt. On en trouve une description qui pour être poétique n'en est pas moins précise et réaliste sous la plume d'André Warnod : "... un vaste espace couvert de bicoques et de masures faites de matériaux de démolition, bouts de bois, vieilles planches, grillage, fer-blanc, tout cela rassemblé à la va-comme-je-te-pousse, et, l'été, perdu dans une végétation verdoyante, quelques arbres, des broussailles poussant sur un terrain couvert de détritus... Là-dedans vivaient pêle-mêle des chiffonniers, des mouleurs, des brocanteurs, et quelques artistes. Steinlen y eut son Cat's cottage, et Poulbot séjourna là quelque temps... Le principal désagrément de plusieurs de ces logements était qu'ils fermaient très mal. Il fallait parfois rentrer chez soi revolver au poing, pour en déloger un hôte intempestif... Sur ce qui demeurait du Maquis condamné persistèrent relativement longtemps divers asiles de bohèmes avec les refuges d'artistes pauvres ou indifférents au confort. Le sculpteur catalan Paco Durio aura été l'un des derniers occupants du Maquis[11] où rougissait son four à céramique."

Grâce à la complicité de quelques ouvriers maçons, Amedeo se procure des pierres pour faire de la sculpture. Mais ses poumons sont si fragiles qu'il doit vite renoncer. Commence alors pour lui une période d'incertitude. Il hésite entre la sculpture et la peinture, les cubistes, les fauves et les expressionnistes.

La mort de Paul Cézanne le 22 octobre 1906 l'avait fait réfléchir sur la nature chromatique et formelle du grand maître. Lui qui est encore tout imprégné de classicisme et d'art étrusque cherche de plus en plus sa voie. Il cherche notamment à renfermer la tension émotive de ses personnages à l'intérieur de lignes dans un équilibre parfait. Il visite

---

(11) *Le Maquis, nom donné à un vaste terrain vague limité au sud par la rue Cortot, la rue de l'Abreuvoir, le Moulin de la Galette, au nord par la rue Caulaincourt à partir de l'angle de l'actuelle avenue Junot, et la place Constantin-Pecqueur, allant jusqu'au Lapin Agile, rue Saint-Vincent. C'était une sorte de bidonville, certains parlent de "favela", constitué de cabanes en bois et en plâtre, au milieu d'une maigre végétation d'arbustes. Il a disparu lors du percement de l'avenue Junot ; cette voie triomphale devait se poursuivre jusqu'au parvis du Sacré-Cœur et supposait donc la destruction du village et de l'église Saint-Pierre ; ce projet n'eut pas de suite, c'est pourquoi cette avenue se termine presque en cul de sac sur l'actuelle place Marcel-Aymé. Le terrain des vignes constituait la frontière est du Maquis. Le Musée de Montmartre possède un grand dessin de Picabia qui donne une bonne idée de l'aspect que cette zone pouvat avoir au début du siècle. L'endroit, plutôt dangereux, était peuplé d'une faune interlope de chiffonniers, d'artisans, de personnages indéfinissables auxquels parfois se mêlèrent des artistes, notamment dans l'impasse Girardon où des masures ont abrité Modigliani, le sculpteur Laurens, le céramiste Paco Durio, Pigeard et sa fumerie d'opium, Buzon et Jean Peltier ; plus tard Gen Paul s'y est installé et Camoin, dans des constructions en dur. La destruction du Maquis débute en 1910, cependant le percement de l'avenue Junot et les dernières constructions ne se termineront qu'au début des années 1930. Paco Durio, qui céda en 1904 son atelier du Bateau-Lavoir à son ami Picasso, dernier habitant du Maquis dut quitter l'impasse Girardon. Expulsé en 1939 il ne survécut guère et mourut quelque temps après.*

A noter parmi les hôtels particuliers construits avenue Junot celui que Tristan Tzara, à l'origine du dadaïsme, se fit construire à partir de 1923 par l'architecte autrichien Adolphe Loos ; celui de Daragnès dans le style italien où il regroupa son habitation, sa bibliothèque, ses bureaux d'éditeur, l'atelier de taille douce, et les salons de réception ; enfin celui que Francisque Poulbot, créateur du gamin de la Butte, se fit construire lorsqu'il obtint un succès financier avec ses dessins.

le Salon d'Automne et admire la rétrospective Paul Cézanne[12] qui le marquera à jamais. C'est sûrement à dater de ce moment qu'il s'immergera dans le primitivisme au point que ses peintures, ses dessins et ses sculptures en seront désormais empreints. La pratique est déliée, pour la première fois aussi, semble-t-il, de toutes les règles et interdictions académiques pour une expression plastique personnelle. Au moment où il s'affranchit des règles classiques, il s'essaye aussi à des techniques très variées de dessin : crayon Conté, lavis, fusain, crayon bleu, mine de plomb sur papier teinté, encre sur carton ou aquarelle.

Une anecdote rapporte qu'un jour qu'il était assis à une terrasse de café avec Ortiz de Zarate, Modigliani vit passer un petit homme avec une grande tignasse noire, habillé d'une chemise rouge à pois blancs, d'un veston bleu, chaussé d'espadrilles et tenant un chien blanc en laisse. Ayant demandé à Ortiz qui était cet hurluberlu, il s'entendit répondre que c'était Picasso et sa chienne Frika. Modigliani, amusé, aurait répondu : "Il aura sûrement du talent comme peintre mais il n'y a aucune raison pour qu'il aille accoutré de cette façon."

Pour ce qui est du vêtement, Modigliani, lui, restera fidèle à ses vestes et pantalons de velours rouille à la mode de la Maremme, à ses chemises d'ouvriers colorées et ceinturées de toile rouge, à son foulard autour du cou, à son chapeau à larges bords.

André Salmon rapporte "à sa manière" que les deux peintres, Modigliani et Picasso, se sont rencontrés pour la première fois rue Godot de Mauroy. "Modigliani qui venait de recevoir un mandat de Livourne offrit à boire à Picasso et lui prêta cent sous. Douze ans plus tard, en 1918, lorsque Picasso voulut les lui rendre, et lui tendit cent francs, Modigliani, déjà connu, mais se trouvant perpétuellement dans la misère par suite de son éthylisme chronique, les auraient empochés sans rendre la monnaie, prétextant qu'il se devait, de temps en temps, de se rappeler qu'il était juif et qu'il prenait donc des intérêts"...

Sur la situation de fortune d'Amedeo Modigliani, les témoignages sont aussi nombreux que divergents. C'est qu'il se plaisait tant à se faire passer pour riche aux yeux des uns qu'à pleurer misère auprès des autres. La vérité sans doute la plus vraisemblable serait qu'il eût été un peu panier percé, très généreux et très dépensier dès qu'il avait trois sous en poche. Cité par Warnod, Blaise Cendrars raconte : "J'ai connu Modigliani lors de son arrivée à Paris : il était riche. Il habitait *Hôtel du Perron*, rue du Dôme. Ayant touché la succession de son père, il devait avoir dans les cent soixante mille francs à l'époque. C'était un jeune Italien très élégant, avec un petit veston cousu main, plissé aux hanches, étroit, collant, avec des manches qui arrivaient tout juste jusqu'aux poignets, comme les tailleurs italiens savent faire cela pour laisser flotter les manchettes de la chemise, ce qui fait grand effet quand on gesticule. Je l'ai connu riche, Modigliani, très riche.

Je suis fils et petit-fils de banquiers", proclamait le peintre, et il ajoutait en souriant "de banquiers juifs". Mais peu de temps après son arrivée à Paris en 1906, il n'avait plus un sou en poche."

Contrairement à ce que dit Cendrars, soit qu'il manquât d'informations, soit qu'il se fût trompé de bonne foi, Amedeo n'avait pas hérité toute cette grande fortune de son père. L'argent dont il disposait à son arrivée à Paris lui avait été remis par sa mère, sur des fonds provenant de l'héritage de son frère Amédée Garsin, lorsqu'elle était allée le voir à Venise. Avec cet argent, Amedeo avait aussitôt pris le train pour Paris. Le journal de la famille nous a appris que le père avait fait faillite depuis bien longtemps, et par ailleurs, qu'il survécut à son fils. A la date du 21 septembre 1928, Margherita écrivait dans le *Livre de Raison* : "Je suis rentrée aujourd'hui de Livourne où je m'étais précipitée pour assister papa dans ses derniers instants."

---

(12) Paul Cézanne, décédé à Aix-en-Provence deux mois avant que Modigliani n'arrive à Paris, fut un Montmartrois intermittent. Dans son atelier de la Villa des Arts au 15, rue Hégésippe-Moreau, il réalisa en 1899 le fameux portrait cubisant de Vollard au terme de la 115e séance de pose. Le maître fut incontestablement le précurseur de l'art du XXème siècle, et fut sans aucun doute l'aimant qui attira sur la Butte les jeunes peintres étrangers. Il est intéressant de savoir que de 1877, date de sa rupture avec le mouvement impressionniste, jusqu'en 1895, date de l'exposition chez Ambroise Vollard, rue Laffitte, le seul endroit où l'on pouvait voir les œuvres du maître était l'échoppe du marchand de couleurs de la rue Clauzel, le père Tanguy, immortalisé par les deux portraits que van Gogh réalisa en 1886. Là, dans l'arrière-boutique, venaient des artistes de toute l'Europe voir les œuvres du maître aixois entassées contre les murs, sans cadre, à l'état brut pourrait-on dire. Tanguy, dont les idées politiques lui valurent d'aller au bagne, eut deux idoles dans sa vie : Cézanne et van Gogh.

André Warnod[13] résume le problème : "Tant qu'il put tant bien que mal payer son loyer et se nourrir convenablement, sa vie fut semblable à celle de beaucoup d'autres. Vie, certes, qui n'était pas exemplaire, mais qui tout de même n'avait rien d'exceptionnel... Ce n'est que lorsque le malheur, la souffrance et la débauche se furent abattus sur lui qu'il put affirmer sa personnalité..."

D'après un autre témoignage, de Max Jacob, également cité par Jeanine Warnod : "C'était un pauvre. Il venait m'emprunter trois sous pour prendre le métro qui le menait à Montparnasse..."

Voici comment Max Jacob décrit Modigliani :

"Un assez petit homme, aux cheveux bouclés... Un profil plat, mais beau, un visage pâle, assez rond, un rire bref, mais éclatant, amer et pourtant enfantin. Il était raide, tout d'une pièce, violent d'une manière inattendue, à cause de son apparente douceur, sentimental malgré sa raideur et ses indignations, sardonique plutôt en apparence qu'en réalité. C'était uniquement un artiste et un poète. Il ne pensait qu'à l'art."

Max Jacob était toujours au courant de tous les potins du quartier. Clown, commère, cartomancien, il lisait les lignes de la main, tirait des horoscopes, rapportait aux copains de la bande tous les ragots. Fernande Olivier, la compagne de Picasso, raconte : "Je l'ai vu, avec un plaisir cent fois renouvelé, imiter cent fois la danseuse aux pieds nus. Les pantalons retroussés aux genoux découvraient des jambes velues. En manches de chemise, le col largement ouvert sur une poitrine matelassée de crins noirs et frisés, la tête nue, à peu près chauve, sans quitter ses binocles, il dansait, s'essayant à des grâces qui réussissaient toujours à vous faire rire et qui étaient une charge parfaite..."

La vie même de Modigliani apparaît aux "autres" comme prise tout entière dans le temps de la déviation, de l'anormalité, de l'expérimentation, de la singularité en tant qu'elle est perçue comme excentricité, comme incapacité à se couler dans les formes communes.

André Warnod, critique d'art et artiste à Montmartre.

(13) André Warnod. Dessinateur, illustrateur, écrivain et critique d'art. Giromagny (Territoire de Belfort) 21 avril 1885-Montmartre 10 octobre 1960. Ancien élève de l'Ecole des Beaux-Arts et des Arts Décoratifs, il a mené très tôt la vie de bohème parmi les rapins de la Butte où il était arrivé en 1894 avec sa mère et ses deux frères au 2, rue de Steinkerque dans un immeuble qui venait d'être construit sur les ruines du Perroquet gris, un lupanar célèbre du quartier. Il fit ses études au collège Rollin érigé là où se trouvaient les abbatoirs de Montmartre. Un matin de l'année 1922, André Warnod a rencontré Pascin avec lequel il fut intimement lié ; cela se passait au fameux restaurant chez *Manière*, au 65, rue Caulaincourt, Pascin était au 73, Warnod au 60. Le restaurant était le lieu de rendez-vous des artistes, le seul café littéraire de la Butte avec, plus tard, le *Cyrano*, place Blanche, où se réunissaient les surréalistes. C'était là que se retrouvaient Galtier-Boissière, Marcel Duchamp et ses frères, Roland Dorgelès, Madeleine Anspach, Derain et bien d'autres.

Auteur de nombreux livres et articles sur les artistes de l'époque, Warnod tint à partir de mars 1909 la rubrique des Arts et Lettres dans *Comœdia*, journal que Gaston de Palewski venait de créer. Il collabora aussi au Figaro jusqu'à son décès. Auteur également de *Ceux de la Butte*, c'était aussi un critique d'art écouté et un très bon illustrateur. Sa fille Jeanine Warnod continue sa chronique de Montmartre et est l'auteur, entre autres, du livre sur le Bateau-Lavoir (1986). Elle est aujourd'hui, grâce aux archives de son père et des siennes, un des meilleurs connaisseurs de l'histoire locale.

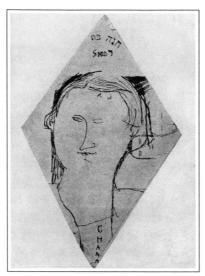

1916, "Chana Orloff",
encre sur papier, dédicacée.

1915, "Portrait de J.",
crayon et encre sur papier.

1917, "Joseph Altounian",
crayon sur papier, dédicacé.

1916, "L'estatico",
crayon sur papier, dédicacé.

Un peu d'alchimie

"La langue de l'alchimie est une langue de la rêverie..."

Gaston Bachelard

Pour clarifier les rapports entre Modigliani et Max Jacob, il est très intéressant de se reporter à ce qu'en dit Jeanne Modigliani dans sa biographie : "Il serait nécessaire d'examiner avec plus d'attention les esquisses d'aquarelles de Max Jacob (le petit carnet, propriété Joseph Altounian) réalisées au cours des années 1909-1915 – en faisant remarquer que ce même petit carnet de feuilles de vélin (numéroté en haut et à droite) provenait du marchand de Montmartre qui fournissait Modigliani et les autres artistes. Les œuvres significatives de cette époque, exécutées pour la plupart sur ce carnet, montrent avec quelle intensité Max Jacob avait travaillé sur la décomposition de l'image, sur le plan géométrique et sur celui de sa synthèse littéraire, provenant du code symbolique et ésotérique. Le portrait de Max Jacob par Modigliani souligne le même intérêt, avec assez de signes, nombres et symboles... pour ne pas laisser de doute sur leur manière de les comprendre. Les nombres et les signes utilisés font partie d'un dialogue souterrain, innocemment occulte, mais d'intention purement artistique, pour souligner par exemple les rapports entre un pavillon auriculaire et le chiffre neuf, ou entre le chiffre sept et un nez. Max Jacob aimait à divertir ses amis, mais il avait été sans doute le premier à révéler certains rapports entre les masques nègres et la géométrisation, avec les références littéraires et religieuses nécessaires. L'époque déterminante de son travail fut celle de sa conversion, de son *Saint Matorel*, et de la réflexion menée avec Modigliani sur les rapports entre culture hébraïque et symbolique catholique [...] Max Jacob et Modigliani représentaient assez diversement la réalité, mais, à cette époque précise, ils utilisaient ensemble des moyens identiques – par exemple, traits, éléments géométriques, chiffres et lettres hébraïques, tous semblables ou, du moins, inspirés de la même source iconologique. Max Jacob étudiait les traditions "occultes" des signes astrologiques, lisait les lignes de la main, interrogeait les astres, entremêlait avec élégance, poésie et peinture, religion et farce, se passionnait pour la littérature ésotérique."

Le côté poète-alchimiste de Max Jacob réveillera chez Amedeo le goût pour la magie et l'occultisme qu'on retrouve dans les signes kabbalistiques de certains de ses dessins. Ils étaient tous deux attirés par les correspondances mystérieuses et feront des recherches sur les textes sacrés et les origines de la culture juive. Modigliani était superstitieux par nature et tradition familiale. Déjà son grand-père Isaac, quand il était enfant, lui avait inculqué les secrets de la *Torah* ; sa mère lui avait transmis sa façon laïque de vivre le judaïsme ; sa tante Laure lui avait fait découvrir la lecture des philosophes ; et, le hasard des rencontres avait fait le reste. La superstition chez lui venait donc de loin. L'écrivain russe Ilya Ehrenbourg disait que Modigliani lui parlait souvent de choses étranges : "Il m'assurait que Nostradamus avait prévu en détails la Révolution française, le triomphe et la chute de Napoléon, la fin des Etats pontificaux, l'unification de l'Italie. Il citait d'autres prophéties, celles-ci ne s'étaient pas encore réalisées : "Voici une petite chose – la République en Italie... mais voici – et c'est bien plus important des gens seront envoyés en exil dans les îles... Un chef viendra au pouvoir, tous ceux qui ne sauront pas se taire vont être mis en prison, puis on commencera à faire périr les gens." Amedeo avait d'ailleurs recopié, en l'interprétant à sa façon, une prophétie de Nostradamus derrière un torse d'homme dessiné à l'encre de Chine sur papier.

Dans plusieurs dessins échangés avec Max Jacob, on retrouve des chiffres, des symboles, des lettres, des signes qui font partie du langage occulte et se rapportent à la tradition ésotérique juive. Jeanne se rappelle un portrait de femme, peint au dos du calendrier de 1908, mais datant de 1915, inspiré d'une figure du jeu de tarots, la tête couronnée par des chiffres avec la répétition du chiffre "6" qui a une signification astrologique. Dans d'autres œuvres d'Amedeo, on retrouve des colliers, des boucles d'oreilles, des pendentifs évoquant des formes symboliques. Un portrait qu'il fit de Max Jacob (collection Joseph Altounian), est dédicacé :

"A mon frère / très tendrement / la nuit du 7 mars / la lune croissante / Modigliani."

Derrière le dessin de torse d'athlète (portrait d'André Salmon ou Apollinaire), il écrit à l'encre noire une prophétie de Nostradamus, commençant par les vers : " Le Lion jeune, Vieux surmontera… ", pour transmettre une prédiction avec des indications précises sur le comportement physique du sujet représenté, qui le rend proche d'une tendance au mysticisme.

Ces références aux symboles "spirituels" nous fournissent une autre approche pour comprendre le type spécifique de représentation essentielle et schématique de Modigliani : en éliminant le volume et la perspective dans ses dessins, en réduisant les variétés chromatiques, en simplifiant les attitudes et les gestes, il arrivait à dématérialiser l'homme et le monde physique. La symétrie de la composition géométrique représentait la stabilité, l'élimination de tout élément singulier provenant du hasard donnait une signification intense aux gestes hiératiques des modèles dessinés.

Et Jeanne ajoute : "En lisant les livres de Max Jacob, je me suis rendue compte des fables religieuses qui inspiraient et stimulaient la fantaisie dans ce "purgatoire" qui a converti l'écrivain au christianisme et peut-être renforcé la tradition juive du peintre." C'est en fait dans sa chambre de la rue Ravignan à quatre heures de l'après-midi, le 22 septembre 1909, que Max Jacob dit avoir vu le Christ lui apparaître : "cette apparition sur le mur de la rue Ravignan, dans cette espèce de cave où je demeurais, m'a fait connaître la vérité cosmique…" Max Jacob écrit une sorte de mystère chrétien, illustré par Picasso et publié par Kahnweiler, qu'il appelle *Œuvres burlesques et mystiques de frère Matorel, mort au couvent de Barcelone* et dont il dit que c'est un "chef-d'œuvre de mysticisme, de douleur, de réalisme minutieux et dépourvu de toute affectation. J'étais le plus petit ridicule funambule qui existait au monde", mais sous une enveloppe brillante, un humour à toute épreuve, une intelligence raffinée se cache un être faible, complexé, seul. Il reçut le baptême, avec Picasso comme parrain, le 18 février 1915, en pleine guerre.

C'est surtout à travers deux courts textes, de la main même d'Amedeo, restés dans la collection Alexandre, qu'on peut connaître quelques détails du côté ésotérique et alchimiste de Modigliani. Dans un carnet de dessins daté de 1907, il avait noté : "Ce que je cherche ce n'est pas le réel pas l'irréel non plus, mais l'Inconscient, le mystère de l'Instinctivité de la Race", réaffirmant ainsi pour lui-même que c'est l'essence de l'âme de ses modèles qu'il cherche à saisir au-delà de leur apparence. "Modigliani cherchait à exprimer le moi profond de ses modèles", disait son mécène et ami Paul Alexandre. Et plus tard, derrière un croquis réalisé pour la sculpture en 1913 sur papier quadrillé, Modigliani écrira :

"Ainsi que le serpent se
glisse hors de sa peau
ainsi tu te délivreras
du péché. (Hg) L'équilibre
laissé par les excès contraires. △
(triangle) . L'homme considéré
sous trois aspects ✡.
Aour !"

Noël Alexandre, le fils de Paul qui publia, d'après les souvenirs de son père, *Modigliani inconnu : Témoignages, documents et dessins inédits de l'ancienne collection de Paul Alexandre,* avec une préface de François Bergot, conservateur général du Patrimoine, se livre à une tentative d'explication de ce texte. Dans le langage des alchimistes, le signe (Hg) symbolise Mercure, à la fois métal et planète, élément femelle et volatil, considéré comme l'un des trois principes de la matière ; les deux autres étant le soufre, élément mâle et fixe, et le sel ou arsenic, principe de fusion entre le soufre et le mercure. Cette union du soufre et du mercure, en diverses proportions forme tous les corps. Ainsi la matière est-elle à la fois une et triple, symbolisée par le signe du triangle reproduit par Modigliani. A côté des trois principes, les alchimistes admettaient quatre éléments théoriques : la terre, l'air, l'eau et le feu. Les signes alchimiques de ces quatre éléments sont résumés pour Noël Alexandre par l'étoile de David, également représentée par Modigliani. Poursuivant son explication, il écrit : "Ainsi que le serpent se glisse hors de sa peau ainsi tu te délivreras du péché, écrit Modigliani. Dans la vision alchimique, la vieille peau du serpent meurt et se décompose, mais le serpent se glisse hors de cette peau et ressuscite sous une forme nouvelle. Ainsi Modigliani pense-t-il se délivrer du mal." Noël Alexandre ne précise pas clairement de quel mal il s'agit. Mal de création, mal de faire éclore l'artiste qui germe en lui, ou tout simplement mal de vivre du jeune homme éloigné de chez lui et déjà en proie à la maladie incurable ? Peut-être les deux ? Et Noël Alexandre poursuit encore : "L'équilibre par les excès contraires. Dans la pensée alchimique, toute création ne peut naître que de l'équilibre qui résulte de l'action des contraires, la fusion du principe mâle fixe et du principe femelle volatil. Indépendamment de son sens hermétique, cette formule nous apparaît comme la vraie devise de Modigliani dans son art et dans sa vie, comme une clef de son comportement et de son œuvre. L'homme considéré sous trois aspects. Aour ! "Aour" serait la déformation du mot hébreu qui signifie la lumière, le feu sans lequel l'œuvre est impossible. Quant à l'homme, par analogie avec la matière des alchimistes, il est à la fois un et triple. Il est corps, âme et esprit. Et de même que le Sel est le moyen de fusion entre le Soufre et le Mercure, de même c'est l'esprit vital de l'homme qui permet l'union entre l'âme et le corps..."

Mais Amedeo Modigliani n'avait pas attendu Max Jacob pour s'intéresser à l'occultisme qui, bien au contraire, l'avait toujours fasciné. On sait par un témoignage de sa sœur Margherita que dès l'âge de quinze ans, il avait participé à Florence à des séances de spiritisme, initié par un ami plus âgé, et s'y était par ailleurs complaisamment livré lors de son séjour à Venise.

1918, "Portrait de Moricand", encre sur papier.

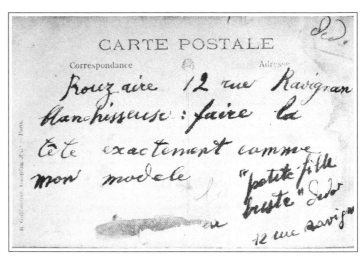

Carte postale, 12 rue Ravignan à Montmartre,
Mme Rouzaire blanchisseuse.

Carte postale dédicacée par Modigliani à Mme Rouzaire.

La terrasse du "Lapin Agile", avec l'âne Boronali.

Montmartre, le "Lapin Agile".

Montmartre et la vie de Bohème

"Il y a là des moulins, des cabarets et des tonnelles, des élysées champêtres
et des ruelles silencieuses, bordées de chaumières, de granges et de jardins touffus,
des plaines vertes coupées de précipices, où les sources filtrent
dans la glaise, détachant peu à peu certains îlots de verdure où s'ébattent
des chèvres, qui broutent l'acanthe suspendue aux rochers."

Gérard de Nerval

Les artistes de Montmartre allaient également chez l'Alsacien Spielmann au *Clairon des Chasseurs* et chez *La Mère Catherine*, célèbre depuis 1793, tous deux place du Tertre, au café de *L'Ermitage* boulevard de Clichy, chez *L'Ami Emile*, place Ravignan, et au cabaret de *La Mère Adèle*, situé à deux pas aussi de cette pittoresque petite place du Tertre qui vit Gino Severini[14] s'élancer dans la vie de bohème. "Je me trouvais un jour à dessiner sur cette petite place un pied appuyé à un mur, raconte Severini, et je dessinais malgré un froid intense et une neige qui tombait à gros flocons quand vint à passer une petite femme encapuchonnée qui s'arrêta devant moi et après m'avoir bien regardé me cria fortement : "Vous êtes devenu fou, monsieur ; savez-vous que vous êtes violet ; allons-y, arrêtez tout de suite !" Et sans faire d'autre discours, elle me prit sous son bras et me conduisit chez *La Mère Adèle* qui se trouvait dans la petite rue voisine parallèle à la place. Là, avec un grog bien chaud, je me suis repris et nous avons fait connaissance. Cette petite bonne femme était Suzanne Valadon qui fut ma première rencontre artistique à Paris. Commença à ce moment-là ma vie à Montmartre, un quartier dont je ne connaissais pas l'importance historique. Evidemment, on voyait tout de suite qu'il y avait là une ambiance très différente de celle des grands boulevards, mais je ne pouvais pas me rendre compte encore de quelle vie intense et intéressante elle était faite, dans ces petites rues qui presque toutes menaient à la grande église du Sacré-Cœur, alors en construction [...] on sait, et cela se savait aussi en Italie, que dans toute cette personnalité bouillait un esprit révolutionnaire contre l'académisme qui imprégnait toujours Montmartre."

---

(14) *Gino Severini (Cortone 1883-Paris 1966) arrive à Paris en octobre 1906, quelques mois après Modigliani ; il habite d'abord rue Vavin puis, en 1907, avec Bucci au 36, rue Ballu, au pied de la Butte Montmartre ; Severini découvre les œuvres de Seurat dont il ne cessera de se réclamer ; il déménage 22, rue Turgot où se trouve le bureau du Théâtre de l'Œuvre de Lugné-Poe ; ce dernier le présente à Félix Fénéon alors secrétaire chez Bernheim-Jeune, rue Laffitte. Nouveau déménagement en 1909 au 5, impasse Guelma près de la place Pigalle ; Severini a raconté dans ses souvenirs : "C'était un petit immeuble tout neuf dans une vaste cour. Tout était à louer. Au premier, un atelier faisait le coin. Je l'ai loué par Dufy ; à un étage au-dessus, les deux ateliers furent pris par Braque ; quelques jours plus tard, l'atelier du bas a été loué par Utter et Suzanne Valadon ; avec eux il y avait la vieille mère de Suzanne et Utrillo". En fin d'année il rend visite à Picasso, que Braque lui avait présenté au Lapin Agile, dans son atelier du 11, boulevard de Clichy où il rencontre Apollinaire. 1909, c'est aussi l'année où Boccioni lui demande de co-signer le premier Manifeste futuriste. Entre 1909 et 1911, il compose la Danse du Pan-Pan à Monico signe visible de ses hésitations picturales. Le tableau qui figure au Musée d'Art Moderne de la Ville de Paris est une réplique du tableau original disparu.*

Une autre œuvre de Severini, Le Chat Noir, date de 1910, année où il rencontre Le Fauconnier, Gleizes, Juan Gris. Marinetti l'introduit dans la société de la Closerie des Lilas et le présente à Paul Fort. En 1912, il peint le tableau intitulé Hiéroglyphe dynamique du bal Tabarin, du nom d'un cabaret situé tout près de la place Pigalle (Museum of Modern Art, New York), la Danseuse à Pigalle, la Fête à Montmartre, Dynamisme d'une chahuteuse, ainsi que le Nord-Sud ; ligne de métro reliant la Butte et Montparnasse ; c'est aussi le titre de la revue de Pierre Reverdy fondée en 1917 au 12, rue Cortot. Dans les œuvres de cette époque, le rythme et les formes circulaires prédominent, rendant le tableau presque illisible. De 1912 datent aussi la Danse de l'ours au Moulin Rouge et l'Autobus ainsi décrit par Severini : "...le lourd véhicule poursuit sa route de Montmartre à Montparnasse par quatre rues encombrées de Paris..." Les maisons entrent dans l'autobus, et l'autobus dans les maisons, comme il est dit dans le Manifeste technique de la peinture futuriste". Le 28 août 1913, Severini se marie avec la fille de Paul Fort. Apollinaire et Marinetti sont ses témoins. Le cubisme, surtout celui de Gris, alors au Bateau-Lavoir, l'influence dans les natures mortes qui ont suivi, jusqu'en 1918.

D'après André Warnod, Amedeo ne voyait pas grand monde dans les premiers temps de sa vie à Montmartre et personne non plus ne le remarqua particulièrement. Il faisait des apparitions fugitives parmi les peintres et les poètes du Bateau-Lavoir ou dans quelques soirées entre amis. "Il faut noter qu'alors Modigliani ne buvait pas d'alcool et que, s'il aimait le vin, il n'en abusait pas ; toutefois, s'il dédaignait Bacchus qui devait par la suite prendre sa revanche, il adorait Vénus", écrit André Warnod. Toute une série de conquêtes féminines donc, dont on trouve des traces dans les différents témoignages et récits biographiques ou romancés, tels ceux de Jean-Paul Crespelle, d'André Salmon, et autres chroniqueurs. D'abord Mado, une blonde blanchisseuse, qui avait été le modèle de Picasso, puis Gilberte, un petit modèle sans domicile fixe de la Butte, à qui Amedeo aurait offert son portrait qu'elle aurait détruit ne sachant pas où le conserver, puis Lola, une demi-mondaine de Pigalle qui posait quelquefois pour les peintres montmartrois, et encore Elvira, dite "la Quique" (de l'espagnol *Chica*), aux yeux noirs et aux lèvres sensuelles, une jeune cocaïnomane née à Marseille, fille d'une prostituée et d'un marin espagnol, montée à Paris à l'âge de quinze ans pour faire carrière à Pigalle. Elle aurait été la première à initier Amedeo à la drogue. Différents témoignages ont rapporté qu'ils restaient enfermés des jours entiers pour faire l'amour dans l'atelier du peintre, alors place Jean-Baptiste-Clément. Une amie de la Quique, une certaine Gabrielle, raconta par la suite qu'un soir d'été, on les avait vus à demi nus se poursuivre au clair de lune dans le petit jardin qui cernait l'atelier. D'après sa fille Jeanne, Amedeo se serait souvenu d'Elvira pour en réaliser, en 1919, le portrait connu sous ce nom. Louis Latourette, qui l'accompagnait parfois, a raconté que "lorsque ses aventures sentimentales lui attiraient des ennuis avec d'autres garçons au *Moulin de la Galette* ou au *Lapin Agile*, il affrontait la bagarre avec un courage et une crânerie dont il tirait aisément vanité. Il était prêt à se battre d'ailleurs pour les raisons les plus diverses, non qu'il fut querelleur, mais sa fierté naturelle le rendait susceptible."

A cette époque, le peintre travaillait beaucoup mais il trouvait rarement acquéreur pour ses toiles et ses dessins et détruisait à peu près tout ce qu'il faisait. Son seul client sérieux était un petit vieillard tout blanc à la vue déclinante, le père Angély, qui plaçait ses maigres économies en achetant pour quelques sous leurs œuvres aux jeunes artistes de la Butte, ce qui faisait dire à Amedeo : "Je n'ai qu'un seul client et il est aveugle". Léon Angély, dit "le père Léon", était un petit vieux, avec d'épaisses lunettes, dont la silhouette était bien connue sur la Butte. Il vivait dans un petit appartement de la rue Gabrielle. Passionné de brocante, il consacrait la plus grande partie de sa retraite à acheter des artistes de Montmartre. Il s'était donné une règle : il ne payait jamais plus de dix francs. Sa passion l'aurait mené loin si peu à peu il n'avait perdu la vue – et il allait devenir aveugle à la fin de sa vie. Mais malgré sa vue faible, il continua à acheter de la peinture. Appuyé sur l'épaule d'une fillette qui lui servait de guide, il allait dans les ateliers, se faisait décrire les tableaux qu'on lui montrait, et faisait son choix en se fiant à son flair.

Modigliani se trouva bientôt aux prises avec de grosses difficultés financières, presque sans argent, allant dormir chez un camarade, puis chez un autre, dans un coin d'atelier. Il partagea un moment une vieille baraque abandonnée qui se trouvait au bas de la Butte, dite la Maison du Curé, avec Gaston Modot, le futur casse-cou du cinéma muet. Lorsque d'aventure il pouvait se permettre de dépenser un franc pour se loger, mais rarement, il s'offrait une chambre chez la mère Mac Mich (Madame Escartier) à l'*Hôtel du Poirier*, ou à l'*Hôtel du Tertre*. Il commença à s'enivrer de plus en plus régulièrement, jusqu'à l'inconscience, chez les marchands de vin Azon et Vernin et à fumer du haschisch. L'absinthe lui ouvrait tout grand les portes d'un paradis artificiel.

Dans son livre, *La Vita di un Pittore*, Gino Severini rapporte un autre souvenir. Tandis qu'il dînait avec le dessinateur satirique Gino Baldo et sa compagne à la terrasse d'un bistrot italien qui se trouvait face au 22 rue Turgot, où il habitait alors, il vit Modigliani descendre de la Butte avec l'air d'un grand affamé qui n'avait pas les moyens de dîner : "Nous fûmes donc quatre ce soir-là à exploiter la complaisance du patron, mon compatriote. Oh ! une complaisance toute relative. Au fond cet homme était particulièrement méchant, pas compréhensif du tout et vraiment peu arrangeant... Le crédit qu'il m'accordait ne pouvait pas dépasser ma personne, aussi pouvait-on s'attendre à une violente réaction de sa part au moment de l'addition car, vous l'avez certainement deviné – Ah ! l'expérience – je n'avais pas un sou en poche... Notre repas fût des plus allègres ; toutefois à la fin, mon cœur se mit à battre la chamade en voyant le patron tournicoter autour de nous. Alors Modigliani eut une idée lumineuse ; il sortit de son gousset une petite boîte ronde en bois où il conservait son haschisch, et me passa discrètement une petite boulette. Pour que ce fut encore plus efficace, nous commandâmes du café... J'avais toujours été réfractaire à faire usage de la drogue indienne, mais ce soir-là, il me semblait en avoir besoin. Je commençais donc à la mastiquer en buvant mon café et l'effet se fit aussitôt sentir au-delà de toute

Montmartre, le "Moulin Rouge".

Actrice et modèle à Montmartre.

Danseuse au "Moulin Rouge" à Montmartre.

Pas de danse du "can-can".

espérance. Modigliani qui y était habitué, restait calme ; souriant et heureux, c'était l'image de la béatitude ; moi en revanche, déjà mis en euphorie par le ridicule de la situation, j'explosais en une hilarité nerveuse et sans fin... J'appelais le patron... – *Metta tutto sul mio conto !* (Mettez tout sur mon compte). Ce qui aurait dû être une catastrophe, m'apparut à moi comme une apothéose, car l'un des effets de cette drogue, au moins en moi, était de forcer et de fausser toutes les réalités, et de les rendre somptueuses, sublimes. J'avais l'impression d'être dans un grand restaurant et de me quereller avec Dieu sait qui... Le fait est qu'aux basses insultes du Florentin, je répondais par des fous rires qui l'exaspéraient davantage et des répliques pompeuses et moqueuses. Naturellement les gens s'attroupaient autour de nous et s'amusaient beaucoup, d'autant plus qu'on était tous italiens, et que nous nous insultions en italien ; quelqu'un commenta : – Querelle de macaronis. Est-ce qu'ils vont sortir les couteaux ? et en fait Modigliani était sur le point de se précipiter sur le patron avec une bouteille pour lui casser la tête, quand celui-ci, réalisant sans doute que cette bagarre d'Italiens, à lui italien, lui faisait grand tort, finit pas dire méprisant : – Allez-vous-en et ne remettez plus les pieds ici... Mes amis me firent traverser la rue, me firent monter mon horrible escalier qui me sembla celui d'un palais et me mirent au lit où je me retrouvais le lendemain frais comme une fleur... Modigliani n'était pas un vicieux, un vulgaire ivrogne, un décadent ; il prenait parfois l'absinthe à double dose, mais c'était un moyen, pas une fin ; il utilisait l'excitation qu'il en retirait pour voir plus profondément au fond de lui ; c'était d'ailleurs l'habitude chez tous les artistes. Modigliani avait toujours un peu de haschisch dans la poche de son gilet, mais il en prenait rarement, seulement dans les cas exceptionnels où il avait besoin de cette sérénité orientale que procurait la drogue, quand tout allait mal autour de lui et qu'il n'avait plus confiance en lui-même... Il n'avait pas besoin d'excitant pour être brillant, vif et plein d'intérêt à tout moment de sa vie, tout le monde aimait Modigliani. Surtout en ce qu'il était quotidiennement, dans ses rapports avec ses amis, et à n'importe quel moment de la journée."

Peu à peu, les artistes italiens de Paris s'étaient regroupés en une petite bande qu'on voyait de plus en plus fréquemment dans les bistrots de Montmartre. "Certes, les critiques et les intrigues secrètes ne manquaient pas au *Lapin*, écrit Severini, quand Modigliani et moi-même avons commencé à y aller. Nous, Gino Baldo, caricaturiste, et aussi Anselmo Bucci (qui était sympathique à tous), fûmes accueillis aimablement par quelques-uns (surtout Daragnès et Max Jacob), et par d'autres avec indifférence, réserve et même avec une silencieuse hostilité. Nous fréquentions en compagnie des autres artistes le restaurant du père Azon depuis un certain temps lorsque Raynal eut l'idée de faire peindre quelque chose sur les murs par chacun des peintres qui fréquentaient le restaurant. Azon accepta à condition que les Italiens fussent exclus de cette décoration. Raynal refusa et on n'en parla plus. Les Italiens, c'étaient surtout Modigliani, moi et Bucci ; quant à Picasso, Gris, Manolo, Agero, ils étaient espagnols ; Galanis était grec ; Van Dongen était hollandais ; Villon, Salmon, Buzon, Raynal, Max Jacob, Daragnès, Carco étaient français. C'était en somme une clientèle internationale. L'impasse de Guelma, au bas de la Butte, était bordée, par des ateliers nouvellement construits. Braque, Utrillo, Dufy – qui devait y garder un atelier toute sa vie – s'y installèrent au N° 5 de la petite ruelle. C'était un petit immeuble tout neuf dans une vaste cour. Toute la maison était à louer. Au premier étage un atelier fut loué par Dufy et, à l'étage au-dessus, les deux ateliers furent pris par Braque. Quelques jours plus tard, l'atelier du rez-de-chaussée a été loué par Suzanne Valadon et André Utter, avec eux, il y avait la vieille mère de Suzanne et Utrillo."

A cette époque, Amedeo était plus particulièrement lié avec Galanis et Maurice Utrillo. Un prix au concours de dessin d'humour organisé par *Le Journal*, avait permis à Demetrius Galanis[15] de quitter Athènes et de venir s'installer à Paris. Modigliani avait fait connaissance avec l'artiste grec d'une assez curieuse façon : Un matin, tandis que la jeune épouse de Galanis remontait les rues de la Butte avec son panier à provisions, Amedeo l'avait courtisée, s'était emparé du panier et l'avait accompagnée jusqu'à sa porte. Le jeune ménage Galanis, encore en pleine lune de miel, avait pris le parti de rire de l'aventure ; l'affaire s'était arrangée le plus cordialement du monde

---

(15) Demetrius Galanis (graveur, peintre, illustrateur, 1882-1966) venu d'Athènes arriva à Paris vers 1900. Elève occasionnel de Cormon qui lui offrit sa presse à gravure, il préférait l'enseignement de Degas. En 1906, selon André Warnod ,il s'installa dans l'atelier de Léon Bloy, au 12, rue Cortot, au rez-de-chaussée à gauche en entrant, après le porche. A côté de sa collaboration dans les journaux satiriques, Galanis s'était très tôt intéressé à la gravure, illustrant de nombreux livres : *les Nuits d'octobre* de Gérard de Nerval, *le Grand Meaulne*, *les Nourritures terrestres*, *Gravures du monde de la fête du "Pigall's et du Rat Mort*. Il pratiqua la gravure sur bois, l'eau-forte, et la manière noire, la lithographie et les monotypes, techniques qu'il enseigna aux Beaux-Arts. Roland Dorgelès écrivait "Le jeune grec s'était spécialisé dans l'étude du monde de la noce et, pour observer ses modèles, menait une existence qui stupéfiait ses voisins, se levant à l'heure où les autres se mettaient au lit, et enfilant son smoking pour se rendre à *l'Abbaye*, au *Pigall's* ou au *Rat Mort*. C'était un petit bambocheur grommelaient les commères". Galanis resta cinquante ans dans son atelier qui abrite aujourd'hui les Archives du Musée de Montmartre.

devant un verre chez Bouscarat, et Amedeo était devenu un habitué de l'atelier de Galanis, 12 rue Cortot. Dessinateur en vogue, Galanis gagnait confortablement sa vie. Passionné de musique, il avait restauré un orgue trouvé au marché aux Puces et en jouait volontiers pour Amedeo qui trouvait auprès de lui un moment de détente. Quant à Utrillo, à l'époque où Modigliani fréquentait la rue Cortot, les gens du quartier l'avaient déjà affublé, du dérisoire surnom de "Litrillo". Les enfants le chassaient à coups de pierre en le traitant de fou. Il dessinait et peignait n'importe où, pour un verre de vin, buvait constamment, et se trouvait perpétuellement en état d'ébriété. Cité par Jean-Paul Crespelle dans *Montmartre Vivant*, Edmond Heuzé, l'ami de la famille Valadon, en donne l'explication : "C'est la vue d'Utter surpris dans les bras de sa mère, et ceci n'est qu'une figure pudique, qui l'incita à boire. Bouleversé, la tête affolée par le spectacle qu'il venait de voir, il se précipita dans le bistrot de la mère Guérin, qui, le voyant pâle et troublé, lui donna un verre d'alcool pour le réconforter. Cela lui fit du bien, il se sentit mieux, et voilà comment il découvrit la boisson. [...] Elle a fait des choses horribles, Suzanne ! Tenez, elle vidait par la fenêtre l'eau de sa toilette sur la tête de Maurice et elle le faisait battre par Utter et par son concierge." Edmond Heuzé raconte encore qu'un jour se trouvant dans l'atelier de Suzanne Valadon avec Utter, ils entendirent un pas lourd dans l'escalier : "– Cachez-vous, nous dit Suzanne, voilà Degas... Et vivement elle nous poussa dans un placard. Hélas ! Degas n'était pas plus tôt entré que Utter se mit à éternuer. Degas alla au placard et nous découvrit : – Il vous en faut deux, maintenant ! lança-t-il à Suzanne, méprisant, et il s'en alla sans rien ajouter. Il ne devait jamais revenir."

Pourtant rien de sordide dans cette amitié entre Amedeo et Utrillo qu'on rencontrait souvent braillant à tue-tête des chansons grivoises, ivres morts par les rues ou se soutenant mutuellement dans les escaliers de la Butte, voire au poste de police ; mais au contraire, il y avait en cette amitié de la compréhension pour un esprit sensible et l'admiration d'un artiste envers un autre artiste. Si Amedeo Modigliani n'avait a priori pas grand-chose à partager avec Maurice Utrillo, il cherchait à lui apporter le réconfort de sa connaissance et, dans une certaine mesure, à le réhabiliter aux yeux du petit monde montmartrois. Et comme dit André Warnod : "C'était presque tragique de les voir se promener tous les deux bras dessus bras dessous, en équilibre instable, l'un peu sûr, l'autre comme s'il voulait s'envoler d'un instant à l'autre... L'un avec son aspect franchement populaire, l'autre avec sa démarche aristocratique malgré ses vêtements en piètre état." C'est ainsi qu'ils s'en allaient sans doute jusqu'au bistrot du coin, qu'ils buvaient en se regardant dans les yeux et peut-être chacun voyait-il dans les yeux tristes de l'autre ses propres peines, ses propres peurs, ses propres difficultés à surmonter chaque jour. L'un était cultivé, intelligent, l'autre simple et talentueux. L'un peignait des visages, l'autre des paysages. Et quels paysages ! Personne mieux qu'Utrillo n'a jamais peint les rues, les maisons, les moulins de la Butte. Bacchus les unissait et dans les vapeurs encore chaudes de l'alcool, ils se disaient des choses mélancoliques, graves ou superficielles pour se donner du courage. A cette époque, Modigliani fréquentait l'Académie *Ranson*, créée en 1908 et située au coin de la rue Victor Massé et de l'avenue Frochot ; elle fut transférée à Montparnasse au 7, rue Joseph Bara en 1914. On sait qu'il était capable d'exécuter onze dessins en un quart d'heure. Selon les souvenirs d'André Utter : "Il habitait place Saint-Pierre, petite place proche de la place du Tertre, à l'hôtel, *Chez Bouscarat* ; cet hôtel, point culminant de la Butte et peut-être de Paris devait s'appeler plus tard de par la fantaisie de Pierre Mac Orlan et de quelques autres, *Hôtel de la Marine*. Modigliani occupait chez Bouscarat une chambre, si l'on peut appeler cela une chambre, dans une cour obscure. Un matin pendant son sommeil, les morceaux de plâtre détachés du plafond lui tombèrent sur la tête, la poitrine, le ventre, Modi, comme nous l'appelions, s'enfuit épouvanté adressant d'amères reproches à Bouscarat, qui accepta de le laisser, pour l'indemniser, partir sans payer. Modi, en quête de logement, le jour même ou le lendemain, trouva un atelier, donnant sur la rue Lepic, place Jean-Baptiste-Clément." On trouve une description de cet atelier dans le Maquis, d'où Amedeo voyait les cerisiers de la rue Lepic, sous la plume de Louis Latourette qui eut l'occasion de le visiter en 1907 : "Un lit, deux chaises, une table, une malle. Les murs étaient recouverts de toiles. Les cartons bourrés de dessins où un style personnel s'affirmait déjà. La couleur est indécise et déconcertante. – C'est mon damné œil italien qui ne peut pas se faire à la lumière de Paris... une lumière cependant si enveloppante... la saisirais-je jamais... Tu ne peux pas imaginer ce que j'ai conçu comme nouvelles expressions de thèmes en violet, en orange, en ocre foncé... pas moyen de les faire chanter pour l'instant..."

Les premiers contacts d'Amedeo Modigliani avec le monde des galeries remonte à une rencontre avec Laura Wylda chez qui il avait exposé, en décembre 1906, trois petites toiles et à une autre exposition qui eut lieu en janvier 1907, dans l'atelier de son ami, le portugais Amedeo de Souza Cardoso, lui aussi peintre et sculpteur, lui aussi arrivé à Paris en 1906, avec le projet d'y étudier l'architecture.

On sait qu'en 1907 Modigliani se rendit à Londres, mais les témoignages, contradictoires et imprécis, ne permettent pas de situer exactement dans quelles circonstances. Selon André Utter, il avait participé à une exposition de préraphaélites en qualité de sculpteur. A Londres, il découvre une photographie de Lady Ida Sitwell exécutée par son ami le photographe Bassano d'après laquelle il brossera un portrait fidèle et révélant le caractère aristocratique de la dame. L'ami Bassano présentera l'œuvre d'Amedeo à la jeune lady mais sans parvenir à l'intéresser. Amedeo en avait fait un portrait de profil avec un chapeau, posé comme une couronne sur le visage, de carnation très pâle. C'était comme une photo à laquelle Amedeo aurait ajouté des couleurs. L'œuvre était à peine rehaussée par une touche de rouge à lèvres qui donnait toute sa sensibilité au tableau. On aurait dit une toile inachevée. L'œuvre est restée en Angleterre.

A la fin de l'année 1907, c'est en voyant l'exposition de 79 aquarelles de Paul Cézanne chez *Bernheim-Jeune* qu'Amedeo se remet vraiment en question. Un mois plus tard, la revue *Mercure de France* publie les lettres que Cézanne a écrites à son collègue et ami, le peintre Emile Bernard, dont "la meilleure gloire, écrit Gustave Coquiot, sera, peut-être, d'avoir été le confident de Vincent Van Gogh" ; dans ces lettres, Cézanne explique sa manière de traiter la nature et la forme. Nul doute que pour Amedeo, comme pour bien d'autres, ces lettres constituaient en quelque sorte le testament artistique de Cézanne.

Cette fin d'année 1907 est marquée par un hiver précoce. Les ateliers montmartrois avec leurs grandes verrières sont froids et humides, difficiles à chauffer. Le bois coûte cher à Paris, et le charbon, encore plus. La plupart du temps, les pauvres artistes qui ont à peine de quoi se nourrir correctement consacrent leur moindre sou vaillant à se procurer les toiles et les couleurs qui coûtent aussi fort cher. Ils passent fréquemment de leurs ateliers glacés à l'ambiance enfumée et surchauffée des bistrots de la Butte. Amedeo, l'Italien habitué au doux climat méditerranéen de sa Toscane natale, n'a pas les moyens de chauffer son atelier. Souvent il se réfugie au *Lapin Agile* pour trouver un peu de chaleur ambiante et se requinquer d'un bon verre de vin chaud à la cannelle. C'est en novembre ou décembre 1907 qu'il y rencontre le peintre Henri Doucet. Partageant la même passion pour la peinture, les deux hommes deviennent immédiatement, des amis. Avec Doucet, Amedeo faisait volontiers certaines expéditions nocturnes sur le chantier du métro Barbès-Rochechouart, alors en construction, pour voler quelques traverses de bois à sculpter, le bois et la pierre étant trop chers pour leurs bourses désargentées.

D'après les souvenirs de Paul Alexandre, rapportés par son fils Noël dans son *Modigliani inconnu*, Amedeo aurait confié à Doucet avoir épuisé tout ce que sa mère lui avait donné avant son départ d'Italie et se trouver sans argent. Il venait d'être expulsé de son atelier de la place Jean-Baptiste-Clément et ne savait où aller. Doucet lui propose alors de venir s'installer rue du Delta chez ses amis, les frères Alexandre.

LES BISTROTS DE LA BUTTE

par André Roussard

"Suivant une tradition établie au XIXème siècle, avec le café Guerbois *et la* Nouvelle Athènes *où les artistes d'avant-garde théorisaient l'impressionnisme, les cafés artistiques fleurissent à Montmartre au tournant du XXème.*

Les peintres et les acteurs de la bohème se réunissaient surtout chez Bouscarat, caboulot à l'angle de la rue du Mont Cenis et de la place du Tertre, une ancienne épicerie. Lorsque le temps le permettait la terrasse devant l'église Saint-Pierre se remplissait. Tout avait commencé avec les anciens modèles de Renoir, de Lautrec, de Puvis de Chavannes, de Zuloaga et les danseuses du Moulin Rouge venues égrener là leur nostalgie. Ensuite on y rencontra Picasso et la bande des Espagnols, Nonell, Pichot, les Italiens menés par Severini, les fauves Derain et Vlaminck qui acceptèrent par la suite le jeune Gen Paul à leur table, les artistes venus de l'impasse Girardon le sculpteur Henri Laurens, Pigeard, Paco Durio le céramiste qui céda son atelier du Bateau-Lavoir à Picasso en 1904 ; on y voyait aussi Jules Dépaquit qui fondera la Commune Libre du Vieux Montmartre en 1920, le dessinateur Georges Delaw créateur du livre de bord du Lapin Agile et Pierre Mac Orlan. Venu en voisin et en chaussons, Maurice Drouard, le sculpteur à la barbe assyrienne, partagea en 1907 avec Modigliani la maison en ruine louée par le Dr Alexandre rue du Delta. La cuisine de Bouscarat était bonne, les prix peu élevés et on était servi par Pauline, la charmante fille du patron.

Au-dessus de l'estaminet, l'hôtel du Tertre *accueillait les artistes peu fortunés, il abrita un temps Max Jacob, Modigliani, Gaston Couté, Erik Satie, Pierre Mac Orlan, Jules Dépaquit. Lorsque Maurice Asselin, son ami Fournier et le capitaine-président Pigeard créèrent l'Association Maritime de la Butte Montmartre, ils y établirent le siège social de l'association, au premier étage dans une pièce qui se mua en lieutenance maritime, décorée d'ancres et de harpons, tendue de filets de pêche.*

Du coup le tenancier n'hésita pas et rebaptisa son établissement Hôtel de la Marine *!*

Pour être admis il fallait revêtir un attribut de la mer, une casquette, un béret, un sûroit, soutenir une thèse marine et se plier à un rituel. On dit que Pierre Mac Orlan fut aussi l'un des fondateurs.

Le bar Émile, *situé au coin de la rue Garreau et de la rue Ravignan, fut adopté par les cubistes et par la seconde vague des cubistes, Gleize, Metzinger, Herbin. Juan Gris et Marcoussis décorèrent le bar de fresques. Ce dernier y déposa la fameuse toile* Nature morte au damier *de 1912 qui à la vente du café fut achetée par le propriétaire d'un lupanar de Senlis, cédée par la suite à Paul Guillaume qui la vendit au ministre Albert Sarraul. Ce dernier en fit don au Musée d'Art Moderne de la Ville de Paris. Les Espagnols de la bande à Picasso y jouaient de la guitare. Modigliani et Raoul Dufy y venaient parfois, mettant la contestation en prenant position avec violence contre le cubisme.*

Le bar Fauvet *au coin de la rue des Abbesses et de la rue Ravignan, était fréquenté lui aussi par les cubistes. Paul Fort venait en voisin, ainsi que Mac Orlan qui demandait à l'orgue mécanique du bar des refrains de la Légion. André Salmon décrit un des habitués : "un marchand des 4 saisons, rendu gâteux par la mauvaise conduite de son fils, homme-sandwich que nous retrouvions au bar Fauvet, rue des Abbesses, il trébuchait par les incertains corridors (du Bateau-Lavoir où il habitait) en glapissant "A la moule ! à la moule !".*

Sur le versant nord de la Butte, Pierre Manière, *restaurant mythique situé au 65 de la rue Caulaincourt, recevait une toute autre bohème. Là se réunissaient au début du siècle les frères Duchamp, Marcel Duchamp, Jacques Villon, Duchamp-Villon et Kupka et Jacques Bon ; Galtier-Boissière avant qu'il ne fonde le* Crapouillot, *Chas Laborde, les écrivains Mac Orlan et Roland Dorgelès, Maurice Asselin, Rodot-Pissarro, l'actuaire Maurice Princet, les poètes Georges Ville et Marcel Pénitent, le fondateur des Meuniers de Montmartre, Madeleine Anspach, Pierrot les Grandes Feuilles. On dit aussi que Toulouse-Lautrec, lorsqu'il avait son atelier rue Caulaincourt, venait y dîner avec François Gauzi. Tous mangeaient, et buvaient le Vouvray du patron, la chère était bonne et l'ambiance littéraire.*

*L'auvergnat Vernin au 8, rue Cavalotti, non loin de l'*Hippodrome, *intitule son restaurant* Les Lettres et les Arts *tant il est fier de recevoir les peintres et d'entendre les disputes picturales auxquelles il ne comprend goutte. Fréquenté par la bande à Picasso. "C'est du cubisme, une chose qui fera parler" confie-t-il aux tables voisines. Le repas est à 90 centimes et n'est pas fameux, mais il fait crédit de père en fils.*

Le bistrot du père Azon, *à l'enseigne des* Enfants de la Butte, *situé en haut de la rue Ravignan, à l'angle de la rue des Trois-Frères était le rendez-vous des cochers et des plâtriers. Les occupants du Bateau-Lavoir n'avaient que quelques pas à faire, Picasso et Fernande Olivier avec leur chienne Frika, van Dongen et les autres y avaient leurs habitudes. Vlaminck aussi, rejoint par Derain venu de la cité des Fusains, rue Tourlaque. On y voyait également Apollinaire, Max Jacob, Braque, l'acteur Marcel Olin, l'actuaire Princet, le capitaine de frégate Dupuis, les poètes André Salmon et Fritz Vaderpyl, Paul Fort, Dullin, et quelquefois Modigliani. Même Marquet et Matisse montaient parfois du quai St-Michel. Les repas coutaient 90 centimes, mais Azon était toujours disposé à leur faire crédit. C'est là que Vlaminck se lia avec van Dongen. Azon devint le berceau du cubisme en 1907, après avoir été le rendez-vous des fauves. Aux peintres précédents s'étaient joints d'autres fauves : Jean Puy, Marquet, Manguin, Camoin. Parmi les excentriques qui se mêlaient aux artistes, citons Georges Braindinbourg, un illuminé, théoricien de la philosophie du trou Max Jacob venait aussi chez Azon, improvisant des sketches avec Marcel Olin. Azon finit par faire faillite à force de faire crédit."*

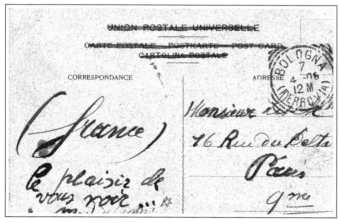

1906, Carte postale adressée à Monsieur Lisch
par Modigliani.

1914, le déménagement des artistes de la rue
du Delta à Montmartre.

Le Delta

*"On ne se compose pas plus une sagesse en introduisant dans sa pensée
les divers résidus de toutes les philosophies humaines qu'on ne se ferait une
santé en avalant tous les fonds de bouteille d'une vieille pharmacie."*

Victor Hugo

Fils d'un pharmacien, Paul et Jean Alexandre avaient commencé leurs études au collège des Jésuites de la rue de Madrid où Paul s'était lié d'une grande amitié avec son camarade de classe Louis de Saint-Albin. Paul Alexandre et Louis de Saint-Albin se retrouvèrent ensuite sur les bancs de l'Ecole de médecine. Ayant la même passion pour l'art et les artistes, les jeunes gens louèrent, près de l'Ecole des Beaux-Arts, un local au 22 rue Visconti pour se réunir et y recevoir leurs amis parmi lesquels les peintres Henri Doucet, Albert Gleizes, Henri Le Fauconnier, Maurice Asselin, Henri Gazan et le sculpteur Maurice Drouard. Ayant achevé ses études, Paul Alexandre devint dermatologue dans une clinique au 62 rue Pigalle.

Par la suite, grâce au père des frères de Saint-Albin, bibliothécaire à l'Hôtel de Ville, le jeune médecin Paul Alexandre et son frère Jean louèrent une grande maison assez délabrée et destinée à la démolition, propriété de la Mairie de Paris, 7 rue du Delta, au bas de la Butte, pour y transférer leur atelier-théâtre-cercle littéraire et poétique de la rue Visconti.

"Nous faisions du théâtre, des scénarios, de la musique, des soirées poétiques où mes explications de Villon, Mallarmé, Verlaine ou Baudelaire tenaient une place privilégiée. Doucet m'avait fait acheter un harmonium au marché aux Puces et Drouard jouait du violon. J'avais pour ami l'acteur Saturnin Fabre. Nous faisions des photographies théâtrales à l'intérieur ou dans le jardin derrière la palissade. Il y avait aussi des parties d'échecs savantes et silencieuses. On préparait le bal des Quat'zarts longtemps à l'avance avec beaucoup d'imagination. Bien entendu il y avait aussi des femmes : Lucie Gazan, Raymonde, la maîtresse de Drouard, Adelita, Clotilde et aussi Adrienne qui servira de modèle à Modigliani. Les artistes amenaient souvent des ouvrières couturières qui étaient des petites femmes très libres", raconte Paul Alexandre. L'une de ces ouvrières, Blanche Tailleferre, la sœur de Germaine Tailleferre du Groupe des Six, épousera le sculpteur Emanuel Centore. Le peintre Henri Doucet et le sculpteur Maurice Drouard avaient transformé la maison du Delta en phalanstère, un refuge pour artistes qui ne savaient pas trop où loger.

Modigliani qui venait donc de quitter son atelier de la place Jean-Baptiste-Clément y venait souvent avec ses toiles et ses pinceaux. Il avait alors vingt-trois ans, Paul Alexandre, vingt-six et son frère Jean, vingt et un. Amedeo arriva au Delta accompagné de sa maîtresse en titre, Maud Abrantès, une femme très élégante qui peignait aussi. Environ un an plus tard, enceinte, elle le quittera, quittant aussi définitivement Paris pour New York à bord de *La Lorraine* d'où, avant de ne plus jamais donner de nouvelles, elle expédiera une dernière carte postale datée du 28 novembre 1908 à Paul Alexandre : "Demain l'arrivée. Je lis toujours Mallarmé. Je ne peux vous dire à quel point me manquent toutes les délicieuses soirées passées ensemble réunis autour de votre beau feu de cheminée. Quels bons moments... !"

Modigliani ne s'installe pas au Delta, préférant aller habiter dans un petit hôtel de la rue Caulaincourt, mais il y laisse toutes ses affaires, livres, cahiers de dessins, vêtements et y revient tous les jours pour peindre. Le docteur le présente à tous ses amis qui comme lui s'intéressent à la peinture. Paul Alexandre n'est pas riche, mais il veut aider Modigliani pour lequel il nourrit une sincère admiration et lui achète immédiatement un premier tableau, *La Juive*, portrait d'une amie qui montre déjà vers quelle direction le conduira son amour pour Cézanne. En avril 1909, Modigliani fera le portrait du père du docteur et ceux de ses fils, six tableaux en tout : le père, trois portraits de Jean et une ébauche de Paul. "Modigliani charmait dès l'abord, nous dit Paul Alexandre. Il avait quelque chose de fier dans l'attitude et une poignée de main loyale. [...] C'était un aristocrate né. Il en avait l'allure, il en avait les goûts."

A cette époque, Modigliani peignait et dessinait beaucoup dans un style inspiré à la fois de la ligne de Toulouse-Lautrec, de Steinlen et du Picasso de la période bleue. Toujours selon Paul Alexandre : "Pour la première fois de sa vie, il vendit quelques toiles et donna aussi quelques dessins."

"Il était très pauvre – nous dit André Utter – et se tirait assez mal d'affaire en vendant ses dessins quelques francs à peine, dans notre entourage immédiat, à des bourgeois fonctionnaires se mêlant d'assez près à nous, parfois même à quelques autres peintres ayant quarante sous de plus que lui. [...] Les soirées se partageaient entre le Delta comme on disait entre initiés et chez le peintre Pigeard, constructeur d'embarcations et coureur de régates, dont l'atelier était situé au Château des Brouillards, ancienne demeure de Renoir, place Constantin-Pecqueur. Ces réunions étaient composées de gens, dont les noms vous surprendraient, peintres, écrivains et poètes arrivés, aujourd'hui gens posés. Ces soirées avaient pour but de nous réunir afin d'y prendre du haschisch accompagné de beuveries de thé fortement alcoolisé. Modi avec sa nature passionnée était un fervent fidèle de ces incursions au Paradis artificiel d'où nous sortions avec une soif intense due à la sensation d'avoir avalé une pelote de chanvre que laisse le haschisch."(16)

Deux personnages originaux vivaient au Maquis. Le premier, Deleschamp, surnommé "Le Ministre de la Mort", était brocanteur et poète mais il était surtout le fournisseur officiel et attitré de drogue aux artistes. Le second, Pigeard, était un étrange personnage, devenu célèbre sur la Butte par sa passion des bateaux, et plus précisément des yoles de courses. On le voyait souvent vernir ou réparer les accessoires en acajou et les rames avec lesquelles il disputait des compétitions sur la Marne. Il créa l'Union Maritime de la Butte-Montmartre. Pigeard était toxicomane. Il fumait de l'opium et prenait du haschisch. Il est fort improbable que Modigliani ait fumé de l'opium, mais on est sûr que le fournisseur attitré était bien ce marin. Pendant les années 1906 à 1909, à Montmartre, la drogue était à la mode. Fernande Olivier, qui avait initié Picasso à l'opium depuis qu'elle partageait sa vie, nous donne dans ses souvenirs un aperçu des journées et des nuits passées chez Pigeard : "Les amis, plus ou moins nombreux, mais fidèles, installés sur les nattes, connurent là des heures charmantes et pleines d'intelligence, de subtilité. On buvait du thé froid avec du citron. On parlait, on était heureux; tout devenait beau, noble ; on aimait l'humanité entière, dans la lumière savamment atténuée de la grosse lampe à pétrole, seul moyen d'éclairage de la maison. Quelquefois, la flamme éteinte, seule la veilleuse de la lampe à opium éclairait de ses lueurs furtives quelques visages fatigués... Les nuits s'écoulaient dans une intimité tiède, étroite et dénuée de tous désirs suspects. On y parlait peinture, littérature dans une parfaite lucidité d'esprit, l'intelligence plus affinée. L'amitié devenait plus confiante, plus tendre, toute indulgente..." Selon Fernande Olivier, Picasso usa aussi du haschisch. Un soir qu'il en avait absorbé chez Azon en compagnie de Max Jacob, d'Apollinaire et de Princet, il fut pris d'un accès nerveux : "[...] il criait, raconte Fernande Olivier, qu'il avait découvert la photographie, qu'il pouvait se tuer, qu'il n'avait plus rien à apprendre." Mais, après le suicide le 1er juin 1908 du jeune peintre allemand, son copain Wieghels, à cause de la drogue, Picasso jeta le narghilé qu'il avait dans son atelier, et Modigliani resta quelque temps sans fréquenter Pigeard.

"Princet, raconte André Warnod, était un esprit diabolique et charmant, merveilleusement intelligent et doué d'un terrible esprit caustique. Mathématicien, sorti de Polytechnique parmi les tout premiers de sa promotion, il était actuaire à la compagnie d'assurances *L'Abeille*. C'est lui qui fut le mathématicien du cubisme et son action fut importante dans les discussions et les palabres avec Picasso et Apollinaire qui précédèrent le mouvement." On le vit

---

(16) *André Utter commet là une inexactitude fréquente chez de nombreux auteurs : tous confondent le château des Brouillards avec ce que furent les communs de cette " Folie ", l'allée des brouillards comportant une suite de petits pavillons dont l'un fut effectivement occupé par Renoir au N° 8. Modigliani, occasionnellement, eut la possibilité de trouver de la drogue dans l'impasse Girardon, où un certain monsieur Georges Pigeard (1873-1944), fils d'un lieutenant du 14ᵉ régiment de Dragons, avait installé dans une pièce de son atelier, décorée à la chinoise, une fumerie d'opium ; il fournissait aussi du haschisch et pour cette raison eut un certain succès auprès des artistes du quartier. Pigeard dit le Baron habita le Château des Brouillards, fut vice-curateur du Collège de Pataphysique. Peintre de la tradition maritime de la Butte, fondateur, avec Pierre Mac Orlan et Maurice Asselin, de l'U. M. B. M. (Union maritime de la Butte Montmartre), il était cependant le seul à posséder un bateau, un yacht, disait-on, sur lequel il faisait des croisières en Méditerranée ; ce qui est certain c'est qu'il participa à des régates, mais sans doute sur des bateaux plus modestes. Pigeard servit de modèle à André Salmon pour le baron Crochard, dans son livre la Négresse du Sacré-Cœur.*

plus tard se promener sur la Butte, ivre, désemparé, quémandant du haschisch car sa femme, Alice, était partie avec Derain, qu'elle devait par la suite épouser.

Quant à Guillaume Apollinaire, depuis deux ans, après son emploi peu glorieux à la Bibliothèque Nationale où il gagnait sa vie à recopier certains romans scabreux de l'enfer, il avait pris l'habitude de monter le soir à Montmartre accompagné de Marie Laurencin, sa muse d'alors, chez Picasso et sa bande. L'atelier Picasso était alors fréquenté par Max Jacob, André Derain, Maurice de Vlaminck, Kees Van Dongen, Georges Braque, Juan Gris, Manuel Manolo Hugué, Ignacio Zuloaga y Zabaleta, Ricardo Canals, Angel de Soto, Louis Marcoussis, Francis Picabia, Pierre Mac Orlan, André Salmon, Roland Dorgelès, Paul Fort. Il y avait aussi Léo et Gertrude Stein venus d'Amérique chercher fortune littéraire à Paris, Princet et Marcel Olin, un poète, grande gueule, un anarchiste, et un acteur de talent mais un peu ridicule et provocateur au point de saouler Utrillo. En manière de petite vengeance, Picasso lui avait, un soir, fait envoyer au théâtre une énorme couronne d'immortelles en porcelaine. Mais Picasso ne détenait pas le monopole de l'espièglerie. En fait, tous les amis de la bande rivalisaient d'ingéniosité à cet égard. Resté très célèbre, le banquet, mi-hommage mi-canular, qu'il organisa dans son atelier du Bateau-Lavoir, "en l'honneur" du cher maître, naïf mais néanmoins finaud, Douanier Rousseau, avec la complicité de Fernande Olivier, André Salmon, Georges Braque, Manolo, Apollinaire et Marie Laurencin, Gertrude et Léo Stein. Entrée digne et triomphale au bras d'Apollinaire saluée par des applaudissements prolongés. Tout de velours grenat vêtu, son éternel béret à la Wagner en tête et son violon sous le bras, le Douanier avait eu cette magistrale et ingénieuse réplique : "Toi et moi, nous sommes les deux plus grands peintres du monde. Toi dans le genre égyptien, moi dans le genre moderne !" s'adressant à Picasso à la fin de la fête bien arrosée.

Parmi les soirées du Delta, sont restés mémorables les deux réveillons de Noël et de la Saint-Sylvestre 1908 qu'André Warnod décrivit ainsi : "On avait fait venir un tonneau de vin de je ne sais plus quel vignoble. La maison avait été décorée par le peintre Doucet et il y avait une profusion de nourriture, et puis le haschisch qui donna tout de suite à la fête un caractère extraordinaire. Modigliani en était le grand maître. Je me souviens de Utter dansant, ses cheveux blonds dardés comme une flamme ardente en haut de sa tête ; de Jean Marchand, étendu sur un canapé, les bras grands ouverts, gémissant et pleurant parce qu'on lui avait dit qu'avec sa barbe il ressemblait au Christ en croix, et que, la drogue aidant, il le croyait... Une autre nuit mémorable suivit de près celle-ci. Au réveillon de Noël succéda le réveillon de la Saint-Sylvestre. Une politesse en vaut une autre. Cette fois, ce fut René Denèfle, Richard de Burgues et moi qui "recevions" dans l'atelier que nous occupions alors, au 50 de la rue Saint-Georges. Modigliani se tenait près de la porte et, par ses soins, chaque invité avalait, sitôt entré, une pilule de haschisch. La drogue porta au paroxysme la frénésie de l'assemblée, déjà ivre d'alcool. Vers le milieu de la nuit, on entreprit d'allumer un punch géant, dans un tub ; comme le rhum brûlait mal, quelqu'un n'ayant plus sa raison, s'avisa d'y ajouter le pétrole d'une lampe. Le feu se communiqua aux banderoles de papier qui, pour la fête, décoraient l'atelier. Bientôt tout fut en flammes, sans que personne s'en souciât. Le plus beau de l'affaire est que les dégâts ne furent pas considérables. L'incendie s'éteignit après n'avoir dévoré que quelques tentures. Il est vrai qu'il n'y avait à peu près rien dans ce vaste atelier." Ces deux dates sont soulignées de la main même de Modigliani sur le calendrier de 1908 au dos duquel Amedeo peignit la *Femme au tarot* en 1915.

Au printemps 1908, Amedeo s'inscrit au Salon des Artistes Indépendants où il expose le 20 mars, cinq de ses œuvres : *La Juive* ; deux nus : un buste de jeune femme et un nu assis, dont le modèle, une patiente du docteur Alexandre, était surnommée "la petite Jeanne" ; une étude titrée *L'Idole*, et un dessin. Il en coûtait alors 1 franc 25 de cotisation annuelle et 10 francs à titre de droit d'exposition quel que soit le nombre d'œuvres exposées.

Intérieur du Bateau-Lavoir à Montmartre.

Extérieur du Bateau-Lavoir à Montmartre.

Photographie envoyée à l'artiste-peintre par la propriétaire des chiens : "Barzoï" que vous aimez vous attend.

Montmartre, vue du jardin du "Château des Brouillards".

Le Bateau-Lavoir

"On s'achemine vers un art entièrement nouveau,
qui sera à la peinture, telle qu'on l'avait envisagée jusqu'ici,
ce que la musique est à la littérature. Ce sera de la peinture pure,
de même que la musique est de la littérature pure."

Guillaume Apollinaire

Au cours de l'année 1908, Amedeo avait obtenu grâce à son ami Sam Granowski un atelier au Bateau-Lavoir. La vieille bâtisse, ex Maison du Trappeur, place Ravignan, avait été ainsi baptisée par Max Jacob parce qu'elle était construite, selon la légende sur l'emplacement d'un ancien lavoir. La baraque, subdivisée en petits logements avait la forme d'une de ces barges amarrées le long de la Seine et utilisées par les blanchisseuses. Au Bateau habitaient déjà Pablo Picasso avec Fernande Olivier, André Salmon, Juan Gris, Agero, Galanis, Van Dongen. On aurait dit un vieux paquebot dont les cabines auraient été les ateliers avec leurs verrières. S'y étaient réunis des artistes venus de tous les coins du monde, des émigrants qui vivaient en marge de la société bourgeoise, loin du pouvoir politique et économique. Ils communiquaient entre eux à travers un nouveau langage : l'individualisme effréné de leur art dans un maelström de fantaisie et constituaient une tribu dite d'avant-garde.

"Personne ne pourra jamais se faire une idée de la pauvreté, de la misère lamentable de ces ateliers de la rue Ravignan, écrit Daniel Kahnweiler. Celui de Gris était peut-être encore pire que celui de Picasso d'ailleurs. Le papier de tenture pendait en lambeaux des murs en planches. Il y avait de la poussière sur les dessins, les toiles roulées sur le divan défoncé. A côté du poêle une sorte de montagne de lave agglomérée qui était les cendres. C'était épouvantable. C'est là-dedans qu'il vivait avec une très belle femme, Fernande, et un très gros chien qui s'appelait Frika."

Allaient souvent au Bateau-Lavoir en voisins et en curieux, les autres peintres du quartier : Georges Braque, Marie Laurencin, Suzanne Valadon, Emile Bernard et le Bulgare Jules Pascin, arrivé à Paris en 1905, d'abord à Montparnasse puis s'étant transféré en 1906 à l'*Hôtel Beauséjour* à Montmartre où il séjournera jusqu'en 1909, avant de retourner s'installer à nouveau dans la rue Joseph-Bara à Montparnasse. Le Hollandais Kees Van Dongen suivra deux ans plus tard.

Picasso avait déjà peint *Les Demoiselles d'Avignon* qu'il tenait bien caché, enroulé derrière la porte de son atelier, et dont Braque avait eu le malheur de lui dire : "Ta peinture, c'est comme si tu voulais nous faire manger de l'étoupe ou boire du pétrole." Sa compagne d'alors, Fernande Olivier[17], avait remarqué Amedeo chez Azon rue

---

(17) Fernande Olivier dans son ouvrage "Picasso et ses amis" se montre une chroniqueuse attentive des grands jours du Bateau-Lavoir. A propos de Modigliani, elle n'a que peu de souvenirs mais assez précis pour situer l'artiste italien dans le contexte montmartrois et son rapport avec Picasso et sa "bande".

"Modigliani habitait alors Montmartre dans un atelier dont est flanqué le vieux et triste réservoir de la Butte." La femme de Picasso considérait le jeune Italien comme un personnage "mineur". Il faut remarquer que si Modigliani admirait l'œuvre de Picasso, découverte aux premiers temps de son séjour, il ne cherchait pas, contrairement à tant d'autres artistes, à entrer dans la familiarité de l'Espagnol.

En un an, Modigliani s'était parfaitement acclimaté à Montmartre.

Une relation d'entente tacite existait entre Picasso et Modigliani qui avait pu voir et apprécier les œuvres des périodes bleue et rose chez Sagot et chez Vollard. Néanmoins, Modigliani avait été contrarié par l'attitude réticente de Picasso. Les rapports entre eux s'étaient mal engagés, dès leur première rencontre. Tout cela est confirmé par André Salmon, qui affirme que Modigliani n'allait que très rarement chez Picasso, ce qui surprenait les autres artistes du Bateau-Lavoir.

Plus tard, pendant la guerre, une sorte de modus vivendi s'établit entre eux. Ils se fréquentaient plus volontiers.

Picasso lui acheta plusieurs portraits (trois, sans doute, à des périodes différentes).

Roland Penrose a révélé que Picasso en 1917 utilisa pour peindre une nature morte, un des portraits de Modigliani. Picasso le confirma à Douglas Duncan ajoutant: "C'est le seul crime que j'aie jamais commis".

Ravignan dès les premiers mois de son séjour montmartrois : "Je vis Amedeo Modigliani, jeune, fort, sa belle tête de Romain s'imposant par les traits d'une pureté de race étonnante. Il arrivait de Livourne, ayant découvert les trésors artistiques de Rome, de Venise, de Naples et de Florence..."

A son retour du service militaire, en 1908, André Warnod dit qu'il revoit très souvent Modigliani mais jamais dans son atelier. Amedeo ne voulait plus montrer sa peinture, du moins à un collègue peintre qui était aussi critique. "...mais nous savions qu'il travaillait par un petit modèle, par ailleurs acrobate, et qui posait aussi pour nous, dit André Warnod. Elle n'avait aucune admiration pour la peinture de Modigliani et en parlait avec dédain." Elle disait ne plus vouloir désormais fréquenter que des artistes. On a su plus tard que l'artiste qu'elle était si fière de fréquenter était un clown du cirque Medrano.

En cette année 1908, Amedeo parvient assez mal à boucler ses fins de mois. Les incertitudes des premiers temps subsistent. Il a du mal à s'insérer parmi les cubistes, les fauves ou les expressionnistes et fait bande à part. Un jour qu'il peignait une jeune actrice qui récitait des vers au *Lapin Agile*, il s'arrêta subitement et dit à son ami Latourette : "Ce n'est pas ça ! C'est encore du Picasso, mais raté. Picasso enverrait un coup de pied à cette monstruosité..."
Beaucoup sont d'accord pour dire que Modigliani a trouvé sa véritable étoile, son vrai style dans les Lautrec, Steinlen, Picasso et Van Dongen.

NOTES CHRONOLOGIQUES

par André Roussard

(a) *Au milieu du XIXème siècle la Butte Montmartre que connut Gérard de Nerval était une sorte de jardin sauvage. Au début du XXème c'était devenu un univers minéral, avec sur le flanc nord-ouest une vaste "favela" appelée le Maquis au milieu d'une végétation d'arbustes et d'herbes de la sorgue.*
Le village très pittoresque tombait en décrépitude, il avait toujours été pauvrement peuplé. Les ouvriers, les brocanteurs, les ruffians, les vagabonds, les blanchisseuses, les grisettes, les fleuristes, les plumassières et les demoiselles de magasin constituaient la population de la Butte.
Sur les boulevards de Rochechouart et de Clichy, les cabarets, les bars et les restaurants abritaient une faune plus variée entre le monde de la fête, les filles faciles, les gommeuses, les voyous, les artistes de tout poil, les modèles de la place Pigalle, les grisettes et les gens du monde venus s'encanailler.

(b) *Le Bateau-Lavoir était un endroit unique en raison de son architecture et du rôle que ce lieu baroque joua dans l'histoire de la peinture ; on peut dire que c'est là que se situa la période charnière qui vit la naissance de l'art moderne au XXème siècle, marquée par le tableau des Demoiselles d'Avignon et l'émergence du cubisme.*
Le serrurier Maillard semble avoir eu sa fabrique dès 1867 ; en 1889, Thibouville, le nouveau propriétaire, déposa une demande afin de construire des ateliers d'artistes, Paul Vasseur, architecte, dressa les plans. Le permis fut accordé dix ans plus tard, mais la construction était déjà commencée. Le premier artiste connu à établir ses pénates dans ce qu'on appelait la "Maison du Trappeur", fut Maxime Maufra en 1892, qui reçut la visite de Gauguin.
Les êtres étaient des plus surprenants ; en entrant par le 13 de la place, on arrivait en quelque sorte dans le grenier, un escalier permettait de descendre les trois niveaux vers la rue Garreau située en contrebas. Picasso ou Pierre Mac Orlan pouvait ainsi prétendre habiter à la fois le second étage et le premier sous-sol. La baraque en bois était souvent glaciale l'hiver et torride l'été, l'isolation phonique absente laissait peu de réelle intimité aux résidants. L'eau provenait de la fontaine au milieu du bâtiment. Chaque atelier tenait lieu de salle à manger, de chambre à coucher, on se lavait dans un tub, et on y recevait les amis ou les amateurs. Il est probable que ce fut Max Jacob qui dénomma l'endroit le Bateau-Lavoir et certain qu'il l'appela plus tard le Laboratoire central de la peinture.
Lorsque l'on regarde l'entrée du 13, la fenêtre à gauche indique l'atelier qu'occupèrent van Dongen, Jacques Vaillant et Juan Gris. La fenêtre de droite celui de Wiegels, Freundlich et du poète Reverdy. Par le 13 bis on pénétrait dans l'atelier que Mme de la Beaume garda près de 60 ans. Mme Coudray, la concierge, entrait chez elle par le 13 ter ; elle était appréciée des locataires et servait volontiers un bol de soupe aux artistes qui avaient faim. Max Jacob l'avait ainsi décrite "Voûtée, jeune et vieille, rapeuse, allègre, intelligente, elle nous aimait. Elle habitait à côté de nos planches moisies, une maison bourgeoise, là-même où vécut, dit-on, Saint-Ignace de Loyola".

La grande époque du Bateau-Lavoir s'arrête en 1914 ; la plupart des artistes ont quitté la bâtisse à l'exception d'Auguste Herbin qui garda son atelier jusqu'en 1930. Il est assez étonnant que ce bâtiment inflammable ne brûla que le 12 mai 1970, juste après avoir été classé monument historique par André Malraux le 1er décembre 1969. Au moment du sinistre, seuls le sculpteur Guyot et Mme de La Beaume y habitaient encore. Reconstruit en dur par l'architecte Claude Charpentier, il abrite un certain nombre d'ateliers modernes réservés, en principe, au travail ; les artistes peuvent être logés dans le bâtiment annexe.

(c) Après avoir obtenu, en 1894, un accessit de philosophie au Concours Général, il s'inscrit à l'Ecole Coloniale à Paris, qu'il quitte en 1897 pour entamer une carrière artistique. L'année suivante, il est licencié en Droit. En 1898-1899, on le retrouve critique d'art dans la Gazette des Beaux-Arts. C'est pour lui l'occasion de rencontrer Picasso, lors de sa première exposition en juin 1901, chez Vollard. Il exerce divers travaux et partage une chambre boulevard Voltaire avec Picasso en 1902. En 1903, il habite 33, boulevard Barbès. Max rencontre André Salmon et Apollinaire et en 1907 on le retrouve au 7, rue Ravignan, dans une chambre dont le terme finit en octobre 1911. Là, Apollinaire lui présente Braque. Le 22 septembre 1909, il a une vision dans sa chambre du 19, rue Gabrielle qui l'amène à se convertir au catholicisme. En 1911, au Bateau-Lavoir, il loue l'ancien atelier d'André Salmon et de Pierre Mac Orlan. Picasso illustre d'eaux-fortes cubistes le Saint-Matorel écrit par Max Jacob et édité par Kahnweiler. L'été 1913, le voit à Céret avec Braque, Picasso, Herbin et Juan Gris. En 1914, il est réformé, vit au 17, rue Gabrielle et sert de lien entre ses amis mobilisés. Picasso illustre à l'eau-forte le Siège de Jérusalem. Le 18 février 1915, baptême de Max Jacob, Picasso est son parrain. Modigliani, en 1916, fait son portrait à Montparnasse. Au théâtre Maubel, rue de l'Armée d'Orient, il apparaît dans les chœurs des Mamelles de Tirésias, drame surréaliste de son ami Apollinaire. Il publie, à compte d'auteur, le Cornet à dés. En 1919, Pierre Bertin monte une pièce de Max Jacob Ruffian toujours, truand jamais. Renversé par une voiture, il est soigné à l'hôpital Lariboisière. En 1921, il quitte la Butte pour se retirer au monastère de Saint-Benoît-sur-Loire. En 1928, il habite l'hôtel Nollet, dans la rue du même nom, où réside déjà le musicien Henri Sauguet, hôtel qu'il quitte en 1934 pour la rue Duras avec le peintre Pierre Colle. Le 24 février 1944, à 11 heures du matin, il est arrêté comme Juif, détenu quatre jours à la prison militaire d'Orléans, transféré au camp de Drancy le 28 février, où il meurt le 5 mars d'une pneumonie.

C'est grâce à Picasso qu'il a, très jeune, la révélation de l'art moderne. Il peint peu à l'huile, surtout à l'aquarelle et à la gouache, et également avec des techniques mixtes de son cru. Picasso, à qui Max Jacob était profondément dévoué et qui sans doute l'influença, s'en est éloigné vers 1912, au grand dam du poète qui écrit "... je n'ai pas fait de cubisme... tout ça c'est la faute à Picasso". Il faut noter cependant que la source intellectuelle du cubisme doit quelque chose au poète. André Salmon écrit : "Sans trop de préparation selon la tradition, Jacob fut alors comme un peintre du dimanche de haute culture, figure que l'on ne retrouvera peut-être plus jamais. Les maladresses de Max Jacob sont à la fois angéliques et de haute intellectualité. Elles correspondent à ces sentiments qui, un jour, le conduiraient à l'absolue mysticité". C'est également André Salmon qui signale la première exposition de Max Jacob dans une galerie du boulevard de Clichy, en 1914, et c'est lui qui préface le catalogue de l'exposition au Grand Palais, organisée par Henri Lapauze.

Une rétrospective est organisée au Musée de Montmartre du 21 octobre au 12 décembre 1992 ; avec le soutien de la très active Association des Amis de Max Jacob, présidée par Arlette Albert-Birot, entourée d'Hélène Henry, Dominique Prédal, et de Henri Dion.

(d) En 1907, Picasso entre dans la galerie que Kahnweiler vient d'ouvrir au 28, rue Vignon et regarde les toiles fauves exposées ; il revient le lendemain avec Vollard, mais c'est au Bateau-Lavoir qu'ils font connaissance et beaucoup plus tard qu'il devient son marchand. Grâce aux marchands et grâce aux amateurs, les russes Stchoukine et Morosov, Olivier Saincene conseiller d'état, Wilhem Uhde qu'il connaît au Lapin Agile, les Stein, la vie devient plus facile et Picasso a enfin de l'argent.

La même année, en juillet, Picasso visite le Musée de l'Homme au Trocadéro, et en ressort bouleversé par la découverte des masques et sculptures nègres. Il pressent un nouveau langage plastique, basé sur le naturel et la magie, la simplicité des formes, qui restitue des sensations inexprimables et qui ne reconstitue pas la nature comme l'art traditionnel.

C'est dans une solitude totale que Picasso, après des centaines d'études au dessin, brosse la toile du scandale, immense et incompréhensible, même pour le cercle des peintres amis, Matisse et Braque, et des poètes Max Jacob et Apollinaire. Seul peut-être Kahnweiler a eu la prescience de son importance. Les Demoiselles d'Avignon, aujourd'hui au Musée d'Art Moderne de New York, resta longtemps face au mur, dans l'atelier du Bateau-Lavoir.

(e) Le nom de Daragnès (1886-1950) est de nos jours peu connu bien qu'il tînt un grand rôle en son temps. Son premier atelier était au 57 bis, boulevard de Rochechouart dans le même immeuble que le grand Lacourière ; le second, quai aux Fleurs. Là il édita un Verlaine illustré de gravures sur bois. Sa société d'éditions La Banderole sortit quelques uns des plus beaux livres illustrés du siècle. Une réussite financière certaine lui permit de se faire construire une maison au 14, avenue Junot réunissant son habitation, un atelier, une imprimerie de lithographie et de taille-douce, une bibliothèque, lieu de réunion des meilleurs illustrateurs du temps comme Chas Laborde, Gus Bofa, Galanis, Oberlé, Falke, et des écrivains comme Valéry, Colette, Marcel Aymé, Le Dantec, Carco, Léon-Paul Fargues, Giraudoux, Céline et de peintres tel Gen Paul.

(f) C'est vers 1910, qu'Utrillo établit son quartier général chez le père Gay, un ancien gardien de la paix qui avait ouvert au 1, rue Paul Féval un débit de boisson à l'enseigne du Casse-Croute. Il y eut même une chambre et y prit pension avec son aîné, Tiret-Bognet. Le père Gay le voyant peindre finit par s'y mettre aussi, dans le même style ; on dit que le marchand Libaude s'y laissa prendre. Le père Gay accrocha des toiles de Maurice dans le restaurant ce qui lui fournit un nouveau débouché. C'est là qu'Utrillo écrivit ses "mémoires" illustrées par Tiret-Bognet en dessins lavés d'aquarelle. De 1912 à 1916, Maurice émigra un peu plus bas au coin de la rue du Mont-Cenis et de la rue Saint-Vincent, chez Marie Vizier qui avait loué un local au père Gay, le nomma La Belle Gabrielle *et que le peintre décora. Jules Dépaquit le fréquentait aussi. Lorsque les deux compères les soirs d'ivresse faisaient trop de chahut, c'est le commissariat de la rue Lambert qui les hébergeait pour la nuit.*

(g) 22 Octobre 1907. Vème Salon d'Automne avec rétrospective de l'Œuvre de Cézanne (56 numéros du catalogue). Y sont publiées les lettres à Emile Bernard.

(h) 1908 à Paris. Constitution à Montmartre, 13 rue Ravignan (où Picasso habitait depuis 1904 et où demeuraient Max Jacob et Juan Gris) d'un groupe d'artistes et intellectuels connu sous le nom de "Groupe du Bateau-Lavoir". En plus de Picasso et de Braque, le groupe comprenait Marie Laurencin, Guillaume Apollinaire, Max Jacob, André Salmon, Maurice Raynal, Princet, Gertrude et Leo Stein, Kahnweiler, ansi que Juan Gris qui devait se rallier plus tard au cubisme.

(i) 1908 à Paris. Fernand Léger, qui partage son atelier avec André Mare, fait la connaissance d'Apollinaire, Max Jacob, Modigliani, Reverdy et Archipenko, qui habite la même maison que lui à la Ruche, passage de Dantzig.

(l) 1908 à Paris. 20 mars, vernissage du 26ème Salon des Indépendants où Modigliani rencontre Braque qui expose trois peintures et un dessin. Le jury du VIème Salon d'Automne refusera cinq tableaux sur sept de l'envoi de Braque qui n'exposera plus au Salon. Max Jacob expose six œuvres, dont deux sont prêtées par Clovis Sagot, le marchand de la rue Laffitte, une par Apollinaire, et une par Picasso.

(m) 1908 à Paris. Dans sa critique de l'exposition particulière de Braque à la galerie Kahnweiler, Louis Vauxelles écrit dans le journal Gil Blas, *que : "Braque méprise la forme, réduit tout, sites, figures et maisons, à des schémas géométriques, à des cubes."*

N. B. Les notes concernant Montmartre ainsi que les textes en italique sont écrits par André Roussard auteur du Dictionnaire des peintres, graveurs, sculpteurs, à Montmartre aux XIXème et XXème siècles. © Editions Roussard.*

"Portrait de Paul Yaki", dessin dédicacé, Musée de Montmartre.

124

Amedeo Modigliani.

*1910, lettre de Modigliani
à Meidner.*

*1907, fiche d'inscription à la Société des Artistes
Indépendants.*

1910, carte du Salon d'Automne.

1912, Paris, Salon d'Automne, Salle XI, exposition des Têtes de Cariatide.

1909

A la nuit haute, les marins enveloppés
dans leurs cabans de nostalgie amère,
dormaient sur le pont noir,
quand la Lune apparut, debout en équilibre,
sur l'ondulation des bastingages,
vibrant au vent de mer comme une lyre ! ...

Filippo Tommaso Marinetti

C'est à travers les souvenirs précis de Paul Alexandre qu'on peut se faire la meilleure idée des recherches et du travail quotidiens de Modigliani : "Avec Modigliani nous ne parlions pas seulement de peinture, bien entendu, mais aussi de poésie, de littérature, de tout. Nous parlions du sens philosophique de la vie. Il me parlait souvent de son Italie natale [...] Lorsque je ne travaillais pas, j'allais le prendre à son atelier et nous nous promenions ensemble, allant d'exposition en exposition. Nous nous arrêtions chez *Dewambez* devant un tableau de Boutet de Montvel qui représentait un repas de chasseurs élégants, ou chez *Bernheim*, autrefois au coin des boulevards et de la rue Richepanse. Chez *Bernheim* nous avons vu l'exposition Cézanne où nous revenions chaque jour. A ce propos une anecdote me revient sur sa mémoire visuelle qui était extraordinaire : une fois, à mon grand étonnement, il dessina de mémoire et d'un seul coup *L'Adolescent au gilet rouge* de Cézanne. C'était au milieu de la nuit... Chez Vollard, dans la boutique de la rue Laffitte, nous examinions silencieusement une série de Picasso en bleu. "

Paul Alexandre nous décrit ces promenades dans les détails : "Nous allions aussi chez Kahnweiler, rue Vignon : je revois encore Modi tout absorbé devant une petite aquarelle étrange de Picasso représentant un jeune sapin verdissant au milieu de blocs de glace transparente. Après le dîner, nous montions à Montparnasse rendre visite au vieux Douanier Rousseau. Il y avait foule car on parlait de son *Tigre dans la jungle* exposé au Salon et Modi me tirait par la manche pour que je regarde son tableau *La Noce* qui l'enchantait... Il aimait aussi les sculptures en bronze de Nadelmann. Modigliani s'intéressait à tout et comprenait tout. Les impressionnistes, par exemple, même si sa recherche personnelle était tout autre. Il était bienveillant, sans nulle trace d'envie ni de dénigrement pour les contemporains qui, eux, ne daignaient pas jeter un regard sur son œuvre."

Le 20 février 1909, événement d'importance pour le devenir des arts plastiques, *Le Figaro* publie, sous la plume de Filippo Tommaso Marinetti, peintre de collages, critique d'art, essayiste et poète italien, un article intitulé *Le Futurisme* qui sera par la suite considéré comme le premier manifeste de ce mouvement, initié en Italie, mais purement littéraire à l'origine. Marinetti, Italien né à Alexandrie d'Egypte, alors âgé de trente-trois ans, personnage extraverti, excessif, volubile, un peu cabotin et grand agitateur d'idées refuse avec une certaine véhémence toutes les poétiques classiques et romantiques, revendique l'abolition de la syntaxe, l'usage des mots en liberté, et déclame

---

(18) *La rue Laffitte, située près de la limite sud du Montmartre historique, semble désigner la Butte Montmartre et le Sacré-Cœur. C'est là que se sont établis les marchands ayant eu le courage de soutenir les peintres d'avant-garde au XIXe siècle. En 1906 il reste, au N° 6, Vollard qui fut le premier à exposer Cézanne et van Gogh ; dans sa cave il organise jusqu'en 1908 des dîners célèbres avec les artistes et des écrivains. Après la mort de Théo van Gogh et de Tanguy, la plupart des grands peintres ont travaillé pour Vollard, qui reconnut plus tard avoir "raté" Modigliani et Utrillo. Il quitte la rue Laffitte en 1923 pour s'installer rue de Martignac.*

Au N° 8 la galerie Bernheim-Jeune reste jusqu'en 1913; le N° 9 abritait celle de Georges Bernheim. La galerie Durand-Ruel ouvre au N° 16 en 1869 et ferme en 1924 pour aller avenue de Friedland. Clovis-Sagot est au N° 46, c'est là que les Stein ont acheté leur premier Picasso avant de le rencontrer au Bateau-Lavoir. Berthe Weill en quittant le 25, rue Victor Massé s'installe au N° 46 rue Laffitte en 1920. Constant Lepoutre a gardé sa galerie du N° 52 jusqu'en 1918.

volontiers, à *La Closerie des Lilas,* ses poèmes satiriques : *Le Bombardement d'Andrinople,* imitation d'Edmond Rostand, ou *Le Roi Bombance,* parodie d'Alfred Jarry dont *L'Ubu Roi* venait d'être créé au *Théâtre de l'Œuvre,* poèmes qui feront violemment réagir Gabriele D'Annunzio qui taxera son compatriote de *cretino fosforescente* (crétin phosphorescent).

Le théâtre de l'*Œuvre* au 55, rue de Clichy fut créé en 1892 par Aurélien Lugné-Poe (1869-1940) qui avait travaillé au *Théâtre Libre* avec André Antoine, puis avait créé le *Théâtre des Arts* (auj. *Théâtre Hébertot*) avec le poète Paul Fort. À l'*Œuvre* il monta des œuvres de Strindberg, Ibsen, Syngee, Hauptmann. C'est là que fut créé intégralement *Ubu Roi.* Le dimanche on y donnait des concerts dirigés par Chevillard. Charles Lamoureux interprétait Wagner et Edouard Colonne, Ravel et Debussy. On y vit également la création de *Tristan et Ysolde* de Wagner par le Bordelais Lamoureux.

La Closerie des Lilas, qui depuis 1803 avait été une modeste auberge où s'arrêtaient les diligences sur la route de Fontainebleau, était devenue un dancing en plein air puis un café fréquenté par tous les artistes. Parmi les poètes, il y avait surtout Jean Moréas, d'origine grecque, poète symboliste survivant de la génération des Verlaine, qui récitait ses poèmes d'une voix tonitruante avec une vitalité à toute épreuve. Il avait l'habitude de dire : "Appuyez-vous très fort à vos principes et vous verrez qu'un jour ou l'autre ils se plieront." Paul Fort, André Salmon, Paul Valéry animeront aussi les soirées à *La Closerie* ainsi que Jules Lafforgue, Henri de Régnier, Pierre Loüys, Rémy de Gourmond, Francis Carco, et Filippo Tommaso Marinetti avec son mouvement futuriste. Parmi ces soirées littéraires auxquelles participent tous les mardis plus de deux cents personnes, il y avait des écrivains, des musiciens, des peintres, des critiques, des journalistes ainsi que des bluffeurs, des bavards, des aventuriers. Tous buvaient de la "fée verte" comme on appelait l'absinthe.

Les idées futuristes avaient très rapidement été adoptées par les peintres Umberto Boccioni, Carlo Carrà, Luigi Russolo, Giacomo Balla, Antonio Sant'Elia et Gino Severini qui venait d'épouser la fille du poète Paul Fort. Ils signeront, le 11 février 1910, le *Manifeste de la peinture futuriste* avec Marinetti. De 1909 à 1944, pas moins de 175 manifestes futuristes verront le jour. Dans un style péremptoire, Marinetti prônait la modernité, l'énergie, la violence, affirmant : "Nous voulons chanter l'amour du danger, l'habitude de l'énergie et de la témérité. Nous voulons démolir les musées et les bibliothèques, combattre la moralité et toutes les couardises opportunistes et utilitaristes. Nous ne voyons pas d'inconvénient à déclarer que la splendeur du monde s'est enrichie d'une nouvelle beauté : la beauté de la vitesse. Une automobile de course, avec sa carrosserie ornée de gros tubes pareils à des serpents à l'haleine explosive [...], une automobile de course, qui semble courir sur de la mitraille, est plus belle que la Victoire de Samothrace."

En Italie, le mouvement avait rencontré une certaine hostilité du public au cours de conférences où les futuristes essuyèrent des tirs nourris de brocolis, de tomates et d'oranges pourris. C'est Gino Severini, très lié avec les peintres de Montmartre, qui introduisit les futuristes en France, notamment avec l'aide du critique Félix Fénéon qui organisa, le 5 février 1912, une exposition chez Bernheim. D'emblée, les futuristes s'étaient posés en rivaux et opposants de la bande à Picasso et du cubisme qui n'était pour eux qu'un "académisme manqué".

"Les futuristes sont des jeunes artistes auxquels il faudrait faire crédit si la jactance de leurs déclarations, l'insolence de leurs manifestes n'écartaient l'indulgence que nous serions tentés d'avoir pour eux. Ils se déclarent "absolument opposés" à l'art des écoles françaises extrêmes et n'en sont encore que les imitateurs", écrivait Guillaume Apollinaire dans *L'Intransigeant,* ce qui ne l'empêcha pas d'apprécier *Pan-Pan à Monico,* le chef-d'œuvre de Severini, qu'il admira particulièrement.

A de nombreuses reprises, Gino Severini approcha Modigliani pour le persuader de rejoindre les futuristes, mais ce dernier s'y refusa toujours, arguant qu'il était trop indépendant pour faire partie d'un quelconque mouvement. "Modigliani n'a pas été honni par les futuristes. Boccioni m'a écrit à Paris en 1910 pour m'informer de la création d'un groupe futuriste pictural, et m'a prié d'inviter à en faire partie les peintres italiens de Paris que je croyais animés par des aspirations analogues aux nôtres. Le premier à qui j'en ai parlé a été Modigliani, mon meilleur ami, mais il n'a pas accepté, malgré l'état d'indécision dans lequel il se trouvait artistiquement à ce moment-là. Il n'a donc dépendu que de lui de faire partie ou non de notre groupe. Son refus, du reste, ne changea rien à notre amitié", écrira plus tard Severini dans une lettre.

Au printemps 1909, le docteur Paul Alexandre quitte Paris pour se rendre à Vienne afin de faire des recherches et se perfectionner dans sa spécialité médicale : la dermatologie ; mais son frère Jean continue à animer le Delta, et prépare activement le bal des Quat'z arts qui va avoir lieu le 9 juin à l'*Hippodrome*. Il convainc son amie, la baronne Marguerite de Hasse de Villers, cavalière passionnée, de se faire faire un portrait par Amedeo. Passionnée d'art hippique et cavalière émérite elle-même, la baronne accepte finalement de poser en costume d'amazone. Et dans une lettre datée du mardi 12 mai 1909, adressée à son frère Paul, Jean Alexandre écrit : "Voici dix jours que je n'ai pas vu Modi, n'ayant plus le temps d'aller chez lui. Je lui ai remis le reste du montant du portrait de l'amazone et il s'est arrangé de telle façon que la baronne est un peu lasse. Il avait aussi recommencé quelque chose avec moi mais tout cela reste en plan..."

Dans une autre lettre du jeudi 28 mai 1909, il ajoute : "Je te laisse deviner le calme qui règne au Delta. En effet, de la joyeuse bande d'autrefois, il n'y a guère plus que Coustillier qui profite un peu de cette grande maison. Emmanuel et moi n'y allant que de temps en temps sans nous rencontrer du reste. Cependant, depuis hier, Coustillier s'y trouve moins seul car Modi vient faire le portrait de l'amazone dans ma chambre. En effet, de guerre lasse, Modi voyant le peu d'empressement de Marguerite à aller dans ce capharnaüm qu'est son atelier, Modi dis-je, s'est décidé à le faire au Delta. C'est infiniment mieux en tous points car elle s'y trouve beaucoup plus chez elle, et ce grand embêtement de se déshabiller et rhabiller est atténué par les commodités dont elle était privée Cité Falguière. Ce portrait a l'air de bien venir, mais hélas il changera peut-être dix fois avant la fin. Cependant, pour obvier à ce véritable ennui, Marguerite lui a déclaré qu'elle partait le 3 juin et qu'elle désirait que son portrait soit achevé pour cette date. En tout cas ce procédé ne m'a pas mal réussi puisque j'ai enfin mon portrait et qu'il est venu le vernir hier à la maison. En effet, en ayant par-dessus la tête, je lui ai déclaré, une fois, que je venais poser pour la dernière fois. Et certes mon tableau n'en est pas plus mauvais pour cela. Quant à son état pécuniaire, il est déplorable sans doute, et il recourt maintenant au traditionnel crédit chez son marchand de couleurs, chez son restaurateur. Peu après ma dernière lettre et son contenu à son sujet, Modi est venu me trouver n'ayant plus un billon en poche et venant m'offrir son portrait de la petite Jeanne pour vingt francs... Il va heureusement passer trois mois en Italie, juillet, août, septembre. Cela lui fera du bien à tous points de vue. Car toutes ces expositions auxquelles il va ne lui valent rien et ne font qu'augmenter cette instabilité que tu as pu apprécier avant ton départ. Quant aux samedis au Delta, ils n'existent naturellement plus depuis ton départ, et je ne sais pas s'ils reprendront jamais."

Par cette lettre, Jean Alexandre nous apprend qu'à cette époque, Amedeo avait un atelier Cité Falguière. Cette suite d'ateliers, principalement occupés par des sculpteurs, avait été bâtie en 1905 par le toulousain Jean-Alexandre Falguière, Prix de Rome de sculpture, et portait alors le nom de Cité des Fourneaux parce qu'elle jouxtait une briqueterie. Murs à colombages, portes en bois souvent bancales, verrières sur le nord, sombres l'hiver, éclairés à la chandelle par souci d'économie, les ateliers étaient bordés par un petit chemin.

A peine quelques heures avant de délivrer le tableau à l'acheteuse, Modigliani décide de changer la couleur de la veste portée par la baronne pour obtenir un meilleur contraste avec le fond et, à grands coups de pinceaux rageurs, repeint la jaquette de chasse qui était rouge en jaune-orangé. Naturellement, cela déplut à la baronne qui annula sa commande. Pour dédommager Amedeo, Jean Alexandre remboursera le tableau et le conservera pour lui. Par ailleurs, il ne ménage pas ses efforts pour aider Amedeo à s'en sortir. Inspiré par une lettre du peintre Henri Gazan qui a aussi de grandes difficultés pécuniaires : "Voilà la fin du rouleau, il va falloir me remettre au "bisness". Je me suis déjà remis à faire une affiche pour le fameux coiffeur Lalanne qui réellement me trouve plein de talent, le pauvre. Je lui ai soumis un projet dans le goût du jour : almée, petit nègre turc, le tout dans les bleus, verts, jaunes "parfumerie", sur la fadeur desquels j'ai tout de même réussi à faire admettre le beau noir d'ébène de mon petit chocolat. Avec un peu de courtisanerie, l'affaire va, je l'espère, se conclure. Puisse-t-elle me permettre de vivre encore un mois à ma guise ! – j'ai un petit traité mensuel avec le *Gil Blas* et casé quelques petits dessins dans les petits canards à côté", Jean Alexandre va tenter de convaincre Amedeo d'accepter des collaborations avec les journaux et revues à la mode. Il le présente, entre autres, au directeur de *L'Assiette au Beurre* qui publie régulièrement des dessins de peintres comme Poulbot, Juan Gris, Van Dongen, mais Amedeo refuse catégoriquement tout ce qui ne correspond pas à sa conception de l'art.

Dans la seconde partie du XIXème siècle et au début du XXème Montmartre vit l'apparition d'un très grand nombre de titres de presse, la plupart étant illustrés par des dessins d'artistes. On ne soulignera jamais assez le rôle qu'ils ont joué auprès des peintres, malgré la modicité des prix payés. Il n'en est pas moins vrai que c'est grâce à eux que beaucoup d'artistes ont pu subsister.

En ce début de siècle, si Modigliani fit la fine bouche, Picasso, Juan Gris, van Dongen, Jacques Villon, et bien d'autres, n'eurent pas de ces pudeurs.
Beaucoup ont eu une existence éphémère. Parmi ceux qui paraissent encore au début du siècle, Le Gil Blas, *avec lequel Modigliani accepta de collaborer, paru de 1879 à 1914, était à la fois mondain et boulevardier ; son directeur, Fernand Xau lui adjoignit en 1892* Le Gil Blas Illustré *qui fut largement imagé par Steinlen.*
Lʼ*Assiette au Beurre, fondée en 1901, se spécialise dans la lutte contre les fraudes diverses, les malversations, les prébendes... Parmi ses collaborateurs, figurent Steinlen et Ibels à qui fut confiée l'illustration de numéros spéciaux.*

Jean Alexandre lui reproche son oisiveté, son instabilité, son temps passé à "traîner" dans les expositions, mais en réalité, Modigliani travaille et tout ce temps passé dans les musées et les expositions, comme il l'avait déjà fait en Italie, est un temps de gestation. Il observe, il étudie, il emmagasine toute l'histoire de l'art qui le précède.

Son itinéraire parisien est constellé de rencontres, de passions, de relations fugaces et pour le suivre, il suffit de parcourir les innombrables portraits esquissés dans les feuilles de ses carnets. Par exemple, le portrait de Joseph Lévi, marchand de meubles anciens, restaurateur de tableaux et grand collectionneur, peut-être à titre de remboursement d'un prêt d'argent consenti par le marchand et qu'il n'aurait pas été en mesure de rembourser. Amedeo aurait voulu également faire le portrait de madame Lévi, mais elle aurait refusé.

En 1910, Joseph Lévi ouvrira une boutique, 1 West 64 street à New York. Son fils, Gaston, peintre et restaurateur lui aussi, devient l'ami de Modigliani et sert d'intermédiaire entre son père et le peintre à Paris. Il lui achètera un tableau que son père exposera à New York en 1929 sous le N° 8 du catalogue à la Galerie Knoff. Gaston Lévi possède également divers dessins de Modigliani dont un portrait de sa petite amie, Jeanne Etenval, et un portrait de Nijinski. Plus tard, Amedeo fera aussi un portrait de Suzanne André, la future épouse de Gaston.

Premier retour en Italie

"Cara Italia... Je veux retourner à Livourne pour me régénérer."

Amedeo Modigliani

En été 1909, après trois longues années parisiennes, Amedeo revient à la maison de Livourne "fatigué, déchiré, mal nourri", écrit sa fille, Jeanne. En fait, il est ravagé par la misère, et son mode de vie ne l'aide pas. Il se laisse malmener par sa passion. Sa tante, Laure Garsin, qui lui avait rendu visite à Paris quelques semaines auparavant, dira dans une lettre adressée en 1946 à Lamberto Vitali : "Je l'ai trouvé misérablement logé, à la hauteur d'un premier étage dans une des dix ou douze cellules disposées dans une soi-disant Ruche."

Le 3 juillet 1909, heureuse de revoir son fils prodigue, Eugénie écrit à sa bru, Vera, la femme de Giuseppe Emanuele : "Dedo est arrivé. Il va très bien. Je suis heureuse et je sens le besoin de te le dire et de t'envoyer un gros, très gros baiser."

Modigliani s'est installé chez sa mère. Il mange beaucoup, dort bien, et récupère assez vite loin de la vie parisienne tumultueuse et débauchée. "Dedo est dehors toute la journée chez un ami qui a un atelier. Nous avons pris Catherine à la journée. Dedo et Laure écrivent ensemble des articles de philosophie,[19] ils planent dans les nuages", écrit Eugénie dans une lettre à Margherita. Dans la biographie de son père, Jeanne Modigliani précise que l'atelier de l'ami où Amedeo passe ses journées est celui de Gino Romiti. On a fait venir Catherine, la couturière de la famille, pour lui faire un nouveau costume. "Extravagant et ingrat, racontera Margherita à Jeanne, Dedo avait raccourci d'un coup de ciseaux les manches de sa veste neuve et arraché la doublure du beau chapeau Borsalino pour l'alléger."

En juillet, on fête le vingt-cinquième anniversaire d'Amedeo. Il retrouve ses amis livournais au *Caffè Bardi,* leur parle de Paris, des cafés littéraires et artistiques, décrit les fauves, le cubisme, les post-impressionnistes, l'effervescence des idées,

---

(19) Ils liront les thèses valorisées par Nietzsche dans *Ainsi parlait Zarathoustra,* et des fragments consacrés à la problématique de la volonté de puissance... et les premières difficultés surgiront du fait que certaines théories spéculatives de l'Art sont des idoles mises au pinacle par l'histoire qu'il se propose de détruire ainsi que la morale, la religion, la métaphysique et l'art. Cette interprétation de l'esthétique et de la philosophie le mène à un premier bouleversement fondamental qui demeurera constant dans sa vie comme dans sa pensée, et donc dans son œuvre.

l'incroyable bouillonnement de l'art européen. Mais c'est l'incompréhension la plus complète : rigides et incrédules, ses amis se renferment dans la routine provinciale sans doute teintée d'un peu de jalousie, se réfugient dans la facilité de leurs habitudes et se moquent volontiers de lui.

Le photographe Bruno Miniati dira plus tard : "Nous ne lui avons pas accordé d'importance." Mais Amedeo ne se décourage pas ; il travaille d'arrache-pied et pense à une future exposition. Il fait le portrait en rouge de sa belle-sœur Vera, deux études au cou très allongé de Bice Boralevi qui avait été sa compagne de classe. Il peint *Le Mendiant de Livourne* et *La Mendiante* ; d'après certains témoignages, il aurait peint six toiles, d'autres disent dix-huit.

Au cours de l'été 1909, donc vraisemblablement pendant le séjour d'Amedeo, la famille déménage dans un plus modeste appartement de la rue Giuseppe Verdi.

"*Via Giuseppe Verdi.*
Décidément je ne suis pas bavarde – sur le papier – car je n'ai jamais pensé à reprendre ceci et sans les surprises du déménagement, qui sait... La mort de M. Castelnuovo, il y a six mois, m'a mise en possession de quelques sous – détente économique d'autant plus agréable que ni l'un ni l'autre des garçons ne pourraient, même en voulant, me donner un coup de main", note Eugénie en décembre 1910 dans son *Livre de raison.* C'est peut-être dans cette nouvelle maison qu'Amedeo découvre les objets d'art laissés en héritage à sa mère par Castelnuovo : une petite statuette, copie fin Renaissance d'un Hermès grec ; une marine du Tempesta ; un tableau rond attribué à Salvatore Rosa représentant une scène pastorale et un tableau ovale de l'école napolitaine du XVIIème siècle représentant un mendiant. Dans son journal Eugénie déclare : "Dedo qui a vu les tableaux les considère sans valeur y compris la fameuse statue." Au contraire, selon Jeanne, le tableau du mendiant intéressa son père car son *Mendiant de Livourne* s'en inspire : "Le fameux *Mendiant de Livourne*, malgré sa structure cézannienne très diluée, évoque irrésistiblement pour moi cette composition napolitaine ; ce tableau d'ailleurs me donne beaucoup plus l'impression de l'interprétation moderne d'une œuvre ancienne que d'un portrait authentique."

Le soir, au *Caffè Bardi* de la place Cavour, Amedeo revoit le peintre Mario Puccini qu'il n'avait plus revu depuis l'époque d'Oscar Ghiglia lorsque Mario, "le petit Van Gogh italien" qui avait été enfermé de 1893 à 1897 à l'asile d'aliénés de Sienne, lui montrait ses peintures sauvages et violentes aux couleurs rageuses de fleurs agonisant en automne. Il se souvenait l'avoir salué, avant de partir pour Paris, au *Borgo dei Cappuccini*, où il construisait, pour vivre, des marionnettes de carton qu'il coloriait et des cerfs-volants pour les enfants. Au *Caffè Bardi,* il rencontre également le sculpteur Umberto Fioravanti ; le poète livournais Giosuè Borsi qui habitait désormais Rome et déclamait Dante comme personne ; et Sieur Ugo, le patron du *Bardi*, écoute extasié, oubliant pour une fois de faire payer les clients. L'après-midi, il se promène avec sa mère du côté de San Jacopo in Acquaviva comme quand il était enfant. C'est peut-être en longeant les établissements balnéaires *Pancaldi* qu'il lui annonce qu'il va rentrer à Paris.

La sculpture

"*C'est une figure singulière, attirante, que celle de Modigliani ! Dans la vie la plus désorbitée qui fût, ce peintre-sculpteur et ce sculpteur-peintre sut réaliser des nus merveilleux et des portraits non moins élus.*"

Gustave Coquiot

De retour à Paris, Amedeo retrouve la *Cité Falguière* et cette fois, il y habite. Il a donc décidé de quitter la colline des cubistes[20], où il ne fera plus que des incursions sporadiques, pour continuer sa quête à Montparnasse. Une semaine après son retour, il envoie ce billet au docteur Alexandre : "Cher Paul, à Paris depuis une semaine. Je suis passé en vain avenue Malakoff. Grande envie de te revoir. Salut."

Dans sa biographie, Jeanne Modigliani nous dit qu'il était alors impatient de montrer au docteur Alexandre un

---

(20) 1909 à Paris – La peinture cubiste fait de nouvelles recrues françaises : Delaunay, Gleizes, Herbin (qui est déjà au Bateau-Lavoir) Le Fauconnier, Léger, Lhote, Metzinger et Picabia. Ce dernier, de même que Kupka, exécute les premiers tableaux, considérés comme "abstraits". La sculpture cubiste rallie Archipenko et d'une manière indépendante aussi Brancusi. Lhote passe un an à Orgeville à la "Villa Médicis libre", fondé par Bonjean pour les artistes mariés, où séjournèrent aussi Jean Marchand et Raul Dufy.

tableau qu'il avait peint pendant son séjour en Italie et que de l'avis unanime de tous les témoignages qu'elle avait pu recueillir, ce tableau était le *Mendiant de Livourne*.

A la Cité Falguière, Modigliani fit le portrait d'un violoncelliste qui posait pour se chauffer et gagner quelques sous. Ce tableau et une étude préparatoire furent acquis par le docteur Alexandre qui, rapporte Jeanne, considérait l'étude comme "supérieure à Cézanne". Elle ajoute : "Tout en ne partageant pas l'admiration excessive d'Alexandre pour l'étude du *Violoncelliste,* j'y trouve une œuvre significative et complexe, dans laquelle se rencontrent les tendances les plus contradictoires. A la variation des tons froids – verts, bleus, blancs, gris – s'oppose, faisant à la fois contraste et équilibre, la variation chaude des marrons, rouges, ocres. A la désinvolture linéaire du visage et de l'interminable courbe du bras répond la densité de volume du violoncelle, véritable protagoniste du tableau." Après ses errances de Montmartre, après ses personnages inspirés de la rue, du monde du spectacle et du cirque, directement dans la lignée de l'expressionnisme, le joueur de violoncelle d'Amedeo surprit donc par sa maturité : composition rigoureuse et audace des couleurs assez innovatrices dans sa manière. Les deux points de vue se rejoignent peut-être plus que Jeanne semble le penser. En effet, si Paul Alexandre voit dans ce *Violoncelliste* un "super" Cézanne, c'est sans doute dû, en grande partie, à la densité du volume que Jeanne souligne, et qui pourrait bien provenir de la très importante influence cézannienne sur Modigliani. En cette même année 1909, le peintre Fernand Léger tient au sujet de Cézanne ce propos qu'on pourrait appliquer à Modigliani : "[...] mon intérêt pour Cézanne était venu en même temps que le besoin de grossir les volumes, il m'a fait me concentrer sur le dessin. J'ai alors pressenti que ce dessin devait être rigide, pas du tout sentimental."

Et la notion de volume nous ramène à la sculpture. La préoccupation première d'Amedeo est toujours la sculpture. Il n'a de cesse d'y revenir encore et encore. "Une force irrésistible le poussait à sculpter", rapporte le critique allemand Ernst Stoermer qui eut l'occasion de lui rendre visite dans son atelier en 1909. "Il se faisait apporter un bloc de grès à son atelier et sculptait en taille directe. Son travail l'accaparait alors aussi complètement que toutes les distractions plus ou moins fructueuses auxquelles il se livrait dans ses moments d'inactivité. Dès l'aube, on entendait le bruit de son ciseau. Les figures surgissaient de la pierre, sans qu'il eût besoin de faire un modèle en terre ou en plâtre. Il se sentait prédestiné à devenir sculpteur et, lorsqu'à certaines époques le besoin de sculpter le reprenait, il rejetait brosses et pinceaux pour saisir le marteau." Le critique et marchand d'art Adolph Basler en témoigne également : "Il semblait que Modigliani délaissait la peinture. Il était hanté par la sculpture nègre et par l'art de Picasso. La galerie Druet exposait à cette époque les œuvres du sculpteur polonais Nadelmann, sur le talent duquel l'attention de Gide et de Mirabeau fut attirée par les frères Natanson, fondateurs de la *Revue Blanche*.[21] Les expériences de Nadelmann dérangeaient Picasso ; en fait, le système de décomposition de la sphère que le sculpteur appliquait dans ses dessins et ses sculptures précéda les recherches cubistes de l'Espagnol, et Modigliani fut très frappé par son œuvre dont l'effet stimulant sur lui fut manifeste. Modigliani aimait les formes créées par la Grèce archaïque [...] Pendant des années, Modigliani ne fit que dessiner, traçant les arabesques souples des innombrables cariatides qu'il avait l'intention de tailler dans la pierre et dont il soulignait légèrement les courbes de bleu ou de rose. Il obtint ainsi un dessin sûr et harmonieux, qui reflétait sa personnalité empreinte de charme et d'une grande fraîcheur de sensibilité. [...] La sculpture était son seul idéal et il plaçait en elle de grands espoirs."

Déjà, Picasso règne en maître du cubisme dans le quartier, quant à Modigliani, Waldemar Georges souligne plus fortement l'influence de l'art primitif dans sa forme : "...sculpteur, il taille dans le granit des têtes rudimentaires et il inscrit les traits dans les unités du bloc. Ce bloc impose les proportions. Il semble que ce soit par la volonté d'observer une loi d'harmonie que l'artiste s'écarte à cette époque de la loi anatomique. Point de départ : le bloc, la forme cubique ou cylindrique d'origine sculpturale. L'artiste procède par voie de rabattement. Il désaxe une figure ou une tête pour en exprimer le volume. A l'instar des cubistes, il s'efforce d'en donner une vue frontale et sinon le profil, du moins une

---

(21) La Revue Blanche, *fondée à Bruxelles par Paul Leclercq en 1889, transférée à Montmartre en 1891, au 1 rue Laffitte, sous la direction de Thadée (1868-1951), rédacteur en chef de la* Revue, *et Alexandre Natanson, directeur, fils d'un riche banquier polonais. Parmi les maîtres : Mallarmé, Maurice Barrès, Verlaine, la nouvelle génération : Gide, Proust, Alfred Jarry, Péguy, Fénéon, Claudel, Apollinaire, Debussy, Léon Blum (qui tient la rubrique sportive), Octave Mirbeau, Henri de Régnier. A partir de 1893, la revue s'accompagne d'une litho originale. Grâce à Missia, femme de Thadée Natanson, muse aimée des artistes, Lautrec dessine en 1895 une couverture, ainsi que les Nabis : Bonnard, Vuillard, Valloton, Sérusier, Roussel, Maurice Denis...*

Missia reçoit dans leur maison de campagne ses amis artistes, les musiciens Debussy, Fauré, et aussi Claude Terrasse. En 1902 la Revue Blanche *est au 23, boulevard des Italiens.*

notion de profil. S'il déforme ce n'est point en *cubisant*. S'il stylise les formes, il le fait dans le sens de leur propre caractère."

Les rencontres avec Constantin Brancusi, Jacques Lipchitz, Oscar Mietschaninoff, les influences de Picasso, de l'art nègre et de la sculpture océanique, l'attraction des signes ésotériques et kabbalistiques de la tradition hébraïque, le souvenir de Tino di Camaino ont sans doute poussé Modigliani vers la sculpture plus que ses études artistiques et que sa véritable vocation. Etait-il au fond de lui un peintre sculpteur ou un sculpteur devenu peintre ?

Beaucoup pensent que la sculpture ne fut qu'une étape dans sa démarche de peintre mais Maud Dale, qui avait bien compris l'attitude de Modigliani, expliquait en 1931, dans sa préface au catalogue de l'exposition de Bruxelles, qu'il avait décidé de devenir sculpteur après avoir quitté le lycée et que c'est la faiblesse de sa santé qui l'aurait empêché d'accomplir sa vocation : "[...] Quand l'art nègre commence à exercer son influence sur le groupe de Montmartre, Modigliani est encore sculpteur. Les têtes en pierre et les nombreux dessins de cariatides qu'il nous a laissés montrent à quel point il a compris le pouvoir plastique de la sculpture... Mais son état de santé s'était aggravé, il renonça alors à sculpter sur pierre et se tourna définitivement vers la peinture." Dans son livre *Chiaroscuro*, le peintre anglais Augustus John qui rendit visite à Modigliani dans son atelier en 1909, écrit : "Le sol était couvert de statues qui se ressemblaient beaucoup entre elles par leur forme étonnamment mince et allongée. [...] Ces têtes taillées dans la pierre m'impressionnèrent profondément ; pendant des jours, après les avoir vues, j'étais hanté par l'impression de rencontrer continuellement dans la rue des gens qui auraient pu leur servir de modèle, – et sans que je fusse, moi-aussi, sous l'influence du haschisch. Se peut-il que Modigliani ait découvert un aspect nouveau, encore inconnu de la réalité ?" A Ortiz de Zarate, Amedeo avait confié, en 1903, alors qu'il était encore à Venise, qu'il "avait l'ardent désir de devenir sculpteur" et, ajoute Ortiz, "il se plaignait du prix élevé auquel revenait le matériel nécessaire... Il peignait seulement faute de mieux ; il voulait à tout prix travailler la pierre et ne cessa de le vouloir toute sa vie." Même Nina Hamnett, une amie anglaise qui ne rencontrera Modigliani qu'au printemps 1914, rapporte Jeanne, affirmera : "il a toujours considéré la sculpture comme son vrai métier." Et sa mère, Eugénie, lorsqu'elle lui écrivait à Paris, lui adressait ainsi ses lettres : "Amedeo Modigliani, sculpteur".

C'est le docteur Alexandre qui, en 1909, a mis en présence Brancusi et Modigliani. Les deux hommes ont vite sympathisé et sont devenus des amis. Constantin, de huit ans plus âgé qu'Amedeo, était né en Roumanie dans une famille de paysans très pauvres. Il avait gardé les moutons jusqu'au jour où il avait décidé de s'en aller à Bucarest pour étudier, en autodidacte, la sculpture sur bois chez un artisan. Sorti diplômé de l'Ecole des Beaux-Arts de Bucarest en 1902, il avait ensuite entrepris le voyage pour Paris, mais n'ayant pas d'argent pour se payer le billet de train, il avait terminé le trajet de Munich à Paris à pied, travaillant dans les fermes en échange d'un repas chaud et d'une botte de paille à l'étable pour dormir. Quand il arrive à Paris, en 1904, il a vingt-huit ans. Assez vite, il devient l'assistant du grand Rodin qui l'apprécie et l'encourage. Il n'est pas très cultivé mais viscéralement attaché à ses habitudes modestes et généreuses et à ses traditions paysannes. Bien qu'il ait une grande admiration pour Rodin, le maître est trop réaliste et trop classique pour lui. Modigliani jugera pour sa part la sculpture de Rodin "décadente". Pas très grand, râblé de stature, d'épais cheveux noirs, un profond regard un peu rêveur, un peu mystique, des dents très blanches illuminant sa belle barbe noire, Brancusi était le plus souvent vêtu d'une salopette bleue. Le dimanche, il allait chanter dans les chœurs de l'église roumaine de la rue Jean-de-Beauvais. Il occupait, au 54 rue du Montparnasse, un atelier toujours en désordre qui tenait davantage de la forge que de l'atelier d'artiste. Comme beaucoup d'artistes pauvres, Brancusi gagne sa vie en faisant la plonge dans les restaurants, décharge aux Halles ou fait les chambres dans les hôtels. Il taille directement dans la matière, sans passer par des modèles en plâtre, des sculptures aux formes ovales essentielles qu'il polit longuement et patiemment. Ce procédé de taille directe de la pierre séduit Modigliani, et quand il voit le Roumain sculpter avec tant de force, de ténacité et de talent, il repense que la sculpture est aussi son destin. Brancusi est d'un tempérament réservé, presque ours, tant il est sérieux, alors que Modigliani est plutôt impulsif, voire dionysiaque. Leurs deux styles semblent inversement proportionnels à leurs caractères. Les sculptures de Brancusi, le paysan rude, sont lyriques et raffinées ; celles de l'aristocratique Amedeo Modigliani sont lourdes, massives et brutes comme les statues de l'île de Pâques.

Brancusi aide Amedeo de ses conseils, lui prête même ses outils et son atelier. Selon le critique anglais John Russel : "L'influence de Brancusi sur Modigliani est plus psychologique que technique."

André Salmon racontera par ailleurs : "Modigliani vint à l'atelier de Brancusi les mains dans les poches de son éternel costume de velours, serrant sous son bras le portefeuille à dessins cartonné de bleu, qui ne le quittait jamais...

La Ruche, Modigliani assis devant sa sculpture dans le jardin.

Carte postale
à son ami Constantin
Brancusi, 1912,
Livourne.

*Modigliani devant l'ébauche de l'une de ses sculptures,
dans le jardin de son atelier.*

"Cariatide", sculpture dans le jardin de l'atelier.

Brancusi ne lui donna pas de conseils, ne lui fit pas la leçon, mais de ce jour, Modigliani se fit une idée de la géométrie dans l'espace bien différente de celle qu'on enseigne généralement dans les écoles ou les ateliers. Tenté par la sculpture, il s'y essaya et des impressions glanées à l'atelier de Brancusi, il conserva cet allongement de la figure reconnaissable également dans sa peinture."

Le berger roumain qui avait commencé à sculpter avec son petit canif quelques figures dans du bois tendre en surveillant ses brebis et qui était devenu l'un des fondateurs de la sculpture moderne avec sa simplification des formes tirait d'un seul bloc de pierre comme un magicien *Le Baiser* de 1908, ces deux personnages à peine esquissés enlacés dans les bras l'un de l'autre, ou *La Muse endormie*.

1910, année décisive

O place Clichy
O square d'Anvers
Jeux réfléchis
Du monde à l'envers.
O notre jeunesse
Gageures tenues
Et paris gagnés
Nos heures perdues
O jeunes années !

André Salmon

L'hiver est particulièrement pluvieux. Pendant plusieurs semaines la vie des Parisiens est marquée par des inondations mémorables, la Seine sort de son lit et monte jusqu'au premier étage des immeubles dans certains quartiers, tout s'arrête, les dégâts sont énormes et dans le centre de la capitale, on se déplace en barques.

Le catalogue du XXVIème Salon des Indépendants, qui se déroule du 18 mars au 1er mai 1910, nous renseigne sur l'adresse de Modigliani à cette époque : 14 Cité Falguière, cependant il n'a pas encore complètement largué ses amarres à Montmartre.

Amedeo présente six œuvres au Salon : deux études dont un portrait de Bice Boralevi et un portrait de Piquemal, *Le Mendiant de Livourne, La Mendiante, Lunaire* et le *Violoncelliste* qui rencontre un certain succès. Guillaume Apollinaire en parle dans un compte-rendu et André Salmon situe Modigliani auprès de Vlaminck "qui met knock out la nature" et de Van Dongen "au feu générateur". Dans un article publié dans *Paris-Journal* le 18 mars 1910, il relate sa visite à la Salle XVIII de l'exposition :

"Enfin! Après une déjà longue promenade, souvent fastidieuse, nous voici dans la cage des Fauves. Je dois le déclarer tout net, ils ne sont pas terribles. Quelques-uns ont un incontestable talent, presque tous sont sincères et, même à travers les pires erreurs, on devine leur ambition qui est d'atteindre à l'art le plus paisible. Ces Fauves ont le goût de la sagesse absolue. Pourtant, ils ont tout saccagé de l'héritage ancestral. Et ceci n'est pas raisonnable... Robert Delaunay, dont les aspirations sont louables, semble absolument égaré ; Le Fauconnier qui demande indifféremment son chemin à Matisse, à Picasso et à l'ombre auguste de Cézanne est son frère en exil, hors des voies de la certitude. Rien dans le paysage parisien de Delaunay ne lui appartient en propre et tant d'efforts contradictoires font son audace injustifiable ; sa cahotante cathédrale n'est-elle pas une réplique de certaine cathédrale de Rouen exposée, ici même, il y a quelques années ? Mieux doué, Dufy se trompe lorsqu'il croit la peinture à l'huile propre à la réalisation de ses conceptions. Il faut inlassablement lui répéter qu'il sera, s'il le veut, le meilleur graveur sur bois de cette époque si pauvre en illustrateurs. Le Fauconnier et quelques autres se proclament volontiers anarchistes de l'art ; venus après les journées d'émeute et de massacre, ils ne sont que des jacobins, ils académiseront à leur tour tyranniquement... Or, tout cet effort aboutit à la laideur, et, pire malheur, à la laideur conventionnelle. Matisse, représenté par une œuvre boiteuse, professe, tandis que peignent Le Fauconnier et ses amis. L'excellence de l'ordonnance chez Lhote leur est pourtant d'un salutaire exemple. Que d'heures de labeur fertile avez-vous fait perdre à Metzinger, sensible et qui, malgré vous, nous apporte un bon portrait, me dispensant de critiquer son paysage ! L'art ne tient pas dans une équation, artistes trop subtils, bons mathématiciens. Avez-vous honte de votre instinct ? L'heure est venue de dire des choses très simples et de rappeler que le goût est encore le plus certain des guides. Les Parnassiens, poètes marmoréens et que vous méprisez, vous ressemblaient, ils aimaient la poésie des cubes, ils avaient banni l'inspiration, parfois perfide, j'en conviens. Mais croyez-le, peintres savants, vous édifiez avec des dominos des temples que pourrait bien miner le coup de poing d'un brut génie.

Mlle M. Laurencin, dont l'imagination va des parcs de France aux jardins persans, doit être d'abord louée pour son courage. Elle a, réservant des œuvres d'une séduction immédiate, tenu à envoyer cette année des toiles d'une signification plus haute. Cette jeune artiste, très en progrès, nous apporte deux figures, d'une rare beauté, dépouillées de tout artifice. Citant Modigliani, victime des "purs" de cette salle inoubliable, j'aurai tout dit lorsque j'aurai rendu hommage au Douanier Rousseau, auteur d'un *Paradis terrestre* qui fait face à celui de Friesz. Un tableau de Rousseau ne se juge plus, il se raconte et c'est une touchante histoire. Dans une forêt vierge, peuplée de fauves – encore ! – et d'oiseaux, madame Eve est couchée sur un canapé grenat ; dans le fond, un Adam noir lui joue de la clarinette. Ne rions pas trop fort. Il y a dans cette composition naïve de vraies qualités. Gravée, l'œuvre de Rousseau serait saisissante, autant que le bois de Georgin, le bon imagier d'Epinal. Ni André Derain, ni Georges Braque n'exposent cette année."[22]

On en parle dans *l'Intransigeant*. Amedeo est heureux que sa peinture soit enfin appréciée. Il écrit à sa mère : "Quel swing je leur ai mis !" "Les commandes, cependant, n'affluaient pas, témoigne Louis Latourette. Il faut reconnaître que l'indépendance ordinaire de Modigliani ne se prêtait guère à l'exploitation de sa vedette. Des ventes à des amateurs peu munificents ne garnirent pas beaucoup sa bourse. Assez, néanmoins, pour lui permettre une débauche plus intense dans les popines et dans les fumeries."

A ce même Salon, un tableau d'un certain Joachim Raphaël Boronali intitulé *Coucher de soleil sur l'Adriatique* fait sensation. Ce tableau aux couleurs criardes et aux ombres superposées se révèlera un coup monté par les écrivains et chroniqueurs Roland Dorgelès et André Warnod qui, rendant public le nom de l'auteur, Boronali anagramme d'aliboron, dévoileront qu'il n'est autre que Lolo, l'âne du père Frédé. Dorgelès qui n'aimait pas Picasso ni les cubistes avait trouvé ce moyen de les ridiculiser, attachant un pinceau trempé dans la peinture à la queue de l'âne, qui avait fait le reste de ses coups de queue, barbouillant la toile vierge, en présence d'un huissier afin qu'on ne pût, par la suite, contester l'authenticité du canular. D'aucuns disent que la plaisanterie fut suggérée à Dorgelès et Warnod par Bernheim-Jeune pour railler les futuristes. Ils avaient fait de Boronali le chef d'une école dite "excessivisme" et étaient allés jusqu'à composer un manifeste parodiant le style de Marinetti : "Holà ! Grands peintres excessivistes, mes frères, holà ! Pinceaux rénovateurs. Brisons la palette archaïque, et posons les principes de la peinture de demain..."

L'affaire Boronali est probablement la quintessence de ce que "l'esprit" montmartrois peut avoir de pervers. Roland Dorgelès, connu pour ses farces de rapin et ennemi de l'art d'avant-garde, et André Warnod empruntèrent l'âne de Frédé, animal à la retraite et grand amateur de tabac à brouter ; en présence du peintre Girieud, venu en voisin de la rue des Saules, de l'humoriste Genty qui habitait en face, de la chanteuse Coccinelle et d'un huissier Maître Paul-Henri Brionne, Dorgelès trempa la queue du baudet dans la peinture, puis on lui donna à manger, et l'animal manifesta sa joie en remuant la queue sur une toile opportunément placée. L'œuvre jugée terminée, l'homme de loi s'était enquis de son titre, afin de compléter son constat. C'est Dorgelès qui en décida : Et le soleil s'endormit sur l'Adriatique, *signé Joachim Raphaël Boronali pour faire italien c'est-à-dire futuriste, donné comme chef de file de "l'excessivisme". Le constat fut facturé dix-huit francs et vingt centimes. Exposé au Salon des Indépendants de 1910, le succès dépassa les espérances des auteurs du canular, surtout lorsque ceux-ci en firent part à la presse. Il faut dire que Dorgelès avait prévu des comparses, en particulier deux de ses amies qui passaient et repassaient devant le tableau en disant -Mais c'est Boronali ! Tu sais, celui qui a publié ce manifeste – Ah! oui. Le futuriste. Le journal* Le Matin *sortit l'affaire avec la complicité de Dorgelès. Ce fut dans Paris un éclat de rire général. Les compères désiraient se moquer de l'art moderne, la farce aboutit en fait à ridiculiser les critiques d'art. Le tableau fut vendu quatre cents francs soit vingt louis d'or en un temps où l'on avait un Dufy pour deux pièces de cent sous. Cette somme fut remise à l'Orphelinat des Arts ce qui fit de Boronali un philanthrope. De nos jours, la copie du tableau est conservée au Musée de Montmartre, sans que l'on sache très bien à quel titre : veut-on continuer le canular et se moquer des avant-gardistes, ou est-ce le témoignage d'un esprit frondeur ? On touche là à ce qui fait le fond de l'ambiguïté de Montmartre ; certains écrivains ont vu dans les rénovateurs de l'art moderne des canards couvés par une poule ; et*

---

(22) 1910 à Paris – 18 mars, vernissage du 26ème Salon des Indépendants. Modigliani expose avec Brancusi, mais aussi à côté de Archipenko, Delaunay, Marcel Duchamp, Duchamp Villon, Gleizes, Le Fauconnier, Léger, Lhote et Metzinger.

d'ailleurs André Salmon avait noté dans ses souvenirs de la Butte que l'œuvre n'était pas si mal que ça et que l'on pouvait y distinguer l'influence de Girieud qui avait orienté les coups de queue de l'animal. Encore un trait de ce fameux humour montmartrois, très proche de celui du Chat Noir *et du* Mirliton. *Boronali devait finit sa vie dans la propriété de Pierre Mac Orlan à Saint-Cyr-sur-Morin ; ne voyant plus personne, Frédé ne venait que rarement, il devint neurasthénique et, dit-on, se suicida dans un bras du Petit-Morin qui bordait son enclos.*

A Montmartre, tout finit par des chansons, c'est ainsi que Martin-Kavel écrivit paroles et musique d'une œuvrette oubliée qu'il intitula le Chef-d'œuvre impressionniste.

L'un des interlocuteurs favoris et compagnon de beuverie d'Amedeo à cette époque fut le prince Constantin Lahovary-Soutzo, poursuit Louis Latourette : "[...] poète subtil, philosophe capiteux, parisien d'extrême finesse. Leurs humeurs pareillement patriciennes s'accordaient à merveille. La curiosité excentrique de l'aîné (c'était le prince) accueillait les confidences du cadet, ses frénésies quant aux révolutions de la ligne et de la couleur, s'intéressait aux intentions exprimées, leur apportait les correctifs d'une expérience érudite et délicate. Modigliani criait. Le prince répondait d'une voix posée et blanche. Tard, dans la nuit, les deux hommes, disparus dans la fumée de cigarettes sans interruption, échangeaient idées et opinions parmi le vacarme des tavernes. Modigliani avait pour le prince une dévotion vraiment filiale. Sur les pentes ténébreuses de la rue Lepic, leurs colloques s'éternisaient. A vivre ainsi, le peintre travaillait peu. J'estime cependant que c'est à ce moment qu'il dégagea sa manière. Une euphorie de création le possédait, dont il parlait avec un légitime orgueil, mais sans intensifier sa production.

– J'exécute au moins trois tableaux par jour dans ma cervelle, disait-il. A quoi bon gâcher de la toile, puisque les amateurs me boudent ?

Les jours de misère étaient de nouveau nombreux et lugubres. Modigliani dut abandonner son studio en planches de la place Jean-Baptiste Clément.[23]

Avant de s'en aller, sur la terrasse menant à son atelier, il fit un furieux autodafé des dessins et des esquisses. Les voisins, devant les flammes, crurent à une crise de démence.

– Ces babioles de jeunesse ne valent pas autre chose, répliqua-t-il à un camarade consterné – l'un des premiers qui le devina.

Il n'emportait avec lui qu'une dizaine de toiles parmi lesquelles un paysage représentant le cerisier en fleurs du petit square voisin, dominé par l'ancien réservoir d'eau de Montmartre. A chaque printemps, la floraison de ce cerisier était pour lui une fête. [...] Il campa quelques semaines dans l'ancien couvent des Oiseaux, boulevard de Clichy, dont le terrain était momentanément concédé à des rapins et à des camelots. Un vague théâtre avait même été dressé dans le fond. Modigliani eut une ardente toquade pour l'une de ses actrices et modela d'après elle un buste qu'il revendiquait comme l'un de ses meilleurs accomplissements. Le dernier domicile occupé par lui à Montmartre fut un pauvre atelier dans le passage de l'Elysée-des-Beaux-Arts. J'y rencontrai plusieurs fois Guillaume Apollinaire. C'est là que Modigliani connut la satisfaction de ses premières ventes un peu rémunératrices. Il avait conçu le projet d'en appliquer les recettes à un voyage sur les bords de la Loire.

– J'y retrouverai les Médicis que j'aime tant... disait-il.

Il n'alla pas plus loin qu'Orléans. Sa prospérité n'avait été qu'éphémère. Il lui fallut s'humilier à de sots portraits pour gagner sa pitance. Il était à peu près dénué de ressources quand il se décida à l'émigration définitive sur l'autre rive."

Malgré le petit succès de Modigliani, le seul à lui avoir acheté des tableaux à l'exposition fut le docteur Alexandre. Modigliani déchanta vite, se retrouva de nouveau sans un sou et changea encore plusieurs fois d'adresse. On le retrouve rive gauche à La Ruche, au 216 boulevard Raspail, puis de nouveau à Montmartre au 16 rue du Saint-

---

(23) *La rue Lepic se termine en haut de la colline sur la place Jean-Baptiste-Clément, place triangulaire portant le nom du créateur de la chanson* le Temps des cerises, *qui habita le 11. C'était au Moyen Âge la place du Palais où se tenaient les réunions et les fêtes du village. Avant de prendre le* Lapin Agile *en 1903, Frédé tenait le cabaret le Zut plutôt mal famé et où les bagarres étaient fréquentes ; Picasso l'avait décoré de nus aux traits bleus et d'un portrait géant de Sabartès ; Pichot sur un autre mur avait dessiné une Tour Eiffel survolée par le dirigeable de Santos-Dumont. L'adresse de Modigliani était au N° 7 de la place.*

La rue de l'Elysée-des-Beaux-Arts qui abrita de nombreux artistes porte depuis le 2 août 1951 le nom du fondateur du Théâtre Libre*, André Antoine (1858-1943). Elle se situe entre le boulevard de Clichy et la rue des Abbesses, près de la place Pigalle.*

Gothard, puis de nouveau à Montmartre au 39 passage de l'Elysée-des-Beaux-Arts, et au Bateau-Lavoir à diverses reprises. Il devient comme dit Apollinaire "le flâneur des deux rives".

On sait que Modigliani vendait également à d'autres collectionneurs. Mariska Diedrich, artiste russe mariée à un peintre américain, lui acheta ses œuvres de la période 1910-1912 et posséda plusieurs dizaines de dessins. Plus tard, deux fonctionnaires de la préfecture de police du XIVème arrondissement, le commissaire Zamaron[24] et Lucien Descaves, le frère du romancier, allaient accumuler d'importantes collections, et parmi elles plusieurs toiles de Modigliani. Mais, si le commissaire Zamaron a souvent été bienveillant avec Modigliani et Utrillo lorsqu'ils se trouvaient en difficultés avec la police pour cause d'ivresse sur la voie publique, en revanche, Descaves a plutôt laissé de mauvais souvenirs chez les artistes de Montparnasse. Il est resté célèbre pour avoir payé deux cents francs des dizaines de toiles d'Utrillo et pour avoir prêté à Modigliani de l'argent en échange de toiles qu'il ne rendait pas.

La même année 1910, Renato Natali rejoint Paris après avoir exposé à la Biennale de Venise. Il s'installe près de l'Etoile dans l'appartement de l'auteur dramatique, Dario Niccodemi, où il aura l'occasion de rencontrer, lors d'une soirée organisée par le maître de maison, entre autres compatriotes, Gabriele D'Annunzio qui, pendant ces années d'exil volontaire à Paris travaillait au texte de *Parisina* pour la musique de Pietro Mascagni, un autre livournais. L'année suivante, D'Annunzio devait écrire *Le Martyre de saint Sébastien* avec Claude Debussy. A plusieurs reprises, Renato Natali tentera d'introduire Amedeo dans ce monde d'Italiens à Paris, il essaiera de se faire accompagner aux *Folies Mistinguett* et à *Medrano* pour lui faire rencontrer le célèbre affichiste Leonetto Cappiello, livournais lui aussi. Mais Amedeo, qui déteste ce monde petit-bourgeois, refuse sans toutefois montrer sa désapprobation pour ne pas froisser une vieille amitié. Pour lui, le fait d'être italien ne constituait ni un critère ni une priorité dans le choix de ses amitiés.[25]

1910, c'est aussi l'arrivée des Ballets russes. Après s'être ingénié à faire connaître l'art et la musique russes en Europe de l'ouest, Serge de Diaghilev offre à l'Opéra de Paris, sur des chorégraphies de Michel Fokine, dans des décors et costumes de Léon Bakst et d'Alexandre Golovine, le *Schéhérazade* de Rimski-Korsakov, la première création de sa troupe de Ballets russes, et *L'Oiseau de feu* du jeune compositeur Igor Stravinski. On s'enthousiasme pour le talent du danseur étoile, Vaslav Nijinski, dont Modigliani fera des portraits au crayon avec une ligne dépouillée, fluide et inspirée des costumes de scène.

---

(24) Le Commissaire Zamaron, a sa place dans l'histoire de l'Ecole de Paris. Il appartient à la chronique de la Ruche, de la Cité Falguière et de Montparnasse. Zamaron, avec son visage glabre et ses longs cheveux, avait l'air d'un historien. Il connaissait tous les gens du quartier et les tutoyait. On le trouvait dans tous les bistrots entre le soir et l'aube. Le commissaire fut initié à la peinture par Gustave Coquiot. Tous les artistes, y compris Utrillo, Modigliani et Soutine s'adressaient à lui lorsqu'il leur arrivait d'avoir des histoires avec la police et il les aidait à sortir du pétrin. Quand les artistes étrangers avaient des difficultés avec leur permis de séjour c'était Zamaron qui arrangeait leurs affaires. Il adorait la peinture et collectionnait des tableaux. Les deux pièces de son bureau à la préfecture étaient encombrées de toiles qui s'entassaient jusqu'au plafond. Il possédait non seulement des toiles d'Utrillo, de Modigliani, de Soutine et de Krémègne, mais encore pratiquement de tous les artistes étrangers qui avaient séjourné à Montparnasse. Il eut des malheurs dans sa vie privée et sa collection fut dispersée, à des prix ne dépassant guère ce qu'il avait lui-même payé. Le 9 juin 1918, il vendit à l'Hôtel Drouot quatre-vingt-deux Utrillo de sa collection.

(25) Le cirque Fernando. A l'angle sud-est du croisement de la rue des Martyrs et du boulevard de Rochechouart, dans un terrain, alors vague s'installe en 1873 une troupe équestre et ambulante menée par Ferdinand Wartenberg dit Fernando. L'année suivante, Fernando fait construire un cirque en dur qui fut inauguré en 1875. Il fermera en 1897 et rouvrira plus tard sous le nom de cirque Médrano. Dès l'ouverture le cirque est fréquenté par Renoir ("Au cirque Fernando, les jongleuses", 1879, au Chicago Art Institute) et Degas ("Miss Lala," la mulâtresse). Mais c'est surtout Toulouse-Lautrec qui va y prendre nombre de sujets, et notamment les clowns Footit et Chocolat, ainsi que la clownesse Cha U Kao qui se produit aussi au Moulin Rouge. Seurat a peint la Parade (1887-88, au Metropolitan Museum) et le Cirque (1890-91 au Musée d'Orsay) dans lequel Angrand figure au premier plan. Ibels et Bonnard y ont également trouvé l'inspiration. Picasso y vint souvent, ainsi que Cappiello qui décora d'une fresque la brasserie voisine le Dupont-Barbès devenu le magasin Tati ; la fresque disparut pendant les travaux en 1961. Gen Paul connut lui aussi les clowns du cirque dont certains habitèrent l'allée où se trouve le rocher de la Sorcière qui débouche sur l'avenue Junot. Il fréquenta aussi le Café des Artistes sur le boulevard de Rochechouart où se retrouvaient les clowns et les belles écuyères. Le cirque ferme ses portes en 1963, un triste immeuble d'habitation prend sa place, le promoteur le baptise Le Bouglione ; ironie du sort.

Modigliani dans son atelier, à la Cité Falguière.

De Montmartre à Montparnasse

"Montparnasse d'ores et déjà remplace Montmartre. Alpinisme pour alpinisme,
c'est toujours la montagne, l'art sur les sommets. Les rapins ne sont pas à leur aise
dans le Montmartre moderne, difficile à gravir, plein de faux artistes,
d'industriels fantaisistes et de fumeurs d'opium à la flan."

Apollinaire

Fréquentée depuis le XIIème siècle par les étudiants de la Sorbonne et des nombreux collèges avoisinants, la colline du mont Parnasse fut pratiquement rasée par les grands travaux de Colbert destinés à remplacer les murs d'enceinte par de larges promenades. Après l'inauguration du boulevard du Montparnasse en 1760, le quartier se couvre de cafés, de guinguettes, de bals champêtres et les aristocrates commencent à s'y faire bâtir des hôtels particuliers. Au XIXème siècle, ce sont les grands bourgeois qui s'y logent dans de grands et beaux immeubles construits le long des boulevards Raspail et du Montparnasse ; et à partir de 1910, les artistes délaissant Montmartre s'y installent dans de plus modestes immeubles où des dizaines d'ateliers sont regroupés en cités. "Voici le Montparnasse qui est devenu pour les peintres et les poètes ce que Montmartre était pour eux il y a quinze ans : l'asile de la libre et belle simplicité", écrit Apollinaire. Derain et Vlaminck avaient déjà quitté leur trou de Montmartre pour des appartements sinon luxueux plus convenables de la rive gauche.[26]

A Montparnasse, on commence alors à voir transhumer toute la bohème montmartroise chargée d'un bric-à-brac invraisemblable sur des charrettes à bras. Les "rois mages de la peinture", comme les appelle Jean-Marie Drot dans *Les Heures chaudes de Montparnasse,* "pauvres pour la plupart, guidés par on ne sait quelle étoile", arrivent avec leurs fous espoirs de conquête et s'en vont loger à La Ruche, à la Cité Falguière, à la Cité du Maine, rue Notre-Dame-des-Champs, rue Joseph-Bara ou rue Campagne-Première. Certains installent leurs ateliers dans des écuries désaffectées ou d'anciens pavillons de maraîchers. Unis par la solitude et la misère, ils se retrouvent dans le bruit étourdissant de deux modestes bistrots, *La Rotonde* et *Le Dôme,* situés l'un en face de l'autre au carrefour Vavin. Les dessinateurs, les peintres, les poètes se mêlent aux ouvriers des chantiers voisins, aux employés, aux marchands, commis bouchers au tablier taché de sang, femmes de petite vertu, modèles, aventuriers, escrocs, chauffeurs de taxi, demi-clochards, étudiants, un vrai monde de tour de Babel.

Etalant sa belle terrasse côté sud du boulevard, *La Rotonde* est un ancien magasin de chaussures que le père Libion a transformé en bar en 1911. Il y fait venir des journaux du monde entier et les artistes passent là des heures et des heures à lire, à discuter au chaud devant un café-crème. Pour attirer la clientèle, Victor Libion leur permet d'accrocher leurs tableaux sur ses murs. "Ce sont des types que l'on remarque et ils finiront par rendre mon café célèbre", disait-il. Il faut avouer que tel qu'ils étaient accoutrés, les artistes ne pouvaient pas passer inaperçus. Kisling portrait les cheveux à la

---

(26) *Cette légende du départ des peintres de Montmartre n'est pas strictement conforme à la réalité : ils ne se sont pas portés en masse vers Montparnasse. Ceux qui sont partis ont peuplé différentes régions de France, surtout le Midi. Si on examine la biographie de tous les artistes concernés, on se rend compte que peu d'entre eux ont pris un atelier à Montparnasse. En fait, ce village de la rive gauche a été peuplé après la guerre par des artistes venus d'Europe centrale, de l'Est et de Russie, une immigration juive essentiellement, chassée par les fractions bolcheviques et la montée du racisme. Même Modigliani et Pascin n'ont pas vraiment quitté la Butte, ce dernier d'ailleurs s'est suicidé dans son atelier du boulevard de Clichy. Cette interprétation vient du fait que si beaucoup d'artistes de la Butte ont fréquenté les terrasses du* Dôme, *de la Coupole et de la Closerie des Lilas, peu d'entre eux y ont pris un atelier. Si on examine la question dans sa réalité profonde, ce sont les écrivains, les poètes, les critiques qui ont rejoint Montparnasse. Avec l'aide des photographes et des journalistes, ils ont créé ce fameux mythe. C'est André Salmon, dès 1909, qui le premier a donné le départ de cette légende.*

Jeanne d'Arc, Granowski s'habillait en cow-boy, Pascin de noir corbeau des pieds à la tête, Maurice de Vlaminck s'exhibait en faux tzigane, Van Dongen et Derain portaient chapeau melon, Picasso déambulait bariolé et *casquetté*, Matisse en salopette, Jean Cocteau et Raymond Radiguet en *homos* mondains. A *La Rotonde*, Modigliani déclamait Dante tandis que Lénine et Trotski complotaient, jouant aux échecs dans un coin. La bande d'Apollinaire, les fauves, les futuristes et les cubistes y venaient finir leurs soirées. Ilya Ehrenbourg qui vit naître Montparnasse décrit ainsi *La Rotonde* : "Ce qui frappait de prime abord, c'était l'aspect bizarre des types, la diversité de leurs langages, quelque chose dans le genre d'un pavillon d'une exposition internationale ou d'une avant-première des futurs congrès de la paix. L'arrière-salle, pièce sombre et irrémédiablement imprégnée de fumée de tabac, contenait dix ou douze tables. Le soir, cette pièce était comble et résonnait de cris, on y discutait peinture, on récitait des poèmes, on cherchait le moyen de se procurer cinq francs, on se querellait, on se réconciliait, quelqu'un se saoulait et on le traînait dehors."

La clientèle du *Dôme*, en revanche, était plus raffinée, plus sélectionnée, plus riche. Au *Dôme*, exposé au nord et plus vieux de quinze ans que *La Rotonde*, les Allemands et les Scandinaves agissaient en maîtres, faisaient d'interminables parties de billard. Les Allemands, dont Hans Purmann, Meier Graff, Otto von Wattgen, étaient presque tous des collaborateurs de la revue humoristique munichoise *Simplicissimus*. Parmi les Scandinaves, Diriks, Per Krohg, Osterlind venus à Paris pour étudier.

Deux autres bistrots où l'on vivait la nuit dans un climat de ferveur intellectuelle et de folie créatrice : *La Closerie des Lilas* et le *Petit Napolitain.*

Et c'est dans le vacarme de tous ces bistrots enfumés qu'allait naître l'Ecole de Paris. Evoquant ses souvenirs dans son ouvrage *Trente Ans de Montparnasse*, l'artiste-écrivain Henry Ramey retrace quelques détails anecdotiques de la réalité quotidienne : "Dans le quartier mi-Vaugirard, mi-Montparnasse, s'élève au fond d'une impasse la Villa Falguière. Nous l'avions baptisée la Villa Rose, parce qu'à l'origine elle avait dû être peinte en vrai rose, mais à cette époque, elle était déjà devenue pâle et décolorée, décrépie par le temps, la négligence et l'esprit d'économie de ses propriétaires. C'est dans cette oasis que je connus Modigliani, mon voisin d'atelier. En ce temps-là, comme en bien d'autres lieux, il n'y avait ni gaz, ni électricité, bien entendu, et les locataires devaient s'éclairer à la bougie s'ils ne possédaient pas de lampe à pétrole. La propriétaire de la villa, qui faisait office de concierge, était aussi marchande de bougies. Modigliani l'avait en haute estime. "C'est une femme balzacienne", affirmait-il ; et lorsqu'on émettait devant lui le moindre petit reproche, susceptible de diminuer la grandeur de ce personnage, on le voyait s'échauffer et prendre avec vigueur la défense de cette estimable personne. "Elle vend des bougies, c'est vrai, disait-il, elle ne vous en ferait jamais cadeau d'une, cela non ; elle marque à votre compte les moindres achats, mais elle a cette largeur de vue qui permet de comprendre les difficultés de la vie d'artiste : elle fait crédit ! Pourvu que ses livres soient impeccablement tenus, elle se tient pour satisfaite, et la longueur de la liste des notes impayées, loin de la troubler ou de l'inquiéter, semble la ravir car elle augmente la quantité de paperasserie dont elle est fière. Une femme mécène à sa manière, vous dis-je, un personnage de Balzac ! Tôt levé, Modigliani taillait la pierre dans la cour. Les têtes aux longs cous s'alignaient devant son atelier, les unes à peine ébauchées, d'autres entièrement achevées. Il y travaillait aux différentes heures de la journée, suivant la forme sous les différents éclairages ; vers le soir sa journée terminée, il les arrosait. Comme des fleurs qu'on soigne avec amour, parfait jardinier de sa sculpture, lentement il laissait couler l'eau par les nombreux petits trous de la pomme d'arrosoir, et les figures hiératiques et primitives nées de son ciseau, ruisselaient. Alors Modigliani, accroupi sur le seuil de sa porte, regardait briller ses œuvres aux derniers reflets du soleil couchant et, calme, heureux, disait: "Elles ont l'air d'être en or." La digne propriétaire de la villa n'était plus très jeune et mourut un beau matin. Son fils lui succéda ; c'était un homme malade, d'humeur changeante, mais pas mauvais bougre. Modigliani et lui ne s'entendaient guère. Celui-ci réussissait pourtant à ajouter terme impayé à terme impayé sans que le digne descendant de la marchande de bougies insistât trop pour le règlement. La vie continuait dans le calme de la villa, où peintres et modèles vivaient un peu en famille. L'art de Modigliani se synthétisait de plus en plus. Ses têtes prenaient peu à peu la forme d'un œuf allongé, surmontant un cylindre parfait, avec quelques indications d'yeux, de nez et de bouche, peu accusés afin de ne pas détruire la grande forme plastique. Son admiration pour la beauté "noire" allait en augmentant ; il se procurait l'adresse de rois nègres déchus et leur écrivait des lettres pleines d'admiration pour le génie de leur race. Il était désolé de ne jamais recevoir de réponse..."

Tout comme Modigliani, le sculpteur américain Jacob Epstein, venu à Paris pour réaliser le tombeau d'Oscar Wilde au Père Lachaise, apprécie l'art nègre. C'est ce qui les rapproche. Ils sympathisent et deviennent amis. Epstein confiera plus tard son admiration pour Modigliani à Arnold Haskell qui la transcrira dans le *Sculptor Speaks* : "Modigliani est un exemple de peintre-sculpteur moderne. A un certain moment, il produisit quelques sculptures très intéressantes avec des visages fins et curieusement allongés, des nez en lame de rasoir qui se brisaient souvent et qu'il fallait recoller. Il achetait pour quelques francs à un maçon un bloc de pierre qu'il ramenait chez lui dans une brouette. Il avait une vision bien à lui, influencée mais non dominée par l'art nègre, et les gens qui le tiennent pour un imitateur se trompent. [...] On avait l'impression qu'il ne veuille jamais aller se coucher, je me rappelle très bien qu'une nuit, très tard, on avait à peine pris congé de lui, qu'il nous rattrapa dans la ruelle en nous appelant, et nous pria comme un enfant pris de peur de revenir. A cette époque, il vivait seul."

Dans son autobiographie *Let there be sculpture*, Jacob Epstein décrit l'atelier d'Amedeo comme "un misérable trou donnant sur une cour intérieure, contenant neuf ou dix têtes et une statue en pied ; la nuit, il posait une bougie sur chacune d'elles et l'on se croyait dans un vieux temple. Dans le quartier circule une légende selon laquelle Modigliani embrassait ses statues lorsqu'il était sous l'influence du haschisch."

La poétesse Anna Andrevna Gorenko, mieux connue sous son pseudonyme d'Anna Achmatova[27], une princesse russe née à Odessa, et venue en voyage de noces à Paris après son mariage avec le poète Nicolay Goumilev en 1910, rencontre Modigliani au Quartier Latin. Elle a vingt ans, Modigliani vingt-six. Elle est très mince, avec un beau visage, des cheveux noirs, des yeux de biche. Amedeo se met aussitôt à la courtiser ; elle lui rappelle Maud Abrantès. Il lui dit qu'il est peintre, qu'il est juif, qu'il vient de Livourne et lui demande de poser pour lui. Et pendant que le mari est à la Sorbonne pour des cours ou des conférences, ils se promènent tous deux au Jardin du Luxembourg. Leurs rencontres leur semblent fugaces comme s'ils n'avaient pas le temps de tout se dire. Elle ne cache pas son amour pour le peintre méconnu. Lorsqu'elle repartira pour la Russie avec son mari, Amedeo lui écrira des lettres enflammées. Et elle lui répondra souvent par des poèmes :

"Je m'amuse quand tu es ivre
et dans tes histoires il n'y a pas de sens
Un automne précoce a éparpillé
de jeunes étendards sur les ormeaux."

En 1911, elle revient à Paris pendant deux mois et habite au 2 de la rue Bonaparte tandis que son mari part pour six mois en Afrique après avoir approvisionné son compte en banque pour qu'elle ne manque de rien. Dans *L'Europa letteraria* publié à Rome en 1964, elle écrit à propos de Modigliani : "En 1910, je l'ai vu très peu, seulement quelques fois. Cependant il m'écrivit pendant tout l'hiver. Alors, il ne m'a pas dit qu'il faisait des vers. Comme je crois comprendre maintenant, ce qui le touchait en moi, c'était cette possibilité que j'avais, plus que d'autres, de deviner les pensées, de percevoir les rêves des autres et tant d'autres petites choses auxquelles sont habitués ceux qui me connaissent. Il répétait toujours : "on communique", en ajoutant : "il n'y a que vous pour réaliser cela". Nous deux, nous ne comprenions probablement pas que tout ce qui nous arrivait était la préhistoire de notre vie : très courte la sienne, très longue la mienne. Le souffle de l'art n'avait pas encore brûlé, transformé nos deux existences ; cela était encore l'heure légère et lumineuse qui précède l'aurore. Et le futur qui, comme on sait, jette son ombre avant même de se réaliser, frappait à la fenêtre, se couchait derrière les réverbères, coupait les rêves et faisait peur dans ce terrible Paris baudelairien qui sourdissait non loin. Tout ce qu'il y avait de divin chez lui l'était à travers un état de ténèbres. Il était différent, tout à fait différent de quiconque au monde. Sa voix m'est restée d'une certaine façon pour toujours dans la mémoire. Je l'ai connu pauvre, on ne savait pas comment il faisait pour vivre ; comme artiste il n'était reconnu par personne. Il habitait alors dans l'impasse Falguière. Il était indigent, ainsi au Jardin du Luxembourg nous nous

---

(27) Née en 1889, Anna Achmatova fut le témoin et la victime des années "difficiles" de la Russie tsariste. Après ses études à Saint-Pétersbourg et à Kiev, elle adhère aux mouvements révolutionnaire puis staliniste, Anna épouse Goumilev, chef de file du mouvement acméiste auquel elle adhère aussi. Elle découvre Paris, y devient l'amie de Modigliani. Ses impressions d'alors prennent la forme d'un essai : Modigliani. Elle avait rappelé que "Modigliani s'intéressait aux aviateurs… mais quand il faisait connaissance avec l'un d'eux, il était déçu : ce n'était que des sportifs – mais qu'espérait-il ? Amedeo écrivait de très longues et très belles lettres : "Je tiens votre tête entre mes mains et je vous couvre d'amour". A la fin de sa vie elle fit une note à son secrétaire, le poète Anatoly Neiman : "Comment peut-on parler d'héritage ? Il n'y a que le dessin de Modigliani à emporter sous le bras".

asseyions toujours sur des bancs et non sur des chaises qu'il fallait louer. Il ne se plaignait de rien, ni de sa misère, ni du fait qu'il ne fût pas reconnu. Une fois simplement, en 1911, il me dit que l'hiver précédent avait été si dur pour lui qu'il n'avait même pas pu penser à ce qui lui était le plus cher. Il me parut entouré d'une boucle de solitude. Je ne me rappelle pas qu'il eût salué quelqu'un au Jardin du Luxembourg ou au Quartier Latin où tout le monde se connaissait plus ou moins. Il ne m'a jamais parlé d'une connaissance, ni d'un ami ou d'un artiste ; et je ne l'ai jamais entendu plaisanter. Je ne l'ai jamais vu saoul. Il ne sentait pas le vin mais je ne peux pas mettre en doute ceux qui le décrivent différent de ce que je l'ai connu. Je n'ai peut-être seulement connu qu'une facette de sa vie lumineuse. Evidemment, il se mit à boire plus tard, même si le haschisch était déjà présent dans ses discours. Il n'avait même pas de compagne. Il ne m'a jamais parlé de ses précédentes amours contrairement à ce que tout le monde fait. Avec moi il ne parlait jamais de choses matérielles. Il était très courtois, non de par son éducation mais de par la profondeur de son esprit. A l'époque il sculptait : il travaillait dans une cour, près de son atelier ; on entendait dans la ruelle vide les coups de son marteau sur le ciseau. Les murs de son atelier étaient couverts de portraits incroyablement allongés, du sol au plafond à ce qu'il me semble aujourd'hui. Je n'en ai jamais vu de reproduction : les a-t-on sauvés ? Il appelait sa sculpture "la chose" : qu'il exposa , je crois, au Salon des Indépendants de 1911. Il me pria d'y aller, mais à l'exposition il ne s'approcha pas de moi parce que je n'étais pas seule mais avec des amis. Pendant mes longues absences, même la photo que je lui avais donnée disparut. A cette époque, Modigliani rêvait de l'Egypte. Il m'invita au Louvre, pour que je visite le Département des Antiquités égyptiennes ; il affirma que tout le reste, n'était pas digne d'attention. Il dessina ma tête avec une coiffure de reine égyptienne ou de danseuse, et il me sembla entièrement pris par l'art de l'Egypte ancienne. Evidemment l'Egypte était sa dernière passion. Puis il devint si indépendant, qu'en regardant ses toiles on ne se rappelait plus rien d'autre. Aujourd'hui on appelle cette période, la période nègre. Il disait : "les bijoux doivent être sauvages" à propos de mon collier africain, et il me dessinait avec le collier. Il m'emmena voir le vieux Paris derrière le Panthéon, les soirs de lune. Il connaissait bien la ville, mais une fois nous nous perdîmes. Il dit : "J'ai oublié qu'il y a une île au milieu, l'Ile Saint-Louis." C'est lui qui me fit connaître le vrai Paris. A propos de la Vénus de Milo il disait que "les femmes très belles, aux beaux corps, qu'on sculpte ou qu'on dessine, semblent toujours ridicules quand elles sont habillées." Quand il pleuvait et à Paris il pleut souvent, Modigliani allait avec un énorme parapluie noir, très vieux. Nous nous asseyions parfois sous cette ombrelle sur un banc du Jardin du Luxembourg alors qu'une chaude pluie d'été tombait. Tout près, sommeillait le vieux Palais à l'italienne, et nous deux, à deux voix, nous récitions Verlaine que nous savions par cœur et nous étions heureux de nous rappeler les mêmes poèmes. [...] Des personnes plus âgées que nous nous indiquaient dans quelle allée du Luxembourg Verlaine marchait avec une foule d'admirateurs pour se rendre au café où d'habitude il faisait ses vers, et le restaurant où il déjeunait. Dans cette allée, en 1911, Verlaine ne se promenait plus au jardin mais c'était un autre très grand monsieur avec son pardessus impeccable, son haut-de-forme, son ruban de la Légion d'Honneur qui s'avançait ; et les voisins chuchotaient : "c'est Henri de Régnier." [...] Une fois, nous nous donnâmes un rendez-vous pas très clair et je suis allée à sa maison mais il n'était pas chez lui. J'ai alors décidé de l'attendre un moment. J'avais un bouquet de roses dans les bras. La fenêtre de l'atelier était ouverte. Ne sachant pas quoi faire, j'ai commencé à jeter les roses dans son atelier. Puis, sans l'attendre, je suis partie. Quand nous nous rencontrâmes, il me manifesta sa stupeur : comment avais-je pu faire pour entrer chez lui alors qu'il avait sa clef dans sa poche ? Je lui expliquai ce que j'avais fait. "Impossible, dit-il, les roses étaient si bien rangées par terre." Modigliani aimait vagabonder la nuit dans Paris et souvent en écoutant ses pas dans le silence de la rue endormie, je m'approchais de la fenêtre et, à travers les persiennes, je suivais son ombre qui s'attardait sous mes fenêtres. [...] Il ne me dessinait pas dans la nature mais chez moi et il me faisait cadeau de ses dessins. J'en ai eu seize. Il me demandait de les encadrer et de les suspendre dans ma chambre. Malheureusement ils furent détruits dans ma maison de Zàrskoeselo, pendant les premières années de la révolution. On sauva celui qui le moins de tous laisse à présager de ses futurs nus [...]"

Anna Achmatova se mariera plusieurs fois, aura beaucoup d'amants, connaîtra la barbarie du stalinisme, sera persécutée comme orthodoxe. Elle écrira des vers sur l'horreur de la guerre et chantera les aspects humbles de l'amour, les problèmes délicats du couple et les humiliations qu'une femme doit affronter. Elle fera partie de la direction de l'Union des écrivains russes, sera la première femme à occuper une place importante dans la littérature russe et dira d'Amedeo : "Modigliani est la cause des conséquences tragiques de ma vie... et de toute ma vie."

Dokukina-Bobel de l'université de Gênes aurait découvert onze dessins représentant Anna Achmatova dans la collection de Paul Alexandre.

Il convient par ailleurs de préciser que l'exposition à laquelle Anna Achmatova fait allusion n'eut pas lieu au Salon des Indépendants mais dans l'atelier d'Amadeo de Souza Cardoso, rue du Colonel-Combes, le 5 mars 1911. Aidé par Constantin Brancusi pour la mise en place, Amedeo Modigliani y avait exposé sept sculptures et des gouaches de cariatides qu'il détruisit malheureusement par la suite. Beaucoup d'autres artistes visitèrent cette exposition : Apollinaire, Max Jacob, Picasso, André Derain, Ortiz de Zarate et l'événement mondain fut même immortalisé par un photographe.

A la suite des peintres et flairant déjà des affaires, beaucoup de marchands d'art et de critiques pensent que Montparnasse représente l'avenir et viennent s'établir sur la rive gauche. Daniel-Henry Kahnweiler, dont la galerie marchait très bien, avait signé à Picasso ainsi qu'à Braque des contrats exclusifs qui leur permettaient de vivre sans problème.

A Londres la galerie *Grafton* montait la première exposition post-impressionniste à laquelle participaient beaucoup d'amis de Modigliani. Il n'y avait que Max Jacob pour demeurer encore, fidèle au vers de Carco : "Folle bohème, ô ma jeunesse...", sur les pentes de la rue Ravignan.

Avec l'aide des critiques les cubistes traversaient l'océan jusqu'aux Etats-Unis, Matisse exposait à New York. "Les critiques n'ont pas oublié que les impressionnistes n'ont fait autre que d'enrichir ceux qui les ont soutenus. Beaucoup espèrent faire la même chose avec les cubistes", écrit l'écrivain Francis Carco.

Contrairement à d'autres peintres en dehors des courants comme le Douanier Rousseau et Utrillo, qui continuaient à toucher un public de connaisseurs, Modigliani ne vendait quasiment rien. A part quelques amis, personne ne veut de lui. Il continue à se tenir loin du cubisme auquel il reproche de réduire *le problème* de la couleur à quelques tons gris et marron. La rupture semblait si violente qu'on la jugeait gratuitement agressive et sans lendemain. Maurice de Vlaminck rapporte qu'un jour, après avoir vagabondé des heures entières dans Paris, Amedeo se décide finalement à aller voir un marchand disposé à lui acheter des dessins. Amedeo lui demande le très modeste chiffre de trente-cinq francs que le marchand semble accepter ; mais quelques secondes plus tard, il se ravise et lui propose beaucoup moins. La négociation est longue et pénible et finalement ce marchand prétend ne lui donner que cinq francs. C'est alors que Modigliani, très pâle, gardant de son mieux son sang-froid, prend un couteau qui traîne sur le comptoir du marchand, transperce le paquet de dessins, les relie d'un bout de ficelle, s'en va ouvrir la porte des toilettes et les suspend au clou, puis, il quitte les lieux en claquant la porte. Il y avait en lui assez de vitalité pour inspirer chacun de ses portraits dessinés et lui donner le moyen et le pouvoir de se développer à sa guise et selon son tempérament, de suivre sa destinée... Ayant joué le rôle superbe que lui offrait le marchand, il n'avait plus qu'à se tourner vers celui-ci, mais aussi vers cette sorte d'italianisme sarcastique et fulgurant qui est le fond de sa nature et qui lui permet d'assumer cent visages plus arbitraires les uns que les autres, se portant chaque fois à la pointe de son désinvolte génie d'acteur de la *Commedia dell'Arte*.

En août 1911, Laure Garsin, inquiète pour la santé de son neveu, lui propose un séjour en Normandie où ils pourraient se reposer loin du bruit de la capitale et cultiver leur goût commun pour la philosophie. "En août 1911... plus inquiète que jamais, je pensais qu'il fallait arracher Dedo à son milieu parisien et lui procurer au moins une saison de vie saine et paisible à la campagne."

Laure s'adresse à Récha Rothschild pour trouver une petite villa à Yport. Amedeo accepte avec enthousiasme. Par trois fois rendez-vous est pris, par trois fois la tante lui envoie de l'argent pour le voyage, mais par trois fois Amedeo l'emploie à boire, achète des couleurs et renvoie la date du séjour. Peut-être ce retard d'Amedeo à se rendre en Normandie est-il dû à l'événement insolite qui, juste à ce moment-là, ébranle le milieu artistique : un scandale bien étrange éclabousse le cercle des amis d'Amedeo. Louis Géry Piéret, secrétaire d'Apollinaire, ayant perdu aux courses, et par bravade vient en effet de voler au Louvre deux sculptures ibériques, une tête d'homme et une tête de femme qu'il avait données à Apollinaire qui lui-même les avaient offertes à Picasso. Quelques jours plus tard, le 22 août précisément, la *Joconde* disparaît à son tour. Pris de panique et se sentant traqué, Apollinaire décide alors de restituer les objets anonymement par l'intermédiaire de *Paris-Journal* auquel il collabore depuis quelque temps. Mais il est dénoncé par un employé du journal et, après un très long interrogatoire et une perquisition à son domicile, la police l'arrête pour recel au cours du mois de septembre. Suspecté de faire partie d'une bande spécialisée dans le vol d'œuvres d'art, il est écroué à la Santé. On peut alors lire dans toutes les gazettes qu'un Polonais a volé la *Joconde*. Deux jours plus tard, Picasso est arrêté pour complicité. Fernande Olivier raconte : "Picasso, tremblant, s'habilla à la hâte. Il fallut l'aider. Il perdait la tête de peur ; on l'eût perdue à moins. On confronta les deux hommes. Picasso est effondré. Il craignait l'expulsion de France, comme Guillaume, lui aussi étranger, et qui apparut pâle, le visage défait, pas rasé, prêt à tout avouer, pleurant comme un enfant." Peu après, Picasso est libéré mais il doit rester à la disposition de la justice. Pour se disculper, il avait chargé Apollinaire. Toujours selon Fernande Olivier, il fut pris de remords pendant des semaines et refusa longtemps de prendre l'autobus Pigalle-Halle-aux-Vins qui passait non loin du Palais de justice. Philippe Soupault écrira que rien n'avait entamé pourtant "l'affection et la si étrange tendresse" de Guillaume Apollinaire envers Picasso. "Pendant ce temps, raconte André Billy, une pétition pour l'élargissement d'Apollinaire que nous faisions circuler se couvrait de signatures. Défendu habilement par son ami José Théry, il ne tarda pas à être mis en liberté provisoire." Fernande Olivier écrit dans *Picasso et ses amis* "beaucoup d'amis d'Apollinaire ne donneront plus signe de vie. Ils avaient peur d'être compromis. [...] je me souviens qu'il fut même impossible de persuader Marie Laurencin d'écrire quelques mots à celui à qui elle devait tant."

A sa sortie de prison, Apollinaire ira se reposer chez ses amis, Robert et Sonia Delaunay, mais le non-lieu ne sera prononcé que le 19 janvier 1912. Deux jours plus tard, le 21 janvier, il remercie son avocat d'un poème :

> Maître José Théry
> Sans vous j'eusse péri,
> Vous sauvâtes ma vie ;
> Je vous en remercie. [...]

Pour l'aider à remonter la pente, le réconforter de sa rupture avec Marie Laurencin, lui rendre moral et courage, son ami et confident, le futur académicien Goncourt André Billy prend l'initiative de réunir la bande des copains au *Café de Flore* et leur propose de monter une revue littéraire dont Guillaume sera le directeur. Autour d'Apollinaire et d'André Billy, André Salmon, André Tudesq et René Dalize créent *Les Soirées de Paris* dont le premier numéro sort en février 1912.[28] Apollinaire y fait paraître son célèbre poème, *Le Pont Mirabeau*, où il exprime toute la mélancolie de ses amours perdues avec Marie.

Finalement Amedeo se décide à rejoindre sa tante en Normandie en septembre 1911. Lorsqu'il arrive à la villa *André* en voiture découverte, il est trempé jusqu'aux os. Il avait voulu s'offrir une promenade à Fécamp pour admirer la beauté de la plage et du paysage. Amedeo et Laure lisent ensemble les souvenirs de Kropotkine, parlent de Nietzsche et de Bergson. L'insouciance d'Amedeo plonge Laure dans une grande angoisse. Elle comprend vite qu'elle a fait une erreur en le faisant venir à Yport où le climat humide n'allait pas arranger ses poumons si fragiles. Amedeo s'ennuie. La tante a des remords : "Non il était impossible d'aider ce garçon ! Nous quittâmes Yport – sur un caprice, doit avoir pensé Dedo – sans, me semble-t-il, y avoir séjourné une semaine entière."

La Ruche

"C'était un rassemblement de gens très différents, unis par un mode de vie presque semblable, parfois absurdement insouciant, et qui attendaient que Dieu pourvût à leurs besoins..."

Jacques Chapiro

Depuis 1860, la rue de Dantzig, en bordure des abattoirs de Vaugirard, portait le nom de Chemin-des-Moulins. Ce n'est qu'en 1878 qu'elle changea de nom et reçut celui qu'elle porte encore aujourd'hui. Alfred Boucher, sculpteur pompier en vogue et officiel de la plupart des cours d'Europe, avait eu l'occasion de s'y arrêter chez un cafetier-marchand de vin pour se désaltérer au cours d'une promenade avec un ami, en 1895. Tout autour des abattoirs, le quartier était couvert de terrains vagues qui servaient de pâturages au bétail. Au détour de la conversation, Alfred Boucher qui s'était vaguement enquis du prix du terrain s'entendit proposer par le patron, pour vingt sous le mètre, cinq mille mètres carrés de sa propriété, passage de Dantzig. Le sculpteur acheta aussitôt.

---

(28) 1912 à Paris – Publication du livre de Gleizes et Metzinger, *Du Cubisme*, édité par Figuière. Premier ouvrage consacré à ce mouvement. Adhésion au cubisme de la part de Survage, Diego Rivera et Mondrian qui s'est installé à Paris depuis 1910.

147

Août 1916, devant la Rotonde, Modigliani, Picasso, André Salmon.

Août 1916, Modigliani, Max Jacob, André Salmon, Ortiz de Zarate.

Août 1916, Modigliani souriant avec Picasso et André Salmon.

*La "Crémerie" à Montparnasse. Mme Charlotte Caron
à la fenêtre du 13 rue de la Grande Chaumière.*

*Montparnasse,
les ateliers de la Ruche.*

Lorsqu'en 1900, la Rotonde des Vins construite par Gustave Eiffel et d'autres pavillons de l'Exposition Universelle furent mis en vente, Alfred Boucher eut l'idée de les acheter. Il les fit réédifier sur son fameux terrain de Vaugirard et en tira une cité de cent quarante ateliers, dont quatre-vingts pour la seule Rotonde, où il logea, moyennant un loyer symbolique, des artistes qu'il appelait ses "abeilles". La naissance de La Ruche fut, selon le récit fait en son temps par Boucher lui-même, "tout à fait fortuite". Et pour sacrifier à la tradition qui voulait que tous les bâtiments à destination artistique portassent ce nom, La Ruche fut tout d'abord baptisée "Villa Médicis". En présence du sous-secrétaire d'Etat aux Beaux-arts, du député Chauvier, du conseiller municipal Chevriaux, et au son de *La Marseillaise*, on l'inaugura officiellement au printemps 1902.

"Le modèle vivant est indispensable, disait Alfred Boucher dont Jeannine Warnod rapporte les propos dans son livre *La Ruche*, et le modèle vivant coûte cher [...] Monsieur, j'ai longtemps pensé à tout cela, et j'ai cru comprendre qu'il y avait quelque chose à faire [...] L'union fait la force, dit la sagesse des nations. Pourquoi ne créerait-on pas une manière d'association, de syndicat artistique ? Pourquoi un certain nombre de jeunes artistes ne mettraient-ils pas en commun leurs rêves, leurs ambitions, leurs efforts et surtout leurs besoins ? [...] Les abeilles offrent à l'homme le plus bel exemple d'union qui soit, dans le travail, dans l'effort. Et voilà pourquoi nous avons fait La Ruche."

Œuvre de Gustave Eiffel, briques, bois et poutrelles de fer, la Rotonde, dont la forme vraiment évocatrice d'une ruche avec ses innombrables alvéoles, s'élève sur trois étages. L'entrée, surmontée d'un fronton soutenu par deux cariatides en ciment, donne à l'intérieur sur les trois étages d'une cage d'escalier où, le long de corridors circulaires, s'enroulent les petites alvéoles-ateliers marquées par des lettres. Cette rotonde est entourée d'autres constructions, décorées de corniches de style métro, auxquelles on accède à travers un dédale de petits chemins, aux noms évocateurs : Amour, Tilleuls, Lilas, Trois Mousquetaires etc., et bordés de fleurs, d'arbres fruitiers et de quelques bancs. Une œuvre de Boucher du plus pur pompier, intitulée *Le Génie entravé de roses*, trônait dans l'allée centrale.

Blaise Cendrars la décrit dans un poème cocasse et imagé intitulé Atelier-B :

La Ruche
Escaliers, portes, escaliers
Et sa porte s'ouvre comme un journal
Couverte de cartes de visite
Puis elle se ferme.
Désordre, on est en plein désordre
Des photographies de Léger, des photographies de Tobeen qu'on ne voit pas
Et au dos
Au dos
Des œuvres frénétiques
Esquisses, dessins, des œuvres frénétiques
Et des tableaux...
Bouteilles vides
"Nous garantissons la pureté absolue de notre sauce tomate"
Dit une étiquette
La fenêtre est un almanach
Quand les grues gigantesques des éclairs vident les péniches du ciel
à grand fracas et déversent des bannes de tonnerre
Il en tombe
Pêle-mêle
Des cosaques le Christ un soleil en décomposition
Des toits
Des somnambules des chèvres
Un lycanthrope
Pétrus Borel
La folie l'hiver

Un génie fendu comme une pêche
Lautréamont
Chagall
Pauvre gosse auprès de ma femme
Délectation morose
Les souliers sont éculés
Une vieille marmite pleine de chocolat
Une lampe qui se dédouble
Et mon ivresse quand je lui rends visite
– Des bouteilles vides
Des bouteilles
Zina
(Nous avons parlé d'elle)
Chagall
Chagall
Dans les échelles de la lumière

De cette ruche d'artistes qui s'étendait de la rue des Morillons aux fortifications, on pouvait entendre les bêtes, et les jours de vent, l'air soufflait d'écœurantes effluves douceâtres depuis les abattoirs. Les bouchers aux tabliers ensanglantés traînant leurs charrettes chargées de viande fraîche, laissaient sur le pavé un sillon rosâtre. Quelques tanneries empestaient le quartier. Et à La Ruche, à la lumière des lampes à pétrole, on dînait de pommes de terre aux harengs saurs.

Parmi les "abeilles" d'Alfred Boucher, le peintre et poète italien Ardengo Soffici, arrivé à La Ruche en 1903, l'évoque dans son livre *Il Salto vitale* : "Quand j'arrivai à La Ruche, je rencontrai des artistes, des bohèmes, des artisans de tous âges, français, scandinaves, russes, anglais et américains ; des sculpteurs et des musiciens allemands, des mouleurs italiens, des graveurs, des faussaires de statuettes gothiques, quelques aventuriers balkaniques, sud-américains et du Proche-Orient. Les uns vivaient avec leur femme ou leur maîtresse, d'autres, comme moi, étaient célibataires. Dans ce caravansérail, mon atelier consistait en une pièce mansardée avec une large verrière et une soupente. Je possédais alors un sommier, une planche sur deux tréteaux en guise de table, un chevalet, une paire de chaises et un poêle en fonte. Je n'avais besoin de rien d'autre pour mon travail et j'ai pu me mettre à l'œuvre."

Ardengo Soffici était arrivé à Paris le 6 novembre 1900 pour visiter l'Exposition Universelle, avec deux de ses amis peintres, Giovanni Costetti et Gino Melis, et avec Umberto Brunelleschi, l'un des plus importants dessinateurs italiens du début du siècle qui collaborait à l'époque, ainsi que Van Dongen, au *Journal des Dames et des Modes*. Durant son séjour parisien, Soffici se liera d'amitié avec Picasso, Braque, Marinetti, Apollinaire ; il sera cubiste et futuriste. En 1902, ses dessins et gravures sur bois sont publiés dans *La Plume*. Il travaille aussi pour *Le Gil Blas* avec Steinlen, au *Sourire* avec Toulouse-Lautrec, au *Rire*, au *Froufrou*, à *L'Assiette au Beurre*, au *Risveglio italiano* et à *L'Europe artiste* de Riciotto Canudo. C'est à la *Closerie des Lilas,* où il a ses habitudes, qu'il rencontre Guillaume Apollinaire pour la première fois et c'est sous la forme d'un petit poème qu'il nous en a laissé la description :

Lorsque j'ai vu Guillaume
Pour la première fois
C'était un soir désespéré d'automne
A La Closerie des Lilas
Il était tout vêtu de noir,
Triste, et il me dit
Qu'il écrivait du matin au soir
Des romans pornographiques ;
Mais à travers son habit,
Son âme d'enfant mystique

Rayonnait de pure gloire.
Il ressemblait à un ange
Qui par charité
Irait au lupanar...

Quant à Guillaume Apollinaire, voici ce qu'il dira de Soffici : "M. Ardengo Soffici qui, par sa critique, avait excité la colère des futuristes, est un peintre de talent, c'est un des écrivains d'art les plus distingués de l'Italie. Il n'est pas un inconnu à Paris et il est lui-même au courant de la nouvelle peinture française autant que quiconque en France."

Certaines anecdotes qu'Ardengo Soffici rapporte dans ses mémoires montrent qu'à l'époque, on pouvait voir surgir à La Ruche les personnages les plus inattendus et les plus pittoresques : "Pendant une séance de travail, je vois arriver dans mon atelier un vieux peintre que j'avais déjà rencontré plusieurs fois au Quartier Latin, sans savoir qui c'était, accompagné de sa femme, décharnée, au teint jaunâtre. Il me demande de lui céder mon atelier au cas où je partirais. Je lui réponds d'un ton sec que je n'en avais pas la moindre intention. Il regarde ma peinture et se présente. C'était Paterne Berrichon et sa femme, Isabelle Rimbaud, la sœur du poète que je connaissais et admirais beaucoup. Mais nous parlâmes peu du grand frère et je n'imaginais pas, alors, que j'écrirai plus tard un livre sur lui, révélant son œuvre aux Italiens."

Pendant son séjour à La Ruche, Soffici vivra une histoire d'amour avec une très belle, très élégante et très riche dame de la haute société russe, la baronne Hélène d'Œttingen qui se faisait aussi appeler Yadwiga. Sa famille fabriquait les *papirossi*, fameuses cigarettes à bout de carton doré, dont les Russes faisaient grand usage. Après avoir été brièvement mariée avec un baron balte dont personne ne sait rien, elle était venue s'installer à Paris auprès de son cousin, d'autres disent demi-frère, Serge Jastrebzoff, dit Serge Férat. Ils étaient, par ailleurs, alliés avec un autre aristocrate russe, Serge Stchoukine, grand amateur, collectionneur et marchand d'art à Moscou.

Soffici raconte : "Yadwiga et moi, nous peignions des natures, des fleurs, des ébauches de portraits et nous lisions des livres d'amour en nous embrassant. Elle m'apportait le parfum poétique de son esprit, de son corps, de ses fourrures. [...] Hélène est une femme extraordinaire et extraordinairement compliquée. Je l'ai aimée six ans et l'aimerai toujours. Je lui dois une grande partie de mon âme, de mon caractère et tout mon bonheur. [...] Comme je l'avais déjà compris depuis longtemps, Yadwiga était une de ces femmes désastreuses, de la race des héroïnes des poèmes de Pouchkine, de Lermontov, des romans de Dostoïevski et autres écrivains russes ; colombes et tigres royaux, anges et démons, caressantes, innocentes, et tout à la fois cruelles, perverses, menteuses, et traîtresses, capables de tout autant dans le bien que dans le mal."

Soffici avait fait connaître à la baronne et à son cousin, le Douanier Rousseau et les avait convaincus, comme lui-même l'avait fait, d'acheter des tableaux à "ce peintre naïf qui a du génie", à preuve le carnet de comptes du Douanier Rousseau où est mentionné : "Vendu à la baronne d'Œttingen des toiles pour 770 francs et à Soffici pour 150 francs", et un billet du 7 avril 1910 adressé à Soffici, ainsi rédigé : "Cher Monsieur,

J'ai l'honneur de vous adresser ces quelques lignes pour vous dire que j'ai terminé votre nature morte. Je pense qu'elle vous plaira, j'ai fait mon possible pour cela, les personnes qui l'ont vue la trouvent bien. J'espère avoir votre visite le plutôt possible, cela me sera agréable. Je vous la laisserai en ami pour 30 francs ; je ne crois pas que vous trouviez ceci trop cher. Demain vendredi, je serai à mon atelier de huit heures à dix heures et demie, et de deux heures et demie à cinq heures et demie. Samedi jusqu'à dix heures et demie le matin, le tantôt je vais chez Apollinaire, le poète. Désiré ainsi que sa dame me prient de vous dire bien des choses de leur part.

Cordiale poignée de mains, cher ami et collègue, et bonne santé."

H. Rousseau, Artiste peintre, 2 bis rue Perrel (14ème).

La baronne d'Œttingen et Serge Férat relèveront en 1912 la revue, *Les Soirées de Paris,* en grandes difficultés financières, et en installeront le siège, à partir de 1913, dans leur salon littéraire du 278 boulevard Raspail, où se tenaient des soirées mondaines, que Max Jacob, avec un humour tranchant, décrira ainsi : "Avant de recouvrir de confitures très variées les tartines du thé pour nos *dandies* en casquettes, elle nous servait à la russe, avec un petit tour de valse... Les tartines des plus pauvres, Modigliani, Survage, Ortiz de Zarate et moi, étaient des sandwiches au roast-beef. Sereschka, disait-elle à Serge Férat, donne-lui ton complet beige..."

Au fur et à mesure que les artistes affluaient de toutes parts, La Ruche grandissait et s'enrichissait de couleurs et de voix de plus en plus cosmopolites. En 1910, on y vit arriver le sculpteur américain d'origine russe Alexander Archipenko, grand novateur ; le peintre Fernand Léger lié aux cubistes et à Robert Delaunay, grand admirateur de Cézanne ; le sculpteur, dessinateur et graveur Henri Laurens, grand ami de ce Georges Braque qui participant au cubisme avec ses papiers collés et ses bas-reliefs polychromes laissera, entre autres chefs-d'œuvre, son nom dans la langue parisienne comme synonyme de bizarre et d'un peu fou ; le peintre Marc Chagall qui, débarquant à Paris en 1910 de sa Russie natale, s'en vint à La Ruche découvrir le cubisme et affirmer son propre style spontané rappelant l'imagerie populaire. Son "alvéole" à lui était marquée de la lettre A, et à propos de La Ruche, Chagall dira : "C'est entre ces quatre murs que j'ai lavé mes yeux, que je suis devenu un peintre. [...] A Paris, il me semblait tout découvrir... Aucune académie n'aurait pu me donner tout ce que j'ai découvert en mordant aux expositions de Paris, à ses vitrines, à ses musées."

En ce qui concerne Amedeo Modigliani, on n'a pas plus de dates précises de son passage à La Ruche que de celui au Bateau-Lavoir. On sait qu'il ne cessa de faire des allers-retours entre Montmartre et Montparnasse ; que sa tante Laure décrit La Ruche comme un capharnaüm, avant son départ en Italie en 1909 ; que Margot, le modèle attitré de La Ruche ne cachait pas son envie de lui plaire. On sait qu'il venait souvent y voir des amis, qu'il y faisait de brèves apparitions, qu'il s'y installait quelques jours chez l'un ou l'autre, qu'il repartait, et cela jusqu'à sa rencontre avec Jeanne Hébuterne. On sait qu'à La Ruche il rencontra Blaise Cendrars, Marc Chagall, Léon Indenbaum, Oscar Mietschaninoff, Michel Kikoïne, Pinkus Krémègne, qu'il s'y lia d'amitié avec Jacques Lipchitz, Ossip Zadkine, Moïse Kisling et plus tard avec Chaïm Soutine. Tous ces artistes vivaient là pour 80 ou 100 francs par mois. Pinchus Krémègne témoigne : "A cette époque, à La Ruche, il y avait beaucoup de peintres russes, et entre nous, il y avait une vraie fraternité. En ce temps-là, nous marchions beaucoup à pied, de La Ruche, de la Porte de Versailles, jusqu'au boulevard Saint-Michel pour trouver un camarade et le taper d'un franc, de cinquante centimes... Quand nous avions de l'argent, rarement, nous avons toujours partagé en communauté. Nous mangions des petits pains blancs en buvant du thé comme les Russes ont l'habitude de le faire. Modigliani nous sauvait souvent de la misère. Il faisait le portrait de quelqu'un, un dessin, et nous donnait l'argent."

Alfred Boucher avait installé à La Ruche un théâtre de trois cents places, véritable centre culturel avant la lettre, qui attirait, outre les "abeilles", des commerçants du quartier et des gens des abattoirs de Vaugirard. Le prix du billet était de trois sous. On y donnait des récitals de musique folklorique et toutes sortes de spectacles improvisés où tout le monde collaborait avec des moyens de fortune. A partir de 1908, Alfred Boucher fit venir des artistes connus comme Marguerite Moreno, Jacques Hébertot, Louis Jouvet qui s'appelait encore Jouvey. En 1910, Jouvet qui était au *Théâtre Antoine*, revint à La Ruche pour y jouer une pièce de Max Maurey, *L'Asile de Nuit*, où il interprétait le rôle du clochard "ma soupe". C'est à La Ruche que Louis Jouvet fit la connaissance de Jacques Copeau qui lui proposa le *Théâtre du Vieux-Colombier*.

Outre Blaise Cendrars, La Ruche abrita aussi le journaliste socialiste Paul Vaillant-Couturier, et celui qui ne s'appelle pas encore Lénine, le révolutionnaire Vladimir Illitch Oulianov.

"Juxtaposés, leurs noms constituent dans notre mémoire une sorte de litanie cosmopolite et sonore : Chagall, Krémègne, Charchoune, Severini, Picasso, Archipenko, Soutine, Pascin, Zadkine, Chana Orloff, Papazoff, Survage, Foujita, Van Dongen, Modigliani, Marie Vassilieff..." écrit Jean-Marie Drot.

Les influences de l'Art Nègre

"Ce n'est pas à l'école des premiers hommes que notre art retournera, mais à celle de la nature qui, de toutes les disciplines, reste la plus primitive, la plus sauvage."

Marius-Ary Leblond

Grâce à Max Jacob qui les présente l'un à l'autre en 1912, Modigliani rencontre un jeune sculpteur lituanien, Jacques Lipchitz. Arrivé à dix-huit ans de sa Lituanie natale, Jacques Lipchitz est un jeune homme calme et tranquille, sûr de lui, de sept ans plus jeune qu'Amedeo. "Modigliani m'invita à venir le voir dans son atelier de la Cité Falguière. Pendant cette période, il s'adonnait à la sculpture et naturellement cela m'intéressait au plus haut point, de voir ce

1910, "Tête", crayon sur papier.   *1910, "Tête de cariatide", crayon sur papier.*   *1913, "Femme assise", crayon sur papier.*

1912, "Tête", pierre.   *1912, "Tête de femme", crayon sur papier.*   *1913, "Tête de femme", crayon sur papier.*

1911, "Tête", bronze.   *1911, "Tête", bronze.*   *1911, "Tête", encre sur papier.*

qu'il faisait. Quand j'arrivai chez lui, il travaillait dehors ; plusieurs têtes en pierre – cinq peut-être – étaient posées sur le sol cimenté de la cour devant l'atelier. Il était en train de les réunir. Il me semble que je le vois encore. Penché sur ces têtes, il m'expliquait que, dans son idée, elles devaient former un tout. Je crois me rappeler qu'elles furent exposées quelques mois plus tard, la même année, au Salon d'Automne, échelonnées comme des tuyaux d'orgues pour réaliser la musique qui chantait dans son esprit. [...] Il ne pouvait jamais se départir de l'intérêt que lui inspiraient les gens, et il les peignait, sans le vouloir, pourrait-on dire, poussé par l'intensité de ses sentiments et de sa vision. C'est pourquoi, bien qu'il admirât l'art africain et les autres arts primitifs autant que nous tous, il ne subit jamais profondément leur influence, pas plus d'ailleurs qu'il ne subît celle du cubisme. Il leur emprunta quelques traits mais resta imperméable à leur esprit."

Amedeo travaillait les blocs, la "masse" sans trop modifier les formes primitives de la pierre, mais ne cherchait pas à rendre dans la pierre les figures toutes en sinuosités de ses dessins. Souvent ses sculptures sont taillées dans une pierre calcaire et ont toutes une forme humaine : des yeux en amande, un long nez triangulaire et aplati, une fente suscitée par des besoins magico-religieux,[29] mais avec la solennité et la grandeur des statues égyptiennes et grecques antiques. Modigliani s'en est inspiré pour enrichir sa vision intérieure de la sculpture. La grâce de ses cariatides et l'*art* avec lequel il a su ménager des vides entre les bras levés et la tête seront autant de points de recherche que ses amis sculpteurs poursuivront après lui.

Tout en s'inspirant de la sensualité des formes, des lignes et des volumes de Brancusi, Amedeo Modigliani suivait son chemin personnel de sculpteur solitaire et s'intéressait aux bois sculptés d'Afrique comme l'avaient déjà fait, dès 1905, ses aînés Matisse, Derain, Picasso et tout particulièrement Vlaminck qui revendique l'invention de l'art nègre dans *Portraits avant décès* publié en 1943.

A Argenteuil, Vlaminck avait vu "posée sur une étagère, entre les bouteilles de Pernod, d'anis et de curaçao, trois sculptures nègres. Deux statuettes du Dahomey, peinturlurées d'ocre rouge, d'ocre jaune et de blanc. Une autre de la Côte d'Ivoire, toute noire. [...] Ces trois sculptures me frappèrent. J'eus l'intuition de ce qu'elles contenaient en puissance. Elles me révélèrent l'art nègre. [...] Nous avions, Derain et moi, exploré en tous sens, à plusieurs reprises, le Musée du Trocadéro. Nous le connaissions à fond. Nous avions tout regardé curieusement. Mais ni Derain ni moi, n'avions jamais vu, dans les objets exposés, autre chose que ce qu'il était convenu d'appeler des fétiches barbares. Cette expression d'un art instinctif nous avait toujours échappé." Ayant convaincu le patron du bistrot de lui céder les statuettes contre "une tournée générale de gros rouge", Vlaminck continue son récit : "A quelque temps de là, un ami de mon père à qui j'avais montré mon acquisition, me proposa de m'en donner d'autres qu'il possédait, car sa femme voulait jeter aux ordures "ces horreurs". J'allai chez lui et j'emportai un grand masque blanc et deux superbes statues de la Côte d'Ivoire." Lorsqu'il vit ces masques, Derain proposa à Vlaminck de lui en acheter un : "Il était suffoqué et me proposa vingt francs pour que je le lui cède. Je refuse. Huit jours après, il m'en offrit cinquante. Ce jour-là, j'étais sans le sou : j'acceptai."

Selon Jacques Flam, Derain "devint désireux d'acquérir le masque fang de Vlaminck parce qu'il avait déjà vu la rétrospective de Gauguin cette année-là et commençait à comprendre la valeur potentielle de l'art primitif. Il emporta l'objet et le suspendit au mur de son atelier de la rue Tourlaque."

Cette histoire de masque fang et de statuettes vili est rapportée dans certains livres officiels de l'Histoire de l'Art dans une version différente. Vlaminck aurait acheté, pour quelques sous, dans un bar de la rue de Rennes, une statuette qu'un marin fauché avait rapportée d'un de ses voyages en Afrique. Il l'aurait aussitôt montrée à Derain qui la trouve "aussi belle que la Vénus de Milo", la lui rachète et la montre à Picasso. Ouvrant tout grand des yeux émerveillés, Picasso dans son bel accent espagnol se serait écrié : "C'est encore plusss bô !"

Un autre témoignage de Mme Rouzaire, blanchisseuse à Montmartre, 12 rue Ravignan, et dont la fille posa pour Degas et Modigliani, dit que plusieurs statuettes égyptiennes et fang avaient été déposées chez elle par Joseph Altounian et Van Dongen qui revenaient d'Egypte.

---

(29) L'objet, le volume apparaît comme un réceptacle d'une force extérieure qui le différencie de son milieu et lui confère sens et valeur ; il est essentiel, pourtant, de comprendre le sens profond de tous ces symboles pour réussir à le traduire dans notre langage usuel. Si on se donne la peine de pénétrer la signification authentique d'un symbole archaïque ou "primitif", on est obligé de constater que cette signification relève la prise de conscience d'une certaine situation dans le monde et qu'elle implique, par conséquent, une forme métaphysique. Cette forme peut résider dans la matière de la sculpture ou dans sa forme : elle "est" ce que n'est pas l'homme, elle résiste au temps et sa réalité se double de pérennité. Une pierre sera promue "précieuse" en vertu de sa seule forme symbolique, la sculpture de Modigliani trouve sa réalité, son identité dans la mesure de la participation à la matière brute, mais aussi à la qualité de reproduction d'un acte primordial d'intervention "sur" et dans la matière.

Un autre témoignage encore, celui de Matisse raconté par Philippe Dagen dans son excellent livre sur le primitivisme dans l'art français, *Le Peintre Le Poète Le Sauvage*, publié en 1998 : "J'allais souvent chez Gertrude Stein, rue de Fleurus, et en m'y rendant je passais chaque fois devant un petit magasin d'antiquités. Je remarquai un jour dans la vitrine une petite tête nègre, sculptée sur bois, qui me rappela les immenses têtes de porphyre rouge des collections égyptiennes du Louvre. J'avais le sentiment que les méthodes d'écritures des formes étaient les mêmes dans les deux civilisations, quelque étrangères qu'elles fussent par ailleurs l'une à l'autre. J'ai donc acheté cette tête pour quelques francs et l'ai emportée chez Gertrude Stein."

Philippe Dagen montre que cela se passait en 1906. On était à la veille du Salon d'Automne et Matisse, Picasso, Derain, Vlaminck s'intéressaient déjà aux nègres qu'ils soient d'Afrique ou d'Océanie. "La rencontre avec l'art africain ne s'est véritablement engagée qu'à l'automne 1906, écrira Jean-Louis Paudrat dans son ouvrage, *Le Primitivisme*, le masque fang, la statuette vili en ont été les prétextes, Derain, Matisse et Picasso, ensemble les instigateurs."

Dans un entretien avec Guillaume Apollinaire publié dans la revue *La Phalange* en 1907, Matisse s'exprime franchement, clairement et ouvertement sur le rôle des influences : "Je n'ai jamais évité l'influence des autres. [...] toutes les écritures plastiques : les Egyptiens hiératiques, les Grecs affinés, les Cambodgiens voluptueux, les productions des anciens Péruviens, les statuettes des nègres africains proportionnées selon les passions qui les ont inspirées peuvent intéresser un artiste et l'aider à développer sa personnalité."

Du 1er octobre au 8 décembre 1912, Modigliani participe, avec sept sculptures en pierre, au Xème Salon d'Automne comme il résulte du catalogue de l'exposition : Amedeo Modigliani N°s 1211 à 1217 – Têtes, ensemble décoratif. A ce même Salon exposent Gino Rossi et Arturo Martini. Rossi expose huit peintures parmi lesquelles *La Fanciulla del Fiore, Vecchio Pescatore con beretto verde*, des œuvres qui trahissent l'influence évidente de Modigliani. Martini participe avec quatre eaux-fortes dans un seul cadre et une gravure, *Il Ritorno al piccolo villaggio*. Parmi les autres présences italiennes : De Chirico avec trois toiles et Umberto Brunelleschi. Dans une lettre adressée à son frère Umberto, Amedeo écrit : "Le Salon d'Automne a été un succès relatif, et l'acceptation en bloc est presque un cas rare auprès de gens qui passent pour des gens formant une coterie fermée."

Ecrivant sur le primitivisme dans l'art du XXème siècle, Robert J. Goldwater a pu dire: "Avec ses formes plates, Modigliani ne cherche jamais à produire l'effet de volume dans lequel on se plaît à voir l'apport principal de l'art nègre et même le rythme harmonieux de ces formes n'a rien de commun avec la répétition de motifs identiques, qui caractérise la sculpture africaine. Enfin, la grâce et la fragilité que confère aux personnages de Modigliani l'élongation systématique des formes, s'opposent absolument aux volumes épais généralement employés par les artistes noirs."

L'auteur R. S. Wilenski trouve dans la tête de 63 centimètres de hauteur acquise par la Tate Gallery de Londres en 1952, et qui s'y trouve toujours actuellement exposée, des "réminiscences de la statuaire médiévale à tendances byzantines." Bernard Dorival, qui fut directeur du Musée national d'art moderne de Paris, y trouve des similitudes tant avec certains Bouddhas d'Extrême-Orient qu'avec les sculptures de la Porte Royale de la cathédrale de Chartres. "On y trouve la spiritualité d'un Greco alliée au maniérisme de certains artistes toscans de la Renaissance." Mais comme dit le peintre Augustus John : "Ces innombrables rapprochements ne prouvent rien, mais rappellent, une fois de plus, qu'un art classique, quelle que soit sa provenance, est conditionné bien davantage par la ferveur des sentiments et le respect des matériaux employés que par la restitution fidèle des apparences. [...] Comme les sculpteurs grecs et avant eux les Egyptiens, l'artiste italien sentait le lien étroit qui unissait la sculpture et l'architecture. [...] Contrairement à leurs ancêtres, les cariatides de Modigliani ne sont pas debout, mais en position accroupie, les yeux fixés au sol, les bras repliés au-dessus de la tête comme pour supporter un fardeau." Selon l'Américain Frederick S. Wight, "ces figures symboliseraient l'image de la mère de Modigliani soutenant son fils à bout de bras." Par ailleurs, Modigliani ne ressentait-t-il pas une certaine culpabilité envers sa mère, qu'il avait souvent sollicitée ou dont il acceptait le perpétuel soutien sans rien lui rendre en échange, alors que ses deux frères, eux, avaient si bien réussi ?

En octobre 1912, Boccioni publie le Manifeste Technique de la Sculpture Futuriste où il définit la sculpture comme une recherche de "plans atmosphériques qui lient et croisent les choses". Alors que Modigliani et le peintre Lorenzo Viani qui venait de peindre *La Parigina*, figuration du mal de vivre, connaissent tous deux d'énormes difficultés financières, les futuristes italiens portent avec succès leurs œuvres et leurs idées à travers toute l'Europe, à Berlin, à Bruxelles, à Londres, à Rotterdam. Carlo Carrà vend l'une de ses toiles au baron de Rothschild. Dans l'un de ses témoignages sur sa vie à l'époque, Carrà brosse un précieux portrait d'Amedeo : "Je l'ai connu personnellement en 1912 à *La Closerie des Lilas*, lieu de réunion des prétendus d'avant-garde. Ce café du Quartier Latin était fréquenté par Apollinaire, Léger, Gleizes,

Intérieur du bistrot "Chez Rosalie" à Montparnasse.

Rosalia Tobia et son fils devant son bistrot.

Metzinger, Salmon, Roger Allard, Maurice Raynal, Riciotto Canudo, Archipenko, et par d'autres artistes et poètes. On parlait alors du cubisme et Modigliani manifestait pas mal de réserves surtout parce qu'il voyait dans leur peinture que ces apôtres allaient vers une nouvelle dissolution de l'objet comme c'était déjà advenu avec l'impressionnisme. Il reprochait en outre au cubisme de réduire le problème de la couleur à quelques tonalités grises et marron, comme on pouvait le constater dans les tableaux de Picasso et de Braque qui en étaient déjà alors les principaux représentants. Cela ne signifie pas que Modigliani ne reconnût pas que ces peintres, même si c'est partiellement, tendaient à élever la peinture vers une dimension encore inconnue de la majorité des artistes. Modigliani critiquait le cubisme par une évidente nécessité à défendre sa propre conception artistique, et il est assez extraordinaire qu'on puisse déjà reconnaître chez cet artiste inquiet le signe d'une profonde aptitude à la réalité des images qu'on chercherait en vain chez les autres peintres de l'époque intellectuellement plus équilibrés que lui [...] Les dernières fois que je le vis, ce fut au printemps 1914. Je fus immédiatement frappé par son aspect physique quelque peu aggravé : les yeux étincelants, les lèvres ayant pris un pli amer. La tuberculose mal soignée et l'abus d'alcool lui avaient creusé le visage [...] Je le voyais presque tous les jours dans ce carrefour qu'était le café de *La Rotonde* à Montparnasse. Des peintres américains, polonais, espagnols, russes venus de toutes parts le traitaient avec une grande déférence et lui accueillait tout le monde avec un sourire et une cordiale poignée de mains, mais on voyait très bien qu'il était loin de tous ces gens bruyants et oisifs."

Chez Rosalie

"Alors on pourrait faire une ronde autour du monde,
si tous les gens du monde voulaient s'donner la main."

Paul Fort

Depuis 1909, il y avait à Montparnasse, au 3 rue Campagne-Première, un modeste petit bistrot italien, où se restauraient pour quelques sous, les ouvriers maçons des chantiers voisins, les artistes affamés et des touristes qu'attiraient aussi bien la vie de bohème que les coups de gueule de la patronne. Rosalia Tobia les invectivait avec bonhomie dans son argot romain de Trastevere, régnant en *mamma* absolue mais avisée sur les quatre tables de bois, les tomettes cirées et la vieille guitare toujours à disposition pour guérir un nuage de nostalgie. Le matin, très tôt, elle allait jusqu'aux Halles pour faire son marché. Amedeo était de la famille. Il venait manger et boire, souvent à crédit. Naturellement, il préférait boire mais Rosalia l'obligeait à manger auparavant un plat de pâtes : "Tu auras ton vin si tu manges mes spaghetti. Un beau garçon comme toi doit faire honneur à notre pays." Quand il était vraiment en manque de fonds, il payait en dessins que Rosalia s'empressait de mettre à la cave. Utrillo descendait souvent de Montmartre jusque chez Rosalia pour s'enivrer de Chianti avec Amedeo. Un jour de grande ivresse, ils laisseront sur le mur du restaurant, Maurice, un paysage qui deviendra un véritable objet de convoitise pour les connaisseurs, et Amedeo, des dessins au fusain.

Rosalia était encore belle, un peu forte, de jolis yeux noirs. Elle avait quitté Rome en 1887 pour venir à Paris au service de la princesse Ruspoli, puis elle était passée chez Odilon Redon et là, un jour, un ami du peintre lui avait demandé de poser pour lui : "A partir de ce moment-là, ma carrière fut décidée. Pendant des années j'ai posé pour Bouguereau. Celui-là, oui que c'était un grand peintre. *Santa Madonna* quels tableaux ! Ses plus belles peintures, il les a faites avec moi. J'ai posé pour Cabanel, Hubert, Courtois, Carolus-Durand et dans tous les musées de Paris, de province et à l'étranger vous pouvez voir la belle Rosalia, nue comme Dieu l'a faite." De Modigliani elle disait : "Pauvre Amedeo ! Ici, il était comme chez lui. Quand on le trouvait endormi sous un arbre ou dans un ruisseau, on le ramenait chez moi. Alors, je l'étendais sur un sac dans mon arrière-boutique jusqu'à la fin de sa cuite. Et comme il était beau, *Santa Vergine* ! Toutes les femmes lui couraient derrière. Il y avait parfois des personnes bien habillées qui venaient le demander chez moi et une fois deux Américains vinrent le chercher. Ils voulaient voir ses toiles. J'ai envoyé quelqu'un à son atelier mais il n'était pas là. Une heure après, on le retrouve à *La Rotonde,* cuit comme une tuile... Il s'était disputé, on l'avait cogné, il était couvert de bleus et sa veste était déchirée... Viens, viens, lui dirent les amis, il y a des Ricains chez Rosalia qui t'attendent, ils veulent acheter tes tableaux. Mais quand les Ricains le virent entrer dans cet état, ils le regardèrent de la tête aux pieds et s'en allèrent sans rien dire."

D'autres peintres italiens avaient leurs habitudes chez Rosalie, parmi lesquels : Alessandro Zezzos qui avait son atelier passage Stanislas, Rosso Rossi, et un peu plus tard Giulio Tofoli. Sauf à le mentionner comme un vieux peintre italien installé depuis longtemps à Paris, les chroniques de l'époque ne parlent pratiquement pas d'Alexandre Zezzos ni de Giulio

Tofoli dont on sait qu'il était famélique et venait se restaurer chez Rosalie qui le traitait de maigrichon. En revanche, Rosso Rossi a laissé des souvenirs personnels, tels qu'ils sont rapportés par Henri Certigny : "Arrivé à Paris depuis un an, raconte Rosso Rossi, j'allais souvent écouter les Concerts Rouge, rue de Tournon. Dans cette salle, une consommation d'un franc vingt-cinq donnait droit à l'audition du programme. Un soir de l'hiver 1908-1909, le hasard assit Modigliani à côté de moi. La séance était consacrée à Boccherini. Entre compatriotes, et même entre "pays", connaissance fut vite faite. Modigliani et moi ne parlâmes jamais ensemble que notre italien mâtiné d'expressions florentines. [...] Notre première conversation porta tant sur les amis communs que nous avions à Florence que sur la musique de Boccherini. A la façon dont, les yeux mi-clos, il parlait de ce musicien, je découvris la vivacité de sa sensibilité. Tout en bavardant, nous revînmes à Montparnasse, où nous nous quittâmes sans prendre rendez-vous. Par la suite, nous nous revîmes à *La Rotonde*, modeste café tenu par les deux frères Libion. Après avoir déménagé cinq fois au moins, j'échouai, en 1911, à la Cité Falguière, et je devins ainsi le vis à vis de Modigliani. [...] Modigliani sculptait dehors, sur son petit terre-plein. C'était l'époque où, donnant dans l'archaïsme, il allongeait l'appendice nasal de ses "têtes", aussi, en passant, ne manquais-je pas de le taquiner d'un :

– Amedeo, n'oublie pas le nez...

Ce qui n'avait d'autre effet que de lui faire hausser les épaules. J'ai quitté mon logement avant lui. Lorsqu'il déménagea à son tour, il s'installa, je pense, dans la charmante cité, sur l'emplacement de laquelle on a construit le Studio Raspail. En 1912, je m'installai au boulevard Quinet, où je suis encore. Quand Modigliani venait boire son verre au petit café qui se trouve devant le cimetière, il poussait généralement jusqu'à mon atelier. Souvent il m'empruntait les cent sous de l'amitié. Arriva le moment où il me dut beaucoup de petits cent sous. Un jour, il frappa chez moi, un rouleau de dessins sous le bras. Il voulut que j'accepte ces dessins pour effacer ses menues dettes, et, pour venir à bout de ma résistance, il jeta le rouleau sur mon bureau. Je le lui remis dans les mains en l'assurant que rien ne pressait. Oui, il n'aurait qu'à rembourser lorsqu'il serait en fonds... Mais il ne l'entendit pas de cette oreille. Il jeta une seconde fois, et avec force, le rouleau sur le bureau et se dirigea vers la porte. Avant qu'il ne l'ouvre, je lui lançai le rouleau aux pieds. Il le ramassa en grommelant son habituel "*Porca Madonna !...*"

L'hiver 1912 fut très dur, froid, intenable pour Amedeo dont la santé continuait à se dégrader. Il mangeait peu, mais continuait à boire démesurément, à fumer du haschisch. Ses amis Max Jacob, Ortiz de Zarate, Umberto Brunelleschi étaient impressionnés par son délabrement physique et moral. "Il est exact que Modigliani avait faim, qu'il buvait, qu'il avalait des grains de haschisch ; mais ceci ne s'explique pas par goût de la débauche ou des paradis artificiels. Modigliani n'avait aucun désir d'être affamé ; quand il le pouvait, il mangeait de bon appétit et ne cherchait pas le martyre. Peut-être avait-il été créé pour le bonheur encore plus que les autres hommes. [...] Je l'ai vu aux jours sombres et aux jours d'éclaircie. Je l'ai vu calme [...] avec des yeux doux et caressants ; je l'ai vu également furieux, les joues et le menton couverts d'un poil noir. Ce Modigliani poussait des cris perçants d'oiseau qui, peut-être, ressemblaient à ceux d'un albatros. Modigliani aimait le poème de Baudelaire sur l'albatros dont s'amusent les marins – le voyageur ailé est pitoyable à terre..." témoigne Ilya Ehrenbourg qui l'a rencontré en 1912.

Vers la fin de l'été 1912, Ortiz de Zarate le trouva, un matin, évanoui dans son minuscule atelier vitré, situé au fond d'une courette, 216 boulevard Raspail. L'atelier, meublé d'un matelas et d'une cruche, encombré de dessins et de livres, était si petit que les ambulanciers eurent du mal à l'en sortir. On le transporte alors d'urgence à l'hôpital où on le rase, le soigne le remet sur pieds, ses amis s'étant cotisés pour payer les frais. A sa sortie, il se remet aussitôt au travail, mais ne parvient jamais à terminer ses sculptures.

Le sculpteur commençait à s'effacer devant le peintre.

"Dès qu'il était devant sa toile, Modigliani reprenait une parfaite clairvoyance, écrit le peintre Renato Paresce. Il peignait en récitant des vers de Politien, des chants dantesques ou en improvisant des vers dans la veine d'Apollinaire ou de Reverdy. Aucun trait de pinceau n'était posé à l'aveuglette, rien n'était abandonné au jeu mystérieux du hasard, rien aux incertitudes d'une fausse réussite. Il dessinait méticuleusement sur la toile d'un trait uni et ininterrompu et, avec la patience d'un primitif, il remplissait le contour, prenant soin de ne pas le cacher en y amassant des coups de pinceau incohérents et désordonnés. Il affirmait sa volonté d'un trait fin mais précis et essentiel, plutôt que par des formes. D'une ligne parfaite dans sa sinuosité, presque transparente mais fortement sensuelle, Modigliani a réussi à communiquer à la réalité cette vibration et cet accent de profonde poésie que seuls peut-être les peintres siennois avaient exprimés avant lui. Et il s'approcha du seuil de l'irréel, grâce à l'immatérialité." Modigliani fit un dessin de Renato Paresce conservé à Richmond (USA) dans la collection du Virginian Museum.

Amedeo Modigliani.

1913

"A Montparnasse, il y avait des poètes, Salmon, Paul Fort, et leurs amis,
qui fréquentaient La Closerie des Lilas, en général le mardi. Il y avait aussi Cendrars
qui revenait toujours d'un voyage. Il apparaissait à la terrasse d'un café, il restait
deux ou trois jours parmi nous, puis il disparaissait... Plus tard, on apprenait qu'il était
allé quelque part, en Allemagne, en Amérique du Sud..."

Ossip Zadkine

Le peintre Augustus John et sa femme, Dorelia, lui ayant acheté deux sculptures, Amedeo put enfin se payer un billet de train pour rentrer à Livourne. Il était à bout de forces. En avril 1913, Paul Alexandre écrit : "Il arriva chez moi avec une charrette remplie de pierres sculptées, je dirais une vingtaine, et me dit qu'il devait partir pour quelque temps en Italie."

L'accueil à Livourne est tiède. Les vieux amis du *Caffè Bardi* le reconnaissent à peine. "Il avait la tête rasée comme celle d'un évadé, écrit Gastone Razzaguta, plus ou moins recouverte d'une petite casquette dont il avait arraché la visière, une veste en toile et un maillot de corps décolleté ; le pantalon était retenu par une corde et, aux pieds, il portait des espadrilles. Une autre paire d'espadrilles pendait au bout de ses doigts. Il dit qu'il était revenu à Livourne par amour pour ces chaussures commodes et économiques et pour la tourte de pois chiches. Puis il ajouta : On boit ? et demanda une absinthe. Puis, d'une petite voix haut perché et impérieuse, il demanda : Romiti est là ? Et Natali ?" Amedeo leur parla de Paris, de son travail, de son exposition, et sortit de sa poche des photos de ses sculptures. Razzaguta ajoute : "C'étaient des têtes allongées, avec de grands nez longs et droits, une expression renfermée et triste. Certaines semblaient passées au tour, les cous étaient tous, comme les têtes, longs et ronds. Dedo en était enthousiaste et les contemplait avec complaisance. Nous, au contraire, nous n'y comprenions rien... A cette époque, il était, sans aucun doute, un fanatique de cette sculpture primitive. Il me semble encore le voir, avec ses photos à la main, nous invitant à les admirer... Son enthousiasme et sa tristesse augmentaient avec notre indifférence."

Modigliani chercha alors un grand atelier et le trouva *via Gherardi del Testa* près du marché. "A partir du jour où il eut le local et les pierres, raconte Silvano Filippelli, il disparut et on ne le vit plus pendant quelque temps. Ce qu'il avait combiné dans ce hangar avec ces pierres, personne d'entre nous ne le sut jamais. Il ne nous y emmena jamais, ne nous montra ni le hangar ni les pierres. Dieu sait ce qu'il avait fait pendant ces jours. Mais il avait certes fait quelque chose car, quand il décida de rentrer à Paris, il nous demanda où il pourrait ranger ses sculptures, qui étaient restées dans ce hangar. Elles existaient donc ? Qui sait ? Peut être Modigliani les emporta-t-il avec lui, ou peut-être suivit-il notre conseil amical ? D'un commun accord, nous lui avions en effet répondu : Jette-les dans le canal..."

"Dans le canal des Hollandais, m'a précisé Romiti, qui se souvient d'en avoir vu au moins une" !!! Rapporte Jeanne Modigliani, sans autre commentaire, dans sa biographie.

Le photographe Bruno Miniati raconte en détails cet autre épisode cruel : "Dedo était arrivé tard au *Caffè Bardi* où nous nous réunissions. Il faisait chaud, c'était l'été. Nous sortîmes nous promener le long des fossés, en face de l'église des Hollandais. A un certain moment, d'un paquet en papier journal, Dedo tira une tête sculptée dans la pierre avec un long nez, nous la montra avec l'air de qui montre un chef-d'œuvre, et attendit notre avis. Je ne me rappelle pas qui était avec nous. S'il y avait Romiti, Lloyd, Benvenuti, ou bien Natali, Martinelli, ou même Sommati,

Vinzio. Nous étions nombreux, six ou sept. Et tous nous éclatâmes de rire. On se moqua de lui, pauvre Dedo, pour cette tête. Et Dedo, sans rien dire, la jeta dans l'eau. Nous regrettâmes, mais nous étions tous convaincus que comme sculpteur, Dedo ne valait pas le peintre. Cette tête nous sembla un authentique avorton."

D'après Jeanne Modigliani, Emmanuel Modigliani et sa femme, Vera, ont raconté à Charles Douglas et Arthur Pfannstiel, deux des plus importants historiens d'art de l'époque, avoir financé la location d'un atelier de sculpture pour Amedeo près de Carrare. Malgré l'avis contraire de son médecin qui le trouve affaibli, il part pour Serravezza et Pietrasanta sculpter le marbre à l'endroit même où Michel-Ange faisait marquer de ses initiales les blocs de marbre qu'il avait minutieusement choisis avant de les expédier à Rome. En plein mois de juillet, pendant des heures, il dégrossit durement la pierre, mais les poussières et les éclats de marbre que soulève son ciseau sont catastrophiques pour ses poumons. A grands regrets, il se résout à abandonner Carrare et rentre à Livourne où il revoit ses amis, buvant en silence, pensant sans doute à ses dessins de cariatides qu'il aurait voulu réaliser dans le marbre blanc et qu'il réalisera sûrement plus tard, quand sa santé ira mieux.

Déçu par l'incompréhension rencontrée auprès de ses collègues et amis livournais, Amedeo rentra à Paris avec un paquet énorme de livres italiens : Dante, Pétrarque, Boccace, Leopardi, Carducci, Machiavel qu'il déposa boulevard Raspail avant d'aller retrouver ses copains de *La Rotonde*. Ce soir-là, il parla, fuma, et but tellement qu'il se retrouva au poste de police pour tapage nocturne.

De plus en plus, il veut changer de vie, travailler, et produire des œuvres dignes de son talent : pour lui la création du monde se reproduit donc chaque jour. Mais pour vivre au quotidien, le scénario reste le même, il est obligé de produire des tableaux, d'esquisser le portrait de tous ceux qui veulent bien poser pour lui. Une "ère nouvelle" s'ouvre avec la construction picturale de chaque œuvre, de chaque portrait, la plénitude d'un présent qui ne contient plus aucune trace de l'histoire de la peinture des autres.

Ses voisins sont désormais Soutine, le peintre hongrois Czobel et au-dessus de son atelier, il y a Léonard Tsuguharu Foujita avec qui il se lie d'amitié : "Je suis arrivé à Paris en 1913, directement à Montparnasse. Déjà Picasso, Max Jacob et beaucoup d'autres avaient quitté Montmartre pour s'installer à Montparnasse. Le soir même de mon arrivée, je suis allé au café de *La Rotonde*, puis au *Dôme*, et j'y ai rencontré tout le monde." Il ne connaît personne à Paris, Foujita parle à peine le français, mais pourtant se sait prêt à tout découvrir. Comme ses nouveaux amis Kisling, Picasso et Modigliani, il se sent totalement libéré des conventions vestimentaires ou comportementales d'une certaine bonne société. Il s'invente une coiffure particulière, choisit soigneusement la forme de ses lunettes et fabrique lui-même ses habits à partir de tissus imprimés comme personne à Montparnasse. Son excentricité n'exclut en rien le culte qu'il continue à vouer à ses ancêtres lorsqu'il porte le kimono traditionnel, offre le thé vert à ses amis européens ou leur danse une geste issue de la tradition guerrière. Tsuguharu Foujita est donc un authentique Japonais qui débarque dans le cercle des artistes d'avant-garde qui ont tous en mémoire la trace si importante qu'a laissé l'estampe japonaise dans l'œuvre de leurs grands prédécesseurs, Van Gogh ou Manet, par exemple. Le baron Haussmann avait ouvert le boulevard Raspail et, comme si, pour officialiser le quartier, on avait attendu Foujita, le président Poincaré venait d'inaugurer le 10 juillet 1913 la grande trouée du boulevard du Montparnasse. Les petites maisons basses aux façades revêtues de plâtre blanc, les potagers fleuris, les moulins, les étables et les basses-cours se font rares. Une suite d'imposants immeubles bourgeois en pierre de taille domine alors les dernières maisonnettes de jadis. Même si quelques îlots, comme la ferme de la rue Campagne-Première, où l'on peut acheter des œufs, du beurre, du fromage et du lait cru, sont encore épargnés jusqu'à la guerre, la mentalité du quartier change.

Apollinaire note dans ses carnets: "Montparnasse remplace Montmartre. Le Montmartre d'autrefois: tous ceux que la noce expulsait du vieux Montmartre détruit par les propriétaires et les architectes ont émigré sous forme de cubistes, de Peaux-Rouges, de poètes orphiques. Ils ont troublé des éclats de leur voix les échos du carrefour de la Grande-Chaumière. Devant un café établi dans une maison de licencieuse mémoire, ils ont dressé un concurrent redoutable, le café de la *Rotonde*. En face, se tiennent les Allemands (*Le Dôme*), où sont plus volontiers les Slaves. Les Juifs vont indifféremment dans l'un et dans l'autre".

Comme chaque année à la même époque, depuis dix ans, s'ouvrent, le 15 novembre, les portes du Salon d'Automne. Modigliani, Soutine proposent à Foujita de l'y conduire. Le vernissage, sous la coupole du Grand Palais, attire une foule énorme: "Je ne pouvais, écrira Foujita plus tard, qu'admirer bouche bée plus de trois mille tableaux qui agitaient mon jeune sang". Le Japonais se révolte encore contre ses prédécesseurs venus à Paris, revêtus "d'un habit d'employé et rentrant tout de suite au Japon". Comme eux, Foujita aurait pu choisir la voie de la facilité, c'est-à-dire : suivre les leçons des grands peintres et s'assurer, dès son retour, la reconnaissance du monde pictural japonais.

Il ne le veut pas et, au contraire, comme ses amis, choisit le plus dur chemin. Encouragé par Modigliani et ses amis, Foujita compte bien exposer à leurs côtés au prochain Salon.

C'est également à son retour d'Italie qu'Amedeo se liera d'amitié avec Zadkine, Ossip Zadkine que Max Jacob, avec sa verve habituelle, présente ainsi : "Je présente M. Zadkine. Il faut l'entendre parler des révolutions. Il mêle de la "férocité béante" et des gros derrières de femmes qui s'asseyent dans les omnibus. C'est vraiment le seul génie que nous ayons dans la littérature : il est sculpteur." Et voici comment, à son tour, Zadkine évoque Modigliani : "Il arrivait d'Italie, portant un costume de velours gris. Il avait un port de tête magnifique. Des traits purs. Ses cheveux, noir corbeau, entouraient un front puissant [...] Cela se passait boulevard Saint-Michel, où toute la terre jeune se rencontrait, où toutes amitiés naissaient, puis nous nous sommes revus à *La Rotonde.* [...] L'atelier de Modigliani (celui du 216 bd Raspail) était une boîte en verre. Approchant, je le voyais couché sur un lit minuscule. Son magnifique costume de velours gris nageait à la dérive dans une mer démontée mais pétrifiée dans l'attente du réveil. Autour et partout, des feuilles blanches aux murs et par terre, dessins faisant des crêtes de vagues d'une tempête de cinéma immobilisée pour un instant. Lui, si beau, si fin dans l'ovale de son visage, se réveillait alors méconnaissable, jaune, les traits tirés. La déesse haschisch n'épargnait personne. [...] Parfois on se réunissait chez Rosalie, qui tenait restaurant. Modigliani venait manger là. Payant ou pas payant, mais il trouvait toujours de quoi manger et boire. Il lui laissait des cahiers entiers bourrés de dessins que la pauvre vieille lançait dans la cave, furieuse de ne jamais voir un sou. Et parfois, attardés autour du vin chaud, éclairés par une bougie, nous restions dans ce bistrot, parlant sans fin."

Cette même année 1913, Amedeo peint le troisième portrait du docteur Alexandre devant une verrière. "C'était mon portrait, dit Paul Alexandre, le troisième qu'il fit et le seul, chose extraordinaire pour lui, pour lequel je n'ai pas posé." Il avait déposé le tableau chez le concierge de la clinique où travaillait Paul et était aussitôt reparti. Ce portrait, jugé le plus réussi des trois, rappelle beaucoup les sculptures de Modigliani. Le visage est allongé et reproduit cette distorsion verticale des images qui deviendra sa manière de peindre. Etait-ce là une conséquence de l'alcool, de la drogue, de la douleur ? En fait, lier l'œuvre de Modigliani à la drogue ou à l'alcool est futile et même réducteur. Dans l'ensemble il ne se trompait pas et savait ce qu'il faisait. Il n'en reste pas moins vrai que ces premières, truculentes, étonnantes propositions plastiques étaient d'une assez riche énergie pour engager toutes les facultés et toutes les curiosités de l'esprit humain et que l'artiste était bien en droit de les soutenir de propositions théoriques et merveilleuses fantaisies.

Avec la peinture, l'art de peindre, de produire des œuvres plastiques, non d'imiter la réalité, ce qui n'a jamais été la fin de sa peinture, Modigliani remporte une nouvelle victoire, par une méthode opposée : la méthode mentale. Il élimine la sensation et s'en remet à l'intelligence pure. Le résultat est aussi triomphal pour la cause de la peinture, dans son domaine propre, que des œuvres : qui s'ajoutent à la réalité du monde et n'en dépendent point. L'univers pictural de Modigliani apparaît comme un univers du discontinu mental. C'est en quoi consiste surtout sa nouveauté. Et en quoi il s'accorde à un état d'esprit général, propre à notre époque : on s'en rendra compte en le comparant aux œuvres des autres artistes. L'univers du continu est aboli. Le linéaire ne reparaîtra, dans l'œuvre de Modigliani, que par un paradoxe : dans ses extraordinaires dessins fait d'une seule ligne sobre. Ce serait une erreur que de voir dans cette peinture une école, l'application d'un dogme, ou un académisme spécifique de la déformation.

"Modigliani s'est détruit tout seul avec le même soin avec lequel il a construit son propre talent", dit Claude Roy. Mais on aura tôt fait de découvrir que sous des critiques diverses, c'est en fait toujours les mêmes problèmes qu'il affronte. Là devrait s'arrêter pour nous la légende et le voyage au bout du possible de Modigliani...mais son non-dit lui fait comprendre que son expérience n'a valeur d'autorité que pour lui-même. Cette guerre va céder la place, de proche en proche, à la culpabilité. Notamment, à la culpabilité de ne pouvoir devenir "comme les autres", de savoir qu'au fond il ne guérira pas comme on guérit de sa "vraie maladie". Malade, il l'est, mais ce qu'il ne peut plus dire, c'est qu'il "revient" d'un véritable voyage qu'on ne connaît pas : la tuberculose, dont on ne veut ni ne peut connaître le futur de sa guérison.

En 1913, Modigliani rencontre Georges Chéron, celui qui devait être son premier marchand d'art et qui avait une galerie de peinture au 56 rue La Boétie. C'était un ancien bookmaker, devenu marchand de tableaux par son mariage avec la fille de monsieur Devambez, directeur d'une importante galerie d'art de la place Saint-Augustin.

La galerie Chéron, 56 rue de la Boétie, à Paris.

"Portrait de Georges Chéron", technique mixte sur papier.

Il avait beaucoup de flair, était roublard, misait sur les jeunes peintres talentueux comme on mise sur les chevaux. Il inventa la peinture-placement comme on peut lire au début dans cette lettre circulaire qu'il envoyait à ses clients :

Un placement intelligent

Le tableau est devenu une véritable valeur de spéculation qui, prise à l'émission, c'est-à-dire au début d'un jeune talent plein de promesses, représente une opération de tout premier ordre. Il n'est pas d'exemple qu'une collection, intelligemment et patiemment formée, puis dispersée dix ou quinze ans plus tard, n'ait pas réalisé une plus-value représentant de cinq à dix fois son prix d'achat. De quelle valeur financière en pourrait-on dire autant ? Cela signifie-t-il que l'on doive acheter de la peinture au hasard pour réaliser une opération fructueuse ? Non, certes ! Il faut, au contraire, être un connaisseur averti, ou se laisser conseiller par un marchand ayant à la fois du flair et de l'expérience, et qui, associant ses intérêts à ceux de ses clients, guide le choix de ceux-ci et collabore à la formation de leur collection.

Pissarro, Renoir, Cézanne, Claude Monet, et tant d'autres, se vendaient-ils il n'y a pas encore un quart de siècle quelques centaines de francs , après s'être vendus un ou deux louis jusqu'à 1885. Or, ils atteignent aujourd'hui, sur tous les marchés du monde, trente, cinquante, cent mille francs et au-delà dans les ventes publiques. [...]

Chéron avait acheté en bloc des tableaux de Foujita entassés dans son atelier, au prix de sept francs cinquante pièce et soixante dessins de Zadkine, dix francs pièce. A Modigliani, il offrit un louis d'or, l'équivalent de vingt francs par tableau, mais "à condition que ce soit un chef-d'œuvre." La légende veut que Modigliani arrive chez lui tous les matins à dix heures et que le marchand mette à sa disposition des toiles, des pinceaux, des couleurs, une bouteille d'alcool, sa bonne pour modèle, et l'enferme dans son sous-sol où il pouvait peindre toute la journée sans être dérangé. Le marchand lui aurait même proposé sa femme comme modèle, ce qu'il aurait refusé. Le soir, Chéron venait lui ouvrir la cave, le faisait manger et lui donnait les vingt francs du tableau. Il se vantait de son savoir-faire et confiait au critique d'art Florent Fels : "Modigliani n'aura pas à se plaindre de moi. Il arrive à ma boutique le matin vers dix heures. Je l'enferme dans ma cave avec tout ce qu'il faut pour peindre, et une bouteille de cognac, et ma bonne, qui est une très jolie fille, lui sert de modèle. Quand il a fini, il tape sur la porte à coups de pied, je lui ouvre et lui donne à manger. Et un nouveau chef-d'œuvre est né."

Quelques années plus tard, Soutine devait se venger des façons de Chéron en lui enlevant à la dernière minute quelques toiles sur un lot de tableaux que le marchand venait de lui acheter. Modigliani a fait un portrait de Chéron qui se trouve dans la collection Evelyne Sharp à New York, mais dans les catalogues de ses œuvres, il semblerait qu'il n'y eût jamais eu de tableau ayant appartenu à Georges Chéron. Peut-être leur collaboration fut-elle trop brève. Peut-être cette histoire de cave est-elle une légende de plus. Il faut dire que sa vie si tourmentée, si énigmatique, si contrariée, a été embrouillée par les biographes qui ont fait de lui presque un clochard épris d'alcool et de drogue, alors qu'il était un artiste génial, un précurseur et un visionnaire malheureux.

Fernande Barrey, la femme de Foujita qui, lui, travaille régulièrement pour Chéron à l'époque, dit avoir déjeuné dans ce sous-sol et que cet endroit ne pouvait être la cave-prison dont on parle. Même Jeanne Modigliani affirme, se référant à la période 1912-1914, n'avoir eu connaissance d'aucune œuvre de son père peinte pour le marchand Chéron : "Si nous examinons les dates attribuées, en général, aux œuvres de Modigliani dans les monographies, dit-elle, nous ne trouvons trace ni des nus pour lesquels Gaby aurait posé, ni des tableaux peints pour Chéron."

En 1913, Pinkus Krémègne, alors sculpteur, avant de se consacrer définitivement à la peinture à partir de 1915, avait fait venir Chaïm Soutine à Paris, comme il avait déjà fait venir le paysagiste Michel Kikoïne l'année précédente. Il les avait prévenus qu'ils ne s'enrichiraient pas mais leur avait offert de "partager sa vie de chien" parce qu'il était "plus facile de vivre en tant que Juif en France qu'en Russie tsariste." C'est à La Ruche que Krémègne présenta Eugène Pratje et Soutine à Modigliani. Soutine était né dans le petit village lituanien de Smilovitch, à quelques kilomètres de Minsk, le dixième de onze enfants dans une famille très pauvre. Dès l'âge de sept ans, il vole un couteau pour l'échanger contre une boîte de couleur. Son père l'enferme au pain sec et à l'eau dans un cabinet noir infesté de rats pendant deux jours. Ce genre de punition qu'il subira pendant des années le rendront à moitié fou.

Un jour, dans son village natal, les fils du rabbin le surprennent en train d'esquisser au fusain le portrait de leur père, or, la loi judaïque interdit toute reproduction d'image. Il se voit pour cela roué de coups à tel point qu'il finit à l'hôpital. Quand il en sort, craignant soit une vengeance soit une demande de dédommagement et voulant se débarrasser de lui, c'est le rabbin lui-même qui l'envoie à ses frais à l'école des Beaux-Arts de Vilnius. A vingt ans, il connaîtra la haine raciste, l'humiliation, la peur. Après des mois de faim et de désespoir, il se rend à l'invite de Krémègne et arrive à Paris, sale, mal vêtu, la barbe longue, des parasites dans les cheveux. Il ne se lavait jamais et continuera. Dès son arrivée, il s'inscrit à l'Ecole nationale des Beaux-Arts, fréquente l'atelier Cormon, découvre la musique, les concerts Colonne et les concerts Lamoureux : "Quand on vit dans un sale trou comme Smilovitch, on ne peut pas supposer qu'il existe des villes comme Paris. Imaginez-vous que dans mon village, moi qui aujourd'hui aime tant la musique de Bach, j'ignorais jusqu'à l'existence du piano."

A La Ruche, Soutine habite chez l'un ou chez l'autre. Il est souvent malade, il souffre du ver solitaire, ce qui aggrave sa faim et lui donne d'atroces maux d'estomac, Pratje essaiera de le nourrir correctement. Modigliani dont le monde est si différent éprouve très vite une grande sympathie, et même de la tendresse, pour lui et le prend sous sa protection, le conseillant, lui indiquant comment se comporter, comment s'habiller, comment se présenter. Amedeo qui était soigné, méticuleux, maniaque de la propreté au point, fait assez exceptionnel pour l'époque, de prendre un bain tous les jours, lui fait découvrir la brosse à dents, la littérature et la poésie. Il voudrait en faire quelqu'un de plus civilisé. Il sait qu'il n'a suivi aucune école véritablement artistique, qu'il sort d'un ghetto de niveau culturel important. En quelques mois, Chaïm fait des progrès grâce à Amedeo et tout en ne parlant pas encore français, il parvient à obtenir du crédit auprès des patrons de bistrots du quartier Vaugirard. Ensemble, ils vont à *La Rotonde*, au *Dôme* et ensemble noient leur chagrin dans l'alcool, mais ils cuvent leur vin d'une façon différente. Modigliani devient arrogant, agressif, Soutine, triste et silencieux.

Soutine dira de Modigliani selon Nello Ponente : "C'était tout le génie de l'Italie" et il avouait : "que le soir quand le Livournais, nouveau Socrate, dispensait la sagesse à ses amis, il n'osait le suivre qu'à distance." Plus tard, en 1915, Modigliani réalisera à *La Rotonde*, un portrait au crayon de Soutine, partie gauche du visage balayé d'ombres, partie droite dans la lumière, des yeux éclatants où se peut lire la folie de Soutine, qui y répondra par son propre autoportrait mouvementé en 1916. Les souvenirs d'enfance angoissent et rongent Soutine. A tous ceux qui lui demandent des nouvelles de sa famille, il répondra "qu'ils crèvent". Ses obsessions le poursuivent dans sa peinture. Il peint des animaux morts, écartelés, putréfiés, des carcasses que les bouchers lui ont données et qui pendent dans sa chambre, attirant les mouches. Modigliani l'aide parfois à transporter ces carcasses. Il utilise des couleurs bleues, vertes et surtout toutes les gammes de rouge. Inspiré par des œuvres de Rembrandt qu'il avait vues au Louvre, il peindra le *Bœuf écorché*, parmi ses divinités mises en pièces (en le rendant) entière et complète.

Carrefour Vavin

"Le quartier Montparnasse, du témoignage de l'habitant des quartiers environnants,
est un quartier de "louftingues"

Apollinaire.

C'est au carrefour Vavin, entre *Le Dôme* et *La Rotonde* que les artistes confrontent leurs projets et leurs idées, dans ces bistrots enfumés, fuyant leurs ateliers mal chauffés. C'est au carrefour Vavin qu'allait naître la fameuse Ecole de Paris, dont André Warnod fera plus tard une sorte de classement par nationalités. Les Russes : Larionov, Feder, Zadkine, Lebedeff, Louchansky, Kikoïne, Krémègne, Soutine, Lipchitz, Mietschaninoff, Indenbaum, Epstein, Granowski, Brenner, Chana Orloff, Marc Chagall, Marie Vassilieff, Léopold Sturzwage dit Survage ; les Polonais : Moïse Kisling, Mondzain, Marcoussis, Zyg Brunner ; les Scandinaves : Skold, Sternberg, Simonsen, Palm, Ulmann, Nils de Dardel, Per Krohg ; les Japonais : Foujita et Koyonagi ; les Allemands : Bing Otto von Wattgen qui remplaça Apollinaire dans le cœur de Marie Laurencin à la veille de la guerre, Hans Purmann, Richard Goëtz, le collectionneur Wilhelm Uhde, le critique Adolphe Basler. On peut y ajouter le poète et romancier Franz Hessel qui écrivit *L'Epicerie du Bonheur* et dit à André Salmon en parlant de Modigliani : "Quel artiste étonnant que Modigliani. En dépit d'une noblesse native que rien ne pourra entamer, il a pris pas mal des allures du vagabond. On a déjà connu des princes vagabonds. Qu'il soit souvent ivre n'a aucune importance si c'est quand il est ivre qu'il dessine comme un maître... Un maître tombé... mais faut-il dire tombé ?... dans le vagabondage."

Les Russes et les Slaves fréquentaient en priorité *La Rotonde*, les Scandinaves et les Allemands, *Le Dôme*. Quant au Bulgare Jules Pascin, de son véritable nom Julius Mordecaï Pincas, ne sachant trop où le classer, André Warnod le range aux côtés des Américains. Après avoir fait des études artistiques à Vienne, il dessine pour le très célèbre hebdomadaire satirique allemand *Simplicissimus*, s'attaquant à la morale bourgeoise et à l'ordre établi. Installé à Montparnasse, 3 rue Joseph-Bara, dès 1905, ce "prince oriental", ce "dandy des trois monts Vénus, Parnasse et Martre", comme dit André Salmon, ce déraciné, cet alcoolique, ce fêtard, ce séducteur impénitent deviendra, avec Modigliani, le symbole de ce Paris des Années Folles. Influencé à ses début par l'expressionnisme de Kirchner et le fauvisme de van Dongen et Vlaminck, grand admirateur de Toulouse-Lautrec, sa peinture annoncera l'avenir absurde et incertain d'une époque en perdition.

Lénine habitait à Denfert-Rochereau un deux pièces avec sa femme et sa belle-mère, et fréquentait le café *L'Oriental.*

Polonais de Cracovie, où il avait souffert la faim et l'oppression, Moïse Kisling était arrivé à Paris, une deuxième naissance pour lui, en 1910, à l'âge de dix-neuf ans. A Cracovie, il avait été aux Beaux-Arts l'élève du peintre Pankiewicz. Il avait débarqué à Montparnasse dans le costume traditionnel des Juifs polonais : lévite noire et chapeau noir d'où s'échappaient les fameuses *peyzis*. Très vite, il s'était intégré au quartier, s'était fait couper les cheveux, avait ceint des bracelets de fer aux poignets, adopté un bleu de travail et le foulard rouge très en vogue parmi les peintres, communiquant sa bonne humeur à tous. "Il fut le boute-en-train de toutes nos fêtes. [...] Son amour de la vie, son tempérament sensuel et avide de paroxysme, sa prodigieuse santé, en firent un puissant coloriste de l'Ecole de Paris", rapportera le critique Florent Fels dans son *Art Vivant.* Un véritable coup de chance le place, dès sa première participation au Salon des Indépendants, dans la salle d'honneur entre Matisse et Bonnard parce qu'ayant eu besoin de deux tableaux de petites dimensions pour équilibrer un panneau, les accrocheurs étaient tombés par hasard sur ses deux œuvres. Il avait déjà eu l'occasion d'attirer l'attention en se battant en duel au Parc des Princes avec un certain Gottlieb, en présence de Max Jacob, d'André Salmon, de Diego Rivera et des caméras des actualités qui avaient enregistré l'événement. Un autre jour, ayant été chez Vlaminck à Valmondois pour demander la main de sa fille Madeleine, il s'était vu recevoir à coup de fusil par le peintre belge qui estimait qu'il y avait déjà assez d'un peintre dans la famille. Très vite, il s'était lié d'amitié avec Modigliani, qu'il a sans doute rencontré à La Ruche, et très vite, ils s'étaient mis, ensemble, à boire joyeusement et à courir les filles, n'hésitant pas, à la terrasse de *La Rotonde*, à distribuer des roses à toutes les femmes, jeunes ou vieilles, qui passaient sur le trottoir.

En 1913, la baronne Hélène d'Œttingen et son cousin germain ou selon d'autres, son frère, Serge Jastrebzoff alias Serge Férat, installés au 278, boulevard Raspail dans une étrange maison où était un acacia planté par Victor Hugo, rachètent à André Billy la revue *Les Soirées de Paris* qu'ils remodèlent à leur façon et dirigent avec Guillaume Apollinaire. Le 15 novembre 1913, la nouvelle revue sort dans un nouveau format avec cinq reproductions de Picasso et une chronique cinématographique de Maurice Raynal. Dans les *Feux de Paris*, Max Jacob définit la baronne comme "notre temps d'avant la guerre" et Fernande Olivier dans *Picasso et ses amis* comme "la femme la plus originale, et la plus fantaisiste qui fut. Elle venait vêtue d'hermine et d'or, "installant" bien un peu, comme eût dit Carco, mais si bon enfant, si amusante quand elle voulait bien se modérer un peu, qu'elle nous enchantait. Jolie, fine, distinguée d'ailleurs... elle écrivait, elle faisait de la peinture. Elle fut cubiste ainsi que son frère, puis je l'ai crue convertie au futurisme par Soffici avec qui on la rencontrait toujours." Pour relancer les *Soirées de Paris* vers le succès, Serge Férat, la baronne et Guillaume Apollinaire avaient créé un slogan publicitaire : "Revue indispensable à tout ce qui, en France et à l'étranger s'intéresse au mouvement moderne dans les lettres et dans les arts." Des discussions passionnées naissaient lors de ces réunions au siège de la revue à laquelle collaboraient Chagall, de Chirico, Henri-Pierre Roché, Pierre Roy, des collectionneurs. Et autour d'Apollinaire, Picasso, Léger, Archipenko, Cendrars, Modigliani, Zadkine, Severini, Soffici, Marinetti allaient terminer les soirées à *La Rotonde*, au *Dôme*, à *La Closerie des Lilas*, chez *Baty*,[30] ou au *Petit Napolitain.*

Modigliani s'était lié d'amitié avec le peintre russe d'origine finlandaise, Léopold Survage, qui était à l'époque le chevalier servant de la baronne d'Œttingen. Il venait de réaliser ses "Rythmes colorés", suites de compositions abstraites. Ces œuvres kaléidoscopiques déchaînèrent immédiatement l'enthousiasme d'Apollinaire : "J'avais prévu que cet art serait à la peinture ce que la musique est à la littérature...", écrit-il dans sa chronique de *Paris-Journal*. Et dans *Les Soirées de Paris*, il présente l'essai théorique de cette véritable tentative de "plastique cinématographique"...

---

(30) Baty était le dernier marchand de vin à l'angle du boulevard Montparnasse et de la rue Delambre, un dessin de Modigliani sur papier de 1916 représente Apollinaire chez Baty. Apollinaire fréquentait déjà Montparnasse juste avant la guerre. Il retrouvait Pascin au *Dôme*, au *café des Vigourettes* : Segonzac, Moreau, Derain, Dalize, Férat. Apollinaire était alors "*le dieu fantaisiste et aimable de Montparnasse*" selon Mac Orlan.

Léon Gaumont aurait voulu en faire un film mais la guerre l'en empêcha. "N'ayant pas de cinéma à sa disposition, il se contenta de faire voir ses cartons peints", ajoute Apollinaire.

Autre pilier de *La Rotonde,* où il rencontrait souvent son ami Trotski, Diego Rivera était un bouillonnant personnage révolutionnaire, mexicain, beau parleur, esprit fin et habile, bagarreur, excessif, il se considérait comme l'un des inventeurs du cubisme, déclamait Bakounine et disait que bientôt le grand jour arriverait pour sa peinture et pour le Mexique, qui avait commencé en 1910 une révolution contre le dictateur Porfirio Diaz qui allait durer dix ans. Arrivé à Paris en septembre 1911, il habite 26, rue du Départ avec sa maîtresse Angeline Belloff. Ses voisins et amis sont Piet Mondrian et Amedeo Modigliani. Il fait des recherches avec Picasso, Braque, Jean Metzinger. Angeline lui fait rencontrer la colonie russe de Paris, le poète Volochine, les sculpteurs Lipchitz et Mietschaninoff, l'essayiste Ehrenbourg qui écrit : "Toute *La Rotonde,* un monde de parias, mais nous, les parias des parias [...] Nous réunissent la haine d'une vision bourgeoise des Français et un amour immodéré du caractère français." Rivera va souvent en Espagne d'où il revient avec des toiles où le traitement des paysages laisse entrevoir des influences cubistes. Puis il adhère complètement au mouvement cubiste comme le montre son exposition de Tolède en 1912 et celle du Salon d'Automne de 1913. Au printemps 1914 dans une "personnelle" à Paris à la galerie *Berthe Weill* on peut lire dans la préface du catalogue : "Nous présentons ici aux amateurs des jeunes le mexicain Diego Rivera que les recherches du cubisme ont tenté." A la déclaration de guerre il se trouvera à Majorque où il attendra un an avant de rentrer à Paris, puis se liera avec l'artiste russe Marevna Vorobieff dont il aura une fille, Marika. Dès l'âge de dix-huit ans, Marevna avait découvert les musées de Moscou, les primitifs italiens et avait fréquenté l'Ecole des arts décoratifs où enseignaient des maîtres admirateurs de Van Gogh et des Fauves. Au cours d'un voyage en Italie, elle séjourne à Capri chez Maxime Gorki qui la surnomme Marevna, Marie fille de la mer, surnom dont elle signera tous ses tableaux par la suite. A Paris, elle fréquente quelque temps l'Académie Zuloaga, puis l'Académie Colarossi et enfin l'Académie russe où elle rencontre Krémègne, Soutine et Zadkine.

A *La Rotonde* Diego Rivera se dispute souvent avec Modigliani, le menace même de son bâton sculpté un jour où le Livournais a refusé d'accorder une valeur au paysage, et a osé lui dire que : le paysage, la nature "morte" n'existent pas en peinture. "Pour travailler, j'ai besoin d'un être vivant, disait Modigliani, de le voir devant moi. L'abstraction épuise et tue, elle est une impasse. C'est l'être humain qui m'intéresse. Son visage est la création suprême de la nature. Je m'en sers inlassablement."

Ramon Gomez de la Serna rapporte cette querelle : "Le petit bar de *La Rotonde* était plein de monde. A peine quelques cochers en entendant la discussion tournèrent à moitié la tête sans cesser d'agiter le sucre de leur café. Modigliani voulait exciter son esprit, et Rivera tenait à la main *Arbre qui vit Hernan Cortes.* La jeune femme blonde au type préraphaélite qui accompagnait Modigliani était coiffée sur les tempes de deux fleurs-soleil : elle écoutait pacifiquement. Le foie du grand Diego devait être ce matin-là aussi gonflé qu'un accordéon sur le point de lancer ses notes les plus grosses. Modigliani, dans le feu de la dispute, accrochait de l'épaule les rideaux de la fenêtre du bar. Picasso, au milieu de la querelle, avait pris l'attitude d'un seigneur qui attend un train, le melon jusqu'aux épaules, et appuyé sur un bâton comme s'il pêchait à la ligne. Diego hurlait ! Modigliani oscillait comme un marin gris. – Le paysage n'existe pas ! – Le paysage existe ! Modigliani, comme un scaphandrier dans l'alcool, ouvrait désespérément ses bras, nageant au fond d'un océan d'anémones et d'étoiles de mer. Rivera, comme un monstre puissant, le repoussait. Picasso priait, silencieux, sans ouvrir son bâton-parapluie. Je ne savais que faire, noyé dans mon castillan, et cherchant à sourire à travers le naufrage. La canne de Rivera mesurait les mètres de marbre des tables, et il semblait préparer ainsi des pierres tombales. Ce fut la dernière fois que je vis Modigliani, enfoncé dans le suicide d'un matin avec une vive tristesse dans les yeux, trouvant les formes en chemise, et cette nonchalance donnait un air miraculeux à l'aube couleur d'absinthe, une aube qui se levait au milieu du jour, qui parcourait l'épine dorsale des vingt-quatre heures et mettait à son regard le cristal qui lui permit de regarder les anatomies."

Avec Blaise Cendrars, autre compagnon de débauche d'Amedeo, ils partaient au début de l'après-midi bien approvisionnés en vin et ils allaient le long des quais jusqu'à l'endroit où il y avait encore des bateaux-lavoirs et des lavandières qui lavaient leur linge. Pour les maintenir au frais, ils suspendaient leurs bouteilles de vin au bout de cordelettes qu'ils faisaient tremper dans la Seine. Ils courtisaient de pauvres filles qui les prenaient pour de vulgaires ivrognes. Blaise Cendrars dira plus tard : "C'est fou ce que nous avons pu boire, Modigliani et moi, et quand j'y pense, je suis épouvanté." Cela se passait sur les quais de la Seine près du Vert Galant.

"Quand la porte de *La Rotonde* s'ouvrait d'un geste large, raconte Gabriel Fournier dans *Cors de Chasse,* il était beau de voir entrer théâtralement Modigliani. Campé très droit sur ses jambes, sa noble tête fièrement rejetée en arrière, il s'immobilisait un instant et promenait un regard lointain qui dépassait les étroites limites de la salle. [...] L'ami qu'il paraissait chercher, une fois trouvé, Modigliani venait à lui attiré par les particularités d'un caractère, s'installait à un coin de table – mais toujours dans un passage et comme entreposé – ouvrait son carton, caressait de sa main la feuille de papier. Alors son regard plongeait durement dans les yeux de son modèle qu'il paraissait fasciner. Puis le crayon se mettait à courir en tous sens sur la feuille tandis qu'il s'apaisait en chantonnant. Les arabesques étaient volontairement écrites et, tout à coup, il s'arrêtait, frottait le papier avec la paume de la main et reprenait un détail avec acharnement. S'il était insatisfait de son premier jet, Modigliani prenait un air d'indifférence désabusée, regardait tout autour de lui avant de se jeter nerveusement sur une feuille vierge qu'il se mettait à griffer violemment. Alors, reportant la tête plus en arrière encore, il signait avec indifférence son dessin avant de l'offrir au modèle contre un verre de gin et disparaissait. [...] Dans l'ombre de Modigliani grandissait Soutine ; celui-là se montrait presque paternel dans les attentions délicates dont il entourait son ami. Leur affection réciproque était touchante, au point que, seul, Soutine paraissait un enfant perdu à la recherche de son ami. Au cours d'un dîner de Noël dans un bistrot du boulevard du Montparnasse où nous nous trouvions avec une douzaine de convives que j'avais réunis, Soutine parut soudain fort gêné, rougit, dissimula son gros nez derrière sa main déployée en lançant un regard suppliant du côté de Modigliani qui dénoua discrètement sa cravate pour la passer sous la table. Soutine par la même voie retourna plié ce mouchoir improvisé. "

Après l'attentat de Sarajevo, l'Autriche déclare la guerre à la Serbie, la Russie mobilise. Les alliances se mettent en place et propagent le conflit dans toute l'Europe. L'été est très chaud, les esprits en effervescence. Partout des cris, des discussions, des manifestations. Les magasins sont pris d'assaut, les files d'attente, interminables. Des queues se forment devant les banques, dans les gares, les commerces d'alimentation. Un vent de panique et de patriotisme souffle sur la ville. Dans les rues on entend "à bas le kaiser Guillaume, vive l'Alsace et la Lorraine que nous voulons". Hués par la foule et déjà considérés comme des ennemis, les artistes allemands de Montparnasse vident les bistrots. Paris est en ébullition, et ce samedi 1er août 1914,[31] la mobilisation générale est décrétée. Les feuilles blanches de la triste nouvelle sont placardées sur tous les murs. Le 2 août, un grand enthousiasme accompagne les défilés militaires du onzième, du douzième régiment des cuirassiers de l'Ecole militaire ainsi que le vingt-troisième régiment colonial de la caserne Lourcine, le cent deuxième de ligne de la caserne de Babylone. Criant et chantant, la foule accompagne les soldats vers la gare de l'Est. Les artistes de *La Rotonde*, du *Dôme*, de *La Closerie des Lilas* ont le visage grave et chacun discute dans sa langue l'incroyable événement. Les premiers à courir dans la rue Saint-Dominique pour le recrutement sont les Polonais, puis les Russes, les Italiens. Les engagements volontaires sont acceptés avec trois semaines de retard. Un jour, arrivent à *La Rotonde*, portant l'uniforme à gros plis, képi et capote, Moïse Kisling, Mondzain, Kupka, Zadkine, Maurice Raynal, René Dalize ainsi que Blaise Cendrars et Riciotto Canudo, alors directeur de la revue *Montjoie*, qui avaient invité tous les artistes à défendre la France. Ils attendaient de partir pour le dépôt de Blois avant de rejoindre le front. Canudo s'enrôla dans la légion garibaldienne des volontaires italiens. Le fait de s'engager facilitait l'acquisition de la nationalité française et les futures possibilités d'accès au travail. Ce jour-là, le père Libion leur offrit le champagne en souhait de bonne chance. Modigliani s'était précipité au bureau de recrutement pour partir lui aussi mais il fut considéré comme inapte par la commission en raison de sa tuberculose, tout comme Ilya Ehrenbourg ; Diego Rivera en raison de ses varices ; Mané Katz pour sa petite taille. Restant insensible à toute manifestation patriotique et à la guerre, Picasso ne bougea pas. Ayant demandé au commissaire de police du quartier Saint-Lambert un permis de séjour qui lui fut accordé, Soutine travailla quelque temps chez Renault à la fabrication des munitions, puis comme déchargeur à la gare Montparnasse, puis partit pour Francville rejoindre Kikoïne et sa femme qui y avaient une maison. Vlaminck qui avait déjà trente-huit ans au début de la guerre était réserviste et travaillait aussi dans une usine d'armement. Lénine et Trotski avaient quitté Paris, et des Russes de

---

(31) Le 2 août 1914 la libre circulation des biens et des personnes est interdite, il n'est plus question d'aucune exposition de peinture ni à Paris, ni en Europe. Le courrier est arrêté aux frontières. Apollinaire préface ainsi le catalogue de l'exposition de Derain en octobre chez Paul Guillaume ainsi : "...c'est aux peintres allemands que nous devons l'académisme, ce faux classicisme, contre lequel lutte l'art véritable depuis Winckelmann, dont on ne dira jamais assez la néfaste influence." Le poète prend prétexte de cette présentation pour faire acte de patriotisme esthétique.

Montparnasse, il ne resta que Ilya Ehrenbourg, les peintres Sourikov et Fotinski, le critique Max Volochine, le philosophe communiste Rappoport, et la révolutionnaire Marevna. Utrillo avait été convoqué au dépôt d'Argentan pour être placé en observation avant de partir au front, mais au dernier moment, le médecin major s'aperçut qu'il était déséquilibré et le renvoya à la maison. Pour Modigliani, commença une nouvelle période de doute et de désespoir. On le rencontrait partout traînant sa triste mine d'anarchiste refusé, bon à rien, rejeté même par les militaires. Traînant de bistrot en bistrot pour demander à boire : "Il y a des besoins qui demandent à être satisfaits immédiatement...", disait-il aux inconnus pour se faire payer un verre contre un dessin. Il s'en prenait à tout le monde, aux policiers, aux garçons de café, aux poilus revenus en permission. Le commissaire Zamaron le coffra. Un soir des soldats de métier qu'il avait traités de fainéants près du Val de Grâce le rouèrent de coups et sans l'intervention de Soutine, l'auraient tué. Montparnasse était subitement devenu un quartier triste pour lui. Il n'y avait désormais que le père Libion, l'auvergnat au grand cœur, qui savait être généreux avec tous les malheureux du quartier. Kiki de Montparnasse, le joli modèle le plus demandé du quartier, amie de Pascin raconte : "A l'heure où on livrait le pain, la grande famille des affamés était au complet. On apportait une vingtaine de pains immenses que la porteuse mettait dans une espèce de panier en osier près du bar. Mais les pains étaient trop longs et un bon tiers dépassait. Oh ! pas pour longtemps. Le temps de se retourner, et papa Libion avait toujours à s'absenter pendant quelques secondes à ce moment-là, le temps de se retourner, donc, et tous les pains étaient décalottés en un clin d'œil ; puis, d'un air détaché, tout le monde sortait avec un bout de pain dans la poche." Mais il arrivait parfois que les rapports de Modigliani et du père Libion fussent très tendus, surtout lorsque Amedeo faisait du scandale chez lui et provoquait l'intervention de la police. Contraint de le mettre dehors, Libion le menaçait de ne plus lui acheter de dessins. Modigliani répliquait, le traitant de ruffian.

Un soir à *La Rotonde*, juste au début de la guerre, hôtes de la baronne d'Œttingen, Soffici, Papini et Carrà étaient assis à la terrasse du café, parlant de peinture, de la manière dont Giorgio De Chirico s'était imposé au Salon des Indépendants, de son frère, Alberto Savinio, qui avait égayé la dernière réception des *Soirées de Paris* en s'y produisant comme pianiste quand ils virent un homme mal habillé, les cheveux en bataille, les yeux fébriles s'avancer vers eux, titubant entre les chaises, déclamant des vers et vendant des dessins. Soffici le reconnut aussitôt : "C'est Modigliani !" s'exclama-t-il. "Son visage, autrefois si beau et clair s'était endurci, était torturé et violent ; sa bouche autrefois si belle se tordait dans une grimace amère, ses paroles étaient incohérentes et pleines de tristesse."

Giorgio De Chirico admirait Amedeo : "Il n'y a pas en Italie de mouvement d'art moderne, disait-il. Ni marchands ni galeries. La peinture moderne n'existe pas. Il y a Modigliani et moi ; mais nous sommes presque français. La peinture de Modigliani est très belle." Quant à son frère, Alberto Savinio, il voyait en Modigliani "le bouc émissaire de tous les péchés de la vanité. Hommes et choses lui apparaissaient *sub specie doloris*. Juif et italien – antipharisien par excellence – il a suivi ce qui a été le destin commun à tous les "bons" Juifs, c'est-à-dire de répéter le drame du Christ : de se christianiser. Sa peinture, et davantage ses dessins, ne sont autres que le signe d'un christianisme linéaire."

Quand il n'allait pas chez Rosalie rue Campagne-Première manger ses spaghetti à l'ail, Amedeo allait au 21 avenue du Maine chez Marie Vassilieff, dans l'atelier qu'elle avait transformé en cantine, manger une assiette de bortsch, pour cinquante centimes. "Nous avions fondé une cantine chez Marie Vassilieff, témoigne Foujita, tout le monde y venait. Le soir, on payait cinquante centimes son repas, on jouait de la guitare et Picasso nous mimait en dansant, les toréadors."

Marie Vassilieff avait étudié aux Beaux-Arts de Saint-Pétersbourg, puis elle était venue à Paris en 1905 avec une bourse d'études octroyée par la tsarine grâce à l'intervention de Raspoutine. En 1910, elle avait fondé avec quelques amis, l'Académie russe de peinture et de sculpture de Paris, dont elle fut la directrice. Tous les artistes, fauchés ou non, fréquentaient la cantine de Marie. Modigliani, Soutine, Survage, Foujita, Léger, Ortiz de Zarate, Picasso. Habile, inventive et infatigable, Marie confectionnait des poupées de cuir et de tissu pour le couturier Paul Poiret qui avait une boutique de décoration. Elle utilisa le rhodoïd pour habiller les acteurs de la pièce *Une Saison en Enfer*. Elle aimait s'amuser et lorsqu'elle n'allait pas s'encanailler dans la boîte semi-clandestine de la rue Huyghens, *Mon Œil*, elle organisait des fêtes dans sa cantine, des soirées poétiques et musicales, où elle lisait aussi volontiers les lignes de la main. Romantique, on lui attribua des histoires d'amour avec Trotski et le Douanier Rousseau dont elle disait qu'il "avait une haleine de mort". A plusieurs reprises, la police menaça de fermer sa cantine trop bruyante et, paraît-il, fréquentée par des espions et des révolutionnaires. L'intervention du maréchal Joffre qui la félicita pour son activité humanitaire la sauva de la faillite. Modigliani fera son portrait, mettant en évidence son caractère jovial de poupée russe avec des couleurs "traditionnelles" par une certaine imitation des costumes qui se laissent envahir par les formes profanes, sans trahir ses origines.

C'est surtout à *La Rotonde* que Modigliani aimait rencontrer du monde et qu'il choisissait ses modèles avec une attitude éclectique. Il y venait midi et soir. Il se remit à dessiner d'après les modèles vivants comme au temps de ses débuts à l'Académie Colarossi. Des jeunes filles étranges et étonnantes pour leurs comportements comme Aïcha, mais aussi des femmes particulièrement raffinées comme Elvire, Elvira Ventre,[32] mariée au peintre Pierre Dubreuil.

Coquiot disait qu'à côté de Modigliani les dessins de Lautrec lui semblaient lourds, "pris et repris", car Modigliani dessinait d'un jet élégant, aérien, essentiel. Mais il était exigeant et détruisait facilement ses œuvres quand elles ne lui plaisaient pas. Vlaminck raconte : "Un jour qu'il venait de faire le portrait d'une Américaine de passage dans le milieu rotondain, il le lui offrit gracieusement. Comme elle insistait vivement pour qu'il le signât, agacé de sa vénalité, il se mit à tracer à travers la feuille une signature en lettres énormes, des lettres aussi grandes que celles des écriteaux pour appartements à louer [...] J'ai bien connu Modigliani. Je l'ai connu ayant faim. Je l'ai vu ivre. Je l'ai vu riche de quelque argent. En aucun cas, je ne l'ai vu manquer de grandeur et de générosité. Jamais je n'ai surpris chez lui le moindre sentiment bas. Mais je l'ai vu irascible, irrité de constater que la puissance de l'argent qu'il méprisait tant contrariait parfois sa volonté et sa fierté." Alors, il y avait déjà des amateurs de Modigliani qui venaient spécialement à *La Rotonde* pour lui acheter ses dessins, ses arabesques élégantes et parmi ces gens : le commissaire Descaves[33] qui pour quelques francs lui achetait des dizaines de petits chefs-d'œuvre.

C'est pendant l'hiver 1914 que Nina Hamnett rencontre Modigliani chez Rosalie. "Un homme entra subitement dans le bistrot, dit-elle, il tenait un rouleau de journaux sous le bras. Il portait un chapeau noir et un habit de velours, il avait des cheveux noirs frisés et des yeux marron, il était très beau. Il vint vers moi et me dit, pointant un doigt vers sa propre poitrine : "Je suis Modigliani, juif, jew." Il déroula ses journaux et en tira quelques dessins en disant : "Cinq francs." Nina Hamnett était une artiste sans préjugés, assez imbue d'elle-même, amoureuse de son corps. Elle fréquenta Modigliani un très bref moment. Il semblerait qu'il n'y ait eu que de l'amitié entre eux car elle était amoureuse d'un Allemand mais elle aimait se montrer avec Modigliani dans les endroits à la mode, à la *Gaîté Montparnasse*, à *La Closerie des Lilas*, à *La Rotonde*. Un soir chez Van Dongen, boulevard Saint-Michel, pendant une fête, elle se déshabilla et dansa enveloppée d'un voile noir. Elle dira dans ses mémoires : "Tout le monde était content car j'étais bien faite." Elle revendiquera également avoir fait connaître Béatrice Hastings à Modigliani : "Un jour, Béatrice arriva à Paris. Très grande amie de Kathrine Mansfield, c'était un écrivain plein de talent, elle dirigeait avec Alfred Richard Orage la revue *The New Age*. Je l'ai présentée à Modigliani et nous passâmes toute la soirée ensemble à *La Rotonde*." Béatrice Hastings le démentira plus tard : "Seulement Max Jacob et moi pouvons dire comment sont allées les choses avec Modigliani... Ce bohémien pur-sang..." Elle aurait voulu raconter cette rencontre dans *Minnie Pinnikin*, son livre annoncé mais jamais publié, peut-être même jamais écrit. Ossip Zadkine dira aussi que c'est lui qui les a présentés. Peu importe. "Ça n'a pas été un rapport heureux, mais ce fut pendant les deux années de leur vie commune que Modigliani se retourna vraiment vers la peinture." A propos de cette rencontre de Modigliani avec

---

(32) Le 13 décembre 1913, Pierre Charles Louis Marie Dubreuil, né à Quimper, et Elvira Ventre, née à Sandonato Val di Bornino (Italie) le 13 novembre 1894, se marient à la Mairie du 14ᵉ arrondissement de Paris en présence d'Amedeo.

(33) L'un des " collectionneurs " le plus antipathique d'avant 1914 était le commissaire de police Descaves, frère, de l'écrivain au contraire du sympathique. Leur père fut un communard célèbre. Se faisant passer pour anarchiste : il visitait les ateliers des artistes pauvres, il jetait son dévolu sur les meilleures toiles et les payait de dix à cinquante francs la pièce le drame personnel de l'artiste ne l'intéressait pas. La moitié du prix convenu était payée sur place, l'autre devant être réglée dans son bureau. Quand on se présentait chez lui pour le solde, il s'esquivait ou prétendait avoir déjà tout acquitté – Marquet aurait connu semblable mésaventure avec lui... – Que pouvait entreprendre dans ces circonstances un pauvre artiste, étranger de surcroît et par conséquent exposé à toutes les chicanes administratives ? Le commissaire Descaves avait acquis de cette manière plusieurs toiles de Soutine, jusqu'au jour où la rage s'empara de ce dernier. Descaves venait de choisir quelques tableaux quand Soutine refusa tout net de les lui vendre.

" Je ne peux pas, dit-il, vous céder ces toiles parce qu'elles ne sont pas encore terminées. De plus elles ont déjà été acquises par un amateur qui m'a versé une somme à titre d'acompte ". Descaves insista et lui offrit même vingt francs afin de rembourser les arrhes reçues de l'autre amateur. Soutine mentait ; il n'avait rien reçu de personne et voulait simplement berner, pour une fois, le commissaire. Celui-ci donna ses vingt francs, mais ne revit jamais les tableaux, car Soutine les avait vendus à un autre : le commissaire Zamaron. Soutine fut le seul peintre à avoir dupé Descaves. Modigliani lui consacrera uniquement des dessins...
("Le commissaire Descaves". Témoignages de Emile Szittya, " La bibliothèque des arts ", Paris 1955.)

Béatrice Hastings, une anecdote fit le tour de Montparnasse : Un jour à Londres, un ami de Modigliani, sculpteur américain, fit connaissance avec une dame de la société anglaise, fort cultivée, écrivain, mais qui lui parut désœuvrée. Là-bas, à Paris, Modigliani avait besoin d'aide, de protection. "Partez à Paris Madame H... Il y a là-bas un peintre, qui est un bel homme et un génie... Madame H... arrive sans crier gare, et aperçoit à son entrée dans Montparnasse un grand diable bleu, en pleine excitation, qui exécutait des danses nègres, sur une des tables de *La Rotonde*.
    – Modigliani ? cria-t-elle.
    Lui, sauta à terre... Ils partirent enlacés." Le sculpteur américain ami de Modigliani n'était autre que Jacob Epstein.

Jeanne Modigliani dit que Béatrice Hastings est entrée dans la légende comme une espèce de Lady Brett, autoritaire et séduisante. Selon certains, elle poussait Modigliani à boire et à se droguer ; selon d'autres, elle a au contraire, essayé de le freiner et de le faire travailler. Béatrice Hastings était riche, cultivée, belle. Elle était née en Afrique du Sud en 1879 et avait donc cinq ans de plus que Modigliani. Son père était un homme d'affaires britannique, traditionaliste et sévère. Elle est la cinquième de sept enfants. Quittant assez vite Port Elizabeth où elle est née pour s'installer à Cap Town, elle se marie avec un boxeur, un certain Hastings. Leur mariage ne dure pas longtemps, elle part pour Londres en 1906 où elle rencontre Alfred Richard Orage, directeur de la revue *The New Age*, avec qui elle se lie pendant sept ans et collabore régulièrement à la revue. Béatrice est une féministe avant la lettre, une progressiste, elle se bat pour le droit de vote des femmes. A cette revue littéraire et philosophique, collaborent également George-Bernard Shaw, Chesterton, Hilaire Belloc, Ezra Pound et Katherine Mansfield avec qui Béatrice aura un étrange rapport d'amour et d'amitié. La revue publiera le manifeste futuriste de Marinetti.[34] Après sa rupture au printemps 1914 avec Richard Orage, Béatrice vient à Paris et commence à envoyer une abondante correspondance de témoignages ou de chroniques artistiques sur la bohème de Montmartre et de Montparnasse à la revue sous le titre *Impressions of Paris* qu'elle signera de son pseudonyme, Alice Morning. En quelques mois elle devient un personnage du Tout Paris. Elle se fait remarquer à *La Closerie des Lilas*, habillée en page Louis XV, au *Dôme* avec ses allures de Lady, à *La Rotonde* sirotant son whisky. Max Jacob qui la rencontre en novembre 1914 la présente ainsi dans une lettre à Guillaume Apollinaire : "J'ai fait la connaissance d'un vrai grand poète anglais : Mme Hastings, ivrognesse, pianiste, élégante, bohème, habillée à la mode du Transvaal et entourée de bandits un peu artistes et danseurs."
Béatrice Hastings séduit Modigliani davantage par ses manières décontractées et libertines que par son physique boudeur, sa toute petite bouche et ses yeux de chat. Ensemble, ils font des promenades dans Paris, parlent de poésie, de Lautréamont, d'Apollinaire, vont voir si l'*Hôtel d'Alsace* où est mort Oscar Wilde existe encore. Ils se disputent pour un poème mal dit, mais la réconciliation est toujours au rendez-vous. Lorsque Amedeo lui récite *La Vita Nuova* de Dante Alighieri, Béatrice répond par des vers du préraphaélite Dante Rossetti. Il prend l'habitude d'aller chez elle au 53 rue du Montparnasse et elle vient chez lui pour poser et ainsi commence une histoire faite de passion, d'amour, de scènes sordides, de *saouleries*, de désespoir, de nuits d'ivresse, de passion gourmande, de réveils triomphants, de mélodrames, de grands coups de délire, d'absurdes jalousies, d'atroces déchirures d'alcool et de haschisch mal supportés, mais aussi la véritable œuvre de peintre de Modigliani qui démarre en 1914 avec cette rencontre fondamentale et ne s'achèvera qu'à sa mort en 1920. Après une dispute Béatrice écrit dans son journal : "Mis Amedeo à la porte... Amedeo est brutal, mais si gentil comme ça." Kisling ayant demandé à Béatrice de poser pour lui. Modigliani s'y était vivement opposé : "C'est moi qui me suis opposé à ce que Béatrice aille chez toi. Quand une femme pose pour un peintre seul elle se donne." Autre moment raconté par Ilya Ehrenbourg : "il y avait beaucoup de monde ce soir-là, entre autres Diego Rivera, Max Volochine, quelques modèles ; Modigliani était très excité. Son amie Béatrice Hastings lui disait avec son accent anglais très prononcé : "Modigliani, n'oubliez pas que vous êtes un gentleman, votre mère est une grande dame..." Ces paroles avaient un pouvoir d'incantation. Modigliani resta silencieux un long moment, mais ne put se maîtriser."
Béatrice avait apporté dans la vie et l'art d'Amedeo une force nouvelle mais il ne renonçait jamais à la violence, au désordre, à l'alcool. Béatrice se laissait souvent faire et n'avait pas la force de lui tenir tête mais elle n'était pas non plus femme à donner l'exemple. Elle aimait la débauche, la drogue, les amitiés troubles. Elle disposait d'un pactole régulier sur lequel elle pouvait compter qui lui permettait de mener une existence oisive et capricieuse. Les deux amants étaient insatiables et souvent l'argent ne suffisait pas. C'étaient alors les disputes, les cris et l'enfer.
Selon le témoignage de Fernande Barrey : "Seule Béatrice faisait peur à Modigliani ! C'était une vilaine femme,

---

(34) Christopher Nevinson en 1914 partage un moment, pendant quelques jours seulement, son atelier avec Modigliani. Le peintre anglais rencontre à Paris Marinetti, qui le convertit au Futurisme.

1909, Londres,
Béatrice Hastings.

"Portrait de Béatrice",
huile sur toile
par Modigliani.

1919, Béatrice Hastings.

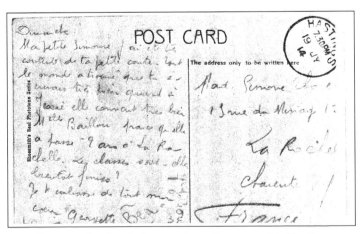

1921, Paris. Béatrice
Hastings photographiée
par Man Ray.

1914, Carte postale du Château Hastings, signée par Béa Hastings.

Carte postale adressée à son amie en France par Béa Hastings.

mais une femme du monde. Elle se promenait en tenant au bras, en guise de sac, un petit panier à double couvercle, comme l'enfant du chocolat Meunier. Quand Modigliani la voyait arriver à *La Rotonde* pour l'emmener, il disait, pris d'une vraie panique : "Cachez-moi, c'est une vache !"

Cet automne 1914 "naît" Modigliani artiste peintre. L'histoire d'une longue recherche aboutissait enfin pour Amedeo qui avait seulement produit, ou pour mieux dire préservé de la destruction, jusqu'alors une trentaine d'œuvres. Il en produira plus de trois cent cinquante dans les six années qui lui restent à vivre. Béatrice lui avait dit : "Si tu es un peintre, il faut peindre. Montre-moi que tu es peintre, je suivrai le fil rouge formé par les trois cents étapes de l'évolution de tes portraits"

Transposant en peinture ses connaissances acquises comme sculpteur, son art se révèle dans ses portraits. Si Modigliani réussit à poursuivre un chemin solitaire vers une expression picturale personnelle, c'est à la sculpture qu'il le doit. Il se remet exclusivement à la peinture, mais on remarque que son intérêt pour les divinités solaires influence ses études et portraits. Les femmes qu'il aime deviennent des objets de vénération vivants. L'art primitif utilise les formes abstraites[35] pour signifier certains pouvoirs, pour concrétiser des personnages rêvés. Pour transposer aussi cela, Modigliani nous donne des indications précises sur le comportement physique et psychique des sujets représentés par des détails minimes, par des formes humaines qui imposent le respect du modèle.

Mais c'est la guerre, la peinture ne se vend pas, les clients se font rares. Tous les peintres ont des problèmes. Matisse accumule ses tableaux dans son atelier du quai Saint-Michel, André Derain rêve de temps meilleurs, Max Jacob fait de l'aquarelle pour vivre, Jean Cocteau dessine des personnages fantastiques inspirés de Picasso, Apollinaire déjà au front écrit et dessine des chimères d'où sortiront plus tard ses *Calligrammes*, Blaise Cendrars qui a perdu un bras à la guerre "remplissait l'air de son moignon menaçant" comme disait Apollinaire.

C'est de 1915 que date la photographie de Max Jacob vêtu de la manière dont l'a représenté Modigliani et que Jean Cocteau décrit : "Longue redingote, foulard, canne, chapeau claque, monocle, on dirait, comme son ami Picasso quelque roi des chiffonniers, quelque Milord l'Arsouille des Puces... astronome, astrologue et alchimiste, mathématicien, mais de rêve, tel fut cet ami merveilleux."

Le critique Florent Fels, soldat au 74ème régiment d'infanterie, se rappelle lors d'une permission à Paris avoir rencontré, rue de Savoie dans son petit atelier, Cendrars dont il venait de lire un livre bouleversant : "J'ai frappé... Une voix lointaine cria "entrez !" Au pied d'un lit, il y avait des souliers de grifton. Un masque dépassait de la couverture sur laquelle était étendue une capote bleue, je ne dis pas horizon, mais de ce bleu de France qui habillait les soldats de Charleroi et de la Marne, l'uniforme de l'infanterie jusqu'en 1915. Il me demanda – C'est pas trop dur, là-haut ? Je n'avais guère envie de répondre. J'étais éberlué de ce luxe de poète : un lit de fer, comme dans les meilleures chambres de bonne, une cuvette de tôle posée sur un escabeau, une table avec des crayons de toutes les couleurs, pas de rideaux aux fenêtres ni de papier sur les murs, évidemment. Mais à la place de fleurs ou des objets habituels dans ces sortes de chambres, des tas de tableaux, des tableaux terribles, avec des femmes aux cous allongés, des yeux d'odalisque, des bouches qui semblaient faites au rouge à lèvres et aussi un nu orangé doux et dodu. Je considérais non sans surprise un tableau représentant une vache bleue qui faisait du cerf-volant sur un ciel jaune, une Tour Eiffel en délire, un bouquet aux fleurs vertes avec du feuillage jaune sur fond mauve et des tas d'autres toiles dont je n'ai gardé qu'un vague mais éblouissant souvenir de violence. – Vous connaissez ? Modigliani, Robert Delaunay, Marc Chagall ? me demanda Blaise Cendrars en ajoutant : – y en a pour de l'argent. Au moins huit cents francs... et encore je ne les ai pas tous payés. Certains Chagall, je les ai en dépôt. Je les garde ici pour les sauver car il est reparti en Russie."

Florent Fels ne connaissait pas ces peintres dont il venait d'avoir une si éblouissante vision. Il se rappelait vaguement avoir un jour aperçu leur nom dans un petit journal, *Aujourd'hui*, dirigé par un certain Arthur Cravan et vendu sous les arcades de l'Odéon, qui défendait la peinture de ces inconnus. – Je n'ai rien de moi, dit Cendrars, rien à boire et rien à vous offrir. Mon prochain bouquin, *Profond aujourd'hui,* doit paraître chez un copain, François Bernouard. Je vous l'enverrai là-haut... Vous êtes toujours secteur postal 51 ?"

---

(35) A cette époque, le sculpteur français Henri Gaudier-Brzeska, personnage excessif et précurseur, se rapproche de Modigliani. La géométrisation de Gaudier atteint les limites de l'abstraction. Le dessin *Explosion d'un de nos obus* (1915) fait appel au langage de Dix, Groz, Nevison. " Je ne décrirai mes émotions que par le seul arrangement des surfaces ; j'n'exprimerai mes émotions que par l'arrangement de mes surfaces, de mes plans et des lignes qui les délimitent ", écrit Gaudier dans le manifeste que publie le *War number* de Blast en 1915. Le 5 juin 1915, Henri Gaudier-Brzeska est mortellement blessé par une balle dans le front alors qu'il monte à l'assaut, à Neuville-Saint-Vaast.

*Paris, 1916. Paul Guillaume dans sa galerie,
en arrière-plan, plusieurs tableaux de Modigliani.*

*Paul Guillaume
dans l'atelier de Modigliani.*

*Paul Guillaume dans sa galerie,
sculptures et tableaux en arrière-plan.*

*"Portrait de Paul Guillaume", huile sur toile,
par Modigliani.*

Novo pilota : Paul Guillaume

"Un bon portrait n'est pas seulement celui qui ressemble au modèle,
mais celui qui ne ressemble plus à rien d'autre."

Jean Prévost

Date très importante pour Modigliani et pour la reconnaissance de son art : la rencontre avec Paul Guillaume organisée par Max Jacob au cours de l'année 1914. Paul Guillaume, comme dit Maurice Sachs, était : "le plus français des marchands et le plus parisien d'entre eux. Il avait choisi ses peintres selon des préférences profondes et si l'on ne partage pas tous ses jugements, il faut avouer au moins qu'ils viennent d'un bel esprit. C'est un petit bonhomme tout rond, jovial, joyeux."

Il fréquentait déjà le Bateau-Lavoir de la bande à Picasso, et Apollinaire qui lui avait conseillé d'acheter une petite galerie au 114 rue du faubourg Saint-Honoré. Après avoir d'abord travaillé dans les assurances, il s'était mis à acheter des tableaux qu'il entassait dans son appartement, rue des Martyrs. Passionné d'objets nègres dénichés aux Puces, chez les brocanteurs ou acquis auprès des coloniaux de passage à Paris, il se mit à collectionner comme un forcené. Dans sa première galerie, il exposa De Chirico, Severini, Derain, Larionov.[36] Plus tard, il achètera une nouvelle galerie rue La Boétie. Paul Guillaume parvenait péniblement à vendre quelques tableaux d'Amedeo et l'aidait de son mieux mais l'argent partait aussitôt en fumée. Il dépensait jusqu'au dernier sou et dès qu'il n'en avait plus, il accourait chez Béatrice. Paul Guillaume aimait aussi le Modigliani poète et lui publia quelques poèmes dans la revue *Les Arts de Paris*.

> Du haut de la montagne Noire, le Roi
> Celui qu'il élut pour régner, pour commander,
> Pleure les larmes de ceux qui n'ont pu rejoindre
> Les étoiles.
> Et de la sombre couronne de nuages
> Tombent des gouttes et des perles
> Sur la chaleur excessive de la nuit.

Au cours de l'année 1915, Modigliani réalise le premier des quatre portraits qu'il fera de Paul Guillaume et l'annote des mots "STELLA MARIS", en haut à droite, et "NOVO PILOTA", en bas à gauche, en manière de reconnaissance et de gratitude pour son nouvel admirateur et marchand qu'il voulait ainsi tout particulièrement saluer. Le nom de l'homme, en général, est souvent précisé et la grosseur des caractères a peut-être son importance : celui de Picasso est énorme, et le portrait du peintre porte très lisiblement sur l'épaule le mot "Savoir", qui indique bien sa position de chef de file.

Paul Guillaume avait loué un atelier au Bateau-Lavoir pour y faire travailler Amedeo qui y peignit, entre autres, *La petite Louise, La jolie ménagère, Les époux* et le portrait de Paul Guillaume chez Béatrice dans la rue Norvins. Sont également de cette époque les portraits de Juan Gris, de Moïse Kisling, de la *Servante au tablier rayé*, de *Madame Pompadour*, de *L'Enfant gras* où l'on peut voir des influences de sa sculpture. L'économie de moyens est extrême, dans la technique picturale les éléments décoratifs sont réduits au minimum. L'homme ou la femme sont assis devant une croisée de fenêtre ou l'un des angles de la pièce, afin de laisser l'espace, l'air circuler autour. La femme a souvent de petites franges, des colliers, des couronnes, parfois un bijou, croix ou médaille, qui la font ressembler à une divinité païenne. Une petite fantaisie éclaire le vêtement des plus humbles, col blanc, dentelle ou revers asymétrique et découpé, mais seule *Madame Pompadour* est coiffée d'un orgueilleux chapeau à plumes.

Au Bateau-Lavoir, il a pour voisin Juan Gris, le seul rescapé de la belle époque de Montmartre, qui succédait, dans l'atelier, à Van Dongen. Dans une lettre à sa mère Amedeo exprime enfin de la satisfaction pour son travail : "Ma chère maman, je suis un criminel de t'avoir laissée si longtemps sans nouvelles. Mais... mais tant de choses...

---

(36) En 1916, Paul Guillaume a eu recours à Apollinaire qui l'a présenté à Derain, l'a intéressé à Rousseau, à Matisse, à Picasso et à l'art nègre. Apollinaire a été le conseiller artistique et le préfacier du marchand. Un des derniers articles du 20 juillet 1918 annonçait que Paul Guillaume préparait un spectacle chorégraphique dans lequel il interprétera par des danses " la contemplation des fétiches de l'Afrique ".

changement d'adresse ; adresse nouvelle 13 place Emile-Goudeau XVIIIème. Mais malgré toutes ces agitations je suis relativement content. Je fais à nouveau de la peinture et j'en vends. C'est beaucoup..."

Le peintre Ubaldo Oppi qui était parti avec la belle Fernande Olivier, laissant Picasso dans tous ses états, et qui avait exposé chez Paul Guillaume raconte que Modigliani était capable de tout. S'étant un jour présenté chez lui complètement fauché, il lui avait proposé de lui vendre une vieille valise de toile grise. Oppi se le rappelle ainsi : "J'habitais 13 place Emile-Goudeau. Un jour Modigliani arriva chez moi en me disant :
– Oppi achète-moi cette valise.
– Mais je n'ai pas besoin de valise.
– Dix-huit sous me suffisent.
– Mais je n'ai pas de sous. Tu vois, je reste au lit parce que je n'ai pas mangé.
Moi sur le seuil, en chemise, les jambes nues, lui les bras ballants, la valise par terre. Valise en toile aux coins renforcés. Nous nous regardâmes tristement en souriant. Modigliani ferma ses grands yeux lumineux, baissa sa très belle tête, pencha son corps pour reprendre la marchandise. Il se leva en soupirant, et en s'en allant, chagriné et à mi-voix murmura :
– Et alors..."

D'après les souvenirs de Pinchus Krémègne : "Il gagna toujours de quoi manger, mais c'était un bohème. Lorsqu'on lui donnait un chapeau ou un manteau, il s'empressait de le bazarder chez un brocanteur pour pouvoir aller boire."

Avec Béatrice Hastings, c'étaient toujours de somptueuses improvisations. Leurs amis ont raconté le fameux bal costumé auquel Béatrice devait se rendre. Comme elle n'avait pas de robe appropriée, s'emparant d'une série de pastels, Modigliani s'était mis à dessiner sur sa vieille robe noire des papillons qui laissaient une poussière d'étoiles colorées comme une traînée d'arc-en-ciel. Béatrice aimait poser pour Amedeo avec un bonnet de fourrure et une robe à carreaux. Il fera d'elle une dizaine de peintures et de dessins, souvent des premiers plans de son visage. Le découpage des plans, la modulation de la couleur évoquent des thèmes musicaux, et le petit bout de journal collé sur l'un de ces portraits, comme un clin d'œil au cubisme. Il dessine, il peint, il travaille sans cesse, ne nettoyant jamais la palette qui devient toujours plus lourde. Il travaille en chantant des mélopées hébraïques d'une grande nostalgie.

Dans l'une de ses correspondances pour *The New Age,* Béatrice écrit en 1915 : "Quelqu'un m'a représentée dans un beau dessin. Je ressemble un peu à la vierge Marie, mais sans accessoires mondains." A propos de l'une des têtes sculptées de Modigliani, elle écrit en février 1915 : "elle sourit en contemplant la sagesse, la folie, la grâce, la sensibilité, la stupidité, la sensualité, nombre d'illusions et désillusions..."

Le rapport qui s'établit entre le modèle et le peintre devient presque hypnotique.
Les yeux un peu bridés, parfois aveugles ou mi-clos, donnent l'impression que deux volontés s'affrontent : celle du peintre, décidé à percer le caractère de Béatrice, et celle du vis-à-vis, qui semble résister à la capture d'une partie de sa personnalité. Au cours de cet affrontement, agressif ou passif, le modèle reflète une certaine image de l'artiste. Amedeo se dépeint tout en peignant l'autre, son modèle, Béatrice est aussi son miroir. C'est ce qui accroît la puissance symbolique de son expression plastique. Le visage de celle qui se trouve en face de lui reste souvent immobile

Lasse de la vie de bohème et de son amant des œuvres duquel elle était alors enceinte, Béatrice Hastings avait quitté Montparnasse pour s'installer à Montmartre dans une petite maison sur jardin au 13 de la rue Norvins. Son hystérie, sa vie mouvementée et son militantisme féministe seront cause qu'elle perdra l'enfant. Modigliani la chercha partout, dans les cafés, chez les amis, puis la retrouva enfin ; ce qui fit dire à André Utter dans l'une de ses correspondances : "Et Modigliani, dilettante de l'amour, revint vivre à Montmartre rue Norvins avec Mrs H. Son goût naissant pour l'alcool allait faire de rapides progrès et je ne sais jusqu'à quel point l'écho des exploits d'alors de Maurice Utrillo, en guerre avec la population de Montmartre et des différents quartiers de Paris, ses démêlés avec la police, les bistrots, je ne sais, dis-je, si ces exploits ne trouvèrent pas dans Modigliani une résonance sympathique, chez cet assoiffé d'indépendance, anti-conventionnel, jaloux, fou de liberté, professant le dédain et la haine de l'ordre et aussi par ce côté maudit que l'on sentait qu'il traînait en lui. Et puis ce fut la guerre, l'exode de Modi à Montparnasse et sa vie avec Zborowski et son existence que chacun sait dans le quartier nouveau – avec quelques incursions à Montmartre en pleine nuit, pendant la guerre, pour chercher refuge auprès de Suzanne Valadon, arrivant complètement ivre, un litre d'alcool sous le bras, lui parlant d'Utrillo. "

Le 27 décembre 1915, André Utter accompagnait Maurice Utrillo à Sainte-Anne où il était interné avec un certificat délivré par le docteur Revertégat ainsi rédigé :

"Je soussigné, docteur en médecine de la faculté de Paris, ancien interne des asiles de la Seine, 17 avenue Rosée à Sannois (Seine-et-Oise), certifie que monsieur Utrillo Maurice âgé de trente-deux ans, demeurant à Paris, 12, rue Cortot, est atteint de dégénérescence mentale avec impulsions dipsomaniaques ayant amené un état d'alcoolisme chronique avec des accès subaigus, accompagnés d'idées de persécution, d'interprétations délirantes, d'illusions sensorielles et d'excitations avec violences contre son entourage et bris d'objets. Il prétend que la bande de Montmartre le poursuit partout, envoie des émissaires pour l'injurier, que les femmes se moquent de lui dans la rue ou le provoquent. Il se voit entouré d'esprits malfaisants et le soir aperçoit des figures grimaçantes. Il a déjà été interné deux fois pour des troubles analogues. Dans cet état mental, j'estime que monsieur Utrillo Maurice doit être placé dans un établissement spécial pour y être traité et surveillé.
Sannois, le 27 décembre 1915."

En fait, les prétendus troubles mentaux qui avaient motivé cet internement n'étaient autres que des suites de féroces beuveries, la plupart du temps commises en compagnie d'Amedeo.
Le 8 novembre 1916, Maurice fut "rendu à sa mère qui le réclamait et s'engageait à le surveiller" après avoir passé dix mois à l'asile de Villejuif qui avait confirmé le diagnostic du docteur Revertégat.

Béatrice Hastings finira par quitter définitivement Amedeo pour "l'ombre de Rodin", ainsi qu'on avait surnommé par dérision le sculpteur italien, Alfredo Pina, qu'elle abandonna pour une brève liaison avec le très jeune poète écrivain, Raymond Radiguet, au grand désespoir de Jean Cocteau. Par la suite, rentrée en Angleterre, elle se dédiera à la magie, à la théosophie, épousera un autre boxeur du nom de Thompson et ne parlera jamais de sa relation avec Modigliani mais Lipchitz révélera ce qu'elle pensait de lui : "Caractère complexe et bohème, mi-perle, mi-pourceau."

"La truculence fanfaronne et agressive était une attitude générale dans le milieu parisien de cette époque", écrit Jeanne Modigliani. Elle trouva, cette truculence, dans l'originalité du caractère d'Amedeo Modigliani, dans son mode de vie déroutant qui choquait les uns et amusait les autres, dans son talent fort jalousé, un terrain propice où s'exercer parfois férocement. Aucun de ceux qui l'ont connu n'est resté indifférent au personnage. Les jugements les plus variés, les critiques les plus contradictoires, les anecdotes les plus imagées et les commentaires en tout genre abondent.

"Dans notre milieu où l'on voyait tout accepter, Modigliani choquait par son ivrognerie. Avec Kisling, ils formaient un couple d'insupportables ivrognes. La première fois où je l'ai vu, il était saoul à un point inimaginable."
Georges Auric

"C'était un beau polichinelle, sans rien de juif ni même d'italien. Il avait la beauté des Apollons antiques. A la fin, la maladie, l'alcool, le haschisch le marquèrent. Il devint bouffi et les poils bleus de sa barbe mal rasée accusèrent encore son teint cireux. Ses yeux se bordèrent de rouge... Et se mirent à ciller constamment."
Roger Wild

"Une nuit, il se coucha sur les rails du tramway devant *Le Dôme* en disant qu'il voulait mourir. Les amis lui crièrent "Ecoute Amedeo, relève-toi, tu vaux mieux que ça !" Satisfait, il se releva."
Fernande Barrey

"Il était absurde et magnifique."
André Salmon

"Il n'y a qu'un homme à Paris qui sache s'habiller, c'est Modigliani. [...] c'est très curieux, on ne voit jamais Modigliani saoul boulevard Saint-Denis, mais toujours au coin des boulevards du Montparnasse et Raspail."
Picasso

"Il était raide, tout d'une pièce, violent d'une manière inattendue, à cause de son apparente douceur... galant et madrigal italien avec les femmes et capable de cruauté. Il aimait la politesse et ne s'en servait pas."
Max Jacob

"Tard dans la nuit, il semblait s'évader. Il partait en titubant vers sa pauvre chambre claustrale ou vers *La Rotonde* du père Libion, et parfois, loin dans l'obscurité du boulevard, on entendait monter un cri inhumain, comme celui d'une bête traquée, un cri de fauve blessé à mort. C'était Modigliani qui hurlait son désespoir à la face des étoiles."
Florent Fels

"Au printemps j'étais à Paris avec des amis futuristes. C'était un matin d'avril 1914, vers onze heures, je me trouvais boulevard du Montparnasse et j'allais vers la gare ; il faisait beau [...] Tout d'un coup un tramway qui allait dans la même direction que moi, c'est-à-dire vers la gare, après avoir à plusieurs reprises violemment klaxonné, freina brusquement dans un fracas strident mais la voiture continua sur ses rails. [...] Comme si de rien n'était, comme s'il n'entendait pas, un homme traversait le boulevard, venant du même trottoir que moi, et allait directement contre le tramway. A cet instant je réalisai que c'était Amedeo Modigliani ; l'ami et l'artiste [...] J'eus à peine le temps de l'attraper par le bras gauche et de le jeter violemment par terre loin des rails, il fut vraiment question de quelques centimètres. Nous le relevâmes avec quelques personnes qui étaient accourues et ce fut alors qu'il reprit connaissance et qu'il m'aperçut. Nous allâmes à *La Rotonde*, nous nous assîmes sur une banquette et ses yeux lentement redevinrent normaux et il se tranquillisa. Ni lui ni moi ne parlâmes de ce qui venait d'arriver et la chose se termina ainsi."
Alberto Magnelli (peintre)

La clef de tout ce qui a inspiré ces témoignages au sujet de Modigliani pourrait sans doute se trouver dans certains de ses propres propos, dont Léopold Survage avait conservé le souvenir :
"L'alcool nous isole du dehors, nous aide à entrer dans notre intérieur, tout en se servant du monde du dehors.
"Nous sommes en train de bâtir un monde nouveau en nous servant des formes et des couleurs, mais c'est la pensée qui est le Seigneur de ce monde nouveau.
"Le trait est la baguette du magicien. Savoir s'en servir est le propre du génie.
"Jamais un coup de dés n'abolit le hasard... J'ai de petits moyens à moi – il ne faut pas tout dire en peinture.
"Ne me parle pas des cubistes ; ils ne cherchent que les moyens, sans s'occuper de la vie qui s'en sert. Le génie doit y pénétrer d'emblée.
"Méfions-nous de tomber au sous-sol de l'inconscient ; on a fait des essais – Kandinsky, Picabia et d'autres. Organiser le chaos. Plus on creuse, plus on tombe dans l'informe. Organisons la forme en gardant l'équilibre entre les abîmes et le soleil.
"Je ne suis ni patron ni ouvrier – mais malgré cela je ne suis pas libre. Mon idéal est de vivre en Italie, ce pays imbibé d'art – à Florence – dans ma ville, Livourne. Mais la peinture est plus forte que mon désir. Elle exige ma présence à Paris – seule l'atmosphère de Paris m'inspire. Je suis malheureux à Paris, mais je ne puis vraiment pas travailler ailleurs.
"L'inspiration, c'est ce doux souffle de vent, qui peut s'enfler jusqu'à la tempête. Nous le sentons autour de nous et en nous. Il est capable de devenir tempête ; il faut un bon matelot alors pour le maîtriser. Le calme plat, c'est le désastre, le désespoir."

Montparnasse

"En 1916, Montparnasse était encore un village, une petite ville de province. L'herbe poussait entre les pavés. Il y avait seulement deux cafés, La Rotonde et Le Dôme ; nous ne savions pas qu'il existait un public. Tout se passait

entre nous, les Parisiens étaient orientés vers la guerre et Paris était une ville libre ; toute la révolution de l'art s'est produite à cette époque-là, sur ce petit coin de terre..."

Jean Cocteau

En 1916, pour aider financièrement Modigliani, Lipchitz et sa femme lui commandent leurs portraits. "Mon prix est de dix francs la séance, avait annoncé Amedeo, plus un peu d'alcool." Mais, "quand il arriva le lendemain, et c'est Lipchitz qui en témoigne, il exécuta les unes après les autres, plusieurs esquisses préliminaires avec sa rapidité et sa précision habituelles... A la fin nous tombâmes d'accord pour une pose inspirée de notre photo de mariage. Le jour suivant, Modigliani arriva à une heure avec une vieille toile et sa boîte de couleurs ; la séance commença. Je le vois encore, assis devant sa toile qu'il avait posée sur une chaise. Il travaillait en silence et ne s'interrompait que pour saisir de temps en temps la bouteille posée à ses côtés et boire une gorgée. Il se levait parfois, regardait son œuvre d'un œil critique et la comparait aux modèles. A la fin de la journée, il déclara : "Voilà, je crois, que j'ai fini."

Personne, mieux que Jean Cocteau, n'a su décrire la sensibilité et la manière de travailler du peintre : "Son dessin est d'une élégance suprême. Il était notre aristocrate. Sa ligne, souvent si pâle qu'elle semblait être un spectre de ligne, ne rencontre jamais une flaque. Il les évite avec une souple élasticité de chat siamois. Modigliani n'étire pas les visages, n'accentue pas leur asymétrie, il ne crève pas un œil, il n'allonge pas un cou. Tout cela s'organise dans son cœur. [...] Et c'est ainsi qu'il nous dessinait aux tables de *La Rotonde* et sans poser (puisqu'il existe de nous une multitude de portraits méconnus), ainsi il nous jugeait, il nous sentait, il nous aimait ou il nous contredisait. Son dessin était une conversation silencieuse.[...] La légende s'est faite sans que rien ne la documente, sauf quelques photographies que j'avais prises un matin à *La Rotonde*."

Parmi les beautés et les personnages qui ont marqué Montparnasse, en tout premier lieu, Kiki, Alice Prin, de son véritable nom, et connue comme l'un des trois "Kiki", les deux autres étant Kisling et Kees Van Dongen. Le surnom de Kiki, diminutif d'Aliki, Alice en grec, lui avait été donné par le peintre Mendjizky. Née le 2 octobre 1901 en Bourgogne, elle était comme ses cinq frères et sœurs un enfant de l'amour, son père étant parti sans laisser de trace. A l'âge de quatorze ans, elle s'emploie comme boulangère à Paris, mais bientôt sa patronne la met à la porte parce qu'elle se noircit les sourcils avec des allumettes brûlées, "alors j'ai rencontré, raconte-t-elle dans ses mémoires, un vieux sculpteur, qui s'apercevant que j'étais dans le besoin, me proposa de poser pour lui. Ça m'a fait tout drôle de me déshabiller, mais du moment que c'était nécessaire..." Quelqu'un l'ayant rapporté à sa mère, celle-ci la surprit dans un atelier à poser nue : "Je posais. Elle m'a crié que je n'étais plus sa fille, que j'étais une ignoble pute !" Commence alors pour Kiki la liberté. Elle découvre qu'il ne lui déplaît pas de poser nue pour les artistes ; qu'en outre ce n'est pas fatigant et que ça rapporte de l'argent. A l'âge de dix-sept ans, elle admire les modèles de Montparnasse : Aïcha l'Africaine au turban vert, Lina d'Alsace, Mimina la Grecque, Lili, Bikel, Pâquerette, mannequin chez Paul Poiret, et bien d'autres et n'a de cesse de les imiter. Comme l'écrit Apollinaire : "les femmes ont aujourd'hui le sentiment de leur importance unique comme gardiennes de la vie sociale et de la race dont les représentants mâles font leur possible pour s'anéantir. Dans ou hors le mariage, elles ne supportent plus qu'impatiemment, le joug viril, veulent être maîtresses des destinées de l'homme et se souciant peu de soumission, ont dorénavant le goût de la liberté." Elle commence alors à poser pour Picasso, Krémègne, Kikoïne.

Dans ses mémoires, évoquant sa rencontre avec Modigliani, Kiki se rappelle qu'elle eut lieu dans un petit restaurant où elle-même se faisait parfois engueuler par la patronne parce qu'elle ne dépensait que six sous pour sa soupe. Mais le client qui donnait toujours le plus de mal à Rosalie, d'après elle, était Modigliani. Il passait son temps à faire de grands rôts qui la faisaient trembler de la tête aux pieds, ajoutant "mais qu'il était beau !"

Pendant toutes les années de guerre, elle devient un peu modèle, un peu entretenue. Adulte, elle continuera à poser pour les peintres. Foujita, dont elle fut le modèle, se rappelle : "Elle entra dans mon atelier, silencieuse, timide, ses petits doigts dans sa bouche rouge, en bougeant orgueilleusement ses hanches. Elle enleva son manteau et au-dessous, elle était complètement nue, un petit foulard coloré épinglé au décolleté de son manteau m'avait donné l'impression qu'elle avait une robe."

Kiki rapporte l'anecdote dans ses mémoires : "Ce qui l'a surpris, c'était ma petite chatte déplumée. Souvent il venait tout près de moi, approchant son nez de la chose pour contrôler si les poils n'avaient pas poussé pendant la séance. Et de sa curieuse petite voix, il s'exclamait : "très amusant, pas de petits poils !" Kiki était d'un tempérament joyeux, libre, généreux. Elle eut beaucoup d'amants et exerça pas mal de métiers. Elle chanta dans les cabarets et parviendra même à en acheter un, *L'Oasis*, rue Vavin, où elle se produisait tous les soirs avec beaucoup de succès.

Elle fit du cinéma, de la peinture et publia ses mémoires avec une préface d'Ernest Hemingway. Elle vécut un temps avec le photographe américain Man Ray qui l'immortalisa par la fameuse photo où on la voit de dos transformée en violoncelle avec les deux "f" de l'instrument au bas du dos.

Un autre modèle, de couleur, eut beaucoup de succès à Montparnasse, Aïcha. A propos de Modigliani, elle dira : "Qu'il était beau, mon Dieu, qu'il était beau ! C'est le sculpteur Epstein qui me l'a fait connaître. Et nous sommes sortis souvent ensemble. Il habitait alors rue de la Grande-Chaumière. Ortiz était un de ses meilleurs amis. J'ai aimé le peintre, mais aussi beaucoup le sculpteur..."

Pendant l'été 1916, André Salmon organise une exposition au Salon d'Antin, le vernissage a lieu en Juillet, au catalogue une liste d'œuvres et d'artistes présents nous révèle la présence de trois peintures de l'artiste italien Modigliani et le tableau *Les demoiselles d'Avignon* de l'Espagnol Picasso. La manifestation présente aux cimaises 164 œuvres de 52 artistes de toutes les nationalités, parmi eux : De Chirico, Georges Gorvel, Max Jacob, Kisling, Fernand Léger, Marevna, Jacqueline Marval, Matisse, Chana Orloff, Severini, Vassilieff, Ortiz de Zarate. La soirée du vernissage continue à la cantine de Marie Vassilieff. L'artiste suédois Gunnar Cederschiöld raconte : "Dans un coin, derrière un rideau, il y avait la cuisine, où Aurélie, la cuisinière, faisait la cuisine pour quarante-cinq personnes sur un petit réchaud à gaz à deux feux et un à alcool. Pour soixante-cinq centimes, on avait un bouillon, une viande, un légume, une salade ou un dessert, le tout de bonne qualité et bien préparé. Le vin coûtait dix centimes de plus. On y trouvait du whisky et du vin. Picasso et Matisse y faisaient souvent un saut, de même que Modigliani, Zadkine, Kisling et – quand ils étaient en permission – Braque, Derain, Léger et Apollinaire. Les discussions en dix langues, qui duraient des heures, étaient quelquefois interrompues par des séances musicales improvisées."
Plus tard, on allait chez Baty, raconte l'écrivain André Billy : "C'était toujours là que le comité de rédaction des *Soirées de Paris* achevait ses réunions de travail."

La salle Huyghens, au 6 de la rue Huyghens à Montparnasse, qui avait été l'atelier du sculpteur suisse Emile Lejeune, devint pendant la guerre, grâce à Blaise Cendrars qui l'avait louée, un centre artistique important où auront lieu aussi les *Soirées de Paris*. On peut y écouter de la musique ou de la poésie, les pianistes Ricardo Vinès et Marcelle Meyer ou le Groupe des Six : Erik Satie, Georges Auric, Arthur Honegger, Francis Poulenc, Darius Milhaud, Germaine Tailleferre. On peut y exposer des peintures sous l'égide de Jean Cocteau, grand organisateur et animateur du milieu intellectuel qui fait la navette entre la rive droite et la rive gauche, entre le salon de la comtesse Anna de Noailles et la bohème de Montparnasse. Depuis la déclaration de guerre, c'était le premier lieu où l'on pouvait revoir les œuvres des artistes de l'Ecole de Paris. Les visiteurs y affluaient en nombre. Selon le peintre Gabriel Fournier, la salle Huyghens "a été le point culminant de l'aventure de Montparnasse. Tout ce qui aujourd'hui a un nom en littérature, peinture, poésie et musique, fit son début dans ce rez-de-chaussée situé au fond d'une cour." A propos du programme[37] de la première exposition du 26 novembre 1916, Jean Kisling ajoute : "J'ai encore un catalogue d'une exposition qui a eu lieu dans la fameuse salle, au 6 de la rue Huyghens, le titre était *Lyre et Palette*. Les artistes étaient Kisling, Matisse, Modigliani, Ortiz de Zarate, Picasso. Modigliani exposait quinze portraits...". C'est peut-être pendant ce vernissage de 1916 que le poète polonais, également marchand d'art, Léopold Zborowski fit la connaissance de Modigliani. Et c'est au cours de cette exposition qu'Amedeo inscrivit, sur un carnet de papier à musique[38] dédié à ses amis Renée et Moïse Kisling, la dédicace : "*Carissimo, la musica un pensiero* que j'ai fait et qui continue sans limite." Un autre cahier de musique, manuscrit autographe, avec quelques remarques s'ajoute enfin à la soirée musicale et à ces trois compositions très

---

(37) Le 26 novembre, il devait y avoir aussi une soirée littéraire au cours de laquelle, d'après le programme : chaque poète devait lire six poèmes. Il s'agissait de Cendrars, Cocteau, Reverdy, Salmon, Max Jacob, Apollinaire et d'une petite fille (sic). Apollinaire, empêché par un glorieux mal de tête, ne peut dire ses Poèmes de guerre, et c'est Cocteau qui lut *Tristesse d'une étoile*, dont le sens symbolique était ce soir-là plus net que jamais. Une autre conférence mémorable fut prononcée un an plus tard : le 26 novembre 1917 au *théâtre du Vieux-Colombier*. On y lut des œuvres de Rimbaud, Gide, Paul Fort, Salmon, Reverdy, Max Jacob. Dans son texte Apollinaire parle de la querelle où l'Aventure doit gagner contre l'Ordre et le bon sens. Il s'agit en fait d'une mise au point du futurisme, et de la recherche de la nouveauté par l'esprit de surprise au moyen des expériences du cubisme et du dadaïsme cette conférence fut publiée dans le Mercure du 1er décembre 1918.

(38) Le même carnet de musique, de 23 pages dont 19 de partition et 4 de texte, à l'encre et au crayon d'une superbe écriture, dans un cahier in 4 oblong à couverture imprimée, est d'Erik Satie (né d'un père papetier, éditeur de musique) avec des indications adressées en français, et non plus en italien, comme le voulait la coutume, aux chanteurs et musiciens : "La main sur la tête de votre âme, léger mais décent, sur le bout des paupières... étranges rumeurs, avant-dernières pensées".

calligraphiées, qui témoignent de l'ironie perçante du musicien Erik Satie, indiquant la date de la composition août-octobre 1915 ; le précieux carnet *Mod à la musique,* écrit et dessiné pour les *Soirées de Paris* par Modigliani date de 1916.

Fréquentaient assidûment les soirées organisées par l'association Lyre et Palette à la salle Huyghens, les poètes Guillaume Apollinaire, placé au centre de son temps comme une araignée au centre de sa toile, Blaise Cendrars, Jean Cocteau, Max Jacob, Pierre Reverdy, André Salmon. Ils venaient tous pour lire leurs poèmes. Un soir, qu'un "glorieux mal de tête", suite de sa blessure de guerre, avait éloigné un moment Apollinaire de la scène, Cocteau lui prêta sa voix, et Modigliani fit son portrait.

Marika Rivera, la fille du peintre Diego Rivera et de Marevna se souvient des récits de sa mère à propos de ces réunions de la rue Huyghens : "Tous les artistes en étaient et se passionnaient pour cette manifestation de l'avant-garde. Ce qui n'empêchait pas qu'à l'issue des soirées musicales et poétiques délirantes de passion, Modigliani, Diego, Marevna et Max Jacob aimaient se retirer loin de l'agitation pour aller analyser leurs émotions dans le silence du vieux cimetière Montparnasse. Cela représentait une expédition remarquable et difficile. Le grand portail était imprenable. Il restait donc le haut mur qui entoure le cimetière, sur lequel il fallait grimper et sauter par-dessus. Diego, grand et large, était loin d'avoir la même agilité que Modigliani. Il fallait bien les trois amis pour le pousser tout en haut du vieux mur. Il était heureusement encore solide. Maman me racontait qu'elle entendait Diego proférer des injures incroyables en langue espagnole quand il retombait de l'autre côté. Lorsque les trois autres l'avaient rejoint, ils se mettaient en quête d'une tombe assez large pour le derrière de Diego. Quel plaisir ensuite d'être enfin réunis dans une certaine intimité intellectuelle et dans les bras de la nuit douce et caressante où la voix de Modigliani était suivie par Max au moyen d'étranges petits rythmes. Diego fermait les yeux, sa main était dans les cheveux blonds de Marevna [...] Marevna habitait rue Asselin. Pour échapper aux scènes de jalousie d'Angelina, la vieille maîtresse de Diego Rivera, celui-ci allait travailler chez Marevna. C'est là que John Penrose rencontra Marevna la première fois. Angelina essaya de convaincre Marevna de venir habiter rue du Départ. Elle essaya mais après quelques mois décida de retourner rue Asselin. Elle préférait rester libre et travailler chez elle. La trilogie dura un certain temps. L'ami le plus fidèle, Ilya Ehrenbourg, surveillait le drame passionnel vécu par Diego, Marevna et Angelina. Le travail demeurait pourtant la priorité. Peindre, apprendre, et comprendre, avant tout. Plusieurs dessins et tableaux représentant Diego Rivera et Marevna ont été exécutés par Modigliani : un dessin à l'encre sur papier à musique ; un dessin de Marevna dédicacé à "Mania", visage au mouchoir fleuri sur la tête ; un nu dans le tub. Mais le plus connu est le portrait de Marevna avec le chapeau et la veste de Diego qu'elle avait dû retailler car elle était enceinte de moi à l'époque. Diego avait laissé maman avec Modigliani [...] il était reparti avec Kisling, son chien Cornet et sa femme. Quand Diego revint, on cria d'admiration."

Pour célébrer la publication du *Poète assassiné*, sorti en octobre, et honorer Apollinaire[39] qu'ils considèrent comme leur maître, les jeunes poètes organisent le 31 décembre 1916 un banquet mémorable. Parmi les convives, André Billy, André Salmon, Vlaminck, Maurice Raynal, Paul Fort, Henri de Régnier, André Gide, Félix Fénéon, Paul Poiret, Jean Cocteau, Picasso, Max Jacob, Pierre Reverdy, Juan Gris, Blaise Cendrars. Tout un poème, le menu composé par Apollinaire et Max Jacob :

Hors d'œuvres cubistes, orphistes, futuristes, etc.
Poisson de l'ami Méritarte
Zone de contre-filet à la Croniamantal
Arétin de chapon à l'Hérésiarque
Méditations esthétiques en salade
Fromages en Cortège d'Orphée
Fruits du Festin d'Esope
Biscuits du Brigadier masqué
Vin blanc de l'Enchanteur

---

(39) Apollinaire est plus gravement blessé à la tête, par un éclat d'obus, qu'il ne l'a cru, au bois des Buttes près de Berry-au-Bac le 17 mars 1916 ; il est envoyé au Val-de-Grâce, puis à l'hôpital créé par le gouvernement italien. Il est trépané. Il reçoit la croix de guerre et est cité à l'ordre du régiment. Sorti de l'hôpital, affecté au service de la Censure, il reprend ses activités littéraires fréquentant à nouveau les cafés de Saint-Germain des Prés et de Montparnasse. Il publie alors un recueil de nouvelles *Le Poète assassiné* autobiographie mystique.

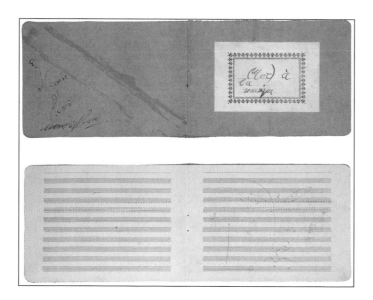

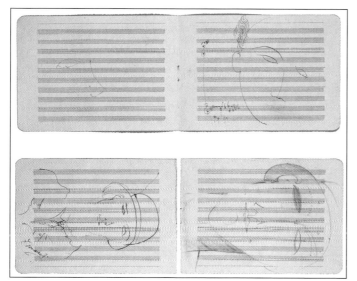 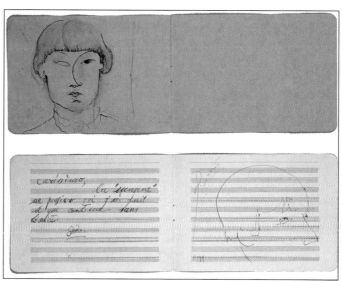

1916, pages du carnet "Mod à la musique", écrit et dessiné pour les "Soirées de Paris".

Vin rouge de la Case d'Armons
Champagne des artilleurs
Café des Soirées de Paris
Alcools...

Apollinaire apprécia beaucoup ce festin "cubiste" dont il parlait encore dans une lettre adressée à Maurice Raynal, mobilisé près de Verdun, le 27 janvier 1917 : "Mon déjeuner a été une sorte d'éclair au magnésium, exactement comme il fallait que ce fût, éclatant et dangereux, bref, mais poussé au paroxysme."

Dans une lettre de 1932, Paul Guillaume dira : "En 1914, pendant toute l'année 1915 et une partie de l'année 1916, j'ai été le seul acheteur de tableaux de Modigliani et ce n'est qu'en 1917 que M. Zborowski s'est occupé de lui. Modigliani m'avait été présenté par Max Jacob. Il vivait à cette époque avec Béatrice Hastings, travaillait au domicile de celle-ci ou chez le peintre Haviland, ou encore dans un atelier que je lui avais loué au 13 de la rue de Ravignan ou dans une petite maison de Montmartre qu'il a habitée quelque temps avec Béatrice Hastings et où il a fait mon portrait. Car il a fait quatre portraits de moi à l'huile avant de connaître aucun autre marchand et avant qu'aucun amateur, ou artiste ou poète ne l'ait pris au sérieux comme artiste peintre. On riait de ses dessins, on attachait peu d'importance à ses tableaux et ses amis de ce temps-là n'étaient pas du tout les mêmes qui se sont révélés depuis..."
Dans un autre texte Paul Guillaume écrit : "Je tiens pour un privilège précieux la destinée d'avoir connu Modigliani, poète ardent et peintre grand parmi les grands. C'était durant les années tachées de sang, alors que la gloire avait figé son sourire dans le feu et dans l'acier... Il passa tel un météore ; il fut toute grâce, toute colère, tout mépris. Son âme hautaine d'aristocrate flottera longtemps parmi nous dans le chatoiement de ses beaux haillons versicolores."

Le retour de Moïse Kisling du front en 1915, à cause d'une grave blessure au thorax, devait aider Modigliani à sortir de cet état de torpeur et d'abandon intellectuel dans lequel il était tombé après le départ de tous ses amis à la guerre et la rupture avec Béatrice Hastings. "Kisling était sensible, intelligent, cultivé, serviable, généreux et affectueux", témoigne Gabriel Fournier. Il savait comprendre Modigliani et le protéger. A Paris, Kisling retrouva petit à petit le bonheur de vivre et, considéré inapte à repartir pour la guerre, il pensa que le temps était venu de se marier. Il se fiança avec la fille d'un officier de la garde républicaine, Renée Gros. A la même période, il hérita de vingt-cinq mille francs légués par son ami le sculpteur américain Chapman Chandler dont l'avion venait de tomber en pleine mer. Le mariage eut lieu à la mairie du 6ème arrondissement, les amis se retrouvèrent pour la fête dans l'atelier du peintre, 3 rue Joseph-Bara au cinquième étage gauche, dans le même immeuble que leur appartement qui se trouvait au quatrième, sur le même palier que celui des Zborowski. Cendrars, Max Jacob, André Salmon, Mondzain, Modigliani et d'autres, étaient de la fête. Agréable et bien chauffé, les murs couverts de photos jaunies, cet atelier deviendra plus tard un lieu de rencontre du Tout Montparnasse. Kisling le met à la disposition de Modigliani qui vient souvent y travailler. Naturellement, Modigliani venait aussi chez Kisling pour boire, pour manger, quelquefois pour se laver, ce qui indisposait Renée-Jean, parce qu'il avait l'art de tout inonder autour de lui. Pour Kisling, la relation avec Modigliani, fut une très bonne école de raffinement et de peinture ; ses nus y gagnèrent en sensualité et en élégance.
Plus tard, les deux peintres peindront et signeront ensemble quatre œuvres importantes dont l'*Atelier de Moïse Kisling,* et *la Table de l'Atelier de Moïse Kisling,* œuvres indiquant avec certitude la collaboration des deux peintres à Montparnasse. Hommage réciproque qu'ils se firent l'un à l'autre car les tableaux décrivent leurs instruments de travail, toiles, pinceaux, couleurs et reproduisent une sculpture et deux toiles de Modigliani. Jean Kisling, le fils de Moïse et Renée-Jean en témoigne ainsi : "Lorsque nous habitions, 3 rue Joseph-Bara, Modigliani avait occupé une petite pièce attenante à l'atelier de mon père au cinquième étage gauche. Kisling lui avait proposé de s'y installer car les temps étaient souvent très durs pour lui, plus que pour mon père qui était l'unique peintre du groupe des Montparnos à avoir eu son appartement et son atelier séparés à 22 ans : un phénomène dont il faisait profiter généreusement ses amis. Notre appartement était au quatrième étage. Modigliani peignait beaucoup ; leurs toiles et leurs châssis étaient de même provenance. Qui préparait les fonds, qui commençait et qui finissait la toile ? Les amis posaient. Ils firent tous les deux le portrait de Cocteau. Kisling peignait plus spécialement les femmes et les enfants. Modigliani peignit pratiquement tous les hommes de son entourage, Picasso, mon père, Soutine, Max Jacob, Lipchitz, Rivera, Zborowski, Survage..." Certaines de ces toiles se trouvent parmi les chefs-d'œuvre de la collection Stchouchine

à Moscou. Sergei Ivanovitch Stchouchine, grand homme d'affaires russe, aimait passionnément la peinture, tout comme son ami Morosoff. Collectionnant les impressionnistes et post-impressionnistes, il rassembla une fantastique collection au cours de ses voyages en Italie, en Grèce, en Egypte, en Allemagne et en France. Dès 1897, il achète chez Durand-Ruel des Monet parmi lesquels les *Lilas à Argenteuil*. Puis, il se passionne pour Pissarro, Degas, Sisley, Renoir, Manet, Cézanne, Gauguin, Van Gogh, Matisse, Picasso, Van Dongen, Derain. Il ne s'arrête plus d'acheter. De retour en Russie, il expose ces chefs-d'œuvre qui attirent critiques, journalistes, artistes et étudiants des beaux-arts, tous les dimanches, dans son superbe palais XVIIIème construit par les princes Troubetzkoy. Stchouchine avait eu l'intention de léguer sa collection à la galerie Tretiakov, mais la Révolution d'Octobre en décida autrement. Nationalisée en 1918, la collection fut d'abord conservée au palais Troubetzkoy, devenu Musée d'Art occidental de Moscou, puis transférée en 1933 dans un autre palais avec la collection Morosoff. Elle est aujourd'hui partagée entre l'Ermitage de Leningrad et le Musée Pouchkine de Moscou. Après la nationalisation de sa collection, Stchouchine vint s'installer à Paris, mais ruiné, il n'eut plus les moyens de reprendre sa passion de collectionneur.

Jean Kisling nous renseigne sur le travail commun de son père avec Amedeo : "Modigliani était très mobile, il circulait beaucoup entre Montmartre et Montparnasse. Modigliani avait un travail plus rapide, plus pulsionnel que Kisling qui s'appliquait davantage aux finitions mais leurs sensibilités étaient voisines. Leurs mains se croisaient sur les toiles. L'autoportrait de mon père aux côtés de ma mère peut être considéré comme un Modigliani signé Kisling. Ils utilisaient les mêmes supports, les mêmes peintures. Leurs modèles furent souvent les mêmes, principalement les femmes car mon père ne peignit que très peu d'hommes."

Un autre témoignage de Jean Kisling permet d'affirmer que le *Grand nu allongé* représente Céline Howard, la femme du sculpteur américain Cecil Howard, une peinture particulièrement intéressante sur le plan de la facture. Peint dans l'atelier de Moïse Kisling en 1918, le modèle est allongé sur le divan qui servit aux modèles que les deux peintres et amis partageaient, reprenant les couleurs de leur palette "commune". La jeune femme posa le temps de trois séances sous l'étroite surveillance de son mari qui avait précisément choisi l'atelier de Kisling, rassuré par la présence de la femme de ce dernier, Renée Kisling. La toile présente les caractéristiques des chefs-d'œuvre précédents, structurée par la même ossature triangulaire du corps, suivie de lignes courbes construites pour susciter des rythmes alternés. Les yeux de ce modèle d'exception, qui fut aussi, entre autres peintres, le modèle de Derain et de Kisling, sont ouverts et scrutent avec un regard amusé le spectateur auquel il semble envoyer un message de joie. Dans le cas présent, il s'agit bien de la part de Modigliani d'une "provocation" préméditée, lui qui peignait la femme de son collègue, sous étroite surveillance, ne pouvait exprimer ouvertement une provocation de séduction, mais seulement constater la beauté du corps féminin, un hommage rendu à sa grâce. Les nus de Modigliani sont particulièrement provocants mais leur audace est calibrée d'une savante dose de séduction qui les rend attirants, jamais vulgaires, plastiquement vivants, jamais aplatis par les déformations anatomiques de la perspective. Le fils de Moïse Kisling, Jean, qui eut le privilège d'avoir ce tableau sous les yeux pendant plusieurs années, ainsi que le fils des Howard, Noël, ont témoigné des pérégrinations de ce tableau. Le nu "Howard" resta pendant des années à Paris jusqu'à ce que la seconde guerre oblige la famille Howard à rentrer aux Etats-Unis en janvier 1941. Ils s'embarquèrent à Marseille pour l'Amérique avec le tableau qui n'eut pas à souffrir du transport ; il est aujourd'hui encore intègre dans sa dynamique colorée.

Chez les Kisling, tous les amis étaient accueillis et bien nourris, aussi les Zborowski qui habitaient le même palier, y allaient et venaient comme chez eux, même plus tard, avec la petite Paulette Jourdain.

"Avec sa barbe rouge, il ressemblait à Jésus-Christ, disait de lui Moïse Kisling. On le rencontrait place de l'Opéra, une immense toile fraîchement peinte sous le bras, alors qu'il allait chez un amateur. Sa force de persuasion était telle, qu'il ne revenait jamais les mains vides." Zborowski qui avant la guerre s'était inscrit à la Sorbonne, acheta un jour par hasard pour cinq francs une miniature qu'il revendit mille. Sa vocation était née.

Né en 1889 dans le petit village polonais de Zaliszckyki dans une famille aisée, il avait passé un doctorat en lettres à l'Université de Cracovie et se passionnait pour la lecture, la poésie et les livres romanesques. Il arrive à Paris en 1913 pour perfectionner son français ; se marie avec Hanka Cirowska, une jeune et belle bourgeoise ; fréquente la Sorbonne et les cafés de Montparnasse. Le couple habite un modeste hôtel du boulevard de Port-Royal, le *Sunny-hôtel*. Pour vivre, Zbo, comme l'appellent ses amis, travaille dans une agence où il recopie des adresses à raison de trois francs les cinq cents enveloppes. Homme sobre et élégant, la barbe toujours bien coupée, Léopold fume la pipe. A ses moments libres, il se découvre poète et brocanteur, achetant au hasard des marchés des objets qu'il revend avec bénéfice. C'est grâce à Moïse Kisling qu'il rencontre Modigliani, peut-être aux soirées de la rue Huyghens. Les deux hommes sont très différents, mais ils ont en commun la connaissance de la littérature. Ils sympathisent et communiquent immédiatement. *Zbo* ne peut connaître que ce qui lui est relatif et l'exprimer que dans les termes de ses *relativités*. Mais la vie qui souffle où elle veut lui inspire des intentions d'achat qui le dépassent et qui produisent des actes d'établissement admirables. Aussitôt, Zborowski s'intéresse à l'œuvre de Modigliani et dira très rapidement : "Amedeo est un vrai grand artiste. Je regrette de ne pas avoir suffisamment d'argent pour lui permettre de travailler sans devoir vendre ses dessins dans les cafés."

Modigliani qui avait été chassé de son atelier du boulevard Raspail va peindre un certain temps dans la chambre d'hôtel des Zborowski. Plus tard, Léopold louera pour lui, rue Racine, une mansarde où il s'installera plus confortablement. Amedeo peint deux portraits de madame Zborowski dont le visage lui rappelle celui des madones siennoises et les vend immédiatement. Léopold lui offre alors vingt francs par jour pour continuer à travailler dans de meilleures conditions.

Lorsque Zborowski s'installe avec sa femme dans un appartement au 3 de la rue Joseph-Bara, Amedeo prendra pension chez eux. C'est là qu'il fera, entre beaucoup d'autres, le portrait de la petite Paulette. C'est là aussi qu'il peindra, directement sur la porte de l'appartement, un portrait de Chaïm Soutine, intitulé *Portrait de Chaïm au grand chapeau*, yeux clos évoquant la fuite et la folie. Ce portrait faisait frissonner Hanka Zborowska qui considérait avec un certain mépris le Juif de Lituanie.

Modigliani, très lié à cette époque avec Soutine, le présente à Zborowski qui deviendra aussi son marchand. Quant aux amis des deux peintres, le chroniqueur Michel-Georges Michel, auteur de *Montparnos*, rapporte que lorsqu'il écrivait sur Soutine dans un journal, ces prétendus amis, par bêtise ou par jalousie, lui disaient : "Pourquoi vous inquiétez-vous de Soutine ? Ce n'est pas sérieux ! Sa peinture ne passera pas le carrefour Vavin et celle de Modigliani non plus."

Léopold néglige la poésie afin de se dédier davantage à Modigliani mais il rencontre bien des difficultés, Amedeo devenant irascible pour un rien. "Non seulement c'était impossible de vendre ses tableaux, mais l'artiste même était souvent intraitable", dira-t-il. Par exemple, un jour où il avait convié chez lui un modèle pour Amedeo, il attendit l'arrivée du peintre pour l'heure fixée, le modèle s'était déshabillé mais Amedeo ne vint pas. Zborowski se rendit alors chez lui et le trouva couché sur son divan, complètement ivre, regardant fixement le plafond. Il n'était pas venu au rendez-vous parce qu'il avait tout simplement vendu ses couleurs afin de s'acheter du vin. Mais Modigliani travaille, lorsqu'il travaille, et le poète Zborowski s'enthousiasme :

"Sur la toile blanche coulent des flots de gloire,
Voici dans leur chaleur riante, les femmes
Nues.
Un miracle de la mesure.
L'explosion de sa palette est pleine d'ardeur,
Le feu jaillit du cœur,
Il suit sa vision intérieure écoutant un haut état
D'amour."

Un témoignage de Marevna Vorobieff-Rivera révèle que Zborowski aimait sniffer la cocaïne : "un Juif qui avec l'aide de la drogue se prenait pour Rimbaud."

La galerie Lepoutre en fut une autre, où le vol de la fantaisie suivit d'autres voies plus "normales", avec le génie classique et classiquement français du propriétaire Constant Lepoutre.

Racontant des souvenirs qui lui furent transmis par sa mère, Lucie Angelini-Lepoutre, Claude Angelini évoque la personnalité et la vie de son grand-père, l'artisan devenu propriétaire d'une importante galerie d'art : "En 1887, Constant Lepoutre, issu d'une famille modeste du nord de la France, arrive dans la capitale avec, pour tout bagage, son brevet d'ébéniste. C'est alors seulement qu'avec émerveillement, il découvre l'art sous toutes ses formes : architecture, musique, sculpture, peinture. Après avoir assisté à une vente à l'Hôtel Drouot, pris par l'ambiance qui y régnait, il décide brusquement d'abandonner la petite entreprise de menuiserie qui le faisait vivre avec sa famille, pour se lancer dans le commerce des antiquités, avenue Victor Hugo. Mais, manquant d'expérience et de connaissances techniques, l'aventure commencée dans l'enthousiasme et la joie, se termine bientôt par une grosse

Léopold Zborowski, dans son appartement au 3 de la rue Joseph-Bara.

Modigliani, "Portrait de Chaïm Soutine", huile sur bois, détail de la porte.

Zborowski, dans son appartement.

La galerie Zborowski, rue de Seine.

déception. Des temps très difficiles commencent pour mon grand-père quasiment ruiné qui travailla au point de mettre sa santé en péril. Il reprit néanmoins un magasin d'antiquités, rue de Seine. Encouragé par son épouse, Marcelline, il étudia l'Histoire de l'Art, apprit son métier par le début et le menu au contact et avec le soutien d'antiquaires voisins qui le conseillèrent et l'aidèrent. Il créa également ce que l'on appellerait aujourd'hui, une "ligne" de cadres finement profilés, en bois des îles, qu'il fit breveter. Plus tard, ces cadres plurent énormément à Pablo Picasso qui les adopta pour ses encadrements. Petit à petit, les affaires reprennent. Il s'installe dans le quartier des marchands de tableaux, rue Laffitte et se spécialise dans l'Ecole romantique. Il fait alors la connaissance de Picasso, Modigliani, Soutine, Dufy, Derain, Suzanne Valadon, Utrillo, Kisling, Friesz etc. En 1918, il quitte la rue Laffitte et ouvre une Galerie, 23 rue La Boétie, par l'intermédiaire de Picasso dont l'atelier se trouvait au dernier étage de l'immeuble. En 1919 eut lieu l'exposition Maurice Utrillo. Constant Lepoutre fut le premier à réunir les œuvres de ce peintre qu'il appréciait tout particulièrement. Utrillo, heureux comme un enfant, sautait de l'une à l'autre des 46 toiles exposées et s'extasiait au bras de sa mère, Suzanne Valadon, en lui confiant les souvenirs que chacune d'elles évoquait. Ce fut pour lui le commencement du succès ! L'année suivante, la galerie présenta des dessins, aquarelles et peintures de Foujita. Ce fut également un succès. Par la suite, mon grand-père, pour ménager sa santé devenue fragile, élut domicile 73 avenue Kléber et pratiqua la vente en appartement. La personnalité de Lepoutre, d'une sensibilité aiguë alliée au sens de l'humour, son goût très sûr, sa grande intégrité lui valurent l'amitié entre autres de Picasso, Modigliani, Suzanne Valadon, ainsi que la clientèle amicale autant que fidèle du Duc de Trevise, du Baron Gourgaud, de la famille de Lesseps... En feuilletant de nos jours les catalogues des ventes concernant sa succession, où tant de chefs-d'œuvre sont mentionnés, on reste songeur...

Comme beaucoup de peintres, Amedeo Modigliani fréquentait la *Galerie Lepoutre* au 52 rue Laffitte. Pour le remercier d'un service rendu, il proposa à Lepoutre de faire un dessin de lui. Pour la première séance de pose, ce dernier s'était quelque peu "habillé" mais le peintre lui demanda de bien vouloir poser dans sa tenue habituelle, c'est-à-dire, vêtu de sa blouse et coiffé de sa toque. Le dessin réalisé dans l'arrière-boutique plut à mon grand-père et Modigliani voulut alors faire son portrait en peinture. Très touché, Lepoutre remercia beaucoup mais ne fut pas convaincu du résultat qu'il ne trouvait pas ressemblant. Il déclara à sa femme, Marcelline, et à sa fille, Lucie, qu'il ne voulait pas laisser de lui, plus tard, à ses petits-enfants, une image aussi peu flatteuse... Quelques années plus tard, il vendit la toile. Par la suite, Modigliani souhaita faire également le portrait de Lucie, gracieuse jeune fille de 20 ans. Mon grand-père refusa la proposition de l'artiste et s'en sortit par une boutade : "Mon cher Modigliani, avec votre tendance à allonger les cous, ma fille en ayant déjà un long, vous allez me la transformer en girafe !" Modigliani sourit et promit qu'il n'apporterait aucune déformation et respecterait scrupuleusement le style de son modèle qu'il tenait beaucoup à portraiturer "Car elle a du rêve dans ses yeux !" – ajouta-t-il, (ce qui, à l'époque, paraissait osé et ne rassura pas du tout le père Lepoutre). Ce fut un des grands regrets de la vie de ma mère..."

A la fin de la guerre, pendant le mois d'octobre 1918, Roger Dutilleul fit la connaissance du marchand Constant Lepoutre qui lui confia : "Modigliani vient de faire mon portrait, parce que je lui avais prêté 60 francs. Ma femme et ma fille ne peuvent pas le voir. Zborowski, son ami et manager, demande 100 francs de ce tableau, le voulez-vous ?" Roger Dutilleul regarda l'œuvre et en pressentit immédiatement les qualités. Il accepta le marché. Quelque temps plus tard, il devait s'enthousiasmer pour l'Italien qui menait à Montparnasse une vie d'artiste d'avant-garde et devint l'un de ses meilleurs clients. A son tour, il accepta de poser pour lui. Les séances eurent lieu chez un parent de Zborowski. L'amateur éprouva une certaine inquiétude lorsqu'il vit descendre d'un fiacre le peintre accompagné de deux amis portant une immense toile. "J'espérais un tout petit tableau, dit-il." Modigliani ne répondit pas. Les deux autres répondirent, à voix basse : "Surtout ne le contrariez pas." Dutilleul paya 500 francs, somme énorme pour l'époque, ce remarquable portrait qui fut exécuté en trois séances et a figuré depuis dans plusieurs expositions en France et à l'étranger.

Dans son atelier de la rue du Départ, Diego Rivera continuait ses recherches sur le Dimensionnisme. Elles portaient sur le fait que pour lui, il était impossible de limiter l'espace, que le cosmos ne pouvait être ramené à une figure géométrique, qu'il fallait au moins cinq dimensions pour trouver l'infini ou l'absolu. Il concevait le cubisme synthétique comme une étape dans le processus de création. Refusant violemment cette théorie, Pablo Picasso passait des nuits à essayer de le convaincre qu'il n'y avait que trois dimensions. D'accord avec Rivera pour

Rue Laffitte, la galerie Lepoutre.

*Apollinaire dans l'appartement
de P. Guillaume.*

*Marevna : "Quand finira la guerre". Atelier de Diego Rivera,
rue du Départ. Diego Rivera, Modigliani, Ilya Ehrenbourg.*

Marevna : "Modigliani, Kisling et Rivera".

*Bal masqué chez Nina Hamnett, avenue du Maine à Montparnasse.
(Modigliani est le 2ème à droite en haut).*

*Modigliani avec des amis au bistrot,
pendant la guerre.*

187

estimer qu'on ne pouvait assigner aucune restriction aux poètes, Apollinaire et Modigliani soutenaient la thèse de Diego, affirmant qu'il fallait leur donner "la possibilité de dimensions infinies". Comme le raconte Marika Rivera : "Picasso venait souvent chez Diego, rue du Départ, mais Diego en avait assez de le voir sans cesse contester ses travaux. C'était une attitude coutumière de Picasso qui agissait de la même manière avec Miró jusqu'au jour où les deux peintres, excédés, s'étaient mis d'accord pour le mettre à la porte de leurs ateliers."

En 1916, le marchand Léonce Rosenberg organise avec succès à la *Modern Gallery* de New York une exposition de Diego Rivera fondée sur le côté cubiste de Rivera plutôt que sur son originalité de créateur. A partir de là, les querelles entre cubistes explosent et la scission ne va pas tarder. En mai 1917, dans le premier numéro de la revue *Nord-Sud,* Pierre Reverdy[40] attaque les "amateurs serviles du cubisme, les opportunistes qui profitent du mouvement pour faire passer d'autres idées", se dresse en défenseur pur et dur du véritable cubisme et un soir, dans l'atelier d'André Lhote, il tient des propos sévères à l'encontre de Rivera qui le gifle. Aussitôt, un duel est envisagé par Metzinger. Mais Diego qui n'est pas rancunier tend la main à Reverdy en signe de réconciliation. Reverdy refuse et publie le lendemain dans sa revue le poème, *Une Nuit dans la Plaine,* où injuriant Rivera, il fait dire à un peintre en bâtiment : "Et pour l'honneur de mon pays, apprenez que je suis macaque." Les cubistes excluent Rivera de leur groupe. "Il va falloir prendre des attitudes nettes, écrit Max Jacob au couturier mécène Jacques Doucet. [...] Le parti Reverdy est le parti Braque, Gris, et sans doute Picasso ; le parti Rivera sera peut-être Metzinger, Lhote, Maria Guttierez (Blanchard), Marevna, toute la bande qui fréquente les Zetlin, maison russe confortable de l'avenue Henri-Martin où les autres ne paraîtront plus."

Après la mort de leur fils, Dieghito, Diego et Angelina quittent Montparnasse, pour s'installer rue Desaix. Bien loin des gris-bleu de Braque, de Picasso, de Juan Gris, on retrouve dans la peinture de Diego des couleurs éclatantes : il revient à ses premières amours, Cézanne. Dans les *Carnets de la Semaine de Juin 1918*, il dira : "Mon effort essentiel fut toujours de suivre l'enseignement cézannien [...] Et si, ainsi on arrive à n'être plus cubiste, eh bien, tant mieux." Dans cette liberté retrouvée, il rencontre l'historien d'art Elie Faure, de retour du front, qui le poussera vers l'expression muraliste, lui fera prendre conscience de sa propre originalité et l'amènera à comprendre comment utiliser, dans son pays, son expérience européenne et sa vision cézannienne de la forme dans l'espace. C'est à ce moment-là qu'il rencontre le peintre mexicain David Alfaro Siqueiros qui lui parle des luttes, des persécutions, de la révolution qui pendant dix longues années ont abîmé leur pays. Le dictateur Venustiano Carranya venait d'être destitué par les paysans et le général Alvaro Obregon devenu président, venait de nommer comme ministre de l'éducation, le progressiste José Vasconcelos, plein d'ambitieux projets pour leur pays : "Il faut donner aux miséreux l'espoir et le goût de la beauté. [...] Organisons l'armée des éducateurs qui se substituera à l'armée des destructeurs. Que le peuple, à 80% analphabète, soit informé des réformes qui le concernent, qu'il trouve dans la lecture d'un art la certitude de son actualité, et de son Histoire, la certitude de son identité pour mieux lutter contre les fausses promesses des Etats-Unis." Tel est le sens de la mission que Vasconcelos va confier aux *Tres Grandes,* les Trois Grands : Rivera, Orozco, Siqueiros. Et les trois muralistes, dans le sillage de la révolution, couvriront le pays de fresques héroïques, répudiant la peinture de chevalet, intellectuelle et aristocratique. Marika Rivera dira : "Mon père eut la chance d'avoir eu la compagnie d'Ilya Ehrenbourg et celles de Max Volochine et de Boris Samikov. C'est l'âme russe qui l'avait aidé à faire face à son peuple. Ce fut grâce à ses amis russes qu'il put comprendre son peuple mexicain. Et c'est chez sa dernière femme, la cristalline, la solaire, la digne Frida Kalho qu'on retrouve encore l'esprit de celui qui sut l'inspirer", *Diego dans mes pensées.*

---

(40) Reverdy et Apollinaire se connaissaient depuis 1912 et ils étaient toujours restés liés par leurs affinités littéraires et esthétiques. Reverdy avait été un des fondateurs du Groupe des Six ; aussi quand en 1917 il créa sa revue *Nord-Sud,* ainsi baptisée par allusion à la ligne de métro, il demanda à Apollinaire de collaborer au premier numéro. Il est nécessaire de rappeler l'importance de la notion de l'image proposée par P. Reverdy dans la revue *Nord-Sud* en mars 1918 : "L'image est une création pure de l'esprit. Elle ne peut naître d'une comparaison, mais du rapprochement de deux réalités plus ou moins éloignées. Plus les rapports des deux réalités rapprochées seront lointains et justes, plus l'image sera forte – plus elle aura de puissance émotive et de réalité poétique." Apollinaire, devenu le maître à penser de la jeune génération, qui le reconnaît comme son chef dans cette revue encourage et accueille Cocteau, Eluard, Breton, Aragon, Soupault.

1902, *André et Jeanne Hébuterne.*

1914, *André Hébuterne.*

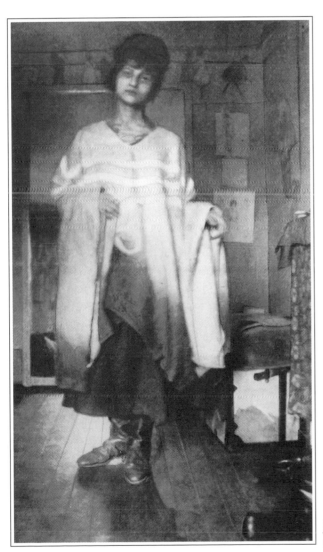

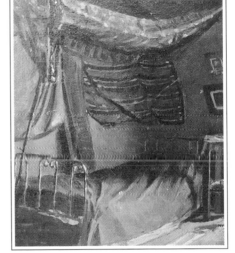

1917, *"La chambre", huile sur toile,*
par Jeanne Hébuterne.

Jeanne Hébuterne avec un vêtement
qu'elle a dessiné et confectionné elle-même.

Noix de Coco

"Amor che nella mente mi ragiona"
(*Amour qui règne sur mon esprit*)

Dante Aligheri

C'est en février 1917, pendant le carnaval, que Modigliani rencontre Jeanne Hébuterne à l'Académie Colarossi. Elle prépare le concours d'entrée aux Beaux-Arts. Ses camarades d'atelier l'ont surnommée "Noix de Coco" à cause de ses longues tresses châtain contrastant avec sa peau blanche. C'est une jeune fille très douée pour la peinture. Elle se sent particulièrement attirée par le fauvisme. Tous les après-midi après sa séance à la Grande-Chaumière, elle va à *La Rotonde* avec sa complice et amie, Germaine Labaye, qu'on appelle "Haricot Rouge" et qui deviendra plus tard la femme du dessinateur Roger Wild.

Pas très grande, maigre, de grands yeux en amande, Jeanne est une fille timide, réservée, mélancolique, maladive, romantique et douce. Elle a l'air mal dans sa peau. Sans doute est-ce dû à son éducation stricte, petite bourgeoise et catholique. Son père, Achille Casimir Hébuterne, est comptable au *Bon Marché*, sa mère, Eudoxie Anaïs Tellier, est femme au foyer. Ils habitent un appartement rue Amyot près de la Montagne Sainte-Geneviève. Ce sont des gens honnêtes, respectueux de la morale et de la religion, même si le père est venu tardivement au catholicisme. Jeanne a un frère, André, qui est peintre et deviendra un assez bon aquarelliste.

Le philosophe Stanislas Fumet qui connaissait Jeanne avant sa rencontre avec Modigliani la décrit ainsi : "Sa démarche, lente et un peu lourde, évoquait l'image d'un cygne. Toute sa personne, au vrai, tenait de ce volatile princier. Le port, le rythme, les formes, le cou allongé, les hanches. Son front était ceint d'un turban vert véronèse, deux grandes nattes cuivrées lui descendaient jusqu'aux genoux. Elle porta longtemps une robe bleu canard et, sur sa tête en noix de coco, une petite calotte de couleur vive. Son teint qui ignorait aussi bien la poudre que le fard, alliait le rose au vert pâle. Deux yeux d'un bleu de myosotis très clair, admirablement disposés sous les sourcils, paraissaient presque blanc... Le nez, long comme dans les figures byzantines, s'apparentait, dans l'infini d'une origine, aux becs de cygne, mais proportionné au pur ovale d'un visage de vierge primitive. La bouche était orange : c'était vraiment la fille à "la lèvre d'orange" que Rimbaud a vue "à la lisière" de la forêt, mais toute entière elle semblait échappée d'un feuillet des *Illuminations*. Les bras étaient grêles, les mains minuscules, les attaches fines : l'ensemble, d'une beauté paradoxale, avait l'équilibre et la grâce d'une amphore."

Le peintre Foujita, avec qui elle aurait eu une courte aventure avant de connaître Modigliani, la traite de vicieuse et sensuelle. Lorsqu'il la rencontre, Modigliani a trente-trois ans ; il est déçu par son travail car sa peinture n'est pas reconnue. Il vivote en vendant quelques tableaux et dessins dans les cafés, malgré l'optimisme de Zborowski. L'arrivée de Jeanne dans sa vie est un rayon de soleil. Il tombe amoureux de sa jeunesse, de sa fragilité, de ce sourire perdu dans la jungle de Montparnasse. Elle se laisse courtiser par cet homme qui la traite avec égards et douceur et la fascine. "Elle vivait dans sa contemplation idolâtre, raconte Gabriel Fournier, et à *La Rotonde,* elle restait recroquevillée dans son coin, écoutant avec des yeux ravis son bien-aimé déclamer..." Jeanne Hébuterne aimait que Modigliani s'intéresse à elle et à ses dessins. Les origines de ses dessins se situent après l'exposition du Fauvisme et l'apparition de tendances que l'on a imputées à la découverte de l'art nègre, donc dans un moment de simplifications élémentaires et géométriques. Ainsi deux ordres de l'esprit se trouvent sollicités dans ces années fructueuses de leur relation : l'ordre de l'instinct, dans sa naturelle fraîcheur, et l'ordre de l'intellect, dans son ambition justificatrice.

Un art nouveau ne vaut pas seulement par la diversité des personnalités d'artistes qu'il a suscitée, mais aussi par ses effets sur tout le mode de vie d'une époque, sur l'aspect général de la vie de cette époque, son décor, son goût.

Edgar Varese avait présenté Jean Cocteau à Picasso. Cocteau, qui considérait Picasso, ainsi que Stravinski, comme les génies du moment, eut l'idée de monter un ballet moderne dans lequel serait réuni et impliqué tout ce qu'il y avait de moderne à Paris dans la peinture, la musique et la danse. Se proposant d'être un trait d'union entre les cubistes de la bande Picasso avec leurs collages de papier et les ballets de Serge de Diaghilev, il se donne corps et âme à cette entreprise, fréquente les artistes de *La Rotonde* et du *Dôme* et cherche des idées, des contacts, des rencontres. Mais ce n'est que lorsqu'il fera la connaissance d'Erik Satie qu'il parviendra à intéresser Picasso à son projet. "[...] c'est au milieu

1918, "Autoportrait", huile sur toile,
par Jeanne Hébuterne.

Jeanne Hébuterne.

Jeanne Hébuterne.

1919, "Autoportrait",
huile sur toile,
par Jeanne Hébuterne.

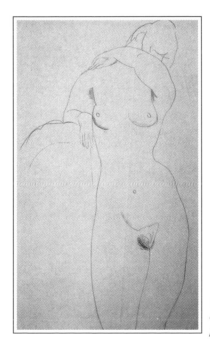

1917, "Jeanne",
encre sur papier,
par Modigliani.

1918, "Jeanne",
crayon sur papier,
par J. Hébuterne.

1917, "André Hébuterne", crayon sur papier, par J. Hébuterne.

de la rue, entre *La Rotonde* et *Le Dôme*, que je demandai à Picasso de faire Parade."[41] Picasso ne connaissait pas les Ballets russes et demanda à rencontrer Diaghilev. Les deux artistes se virent dans l'atelier que le peintre avait alors rue Schoelcher avant de se transférer à Montrouge. Malgré le décor cubiste où vivait Picasso, le courant passa entre le petit Espagnol aux yeux pétillants de malice et Diaghilev. Picasso demanda trois mois de réflexion avant d'accepter. Cocteau aurait même pensé un moment entraîner Modigliani dans son projet.

De cette collaboration entre Diaghilev, Cocteau, Picasso, Satie et Léonide Massine pour la chorégraphie, naîtra finalement le ballet *Parade*. Cocteau voulait transformer la banalité quotidienne en divertissement. Diaghilev y voyait le moyen de relancer ses Ballets russes ; Picasso, un spectacle populaire fait de petites malices colorées ; et Satie, l'occasion de laisser déborder son flot d'humour acidulé.

Apollinaire écrit dans le programme d'introduction au spectacle du 18 mai 1917 : "Les décors et les costumes cubistes de Picasso témoignent du réalisme de son art. [...] Il s'agit avant tout de traduire la réalité. Toutefois, le motif n'est plus reproduit mais seulement représenté, et plutôt que représenté, il voudrait être suggéré par une sorte d'analyse-synthèse embrassant tous ces éléments visibles et quelque chose de plus, si possible, une schématisation intégrale qui chercherait à concilier les contradictions en renonçant parfois délibérément à rendre l'aspect immédiat de l'objet. Il y a dans *Parade* une sorte de "sur-réalisme". Il y a un "effet nègre", un "effet cubiste", et un "effet classique."

A de rares exceptions près, le ballet fut totalement incompris des spectateurs. Les uns croyant à une provocation crient au scandale. Les autres sont consternés par ce qu'ils prennent pour une banalité naïve, vulgaire et puérile.

Le lendemain Paul Morand note dans son journal : "Salle comble, hier, au Châtelet, pour *Parade*. Décors de toile, genre spectacle forain, de Picasso, une musique gracieuse de Satie, tantôt Rimski, tantôt bastringue. Les managers, constructions cubistes, ont surpris. La petite fille américaine et les faiseurs de tours avaient de charmants costumes. Massine ? Bien aussi en jongleur chinois. (Il s'agit de Léonide Massine dans le rôle du conspirateur chinois). Mais l'idée centrale de Cocteau de se dégager des poncifs de la danse pour grouper une série de gestes de la vie, et ses thèmes modernes (mise en marche d'une auto, photographie, etc.), stylisée dans du mouvement n'a pas paru tout à fait au point. Beaucoup d'applaudissements et quelques sifflets."

Guillaume Apollinaire pensait et disait que le ballet allait "renverser les idées de pas mal de spectateurs. Ils seront surpris, certes, mais de la plus agréable façon et, charmés, ils apprendront à connaître toute la grâce des mouvements modernes dont ils ne s'étaient jamais doutés." Mais contrairement à son attente, *Le Gaulois* et *Le Figaro* éreintent le spectacle.

Dans son journal, André Gide écrit : "... été voir *Parade*, dont on ne sait ce qu'il faut admirer le plus : prétention ou pauvreté. Cocteau se promène dans la coulisse, où je vais le voir ; vieilli, contracté, douloureux. Il sait bien que les décors, les costumes, sont de Picasso, que la musique est de Satie, mais il doute si Picasso et Satie ne sont pas de lui."

En revanche, la jeune couturière Coco Chanel, en passe de devenir un personnage important de la mode, assista à la première du ballet, et l'apprécia beaucoup.

"Après le scandale de *Parade*, deux remarques me flattent beaucoup. Ce fut d'abord un directeur de théâtre criant : "Vous n'avez plus l'âge de Guignol", ensuite, un monsieur que nous entendîmes, Picasso et moi, dire à sa femme : "Si j'avais su que c'était si bête, j'aurais amené les enfants", disait Jean Cocteau. Et de conclure : "Ce fut la plus grande bataille de la guerre."

Au mois de juillet 1917 Jeanne Hébuterne et Amedeo Modigliani décident de se mettre en ménage et louent un atelier à l'avant-dernier étage du 8 rue de la Grande-Chaumière. Hanka Zborowska et son amie, Lunia Czechowska, les aident à s'installer, meublent, chauffent et rendent le studio habitable et accueillant. Elles choisissent des couleurs ocres, des orangers pour ensoleiller le nid.

Zborowski, qui a un grand projet d'exposition pour Amedeo, se réjouit de cette liaison. Le peintre a tant besoin d'équilibre, de stabilité et de quelqu'un auprès de lui. Cet amour le sauvera, pensent tous ses amis.

---

(41) Un matin de 1916 Jean Cocteau, déjà familier de Satie, si tant est qu'on put être le familier de ce redoutable ermite de la musique désincarnée, et déjà introduit auprès de Diaghilev, se mit en tête de décider Picasso à l'aventure de faire se rencontrer la musique et la danse avec le "cubisme absolu". Cocteau demanda au musicien de travailler sur les linéaments d'un argument chorégraphique de baraque foraine. Puis, l'année suivante Cocteau propose à Picasso : "...mon rêve en musique, serait d'entendre la musique des guitares de Picasso". ("Le Coq et l'Arlequin", J. Cocteau, Editions La Sirène, Paris 1919). Et l'aventure de "Parade" commence. L'avis de tous fut : du cubisme mis en scène ! Travail, scandale et justice même.

Tout en vivant avec Amedeo, Jeanne rentre tous les soirs rue Amyot pour ne pas décevoir ses parents très conformistes, mais c'est chaque fois pour elle un dilemme. En fait, ses parents sont incapables de comprendre l'amour que Jeanne éprouve pour cet étranger, ce Juif, malade et fauché, pour ce vil séducteur qui a sûrement profité de l'ingénuité de leur fille pour la séduire. La situation devenait pesante et devant l'injonction des parents d'avoir à rester ou à partir, elle quitte définitivement la maison paternelle pour rejoindre son amant. Pour la première fois Modigliani a l'impression d'être chez lui avec une femme qui l'aime. Ortiz de Zarate habite l'appartement voisin. Amedeo se sent en sécurité. Il se met au travail et ses tableaux lui plaisent de plus en plus, ainsi qu'à Zborowski. Il exécute beaucoup de portraits de Jeanne, treize peintures, et au moins autant de dessins : *Jeanne au chapeau, Jeanne au collier, Jeanne en chemise, Jeanne aux cheveux défaits* etc. Il fait aussi le portrait de Fernande Barrey, à l'huile sur toile, titré *Jeune fille brune.* Fernande Barrey, qui a toujours pris en considération la promotion du travail de ses amis s'occupera plus tard, en 1920, de faire exposer Modigliani et Foujita à la Galerie du *Centaure* à Bruxelles.

Le premier juin 1917, Foujita débute réellement dans le monde de la peinture parisienne à la Galerie Chéron. Un accrochage de 110 œuvres le consacre dans "l'élégante" rue La Boétie. Au moment du vernissage, Picasso qui décrypte pendant trois heures le travail du peintre japonais retrouve autour d'André Salmon, qui a assuré la préface du catalogue, Modigliani et ses amis, tous fascinés par la présentation d'une nouvelle technique picturale alliant l'Orient à l'Occident.

A la fin de l'année 1917, pour fêter Fernand Léger et Georges Braque qui rentrent de guerre, Marie Vassilieff organise une réception dans sa cantine. Picasso en est le maître de cérémonie. Les places sont limitées à 36. Modigliani est prié de ne pas venir car on a peur de ses réactions, Béatrice Hastings et son amant, Alfredo Pina, étant de la fête. Bravant l'interdiction, Amedeo s'y invite tout de même avec d'autres artistes et quelques modèles. En le voyant, l'hystérique Béatrice se met à vociférer, tandis que son amant tire un revolver de sa poche et le pointe sur Modigliani. Marie Vassilieff se jette sur Pina, empêchant le coup de partir et la soirée se termine dans la rigolade générale.

Une autre femme a traversé la vie de Modigliani pendant les années de guerre. Après la rupture avec Béatrice Hastings, c'est la québécoise Simone Thiroux qu'il rencontre en 1917. Selon Roger Wild, "une pauvre fille qui avait voué à Modigliani une admiration béate et qui le ramenait chez lui lorsqu'il était saoul pour le mettre au lit. Ce n'était pas une beauté avec son teint violacé et ses chairs molles, mais c'était une bonne fille."

Elle était venue à Paris pour y étudier la médecine, mais avait presque aussitôt laissé tomber ses études pour s'insérer dans la bohème de Montparnasse. Avec Modigliani, elle gaspille une grande partie de son argent. "A force de mettre Modi au lit, ajoute Roger Wild, elle finit par coucher avec lui et c'est ainsi qu'il lui fit un enfant." Fille soumise qui acceptait avec résignation tous ses caprices, ses ivresses et ses hargnes, Modigliani la traitait avec indifférence. Les scènes succédaient aux scènes et un soir, chez Rosalie, il lui dit qu'il ne "veut plus la voir traîner derrière son dos." Elle accouche en mai 1917 à la maternité Tarnier, boulevard de Port-Royal, d'un petit Serge-Gérard que Modigliani refuse de reconnaître. Elle habite 207 boulevard Raspail. Ironie du sort, on baptisera l'enfant au même moment où à Nice, naîtra la petite Giovanna Hébuterne. On fit une fête à *La Closerie des Lilas* où les amis de Simone et de Modigliani se réunirent pour l'événement. Modigliani nie que cet enfant est le sien. Simone Thiroux reste seule, malade, sans argent et sans travail. Les amis l'aident, plus particulièrement Fernande Barrey et Anna Dirikis, la femme d'un peintre norvégien, qui s'occupera un peu du bébé. Pour gagner un peu d'argent, elle devient modèle, puis infirmière à l'hôpital Cochin, mais sa santé déjà fragile empire : elle souffre de tuberculose et se meurt petit à petit. Elle écrit à Modigliani cette lettre publiée par Jeanne : "Je n'en peux plus. Je voudrais simplement avoir un peu moins de haine de votre part. Je vous en supplie, ayez pour moi un regard bon. Consolez-moi un peu. Je suis trop malheureuse et demande une petite parcelle d'affection qui me ferait tant de bien."

Après sa mort, un an après celle de Modigliani, c'est Anna Dirikis, sa marraine, qui prendra soin de l'enfant. Elle dira que le petit Gérard fut adopté par un couple, un officier et sa femme qui venaient de perdre leur propre enfant.

Peindre... peindre encore...

"Le nu demeure l'exemple le plus parfait de la métamorphose de la matière en une forme."

Kenneth Clark

En décembre 1917, Zborowski, réalisant finalement son rêve, annonce la première grande exposition de Modigliani chez Berthe Weill, 50 rue Taitbout, exposition qui sera avec celle de Londres en 1919 les seules qu'il ait connues de son vivant. A l'époque, il était prestigieux d'exposer à la galerie *Berthe Weill* qui avait déjà exposé les fauves, les Espagnols de Paris, Picasso, Van Dongen, Utrillo, Vlaminck, Pascin et avait la réputation d'une grande galerie. Le carton d'invitation présentait un nu debout et l'inscription "Exposition de peintures et de dessins de Modigliani du 3 au 30 décembre 1917."

Selon *Pan ! dans l'œil !*, les souvenirs de Berthe Weill, publiés en 1932, Zborowski avait eu l'idée de mettre des nus en vitrine pour attirer les visiteurs : "Le dimanche, on accroche et le lundi 3 décembre 1917 à 14 heures : vernissage. Nus somptueux, figures anguleuses, portraits savoureux. Assemblée choisie. Le jour baisse, on allume *a giorno*. Un passant, intrigué de voir tant de monde en cette boutique s'arrête médusé. Deux passants... trois passants... La foule s'amasse. Mon vis-à-vis, le commissaire divisionnaire s'émeut :

– Que qu'c'est qu'ça ? Un nu !

Un nu est placé juste face à sa fenêtre.

Il délègue un agent en civil, amène :

– Monsieur le Commissaire vous ordonne d'enlever ce nu.

– Tiens ! pourquoi ?

Accentuant et un ton plus haut :

– Monsieur le Commissaire vous ordonne aussi d'enlever celui-ci !

Mon Dieu ! Il n'a pas encore tout vu !... et cependant pas un n'est en vitrine ! On enlève ! L'assemblée, choisie, ricane sans bien comprendre, ni moi. Dehors, la foule de plus en plus dense, devient houleuse : danger ! Toujours amène, l'agent revient :

– Monsieur le Commissaire vous "prie" de monter.

– C'est mieux "vous prie", mais vous le voyez, je n'ai pas le temps.

Accentuant et un ton au-dessus :

– Monsieur le Commissaire vous prie de monter.

Traversant la rue sous les huées et les quolibets de la foule, je monte. Bureau bondé de patients... Je demande :

– Vous m'avez priée de monter ?

– Oui ! Et je vous ordonne de m'enlever toutes ces ordures !

Ceci dit sur un ton d'une insolence rare et qui ne supporte pas de réplique. Je hasarde, cependant :

– Il y a, heureusement, des connaisseurs qui ne sont pas de cet avis... Mais qu'ont-ils donc ces nus ?

– Ces nus !

Yeux exorbités, avec une voix que l'on dut entendre à La Courneuve :

– Ces nus... ils ont des pppoils !

Et, plastronnant, excité par les rires approbateurs des pauvres types, tassés là sous le bât, il poursuit, triomphant :

– Et si mes "ordres" ne sont pas exécutés "de suite", je fais saisir le tout par une escouade d'agents...

Pastorale... : chaque agent de l'escouade tenant un nu de Modigliani dans ses bras...

Cinéma.

Je ferme aussitôt le magasin, et les invités y emprisonnés aident au décrochage des toiles. M. Henri Simon, alors ministre des Colonies, Marcel Sembat, Mme Aguttes et diverses autres personnalités marquantes, venaient précisément de partir. Ce commissaire, un nommé Rousselot, aurait dû prendre quelques grains d'hellébore ; et ce sont ces types-là qui nous firent la loi pendant la guerre !... Se plaindre ? à qui ? et l'on a bien d'autres chiens à fouetter... Les cris de pudeur effarouchée de cet énergumène dénote évidemment un état maladif, émotif, que la vue de ces nus attise. Si j'ai parlé de La Courneuve, c'est qu'il me revient que, lors de l'explosion qui se fit entendre dans tout Paris, son émotion se manifesta bruyamment sous le coup d'une frousse formidable ; il se contenta, cette fois-là, de g... dans la rue... pour interdire de répandre la panique... "Ceux qui répandront la panique, je les f... dedans !" Qu'est-ce qu'il attendait alors pour se prendre par le bras ? Tous les tableaux décrochés, l'exposition suit son cours :

deux dessins seulement sont vendus... 30 francs chacun. Pour dédommager Zborowski... j'achète cinq peintures."

A propos de cette exposition, Francis Carco écrit : "Une exposition chez Mademoiselle Weill, à qui les rapins chantent sur l'air de Mad'moisell'Rose... cette innocente rengaine en lui portant leurs œuvres :

Ah ! Mad'moisell'Weill-le,
J'ai un p'tit tableau, un p'tit
tableau à vous offrir...
C'est pas un'merveil-le

mais payez-le nous et j'vous jur'
qu'ça nous f'ra plaisir,
Mad'moisell'Weill...

Une exposition, dis-je, de Modi lui valut son premier succès. Mais quelle révolution dans la rue ! Les nus du peintre, qu'on voyait de dehors, attirèrent aussitôt les badauds. De petits pâtissiers, des télégraphistes, de vieux messieurs à guêtres blanches, des bourgeois, des *trottins*, amassés devant la boutique, s'écrasaient littéralement et le commissaire, que cette foule surprenait, s'approcha lui-aussi de la devanture et cria au scandale. Ce fut épique. Par ordre du commissaire, Mademoiselle Weill dut suivre les flics au poste où elle tenta en vain de défendre Modigliani. Rien n'y fit. La circulation était troublée par le nombre des curieux et il fallut décrocher du mur les admirables toiles (l'une d'elles, un nu couché, fut vendue 22000 francs en mars 1925 à la Salle Drouot) du malheureux Modi qui n'en vendit pas une, même au prix le plus bas. Or, à l'époque par une soudaine clémence du ciel qui s'était par trop acharné contre un si grand artiste, Modigliani découvrit au *Dôme* un ami qui, partageant sa noire et douloureuse détresse, courut Paris et se jura de le rendre célèbre. Cet ami n'a jamais douté de Modigliani. Pour l'aider à vivre, il eût vendu ses vêtements, sa montre, ses chaussures, couché dehors en plein hiver et emprunté, à n'importe quel taux, un peu d'argent. Cet ami se nomme Zborowski. Il n'était pas encore marchand mais poète et logeait, rue Joseph-Bara, dans un étroit logement où Modigliani souvent venait coucher et ameutait l'immeuble."

Finalement, ce scandale de la rue Taitbout ne fit que du bien à Modigliani. L'histoire de cette exposition avec des filles nues dans la vitrine et de ce commissaire trop zélé fit le tour de Paris. "Il aborda franchement sur la toile ces étonnantes études dont les nudités semblent ne découvrir que certains modelés du ventre, des seins ou le sourire de bouches plus ambiguës qu'un sexe. La souplesse animale, parfois immobilisée, ses abandons, sa faiblesse heureuse, n'ont point encore connu de peintre plus soucieux de les traduire. Ces mains unies ou qui se cherchent, ce mouvement du visage, ces yeux dont l'un déjà clôt à l'approche du plaisir, ce doigt, ces cuisses plus tendres que l'appel de deux bras et ce pli délicat qui dissimule la retraite humide de l'amour..." ainsi Francis Carco semble rendre hommage au courage du peintre qui ose. Rangeons les nus de cette provenance dans la première catégorie. La seconde se compose d'œuvres d'une musicalité apaisée et qui ne peuvent en aucune façon *troubler les rêves* d'un bon bourgeois. On ne connaît pas de nus qui puissent témoigner d'une parfaite communion spirituelle entre le peintre et la femme prise pour modèle. Il ne s'agit pas seulement de la beauté coutumière qu'animerait un peu de sensualité animale : l'artiste lui a transmis sa joie esthétique, et comme un mystique s'humilie devant le Mystère, ainsi l'artiste divinise la femme. Il nous révèle toute la douloureuse fragilité de l'être. Ce qui distingue Modigliani des autres artistes, c'est qu'il n'a pas de *manière* déterminée pour peindre la chair. Entre la lumière et la peau, il y a ce vêtement impalpable qui veloute cette lumière translucide, mais où l'éclairage fait jouer tous ses détails: tout cela fondu, moins peint ou vaporisé sur la toile par une technique *savante*. Les corps sont peints à larges et longues coulées de matité presque uniforme, comme à la détrempe, au lieu des passages subtils d'un accord de nuances à un autre, de tons francs, tranchés et limités, d'une régularité lisse. Rien, dans l'emploi de la couleur ni dans l'intention plastique, n'accuse un relief. Le lyrisme charnel de la jeune fille à la chemise est devenu un commentaire direct. La sensualité, tout à l'heure souriante et ornée, prend l'accent exclusivement humain. Après l'invitation du charme, l'autorité du désir.

Entre ces deux interprétations opposées, il y a la gamme infinie des sensations, des sentiments que suggère la nudité de la femme.

L'œuvre de Modigliani prenait désormais la route des portraits et des nus. Il peint ses amis Paul Guillaume, Kisling, Cocteau, Ortiz de Zarate, Soutine, Lipchitz, Zborowski, Picasso, Diego Rivera, Max Jacob, la fillette de la concierge, la servante de Rosalie ou celle de Zborowski. "Tout s'organise dans son cœur", dit Cocteau. "La base de son génie, dit Michel Kikoïne, c'est le dessin. Il tire sa ligne jusqu'à ce qu'elle en rencontre une autre qui la contraste et en même temps la soutient. Cette ligne se perd dans l'imagination de la personne qui contemple le tableau et prend la physionomie d'un rêve."

Le peintre et critique Jacques-Emile Blanche trouvait dans l'œuvre de Modigliani : "un maniérisme supérieur... Ces icônes où il divinise la fille de sa concierge, avec un hiératisme sculptural, trahissent la main d'un trop habile calligraphe..."

196

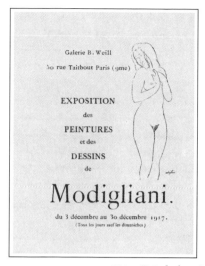
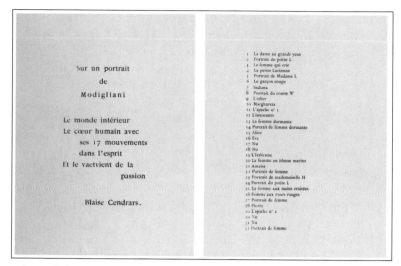

1917, "Modigliani", catalogue de l'exposition personnelle à la "Galerie B. Weill".

1915, Académie Colarossi, en bas au centre Jeanne Hébuterne.

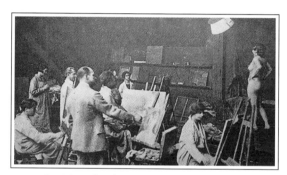

La "Grande Chaumière" à Montparnasse.

*"Le modèle", crayon sur papier,
par Modigliani.*

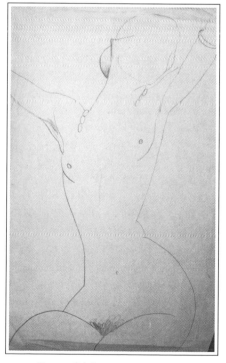

*"Le modèle", crayon sur papier,
par J. Hébuterne.*

Dans son *Modigliani* publié en 1933 dans la revue *Mercure de France,* l'historien Emile Schaub-Koch écrit : "Delacroix, Fromentin, ont écrit leurs mémoires. On peut dire que Modigliani a dessiné les siennes et, la plupart des dessins, témoins de la formation de l'artiste, sont aujourd'hui pieusement conservés par le Docteur Alexandre. Il suffit de voir les plus anciens d'entre eux pour se convaincre de ce que jamais Modigliani n'a tenté la reproduction fidèle d'un sujet. Ce qui intéresse ce styliste du dessin, c'est le style qui se révèle de ce qu'il tente, non de reproduire, mais d'interpréter. Il y a donc infailliblement beaucoup de Modigliani lui-même dans le moindre de ses portraits. Ce ne sont d'abord que croquis dont se dégagent des formes synthétiques et harmonieuses. Les yeux, les cheveux, les nez, les bouches sont toujours l'objet d'indications originales pleines d'esprit. Plus tard, la recherche incessante de la stylisation du sujet se poursuivant, la courbe harmonieuse des bras, des jambes, des hanches, des seins, la longueur démesurée des cous qui est peut-être une souvenance de l'Egypte et de l'Assyrie, viendront s'ajouter, se succéder, se superposer dans le plan de valeurs, comme des images, comme des strophes, comme des rimes, dans le plan général d'un poème. Un dessin de Modigliani est toujours une œuvre de l'esprit, et jamais, tandis qu'il dessinait, l'artiste n'a oublié les trésors qu'il avait accumulés dans son cerveau. Il fut d'ailleurs parfois poète lui-même. Beaucoup de peintres d'alors ont écrit des poèmes : Vlaminck et Picasso. Preuve nouvelle de l'association étroite du mouvement littéraire au mouvement pictural. Un poème de Modigliani est une sorte d'extase où se mêlent des idées suggérées par des images, des sensations sereines, frémissantes et fortes. Une sorte de génie vague se dissout dans un brouillard saturé de musc ou d'alcool. Lorsqu'il se trouvait devant un visage dont il réaliserait un portrait, Modigliani ne se préoccupait nullement des traits eux-mêmes, mais de l'expression des sentiments qui s'en dégageait. Ceci défini dans l'âme de l'artiste, il se mettait à travailler sans plus s'occuper du modèle ; et soucieux seulement de donner par le dessin, la couleur, l'idée de ce qu'il venait de découvrir en n'ayant recours qu'à son imagination. Il en résultait un ensemble imprévu, parfois déconcertant, qui n'avait souvent rien à faire avec le sujet, mais dont alors par une série de rappels, de retouches, de reprises établies par comparaisons successives entre le modèle et le croquis dessiné tout d'abord, Modigliani arrivait à obtenir quelque chose de puissant, de frappant, de vibrant au point de vue ressemblance. Il ne comprenait l'homme et la femme que dans la complexité de leur sens profond, et ne les peignait que comme il les comprenait. Toujours à cet égard, l'étude des dessins s'impose. En effet le dessin c'est l'esprit, c'est l'intelligence, c'est l'explication de l'art d'un peintre. La couleur, à un portrait de Modigliani, elle ajoute quelque chose de plus. En effet, le peintre a évolué avec ses amis : Picasso, Vlaminck, Kisling, par exemple. Leur tendance a été d'établir la coloration des toiles sur les données des notes complémentaires des sept couleurs fondamentales. Il en résulte d'heureuses harmonies et tout de même ce que Cézanne appelait, après d'autres, mais il faut toujours en revenir à Cézanne, l'unité. Cette unité domine toujours le moindre tableau de Modigliani. Malheureusement on ne l'a compris que trop tard, et plusieurs "critiques" sans culture y ont vu : "...une certaine pauvreté de moyens"! Ce que l'observateur compréhensif n'a aucune peine à saisir, c'est que l'unité, chez notre peintre se résume immanquablement en un sentiment qui domine, et que les moyens graphiques, plastiques, colorés, n'ont pour objet que de réaliser et d'épanouir. Il en découle fatalement une simplicité qui est à la base d'une esthétique. La suppression de tout détail inutile, de toute indication stérile est nécessaire. Mais c'est là de la richesse, non de la pauvreté, surtout si l'on tient compte de ce que seul le rayonnement d'un être parvient à peupler le monde qu'est un tableau. L'art, au fond est une sorte de radioactivité. On appelle en biophysique la radioactivité, cette propriété de certains corps et peut-être de tous les corps, d'émettre des rayons actifs qui exercent sur l'ambiance une influence transformante. Il y a deux radioactivités. L'activité directe, qui est produite par la présence du corps actif, et l'activité induite, communiquée aux corps de l'ambiance, et qui se perpétue lorsque le corps actif est retiré de ladite ambiance. Modigliani est une parcelle si l'on veut de chlorure de radium qui exerce son influence active sur le modèle qu'il peint. Mais le tableau fini, Modigliani disparu, continue sa précieuse faculté d'émanation, et en fait vibrer l'ambiance. C'est peut-être le cas de tous les vrais artistes. Mais certes, nul plus que Modigliani n'a exercé autour de lui l'influence de son rayonnement. Il peignait, il dessinait, comme d'autres parlent ou marchent, par pure aptitude physique, et l'on sait cependant tout ce que son œuvre dégage de spiritualité. Quand il n'avait plus de toiles ni de cartons, il peignait sur des murs, et aussi sur des portes. Il lui arriva avec un morceau de charbon de dessiner le portrait du peintre Soutine sur le parquet d'un atelier rue de la Grange-Batelière. Cette frénésie dans la production ne fit que s'intensifier en lui. Il peignait pour le plaisir, sans chercher à vendre, ce dont d'autres s'occupaient pour lui, car il en était totalement incapable. Il peignait volontiers, et le plus souvent, sans chevalet, sans palette, et ne possédait pas de boîte à couleurs. Il s'installait en plantant deux chaises l'une en face de l'autre, sur la première il s'asseyait, sur la seconde il posait le carton ou la toile. Il dévisageait son modèle pendant quelques minutes, sans rechercher la pose, puis établissait un croquis, généralement à l'encre de Chine. Ce croquis fait, il relevait les yeux vers le modèle. Alors il se tournait vers un camarade quelconque et lui demandait d'aller acheter quatre ou cinq tubes de couleurs qu'il désignait. Une fois en leur possession, Modigliani vidait consciencieusement jusqu'au fond chacun de ses tubes sur le premier morceau de bois venu et se mettait à peindre avec une extraordinaire virtuosité. En une heure, parfois deux, l'œuvre était faite. Nous parlons des portraits. Les nus ont demandé plus de travail et certainement pris deux séances. Nous sommes ici devant l'artiste en pleine possession du métier le plus solide. Comme Picasso, Modigliani est l'homme complet. Il est dessinateur, il est peintre. Il est aussi sculpteur. On a de lui, taillés dans le grès ou dans le bois, des bustes de femmes et des nus qui sont remarquables tant par la plastique que par l'émotion spirituelle. Il est metteur en scène incomparable de son modèle. Nous ne connaissons pas de lui un tableau de composition. On ne peut en effet, intituler composition, le portrait d'un musicien jouant du violoncelle ou d'un poète écrivant. Pour qu'il y ait composition il faut un ensemble unifié de plusieurs personnages ou d'un personnage dans une ambiance animée. Modigliani, qui, à ses débuts pourtant n'était pas insensible à la ligne décorative, ignora toujours le décor. Le décor, pour lui, c'est le point quelconque du monde où l'œuvre est accrochée. Mais, comme le disait Zola, ce qu'il faut c'est que le décor s'anime, et avec la présence d'une toile de Modigliani, le décor est toujours animé. Modigliani a peint des portraits, des nus, quatre paysages. Zborowski possédait aussi de lui une nature morte."

Quelques amateurs commencent à acheter Modigliani : le collectionneur Dutilleul, le connaisseur Netter qui acheta à Zborowski vingt toiles pour 2000 francs, le critique Coquiot qui s'était déjà intéressé à Picasso et à Chagall et que Francis Carco présentait comme "un critique d'art toujours à l'affût d'un artiste" acheta trois grands nus. Francis Carco lui-même acheta cinq nus de Modigliani "à des prix dérisoires" comme il le dira plus tard.

Le peintre italien Osvaldo Licini, dont Modigliani fit le portrait au bar du *Petit Napolitain,* rapporte que ces fameuses grimaces de Modigliani quand il dessinait ne furent jamais volontaires : "Dessiner est posséder, criait-il, c'est un acte de connaissance et de possession plus profond et plus concret que le coït, que seulement le rêve ou la mort peuvent donner."

"Un soir j'étais assis devant le café de *La Rotonde,* raconte Licini, j'attendais un ami. Le ciel était lourd et Paris dans le noir. Je regardais les nuages qui bougeaient lentement, fouillés activement par les réflecteurs de guerre qui chassaient les zeppelins dans le ciel, quand sur le large trottoir sous les platanes nus, j'ai vu arriver un homme pâle, habillé de velours gris, sans chapeau et avec un foulard au cou, qui avait à la fois l'air d'un poète et d'un bandit, quelque chose de tragique et de fatal [...]

– Je te salue, héros, à coup de pied dans le derrière", me dit-il.

Je n'ai pas accordé d'importance à sa provocation et j'ai répondu tout simplement :

– Tu dois être un embusqué, toi, laisse donc mon derrière en paix et buvons.

Il s'assit brusquement et me dit :

– Pourquoi ne t'es-tu pas offensé ?

– Parce que j'aime ta façon de salir les toiles.

Il me demanda si j'étais peintre. Nous parlâmes de la guerre qui n'était pour lui autre qu'une question de finance. Il était furieux contre la rhétorique de la guerre. Sa sympathie n'allait pas aux armées fatiguées mais à la Russie en délire, en pleine révolution, en débâcle.

– La révolution ! hurla-t-il, la seule chose sacrée, encore plus que l'art, plus belle que la guerre.

[...] Le soir suivant, alors que je rentrais chez moi, en passant près d'un réverbère bleu, quelqu'un tira sur ma pèlerine. C'était Modigliani qui me demanda :

– Où vas-tu ?

A Paris, pendant la guerre il y avait le couvre-feu ; les cafés fermaient à dix heures. Quand il entendit que j'allais me coucher, il s'étonna que je ne sus pas qu'à Paris, il y eût des cafés clandestins ouverts toute la nuit.

– Viens avec moi, me dit-il, j'ai de l'or. Et il me montra un billet de dix francs. Nous parcourûmes des ruelles et nous retrouvâmes devant une petite porte. Il frappa, dit quelques mots et la porte s'ouvrit. Nous descendîmes des marches et nous nous trouvâmes à l'intérieur d'un café souterrain plein de gens, de lumière, enfumé, aux murs couverts d'affiches colorées. Il ressemblait à Baudelaire par sa distinction et par sa noblesse naturelle. Comme des papillons autour du feu, des filles vinrent à lui. Je reconnus celles qui avaient posé pour ses toiles. Nous nous assîmes et il commanda des glaces. [...] Bientôt notre table fut envahie par des poètes, des écrivains, des peintres amis de Modigliani. On commença à plaisanter, à discuter. C'était une querelle entre Modigliani et les autres. Ses flèches vénéneuses allaient surtout aux peintres néoclassiques :

– En art, il n'y a pas de résurrection. J'adore Raphaël, mais l'idée d'un autre Raphaël à venir me donne envie de rire, c'est une idée baroque. Comme si dans le ciel il pouvait y avoir deux soleils ! [...] La dernière fois que je l'ai rencontré près de l'Observatoire, comme d'habitude il était ivre, cependant il semblait transporté par un vent d'idéalisme désespéré. Il m'entraîna de force avec lui : nous déambulâmes toute la nuit dans le brouillard. Il déclamait des passages du *Paradis*, je lui disais des fragments des *Canti Orfici* de Dino Campana que je connaissais par cœur et qu'il ne connaissait pas. "Florence, lys de force...". Nos sens étaient un enfer mystique. A trois heures du matin, nous nous retrouvâmes près de chez lui. Je lui demandai de me montrer son atelier. Il me dit :

– Monte jusqu'au dernier étage, tu trouveras la porte ouverte. Il n'y a qu'un tableau. Je ne viens pas. Je vais dormir avec ma muse. Et nous nous quittâmes. Après avoir monté les marches usées, glissantes, en bois, et être arrivé je crois au dernier palier, j'ai poussé une porte qui était déjà ouverte. J'entrai à la lumière des allumettes dans une grande chambre froide, le sol de bois couvert d'un tas de papiers. Dans un coin, une paillasse, un chevalet, et sur une chaise des boîtes de sardines vides. Sur un mur immense et gris, j'ai à peine entrevu une silhouette. J'allai vers elle avec mon allumette. Avec la bouche fermée sur son secret, lumineuse, en extase, une jeune femme idéale mais humaine me regardait... D'alors, je n'ai plus revu Modigliani."

Les débuts de l'année 1918 sont florissants pour Modigliani. L'un de ses nus roses trouve acquéreur en la personne du collectionneur William Kundig. Le commissaire Zamaron, promu secrétaire général de la Préfecture de police lui achète aussi quelques œuvres. Et le banquier Schenmayer se rendant chez Zborowski achète toute une série de portraits. Cet hiver 1918, toute occasion est bonne pour faire la fête. Un après-midi, Modigliani rencontre Utrillo qui vient le voir à Montparnasse après un internement de sept mois dans la clinique du docteur Vicq à Aulnay-sous-Bois. Les retrouvailles sont marquées par trois jours de fête et de beuveries insensées pendant lesquels ils ne dessaoulent pas et se divertissent à décorer le restaurant de Rosalie. Puis, *La Rotonde* du père Libion leur étant interdite, ils vont à *La Closerie des Lilas*, s'y disputent avec les garçons et se mettent à casser verres et bouteilles jusqu'à l'arrivée de la police.

Rosso Rossi se rappelle qu'un jour Amedeo se trouvait à *La Rotonde* avec son frère Giuseppe Emanuele de retour d'un congrès à Bruxelles après l'armistice. Emanuele commença à parler de politique avec Talamini, le correspondant d'*Avanti*. La discussion ennuyait profondément Amedeo, selon son interprétation. Il fit signe à Rosso Rossi de le suivre et les deux amis se dirigèrent vers *Le Dôme*. En traversant le boulevard, Amedeo lui aurait dit : "Je me fous de la politique…"

En réalité, Amedeo veut sauvegarder d'une part l'image politique intègre de son frère à Livourne et d'autre part se préserver d'une manière intelligente des attaques des nouveaux "fascistes-futuristes"[42] qui chantent déjà des hymnes totalitaires.

---

(42) Son règne, Mussolini, avait voulu l'inaugurer par une insolence calculée : de 1912 à 1914, il avait dirigé le quotidien socialiste *L'Avanti !*. Après son exclusion en 1915, il fait dévaster trois fois par ses hommes de main la maison dont on l'avait exclu. A partir de décembre 1918 le *nouveau fascisme* en Italie deviendra l'arbitre de la situation. Il est prêt le futur fasciste, comme l'exigent les ardents, à tout balayer devant soi, à exiger le pouvoir, à le saisir si on le lui refuse. Dans leurs rangs certains futuristes, des adolescents, des soudards imberbes ont déjà semé la terreur par leurs raids d'intimidations ou de représailles. "Jeunesse, printemps de la beauté…", en chantant les strophes de Gabriele D'Annunzio, toute une génération se fait de son âge une mystique et, de cette grâce précaire, une certitude de vaincre. L'attitude de Modigliani est "*le silence !*", en connaissance de cause, et par respect du travail de son frère.

1918, Nice, Promenade des Anglais, Paul Guillaume et Modigliani.

*1918, Nice, Promenade des Anglais,
Paul Guillaume et Modigliani.*

*1918, Nice, Promenade des Anglais, Paul Guillaume,
Mme Osterlind et Modigliani.*

1918, Nice, Paul Guillaume, la plage de la
promenade des Anglais.

Le Docteur Devaraigne, modèle
pour le tableau.

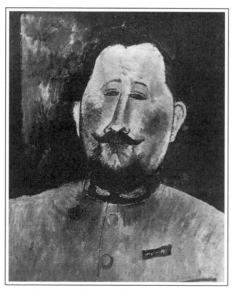

"Le Beau Major" (Mr. Devaraigne),
huile sur toile.

Sur la Côte d'Azur

"L'énergie est une source éternelle de joie."

William Blake

Modigliani est à bout. Le docteur Devraigne, dont il a fait le portrait, conseille un séjour au bord de la mer. Léopold Zborowski lui propose d'aller se reposer sur la Côte d'Azur. Ce serait également bénéfique pour Jeanne, fatiguée par sa grossesse, sans compter que lui-même pourrait peut-être en profiter pour vendre quelques tableaux de Modigliani et de Soutine aux riches étrangers qui passent l'hiver sur la Côte. Le départ est décidé.

Outre Zborowski et sa femme, Hanka, Modigliani, Jeanne Hébuterne et sa mère, Foujita et Fernande Barrey, ainsi que Soutine sont du voyage. Foujita raconte que Modigliani, ayant voulu aller boire un dernier verre avant le départ au buffet de la gare, faillit manquer le train. Blaise Cendrars, qui n'aimait pas beaucoup Zborowski, écrira dans *Bourlinguer* à propos de ce voyage : "Ce sacré Zborowski qui ne craignait pas de commettre un crime pour faire fortune, avait peur de quelques obus que la grosse Bertha lâchait sur Paris et n'avait qu'une seule envie, celle de ficher le camp. Mais comme Modigliani ne voulait quitter Paris à aucun prix, Zbo eut l'astuce de mener le peintre chez un toubib, lequel déclara à Modigliani qu'il n'en avait pas pour trois mois s'il continuait à boire comme il le faisait. Le médecin avait peut-être raison. Modigliani s'arrêta net, et il se laissa conduire dans le midi par Zborowski et sa smala."

Zborowski s'occupa de tout : logement et nourriture pour tout le monde, à l'exception de Foujita, qui n'était pas sous contrat avec lui, et de sa compagne, Fernande Barrey. Ils débarquèrent à Nice et s'installèrent au *Pavillon des Trois Sœurs*, rue Masséna. Modigliani, qui ne s'entendait pas avec sa belle-mère, ne tarda pas à déménager pour aller s'installer dans un hôtel de passe au 13 de la rue de France. Il se mit aussitôt à peindre. Carco raconte que "l'une de ces femmes qui ne demandait rien au peintre pour ses séances, fut une fois surprise chez lui par l'homme qu'elle nourrissait et cet homme réclama de l'argent !"

Pendant cet hiver 1918, Modigliani rencontre à Nice Paul Guillaume, Gaston Modot, Blaise Cendrars qui travaillait alors aux studios de la Victorine, Léopold Survage et sa fiancée Germaine Meyer. Blaise Cendrars trouva Modigliani très affaibli, soucieux et sans un sou. Il dira du peintre avec son exagération coutumière et imagée : "On pouvait le voir passer dans la foule sur la Promenade des Anglais, à Nice, où il promenait sa tête de mort, ses beaux yeux fixes au fond de ses orbites creuses et bitumées. Je fus effrayé quand je le rencontrai un jour. Il n'était plus que l'ombre de lui-même. Il était à plat. Manifestement l'alcool lui manquait. Comme je tournais un film et que j'en avais, je lui donnai mille francs pour qu'il aille immédiatement se saouler la gueule. Je ne demandai pas mieux. Je l'aurais accompagné. Moi aussi, je commençais à être las de mon travail régulier au studio. Mais Modigliani ne voulait pas, il refusa l'argent."

A propos de cinéma, il semblerait que Modigliani ait participé, en 1919, en tant que figurant, au tournage du *J'accuse* d'Abel Gance.

Après Nice, la petite compagnie s'installe à Cagnes-sur-Mer, où Modigliani fréquente le bar de Rose, échangeant, tout comme il avait pris l'habitude de le faire à Paris, ses dessins contre du vin. Toujours en guerre avec sa belle-mère, il commence à vagabonder de bistrot en bistrot, d'hôtel en hôtel, de ville en ville et finit par s'installer chez Survage : "Il s'était arrangé chez moi pour travailler puisque les hôteliers ne le gardaient pas plus de quelques jours : le soir, en rentrant, il faisait du bruit et chantait, en dérangeant les autres hôtes."

Puis, Amedeo s'installe chez les Osterlind, une famille de peintres scandinaves, dont la villa jouxte celle des Renoir. Anders Osterlind se rappelle : "Modigliani arriva un jour dans le jardin de ma maison de Cagnes. Il avait les traits d'un prince italien, mais il semblait sale et fatigué comme s'il avait été un docker du port de Gênes. Il était accompagné de son ombre, le poète Zborowski, qui en donnant preuve d'une amitié fraternelle, voulait le tenir loin de la dangereuse vie de Nice. Heureux de l'accueillir, je lui donnai la meilleure chambre de ma maison, propre et blanchie, dans laquelle, à vrai dire, il n'a pas beaucoup dormi. Il toussait sans arrêt et il avait toujours soif, il passait ses nuits en buvant dans la cruche et en crachant le plus haut possible sur les parois et restait ensuite à regarder la salive retomber. Dans cette chambre, quoi qu'il en soit, il fit plusieurs dessins et peignit certaines choses remarquables, parmi lesquelles un beau portrait de femme."

Dans sa biographie, Jeanne Modigliani confirme : "Osterlind vivait dans le midi depuis des années avec sa femme, la belle Rachele aux yeux d'or. Rachele se mourait lentement d'une tuberculose intestinale, suite d'une grippe espagnole. Modigliani la peignit un jour assise sur un fauteuil à bascule, le visage appuyé languissamment sur sa main droite. Dans ce portrait comme dans toutes ses œuvres les plus maniéristes, transparaît l'influence du *Jugenstil* et de l'illustrateur d'Oscar Wilde, inspirateur de tant de dessins "fleuris". Modigliani fuyait souvent ses amis buveurs de thé, pour se réfugier dans une auberge rustique, en haut du Chemin des Collettes. [...] Osterlind allait rendre visite tous les soirs au vieux Renoir, à demi-paralysé dans son fauteuil à roulettes, le visage couvert d'une moustiquaire. Ses pauvres mains étaient tellement percluses de douleurs, qu'il fallait même le moucher."

Modigliani demanda à Osterlind s'il pouvait l'introduire auprès du vieux peintre. Rendez-vous fut pris. "Le soir même, raconte Osterlind, Renoir nous reçut dans sa salle à manger où on le transportait après son travail. C'était une grande pièce bourgeoise. Sur les murs quelques toiles de lui. Puis un paysage gris et fin de Corot qu'il aimait. Le maître affalé dans son fauteuil, recroquevillé, un petit châle sur les épaules, coiffé d'une casquette et toute la figure enveloppée d'une moustiquaire, deux yeux perçants derrière cette voilette. Mettre en présence ces deux êtres était chose délicate : Renoir avec son passé, l'autre avec sa jeunesse et sa confiance ; d'un côté la joie, la lumière, le plaisir, une œuvre sans douleur, de l'autre Modigliani et toute sa souffrance. Modigliani, sombre, farouche, écoute parler Renoir qui fit descendre quelques toiles.

— Alors, vous êtes peintre aussi, jeune homme, dit-il à Modigliani qui examinait les toiles. Modigliani ne répond pas.

— Peignez-vous avec joie, avec la même joie que celle que vous mettez à aimer une femme ? Modigliani continue à se taire.

— Caressez-vous longtemps vos toiles... Modigliani ne dit rien.

— Moi je pelote les fesses pendant des jours et des jours avant de terminer une toile. Il me semblait que Modigliani souffrait et qu'une catastrophe était imminente. Elle arriva. Modigliani se leva brusquement, et la main sur le bouton de la porte dit brutalement :

— Moi, monsieur, je n'aime pas les fesses."

Osterlind croit se souvenir que Modigliani était ivre. Il se rappelle que Zborowski l'avait récupéré dans un bistrot où il faisait honneur au très fameux *tableau* Pernod, avant d'aller chez le vieux maître. Modigliani, dont l'œuvre était encore très mince comparée à celle du colosse Renoir, avait dû avoir un sursaut d'orgueil mal placé ; il aura réagi comme un sot en mal interprétant les propos du vieux peintre. Renoir n'a prêté aucune attention à cette curieuse façon de faire qui était peut-être l'apanage d'une nouvelle génération mal léchée et continua sa conversation comme si de rien n'était, se montra généreux avec Zborowski auquel il fit cadeau d'une petite toile en lui disant qu'il pouvait en disposer comme bon lui semblait et se proposa d'acheter quelques gouaches de Foujita qu'il connaissait déjà. Les amis de Modigliani avaient aussi rendu visite au vieux maître de l'impressionnisme. Pendant ses études aux Beaux-Arts de Tokyo, Foujita qui, n'avait pu peindre que d'après des reproductions de Renoir, fut particulièrement ému de le rencontrer finalement au travail, alors qu'il terminait l'une de ses dernières compositions de Baigneuses. Foujita se comporta donc bien différemment de Modigliani lors de sa visite à Renoir qui ne manqua pas de lui évoquer l'importance de l'apport de l'art japonais à la fin du siècle dernier: "L'art japonais a complètement modifié ma vision, comme celle de van Gogh, de Gauguin."

Zborowski continua à visiter les marchands et les hôtels pour proposer les toiles de Modigliani et de Soutine. Et le soir, tout le monde l'attendait à l'arrêt du tramway, espérant la bonne nouvelle. "C'étaient des jours d'angoisse et de rigolade", dit Fernande Barrey. En fait, ce sont les mandats que Chéron envoyait de Paris à Foujita qui permettaient à la petite tribu de s'en sortir. Toujours aussi rustre, et sans doute le plus misérable, Soutine habitait dans un cabanon, se nourrissait mal n'osant même plus sortir. Un soir, par pitié, Fernande et Foujita l'emmenèrent dîner chez *Les Trois Sœurs*, où il mangea tant de gigot qu'il se rendit malade. Un autre jour, le propriétaire du *Pavillon des Trois sœurs,* un certain Monsieur Curel, se fâcha parce qu'on ne lui payait pas le loyer et mit tout le monde à la porte après avoir

204

*1918, Carte postale
détournée par Modigliani.*

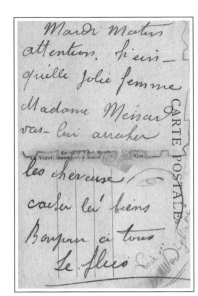

*Osterlind met en garde Modigliani
au sujet de la
"marchande d'oranges !".*

*1919, Rachel Osterlind
à Nice devant son portrait.*

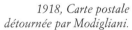

*"Portrait de Rachel Osterlind",
huile sur toile.*

*"Portrait de
Madame Tarelli",
crayon sur papier.*

*Note des frais
par Modigliani à
Zborowski.*

205

refusé d'être payé en toiles de Soutine, de Foujita et de Modigliani. Il n'avait rien voulu entendre. Foujita raconte : "Papa Curel n'a pas saisi les tableaux. Cinq ans après, papa Curel aurait été millionnaire avec les Modigliani, les Soutine, les Foujita... Papa Curel est mort étranglé par les regrets."

En juillet, la petite bande se sépare. Foujita, Fernande, Zborowski, Soutine rentrent à Paris. Modigliani reste coincé entre ses deux femmes. A la fin de son séjour sur la côte, Zborowski avait réussi à vendre à un collectionneur et marchand, Jacques Netter, dix toiles pour 500 francs-or. Parmi ces toiles, il y avait *La Bambina in azzurro* (Fillette en bleu), petite fille dans un coin de pièce aux yeux bleus, vêtue d'une robe bleue et blanche, un ruban bleu dans les cheveux, mélancolique, il est visible qu'il éprouve beaucoup de tendresse pour cette jeune fille qui se transforme en figure de femme sous ses yeux.

Malgré les bombardements allemands qui continuent à meurtrir la capitale, l'engagement américain dans le conflit fait renaître un certain espoir en France. On s'attend à une issue favorable que tous les artistes souhaitent, notamment pour se remettre de la terrible épidémie de grippe meurtrière pendant laquelle va succomber Guillaume Apollinaire.

Le 11 novembre, la guerre est finie. Modigliani fête l'armistice avec son ami Survage. Le 29 novembre naît Giovanna à l'hôpital Saint-Roch à Nice. Amedeo fête l'événement avec tous ses amis, l'arrosant même tant et si bien qu'il en oublie de déclarer la naissance de sa fille à l'état civil. La petite Giovanna sera donc reconnue seulement par sa mère. Félicie Cendrars écrit : "J'ai vu Jeanne pour la dernière fois à Noël, après la naissance de la petite fille. Ils allaient tous les deux à la recherche d'une nourrice parce que ni elle ni sa mère ne savaient s'en occuper. Trois semaines à peine après la naissance, elle était très fatiguée." Finalement, ils trouveront une Calabraise, affectueuse et douce, qui s'occupera de la petite. Amedeo boit moins, prend soin de lui-même, travaille beaucoup et mène une vie plus régulière car il pense que sa fille a besoin d'équilibre, d'affection et d'un père à la hauteur. Pendant un certain temps, il parvient à se dominer et tient sa promesse, mais passé cette période, devant les difficultés, il recommencera à boire et à vagabonder.

Le premier janvier 1919, Amedeo le passe avec Survage tandis que Jeanne reste à la maison avec l'enfant. Il écrit, non sans humour, à Zborowski pour lui souhaiter la bonne année :

Cher ami,

Je vous embrasse comme j'aurais voulu si j'avais pu le jour de votre départ. Je fais la bombe avec Survage au Coq d'Or. J'ai vendu tous les tableaux. Envoyez vite l'argent. Le champagne coule à flots. Nous vous souhaitons à vous et à votre chère femme les meilleurs vœux pour la nouvelle année. Resurrectio vitae. Hic incipit vita nova. Il novo anno !

Modigliani.

Survage ajoute en français : "Vive Nice et vive la dernière nuit de la première année" et en russe : "Bonne année."

Naturellement l'histoire des tableaux vendus est fausse et on retrouve là, le Modigliani esbroufeur et sarcastique des bons et des mauvais jours.

A ce billet, d'autres vont faire suite, toujours avec la même intention et la même demande :

Je n'ai plus le sou ou presque. C'est idiot, naturellement, mais n'étant pas votre intérêt ni le mien que je m'arrête, voilà ce que je vous propose : expédiez-moi télégraphiquement à l'adresse de Survage 500 francs... Je vous rembourserai 100 francs par mois, c'est-à-dire que pendant cinq mois vous pouvez retirer 100 francs de ma mensualité... et encore merci pour l'argent.

Pendant l'été, on lui vole tous ses papiers dans un bistrot. N'ayant à nouveau plus d'argent, il écrit à Zborowski :

J'ai vu Guillaume (il s'agit de Paul Guillaume). J'espère qu'il va m'aider pour mes papiers. Il me donne de bonnes nouvelles. Tout irait bien sans ce maudit accident. Pourquoi ne pas le réparer immédiatement pour ne pas stopper une chose qui marche. J'en ai assez dit. Maintenant faites ce que vous voulez ou pouvez... mais répondez... seulement, ça presse. Le temps court.

Zborowski l'aide financièrement, il lui arrive même de vendre des objets personnels et de faire travailler sa femme et son amie Lunia Czechowska pour qu'Amedeo ne manque pas d'argent et puisse s'occuper de sa petite famille. Entre

Nice, Carte postale de Jeanne Hébuterne.

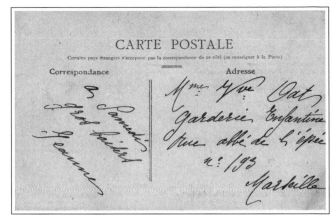

Carte postale de Jeanne adressée à la nourrice de sa fille.

*"Autoportrait", huile sur toile par
Jeanne Hébuterne.*

*1918, "Jeanne Hébuterne", bois,
par Chana Orloff.*

*Fiançailles et
constitution de dot.*

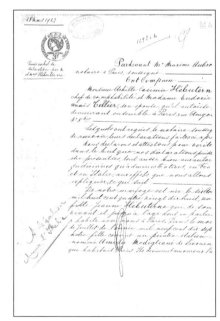

*Procès verbal de
Mr. et Mme Hébuterne.*

1918 et 1919, Modigliani peignit, selon Arthur Pfannstiel, 91 toiles, et selon Ambrogio Ceroni, 120. Beaucoup sont des portraits de Jeanne. Il y a aussi quelques portraits de Blaise Cendrars, de Gaston Modot, de Léopold Survage et de Fernande Barrey, d'une serveuse de Cagnes et, sur les conseils de Survage, il se met au paysage :

Cher Zbo,

Merci de l'argent. Demain matin je vous enverrai quelques toiles. Je m'attelle à faire du paysage. Les premières toiles seront peut-être un peu "novices". Tout le reste, bien. Saluez bien Mad. Zborowski. Une poignée de mains.

Modigliani

Intercédez auprès de Guillaume pour qu'il m'envoie le "piston" promis pour refaire mes papiers.

– Vendredi soir –

Quatre paysages de cette période passée sur la Côte d'Azur sont en effet connus : *Arbres et maisons, Cyprès et maisons, Paysage à Cagnes, Paysage dans le Midi.* Il faut préciser que ses deux compagnons, Soutine et Foujita s'empressaient de peindre et de capter tous les recoins des hauteurs de ce village médiéval et que Modigliani voulut sans doute entrer dans le circuit de cette nouvelle quête d'un paysage qui pouvait lui rappeler la Toscane.

En ce qui concerne ses papiers d'identité, Paul Guillaume devait faire des démarches auprès de l'ambassade, mais c'est finalement son frère, Emanuele, député, qui le sortira du pétrin :

L'histoire des documents est presque complètement réglée grâce à mon frère. Maintenant je peux partir quand je veux. Je suis tenté de rester encore, et de rentrer seulement au mois de juillet.

En janvier-février 1919, Modigliani écrit encore à Zborowski :

Mon cher Zbo,

Merci de la galette. J'attends qu'une petite tête que j'ai fait de ma femme soit sèche pour vous envoyer (avec celles que vous connaissez) quatre toiles. Je fais comme le nègre, je continue. Je ne pense pas qu'on puisse vous envoyer plus de quatre ou cinq toiles à la fois avec la limite du froid. Ma fille se porte admirablement. Ecrivez si ça ne vous pèse pas trop. Saluez bien de ma part Mad. Zborowski et à vous-même une bonne poignée de mains.

Modigliani.

Jamais de sa vie Modigliani n'avait autant écrit que du sud de la France. A sa mère : "Je suis ici près de Nice. Je suis très heureux. Dès que je me fixe, je t'enverrai une adresse définitive." Et encore :

Chère maman,

Mille merci pour ta lettre affectueuse. L'enfant va bien ainsi que moi. Je ne suis pas surpris qu'étant une si bonne mère, tu te sentes maintenant grand-mère, même en dehors des sanctions légitimes. Je t'envoie une photo. J'ai à nouveau changé d'adresse. Ecris : 13, rue de France, Nice.

Entre-temps, il attrape la grippe espagnole et s'arrête de boire.

Il travaille sans arrêt. Les couleurs sont moins contrastées et les coups de pinceaux rapides, fluides et précis. Il fait le portrait de tous ses amis, et trois de Germaine Meyer, la future Madame Survage, au piano. "J'ai rencontré Modigliani à Nice, se souvient Germaine Survage. J'habitais avec mon beau-frère Pierre Bertin et ma sœur. Un jour que Modigliani était venu les voir, je suis passée dans l'entrée dans une robe bleu ciel, et le soir mon beau-frère m'a dit: "Modigliani voudrait faire ton portrait." J'ai accepté. Le lendemain il s'y mettait, et mon portrait était fait en une ou deux séances. C'était le premier. Modigliani peignait très vite. Il avait dessiné mon visage en une seconde. Il m'a d'abord fait mettre au piano, je lui ai joué du Ravel. Il m'a bien regardée, et puis il m'a dit : "Allons-y. Moi, je ne reprends jamais un portrait."

A Paris les affaires se sont mises à marcher un peu mieux pour Zborowski. Il peut désormais se permettre d'envoyer 600 francs par mois à Modigliani, mais Amedeo ne sait pas gérer son argent et dépense tout.

Cher Zbo,

C'est moi le pécheur ou le fêlé, on est d'accord : je reconnais ma faute (si faute il y a) et ma dette (s'il y aura une dette), mais la question pour le moment est celle-ci : que je suis sinon complètement au sec, grandement en difficultés. Vous avez envoyé 200 francs desquels 100 sont allés naturellement à Survage et c'est grâce à son aide si je ne suis complètement à sec... Mais maintenant...

Et ce sera toujours ainsi, jour après jour, mois après mois. Ni la naissance de Giovanna, ni l'amour de Jeanne Hébuterne n'empêcheront jamais Amedeo de boire jusqu'à son dernier sou.

De Zborowski, Amedeo apprendra qu'un gentilhomme anglais s'était montré très intéressé par ses tableaux. Ce jeune homme, qui n'avait que vingt-deux ans, était Sacheverell Sitwell, le frère d'Osbert Sitwell, directeur de la très influente revue britannique *Arts and Letters*. Sitwell voulait organiser à Londres, une grande exposition de peintres parisiens. En recevant cette bonne nouvelle, Modigliani écrira à Zborowski : "Il ne me reste maintenant qu'à crier avec vous "ça ira" pour les hommes et pour les peuples..." et répondra à Survage qui voulait le retenir encore à Nice : "Mais la peinture est plus forte que mon désir. Elle exige ma présence à Paris. Seule l'atmosphère de Paris m'inspire. Je suis malheureux à Paris, mais je ne peux vraiment travailler ailleurs."

Il se procure un sauf-conduit auprès de la police de Cagnes, et le 31 mai 1919, part pour Paris, laissant sur la Côte, Jeanne, l'enfant et la nourrice calabraise. A l'idée d'exposer à Londres, il est transporté d'enthousiasme. Il en espère et en attend une consécration.

"La femme aux yeux bleus", huile sur toile.

Nice, 1918. Photographie
pour la carte d'identité.

Nice, 1918. Photographie d'identité.

Modigliani à Montparnasse.

Adlphe Basler et Modigliani au café
du "Dôme" à Montparnasse.

Retour à Montparnasse

"Et chacun dans la mesure où il suit la pente de sa nature,
parle une langue différente des autres. En fin de compte quel que soit
le langage utilisé, le résultat est le même : des tableaux."

Henry Miller

Dans le Paris d'après guerre, la vie culturelle reprenait des forces, les salons et les ateliers se réanimaient. Soutenu par les peintres Vlaminck, Iribe et Raoul Dufy, Paul Poiret poursuivait la modernisation du costume. Coco Chanel lançait les prémices des nouvelles tendances du vêtement féminin. La musique du Groupe des Six est à la mode. Léon Bakst et Fokine réinventent des gestes et des postures pour Anna Pavlova, Tamara Karsavina, Nijinski au *Châtelet* et au *Théâtre Sarah Bernhardt*. Déjà, en 1917, lorsque Nina Hamnet l'avait introduit auprès de la troupe des Ballets russes, Modigliani avait fait des portraits à la mine de plomb sur papier d'Anna Pavlova, de Tamara Karsavina et de Nijinski.

Depuis la fin de la guerre, Montparnasse avait changé, était devenu un centre d'attraction touristique. Les boîtes de jazz s'y multipliaient. Les touristes arrivaient maintenant en masse, d'Amérique et d'ailleurs. Compromis dans un trafic de cigarettes, le père Libion, s'était vu contraint de vendre *La Rotonde*.

Parmi les derniers modèles de Modigliani figure la sculptrice suédoise Thora Dardel qui évoque ses souvenirs : "Il n'y a pas tellement d'artistes qui m'ont peinte. Je n'était pas un modèle professionnel. Rien que Pascin, Man Ray, Kisling, Nils, mon mari bien sûr, et Modigliani. J'étais venue étudier la sculpture chez Bourdelle, à l'Académie de la Grande-Chaumière à Montparnasse. Pendant le voyage en bateau qui m'amenait en France, j'ai fait la connaissance d'un peintre déjà célèbre en Suède, Nils Dardel. Il devait devenir mon mari. Nous nous rencontrions à *La Rotonde* : quelques tables, un sol d'une propreté plus que douteuse, des garçons en longs tabliers blancs. C'est là que j'ai rencontré Modigliani pour la première fois. Il parlait fort et riait beaucoup. Tous ces artistes avaient quelque chose qui retenait l'attention : Pascin était un peu fou, mais très séduisant, Picasso était passionnant, Modigliani, lui il me faisait un peu la cour, tout en me dessinant sur des feuilles de papier à lettres qu'il avait demandées au garçon de café. Il m'a très gentiment offert ses dessins, mais je me trouvais très laide ! Il m'impressionnait beaucoup. J'étais très jeune et, comme Modigliani avait environ trente-cinq ans, je le trouvais d'un âge avancé ! Il était mal soigné, habillé d'un costume de velours noir et il portait un foulard de soie rouge. Je me souviens, qu'il était toujours extrêmement vif. Il était d'une grande gaieté apparente lorsque nous sommes allés en bande chez Rosalie, une grosse Italienne qui avait un restaurant rue Campagne-Première. Elle se montra très maternelle envers Modigliani. Il était tellement beau, tellement artiste et romantique... on ne peut pas tout avoir ! Modigliani, avant de disparaître ce soir là, avait écrit sur le couvercle d'une boîte d'allumettes son adresse : 8, rue de la Grande-Chaumière, à 2 heures. Je ne me suis jamais rendue seule chez lui. Je l'ai toujours appelé : monsieur Modigliani ! D'ailleurs, la première fois, Nils m'a accompagnée, ensuite Annie Bjarne, épouse d'un auteur suédois et que j'avais également connue à *La Rotonde*, fut chargée de me chaperonner... Modigliani faisait un portrait en deux ou trois séances. Je suis allée trois fois chez lui. Je me rappelle de la cour avec le petit jardin, l'escalier étroit. L'atelier était au dernier étage. Juste deux grandes pièces en enfilade avec une verrière. Il y faisait très froid l'hiver et le poêle allumé avait complètement noirci le mur derrière. Pas une toile aux murs d'une totale nudité. Zborowski, son marchand, les lui prenait au fur et à mesure qu'il les faisait contre de l'argent qu'il lui versait régulièrement. Un seul tableau, retourné, je n'ai pas osé demander à le voir. Annie Bjarne et moi avons été impressionnées par tous ces détails qui trahissaient une pauvreté évidente. Modigliani buvait du rhum – c'est bon pour la toux – disait-il. Annie Bjarne s'était assise dans un coin. Pendant qu'il travaillait à mon portrait, il devait sans doute lui jeter de fréquents coups d'œil... car plus tard, il a voulu qu'elle lui serve aussi de modèle ! Le parquet était couvert d'un mélange de charbon écrasé, d'allumettes, de mégots… un vrai tapis dont il devait sans doute être fier, car lorsque j'ai proposé, pour être aimable, de lui donner un coup de balai, il s'est fâché très fort !

– Inutile ! Si c'est comme ça ici, c'est que c'est bien !

Pendant la pose, la porte s'ouvrait et apparaissait, discrète, la compagne de Modigliani, la douce Jeanne Hébuterne, et je ne pouvais pas deviner alors quelle fougue et quelle passion cachait son air plein de réserve. Jeanne était enceinte, elle paraissait très jeune avec ses nattes relevées ; je lui trouvais l'air las et inquiet, sans doute à cause de notre présence ! Elle saluait, puis elle se retirait vite à nouveau. Elle ne sortait presque jamais avec lui… Peut-être parce qu'elle était enceinte de près de huit mois à ce moment-là. Mais aussi, je pense, parce que c'était dans son tempérament à lui, de laisser sa femme à la maison quand il allait dans les cafés. Il expliqua : "Jeanne est enceinte de notre deuxième enfant. Elle va bien, et va bientôt accoucher. Nous avons déjà une petite fille en nourrice à la campagne, à côté d'Orléans. Il fermait à demi les yeux, s'approchait aussi près que possible de la toile, tout en sifflant et en chantant des petites chansons qu'il inventait pour lui-même. Il chantait surtout en italien. On disait que c'était un fumeur d'opium quand il en avait les moyens, un buveur d'absinthe, aussi, à l'occasion. Mais c'était vraiment assez courant à *La Rotonde*, parmi les amis, ils avaient tous les mêmes pratiques. Ils remplaçaient le Pernod par l'absinthe. C'est de la même couleur. Et souvent, les garçons fermaient les yeux. Il avait eu des relations passionnées avec deux femmes que je fréquentais tous les jours, Béatrice Hastings et Simone Thiroux… elles sont des amies. Dans l'atelier de Modigliani, non loin du chevalet : une photo de lui, prise il y a quelques années.

– Vous me la donnez ? Elle est si belle !

– Je ne peux pas, réplique Modigliani… Je n'en ai pas d'autres et la plaque est cassée.

– Si vous ne me la donnez pas, je la chipe…"

En cette fin de printemps 1919, il ne se passait pas un jour sans qu'Amedeo, Zborowski, Kisling et Soutine ne se rencontrent pour mettre au point la "stratégie" à adopter afin de parvenir à exposer, à vendre et à faire connaître leur travail. Zborowski s'efforçait de concrétiser le plus rapidement possible les actions envisagées pour redonner espoir à ces jeunes qui avaient foi en lui et en ses dons de marchand. Les femmes, Hanka Zborowska et son amie Lunia, Renée Kisling, très attentives à tous les événements quotidiens de la troupe réunie par un seul idéal, l'Art, aidaient de leur mieux.

Dès son retour à Paris, Amedeo s'était remis au travail avec acharnement et un certain entrain. Il fait notamment beaucoup de portraits de Lunia Czechowska. Il l'avait rencontrée pour la première fois en 1916 lorsque Zborowski l'avait amenée aux soirées de la rue Huyghens. Un soir, en sortant, elle s'était assise avec son mari, les Zborowski, et d'autres amis à la terrasse de *La Rotonde* et c'est là qu'ils avaient fait connaissance : "Je revois encore, traversant le boulevard du Montparnasse, un garçon très beau portant un grand feutre noir, un costume de velours, une écharpe rouge ; des crayons sortaient de ses poches, il tenait sous le bras un énorme carton à dessins : c'était Modigliani. Il vint s'asseoir à côté de moi. Je fus frappée par sa distinction, son rayonnement et la beauté de ses yeux. Il était à la fois très simple et très noble, très différent des autres dans ses moindres gestes, jusqu'à sa façon de vous serrer la main. Tout en parlant, il se mit à dessiner […] Il avait des mains superbes, très sûres. Il traçait des lignes sur le papier, sans jamais corriger. En quelques coups de crayon, le portrait était fait."

Amedeo s'était immédiatement mis à courtiser Lunia et lui avait demandé de poser. Zborowski habitait alors un petit hôtel du boulevard de Port-Royal, et c'est dans sa chambre que Modigliani fit son premier portrait d'elle en robe noire, portrait actuellement au Musée de Grenoble. Lunia se rappelle cette première séance : "Je le revois en bras de chemise, tout ébouriffé, essayant de fixer mes traits sur la toile. De temps en temps, il tendait la main vers une bouteille de vieux marc. Je voyais que l'alcool faisait son effet : il s'excitait, je n'existais plus ; il ne voyait plus que son œuvre. Il était si absorbé qu'il me parlait en italien. Il peignait avec une telle violence que le tableau lui tomba sur la tête, alors qu'il se penchait pour mieux voir. Je fus terrifiée ; confus de m'avoir effrayée, il me regarda avec douceur, et commença à me chanter des chansons italiennes, pour me faire oublier l'incident." Modigliani éprouva certainement pour Lunia un sentiment de tendresse et d'amour qu'elle ne partageât pas.

Les amis artistes les plus fidèles d'Amedeo étaient, alors, Utrillo, Survage, Soutine, Kisling. En 1916, alors qu'Utrillo était interné dans une maison de santé de la rue Picpus, Lunia était allée le voir dans sa chambre aux meubles vissés dans le parquet, avec des grilles aux fenêtres. Il avait un chevalet dans sa chambre et peignait des paysages d'après cartes postales. Trompant la surveillance de l'infirmier, Lunia lui avait apporté, ce jour-là, une bouteille de vin. Voyant la bouteille, Utrillo s'était précipité vers elle et les mains tremblantes, avait voulu la déboucher tout de suite mais elle lui avait glissé des mains et s'était cassée en mille morceaux. Utrillo s'était alors jeté par terre et, écartant les morceaux de verre, avait lapé le vin à terre. Modigliani qui aimait beaucoup son ami Utrillo se plaignit souvent de son triste sort. Il demanda à Lunia de l'accompagner pour le voir et tenter de le faire sortir. Avec Soutine, c'était la même chose : Modigliani souffrait de le voir vivre replié sur lui-même sans aucune aide. Lunia se souvient d'un dîner chez les Zborowski rue Joseph-Bara. Soutine qui n'avait pas l'habitude de bien manger, s'était assoupi après le repas et Modigliani en avait profité pour faire son portrait à la lumière des bougies. Une autre fois Soutine était allé chez les Zborowski avec une grande toile qu'il venait de peindre, de magnifiques fleurs d'automne. Zborowski eut l'idée de proposer cette toile au collectionneur et critique Gustave Coquiot qui habitait rue de Moscou. Tout le monde était fauché. Il fallait trouver l'argent du billet d'autobus qui coûtait 15 centimes. Une fois l'argent réuni, Lunia qui connaissait Coquiot fut désignée pour se rendre chez lui avec la toile de Soutine. Hanka Zborowski l'accompagna. Une fois arrivées, Lunia laissa Hanka sur un banc du boulevard des Batignolles et se rendit chez le critique. Coquiot aima le tableau et l'acheta pour 75 francs car il fallait le rentoiler et changer le châssis qui avait souffert du transport. Lunia avait reçu l'ordre de ne pas le vendre moins de 50 francs. L'affaire faite, tout le monde fut très heureux et Soutine, conseillé par Modigliani, acheta le jour-même une paire de chaussures car il marchait les pieds entourés de chiffon, de papier et de ficelle.

A partir de 1917, son mari parti à la guerre, tout en gardant son appartement de la rue de Seine, Lunia était allée s'installer chez les Zborowski rue Joseph-Bara dans cet immeuble habité également par Kisling et Per Krogh. La concierge que tout le monde appelait la mère Salomon était une vieille de 75 ans, petite et rondelette, très négligée, mais sympathique. Elle faisait la loi dans l'immeuble, surveillait toutes les allées et venues, était autoritaire, ne balayait jamais les escaliers mais veillait à ce que les clochards ne s'y installassent pas. Or, souvent les clochards étaient Modigliani, Utrillo, Soutine qui venaient voir Zborowski, et chaque fois c'était un drame. Le dimanche, les Kisling recevaient leurs amis et tout le monde dansait, buvait, faisait la fête. Kisling jouait des airs à la mode sur son vieux piano. Souvent, ils servaient de modèles et posaient réciproquement les uns pour les autres car les modèles professionnels prenaient 5 francs par séance.

Le 24 juin 1919, Jeanne télégraphie de Nice : "Nous arrivons samedi avec l'express de 8 heures." Elle avait décidé de rentrer pour annoncer une heureuse nouvelle à Amedeo : elle était enceinte d'un deuxième enfant. A son retour, c'est Lunia qui prit soin de la petite Giovanna. Accompagné d'Utrillo, Modigliani venait souvent, le soir, voir la petite. On les entendait arriver depuis la rue Notre-Dame-des-Champs, mais la mère Salomon refusait de les laisser entrer. Ils s'asseyaient alors sur le trottoir et y restaient des heures à attendre jusqu'à ce que Lunia, se montrant au balcon, eût dit que tout allait bien.

Un jour où une ravissante fille blonde posait pour lui, alors que Lunia montait la garde, Zborowski entra. Ce fut un drame : Modigliani commença à trépigner, à donner de méchants coups de pinceaux sur la toile, Lunia consola la fille affolée et l'aida à se rhabiller. Amedeo termina quand même le tableau qui fut vendu à Carco ; puis, comme toujours après avoir cessé de peindre, Modigliani se lava de la tête aux pieds, éclaboussant tout autour de lui. Est de cette période l'admirable dessin de Lunia esquissé à la lueur d'une bougie sur lequel il écrivit :

"La vità è un dono ; dai pochi ai molti :
di coloro che sanno e che hanno
a coloro cha non sanno e che non hanno."

(La vie est un don ; de quelques uns à la multitude :
de ceux qui savent et possèdent
à ceux qui ne savent et ne possèdent.)

Cependant, Modigliani fait des projets, rêve de rentrer en Italie, d'acheter une maison pour sa fille. Avec Lunia, il se promène dans Paris, va à *La Closerie des Lilas* et chez Rosalie pour manger des pâtes à l'ail : "Quand je mange de l'ail, c'est comme si j'embrassais la bouche d'une femme que j'aime." Ainsi s'exprime parfois Modigliani, poète de la provocation.

Lunia Czechowska se rappelle : "C'était un été très chaud. Après dîner, nous allons nous promener au Luxembourg. Quelquefois nous allions au cinéma ou nous vagabondions dans Paris ; un jour, il m'entraîna dans une fête de quartier pour me montrer la Goulue, qui avait été le modèle préféré de Toulouse-Lautrec et qui s'exhibait dans une cage avec des fauves. Il se rappelait d'autres temps et parla longuement de ces années-là et des artistes d'alors qui étaient devenus célèbres. Nous marchions beaucoup, en nous arrêtant de temps en temps sur le petit mur

Léopold Zborowski et Hanka Zborowska. (Derrière Zborowski se trouve des œuvres de Modigliani et derrière Hanka un tableau d'Utrillo).

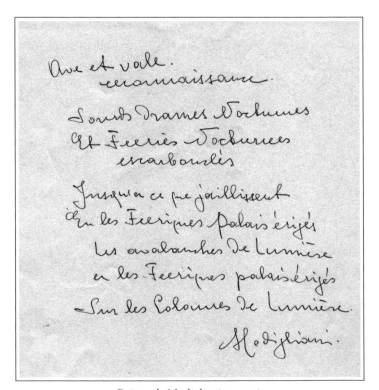

*Poème de Modigliani transcrit
par Hanka Zborowska.*

*Poème de Modigliani transcrit
par Hanka Zborowska.*

214

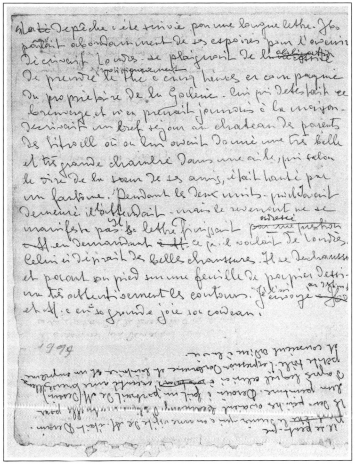

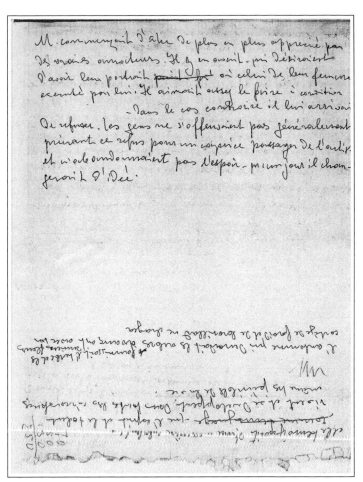

*1919, Paris. Dépêche de Léopold Zborowski transcrite
par Hanka Zborowska.*

*1919, Paris. Dépêche de Léopold Zborowski transcrite
par Hanka Zborowska.*

215

qui entoure le jardin du Luxembourg. Il avait tellement de choses à dire que nous ne trouvions jamais le moment de nous séparer. Il parlait de l'Italie qu'il n'aurait plus revue, de la petite fille qu'il n'aurait pas vu grandir ; jamais, même pas une fois, il me dit quelque chose sur l'art."

De Lunia Czechowska, Amedeo Modigliani a fait 14 portraits dont le dernier date de juillet 1919, six mois avant sa mort.

L'exposition de Londres, organisée par Zborowski, à la *Mansard Gallery*, en août 1919, rencontre un grand succès. Les critiques T. W. Earp et Gabriel Atkin en font d'enthousiastes comptes-rendus. Le critique Giovanni Scheiwiller écrit : "On ne connaît pas de nus qui, comme ceux de Modigliani, puissent témoigner d'une parfaite communion spirituelle entre le peintre et la créature prise pour modèle."

En attendant la visite de son ami Sandro Mondolfi, le frère d'Uberto Mondolfi, qui devait s'arrêter à Paris à son retour de Londres avant de regagner l'Italie, Amedeo envoie à sa mère les coupures de presse élogieuses :

Chère maman,

Merci de ta bonne carte. Je t'ai fait envoyer une revue "l'éventail" avec un article sur moi. J'expose avec d'autres à Londres. J'ai dit qu'on t'envoie les coupures de journaux. Sandro qui est à Londres en ce moment va repasser par Paris avant de retourner en Italie. Ma petite fille qu'on a dû ramener de Nice et que j'ai installée par ici à la campagne se porte admirablement. Je regrette de ne pas en avoir de photo. Je t'embrasse.

Dedo.

Lorsque Sandro passera par Paris, Amedeo lui confiera l'exemplaire d'*Ainsi parla Zarathoustra* qu'il voulait faire parvenir à son frère Umberto, et dont il avait annoté de sa main la page de garde :

Caro Umberto,

Sandro riporta
"Così parlò Zarathoustra"
in Italia
per te
Ti abbraccio forte.

Dedo

Edith, Osbert et Sachewerell Sitwell avaient connu Modigliani à Paris. Deux frères et une sœur d'une bien étrange grande famille anglaise, amoureuse de l'Italie, et de Florence en particulier où ils allaient souvent passer leurs vacances. C'était en 1907 que Modigliani avait rencontré Lady Ida Sitwell, leur mère, dont il avait fait ce portrait de *Femme au Chapeau*, influencé à la fois par Steinlen et par la peinture de Toulouse-Lautrec. Une œuvre proche de *l'Amazone* comme dit Arthur Pfannstiel. Le rapport de Modigliani avec Lady Sitwell n'avait pas eu de suite. Osbert Sitwell fréquentait avec assiduité les peintres liés à Zborowski. Il considérait les nus de Modigliani comme des fruits de la peinture italienne, au même titre que ceux du Titien et de Giorgione. Il collectionna aussi des œuvres de Severini, de Picasso, de Juan Gris, de De Chirico. En 1917, il avait créé une revue de très grande qualité *Arts and Letters*, entouré de talentueux collaborateurs tel le sculpteur Henri Gaudier-Brzeska auquel il avait confié les nombreuses illustrations de la revue. Amedeo Modigliani eut droit à l'illustration du numéro 4 du deuxième volume de l'automne 1919. C'est alors que Sachewerell Sitwell décide d'abandonner définitivement l'université pour promouvoir les artistes qu'il avait rencontrés à Paris. Avec Zborowski, les frères Sitwell organisent un échange d'expositions entre Londres et Paris.[43] Le catalogue de l'exposition française à la *Mansard Gallery*, préfacé par

---

(43) Madame Zborowska, à Paris, vient de recevoir une dépêche et une lettre de Londres, et elle note dans son journal : "La dépêche fut suivie d'une longue lettre. Zbo y évoquait longuement ses espoirs en l'avenir, décrivait Londres tout en se plaignant de l'obligation quotidienne de prendre le thé à 17 heures en compagnie du Directeur de la galerie alors qu'il détestait ce breuvage. Dans cette lettre, il décrivait aussi un bref séjour au château des Sitwell, où il occupait une très belle et très grande chambre dans une des ailes du même château qui, selon les dires de la sœur de ses amis, était hantée par un fantôme. Pendant les deux nuits de son séjour, il l'attendit en vain : le fantôme ne se manifesta pas. Modigliani dans la lettre (réponse pour Zbo à Londres) terminait en exprimant le désir de recevoir de Londres des chaussures. Il se déchaussa et posant le pied sur une feuille de papier, en dessina très précisément le contour. J'envoyai le croquis à destination, et Modigliani eut la grande joie de recevoir son cadeau".

Arnold Bennett, présente 177 peintures et sculptures accompagnées de quelque 141 dessins provenant de 39 artistes de l'Ecole de Paris dont 2 Picasso, 4 Matisse, 6 Derain, Dufy, Soutine, Survage, Léger, Vlaminck, Friesz, Archipenko, Zadkine, des Modigliani et des Utrillo peu connus qui provoquèrent le plus grand émoi et le plus grand intérêt. De tous les artistes exposés à Londres, seul Picasso, ayant fait des décors et des costumes pour la création du *Tricorne* de Manuel de Falla sur une chorégraphie de Léonide Massine, s'y était rendu, quelques mois auparavant, avec les Ballets russes de Diaghilev. Les Sitwell avaient été impressionnés par les Ballets russes dont ils pensaient déjà organiser des spectacles à Londres. L'auteur-éditeur Osbert et son collaborateur Herbert Read consacrent des pages entières aux mouvements cubiste et futuriste avec des textes de James Joyce et de Thomas S. Eliot. Dans *The Nation*, Clive Bell tient des propos favorables pour Modigliani, mais en revanche, certains courriers de lecteurs adressés à la revue protestent que la peinture de Modigliani glorifie la prostitution. Après le fiasco de l'exposition Berthe Weill, pour Modigliani, c'était une très belle revanche. Un portrait de Lunia Czechowska est vendu à Arnold Bennett pour 1000 francs. L'écrivain dira plus tard qu'il lui rappelait les héroïnes de ses romans. Amedeo est si heureux qu'il demande à Zborowski de lui apporter de Londres une paire de bottines anglaises.

Le succès de Londres est bientôt suivi par celui de Paris où Zborowski reçoit de nombreuses demandes de collectionneurs parmi lesquels : Roger Dutilleul, le banquier Schnemayer, Alphonse Kahn, William Kunding.

Dans sa galerie du faubourg Saint-Honoré, où Guillaume Apollinaire était devenu conseiller artistique quelque temps avant sa mort, Paul Guillaume expose des Modigliani auprès d'œuvres de Matisse, de Derain, Vlaminck, Picasso. Selon Gustave Coquiot, "seulement certains dessins de Lautrec pouvaient être comparés à cette maestria si exclusive, si superbement dévergondée." Le journaliste et historien Lemoine écrit à cette occasion : "Il y a un malentendu entre les peintres et le public. Le public vient à leurs expositions avec un préjugé qui l'empêche absolument de s'intéresser à leurs tentatives. L'art d'aujourd'hui a tout à fait renoncé au rendu pour le rendu, suivant l'expression qui courait dans les ateliers à l'époque du réalisme. Le public en est resté là. Il doit s'efforcer à être plus compréhensif. Bien que les tendances de Henri Matisse, Picasso, André Derain, Roger de la Fresnaye, Modigliani, De Chirico, Utrillo, de Vlaminck soient assez diverses, elles sont suffisamment représentatives de l'esprit d'une partie de la génération présente qui cherche à se dégager de la convention du réel pour atteindre et ne retenir que le caractère vrai qu'il recèle. Cette distinction paraît subtile et elle l'est, en effet, c'est pourquoi nos idéalistes ne doivent pas s'étonner que le public n'arrive que lentement à leur conception, et c'est pourquoi aussi on comprend mal qu'il ait adopté vis-à-vis de lui une attitude hautaine qui rebute le mieux intentionné." Le dernier souci de Modigliani aura bien été de faire la moindre concession à d'éventuels acheteurs, lui qui trouvait l'adéquation exacte entre la forme qu'il créait et le sentiment qu'il voulait traduire. Il ne fit aucun compromis avec le public qui n'aimait que le rassurant, le ressemblant et le joli… et en opposition il peignit en haussant violemment la gamme des couleurs utilisées par *le Renoir* des dernières années.

Dans *Berceaux de la jeune peinture*, André Warnod écrit : "Modigliani s'est attaché à peindre ses semblables ; c'est un peintre de figures dont l'œuvre, bien qu'inachevée, comptera. Œuvre d'exception, trop personnelle, croyons-nous, pour faire naître des disciples. Que le ciel confonde les souvenirs qui essaient de la pasticher. Œuvre longtemps bafouée et qui, dans les expositions publiques, fit souvent rire les gens, mais qui est classée à présent et qui restera. Peinture de fou, d'halluciné ! a-t-on pu dire. Mais faut-il avouer qu'il nous fait parfois penser au Greco, toute proportion gardée, bien entendu ? Caricature ! a-t-on dit aussi en ricanant. Nous n'allons pas discuter, ici, du droit qu'a l'artiste de déformer son modèle lorsque cette déformation lui est naturelle et lui semble traduire plus intensément ce qu'il ressent. Les figures de Modigliani sont singulièrement attachantes ; leur sensibilité excessive retient et laisse une impression très troublante. Elles sont animées d'une vie intense, raffinée, décantée, dont l'essentiel seul demeure. Ses adolescentes nues ont une grâce de jeune animal pervers. Les figures de Modigliani, souvent, semblent souffrir jusqu'à l'extrême limite des sensations, figures émaciées, corps très longs et tête petite s'inclinant comme une fleur trop lourde pour sa tige, reflet troublant de la sensibilité, de la sensualité du peintre."

Après ce succès de Londres, dû surtout aux intellectuels et aux critiques, Modigliani reprend sa vie quotidienne, passant de l'enthousiasme fébrile au plus noir désespoir. Il devient parfois si dur avec Jeanne et avec ses amis qu'on l'évite. Il est de plus en plus intraitable et seul. Il erre dans la nuit, de bistrot en bistrot, il vagabonde sous la pluie. Quand ça va mieux, on le rencontre dans les rues du quartier, la main dans la main avec Jeanne, serrés l'un contre l'autre. Certains amis disent l'avoir vu près du Luxembourg crier contre sa femme et la frapper. Il se sait malade mais ne fait rien pour se soigner. Ses joues se creusent, ses yeux perdent leur éclat, il perd ses dents, il devient l'ombre de lui-même. Quand il rencontre quelqu'un qu'il connaît, il dit qu'il part bientôt en Italie pour se refaire une santé :

"Paris est gris et triste et j'en ai marre." Personne ne peut plus rien pour lui, même pas Jeanne qui est sûrement une brave fille, une compagne fidèle et silencieuse, une maîtresse passionnée mais ne sait ni le consoler ni le ramener à la raison. Il est affaibli, il jette ses dernières forces dans l'alcool, il crache du sang. Son état devient de plus en plus préoccupant. Zborowski lui conseille de faire une cure dans un sanatorium mais il refuse. Il refuse même de voir un médecin. "Ça va bien, dit-il, laissez-moi en paix."

Peut-être attendait-il la naissance de son deuxième enfant pour se décider à partir pour Livourne, pour aller se soigner chez sa mère. Il a peur que quelque chose puisse lui arriver, alors il signe un engagement d'épouser Jeanne, daté du 7 juillet 1919, sur un feuillet quadrillé contresigné par Léopold Zborowski, Jeanne Hébuterne, Lunia Czechowska :

Je m'engage, aujourd'hui 7 juillet 1919, à épouser mademoiselle Jane[(44)] *Hébuterne aussitôt les papiers arrivés.*
Amedeo Modigliani

Suivent les autres signatures.

Zborowski envoie un nu et trois portraits de Modigliani au Salon d'Automne qui se tient au Grand-Palais du 1er novembre à la mi-décembre 1919, mais les toiles ne trouvent pas acquéreur au prix convenu sur le catalogue.

Le vicomte Lascano Tegui, un vieil artiste et ami de Modigliani des temps glorieux de Montmartre, l'ayant surpris une nuit assis sur le perron de l'église d'Alésia raconte ainsi l'une de ses dernières sorties : "Une nuit de janvier, Modigliani, les yeux égarés, vert aqueux, suivait un groupe d'artistes-peintres qui venaient de quitter *La Rotonde*. Il était ivre. Les peintres voulurent le conduire chez lui. Mais il n'entendait raison. Derrière eux, à la dérive, prenant pour but le groupe des peintres amis qui disparaissait dans la nuit, Modigliani continuait sa route. Un vent de tempête soufflait dans le creux de son oreille. Sa veste de coutil bleu, une blouse qui ne le quittait pas, se baladaient au vent. Il traînait son pardessus comme la peau d'une bête abattue. Dans l'étendue de son hypnose, il contournait les bâtisses du boulevard Raspail ainsi que de sombres côteaux. Le Lion de Belfort dut lui paraître, dans son cauchemar, une des bornes de la fin du monde. Des inconnus passaient près de lui et (c'était souvent sa marotte) il rapprochait ses yeux tout près du nez pour les regarder. Des grandes masses rouges, des rideaux cramoisis, les figures de ces malades dont Blaise Cendrars peupla le Brésil dans le récit de ses aventures, hantaient la désolation de l'homme ivre. La mer des Sargasses, la mer des Absinthes, la mer des Anis ballottaient les tables et les chaises en fer sur les terrasses abandonnées des bougnats. Modigliani avait le pied marin. Il était aussi ballotté que ces tables par la tempête, mais il se croyait capable de vaincre, corps à corps, l'ouragan. Les phares avaient été éteints dans cette nuit sans étoile, fille des nuits de la guerre quand Paris n'était plus Paris. Modigliani savait chercher, dans l'ombre, la fissure du mur pour s'orienter. Mes amis, les peintres, allaient chez le dessinateur Benito, rue de la Tombe-Issoire, près de la rue d'Alésia. Modigliani les harcela jusqu'à la porte de la maison. Puis il ne voulut pas monter. Il resta sur le trottoir. A minuit, Modigliani était encore là. Un agent voulait le conduire au poste. Mes amis le dégagèrent. Il repartit avec eux. Ce n'était pas commode. Le "delirium tremens", la rage déchaînée apparaissaient sur ses lèvres écumeuses. Il en voulait à tout le monde. Pas d'amis ! Pas d'amis ! Et par cette nuit froide il voulut faire asseoir ses camarades sur un banc qui se présentait dans son délire comme l'embarcadère vers des pays miraculeux. Malgré les prières et les conseils, Modigliani resta sur le banc. Il resta tout seul, n'ayant à ses côtés que les grilles de l'église de Montrouge. Le dernier paysage de Modigliani était devant ses yeux effarés."

Une autre fois, Modigliani monta à Montmartre chez Suzanne Valadon, demanda à boire et pendant qu'il buvait, se mit à chanter le Kaddisch. Sans y croire tout en y croyant, cette prière psalmodiée, que chaque Juif retrouve quand il est au plus près du danger : cette prière qui, plus que tout au monde s'incarne dans l'homme quand il demande pardon des fautes qu'il a commises contre sa propre liberté. C'est peu à peu, quand cette angoisse monte d'intensité, que ce brouillard ne lui permet plus de distinguer l'accessoire de l'essentiel, qu'une nostalgie peut devenir angoisse. Pour Modigliani l'angoisse n'a d'intérêt et de justificatif que dans sa différence d'avec l'homme quelconque. Le sens de son travail souterrain est aussi bien de préparer son apparition "figurative" que d'aider à son évacuation, lorsqu'elle devient insupportable, invivable. En ce sens, il a une dette à payer : la maladie, l'angoisse, le non-dit est offense, insulte, romance, éructation en dépit de la souffrance, signe et preuve de vie.

---

(44) Lapsus ou interprétation du prénom de sa femme à la mode anglaise, alors qu'il est sous le charme de l'Angleterre.

"Così parlò Zarathustra",
couverture de l'édition de 1918.

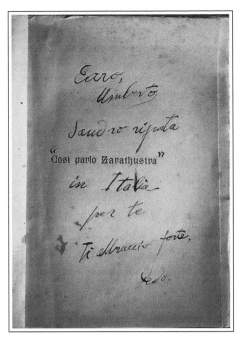

Page de garde du livre dédicacé à
Umberto par Modigliani.

1919, illustration du N° 4 de "Arts and Letters"
par Modigliani.

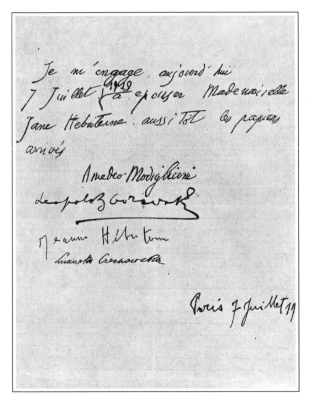

1919, engagement de mariage
écrit par Modigliani.

Chantal Quenneville le vit un soir dans un café près de l'atelier de Marie Vassilieff, où il allait souvent pendant la guerre, et pendant qu'il mangeait son sandwich, il lui confia : "La suralimentation, vois-tu, c'est la seule chose qui puisse me sauver." Il lui suffisait d'un peu d'autodérision pour revenir aussitôt à l'espoir et à la vie.

Il écrivit à sa mère :

Chère maman,

Je t'envoie une photo. Je regrette de ne pas en avoir de ma fille. Elle est à la campagne : en nourrice. Je médite, pour le printemps peut-être, un voyage en Italie. Je voudrais y passer une "période". Ce n'est pas sûr, quand même. Je pense revoir Sandro. Il paraît que Uberto (Mondolfi) va se lancer dans la politique... Qu'il s'y lance. Je t'embrasse.
                                        Dedo

Malgré son état d'extrême lassitude, Amedeo continue à travailler. Désormais, il ressent à la fois les prémices du succès et une certaine angoisse face à la maladie. La maturité des œuvres de l'artiste sont indiscutables. Parmi ses derniers tableaux : divers portraits de Jeanne, de Hanka Zborowska[45], de Lunia, une maternité intitulée *Femme assise avec un enfant*, trois nus, les seuls de cette période avec le même modèle qui reprend la même pose et le même geste : *Nu couché, le bras droit replié sous la tête*, quelques portraits d'amis, élégants, expressifs. Dans l'atelier, son autoportrait et celui du musicien grec Mario Varvoglis sur lequel il écrit : *"Hic incipit vita nova"*, semble se renvoyer l'un à l'autre une image d'interrogation. Alors que Varvoglis se présente de face et s'adresse naturellement au spectateur (un portrait qui ne sera jamais terminé), Modigliani provoque ludiquement le regard de son public au travers d'une mise en scène élémentaire comme sur le plateau du théâtre *dell'Arte*, présentant la palette à la manière de Pulcinella.

La fièvre dévore Modigliani, les hémoptysies et la toux l'épuisent. Jeanne n'y peut rien, elle le regarde muette, impuissante. L'enfant qu'elle porte l'épuise. Plus que jamais, Amedeo rêve d'Italie, de soleil, de Livourne. A *La Closerie des Lilas*, il rencontre Louis Latourette qui s'enquiert de sa santé. Amedeo lui répond : "Si, je vais bien. Peut-être devrais-je essayer une cure d'altitude sur la Butte. Ça pourrait me faire du bien."

"L'hiver vient, le mois de janvier 1920. Trois jours avant sa mort, il travaille. Devant sa toile, il perd connaissance. Vaincu – échappe aux souffrances. Le monde marche", témoigne Zborowski.

Ortiz de Zarate raconte : "Amedeo s'en vint habiter rue de la Grande-Chaumière, en dessous de mon atelier. Il était très malade... Chaque semaine, je lui faisais parvenir du charbon, puis j'ai dû m'absenter une huitaine de jours. Au retour, j'allais le voir. Il était très mal. Couché avec sa femme sur un grabat d'une saleté repoussante... Je m'inquiétais : "Au moins, manges-tu ?" lui dis-je... A ce moment même, on lui apporta une boîte de sardines et je m'aperçus que les deux matelas, le plancher étaient couverts de plaques luisantes, huileuses... Des boîtes et couvercles vides... Modigliani, déjà moribond, mangeait des sardines depuis huit jours ! Je lui fis monter un pot-au-feu par la concierge, et je fis venir un médecin en qui j'avais confiance. "L'hôpital, immédiatement", conseille-t-il. Et comme nous le conduisons à la Charité, il me dit, d'une pauvre voix éraillée : "Je n'ai plus qu'un tout petit morceau de cerveau... Je sens bien que c'est la fin." Et il ajouta : "J'ai embrassé ma femme, et nous sommes d'accord pour une joie éternelle." J'ai compris... Plus tard. Pendant son transport à l'hôpital, il aurait murmuré à plusieurs reprises "chère Italie". La méningite tuberculeuse qui le minait déjà depuis longtemps empira subitement sans que les médecins n'y puissent rien faire et le soir du samedi 24 janvier 1920, à 8h 50, il mourut sans souffrance. On l'avait endormi à jamais avec une piqûre.

Prévenu par télégramme, son frère, Giuseppe Emanuele, télégraphia à Zborowski qu'il prendrait les frais funéraires à sa charge et qu'il fallait couvrir de fleurs son frère Amedeo.

Madame Zborowska et Ortiz de Zarate allèrent chez Jeanne pour la mettre au courant. Elle était près d'accoucher. Ils ne voulurent pas la laisser seule. La petite Paulette l'accompagna dans un hôtel de la rue de Seine où elle passa la nuit. Le dimanche matin, accompagnée de son père elle se rendit à la Charité pour voir Amedeo. Moïse

---

(45) Elle note dans son journal : "Il se peut que la dernière personne a avoir reçu une visite de Modigliani fût André Derain. Les deux peintres s'estimaient grandement. Derain fit un portrait de Modigliani (dessin) qui le représentait en train de peindre une merveilleuse petite toile. L'expression à la fois lointaine et douloureuse de Modigliani est un suprême et conscient adieu à la vie".

Kisling et d'autres amis étaient déjà là. Ils avaient essayé sans succès de réaliser un calque du visage d'Amedeo, et c'est enfin Lipchitz qui parvint à en faire un moule assez satisfaisant d'après lequel douze épreuves furent fondues en bronze. Jeanne entra dans la chambre où reposait Amedeo, s'approcha, le regarda longuement, puis selon Francis Carco, elle se coupa une mèche de cheveux qu'elle déposa sur la poitrine d'Amedeo et sortit sans un mot, puis se laissa conduire chez les Zborowski où les amis l'attendaient. Dans l'après-midi, elle gagna la rue Amyot où habitaient ses parents.

Le philosophe Stanislas Fumet, qui en compagnie de sa femme Aniouta, avait rencontré Jeanne et son père, relata cette rencontre dans *Le Figaro Littéraire* : "Nous avions appris le jour même la mort de Modigliani. Jeannette marchait lentement, le ventre gros, comme une somnambule. Ma femme allait faire un mouvement vers elle pour l'embrasser, mais elle se ravisa quand elle comprit que la pauvre femme ne voulait pas détourner les yeux. Son père lâcha son bras pour venir nous parler à voix basse, il nous dit : "Vous savez que Modigliani est mort...!" Jeannette avait poursuivi son chemin, son père la rejoignit. Le cœur ému, nous demeurâmes sur place à la regarder s'éloigner."

Il est très difficile de savoir ce qui se passa cette nuit-là. Une chose certaine est que le frère de Jeanne Hébuterne, qui aimait beaucoup sa sœur, passa une partie de la nuit avec elle, dans sa chambre, pour lui tenir compagnie, tenter de la consoler et l'empêcher de *faire des bêtises*, selon le témoignage d'André Hébuterne. Mais à l'approche de l'aube, il se serait endormi et c'est à ce moment-là que Jeanne se jeta par la fenêtre de sa chambre depuis le cinquième étage. Elle avait probablement beaucoup pensé à la vie qui l'attendait, seule avec deux enfants à nourrir, et ne pouvant envisager de s'imposer à sa famille qu'elle avait déjà offensée, elle n'avait trouvé d'autre issue à son drame. Par ailleurs, que signifiait la confidence sibylline qu'Amedeo avait faite à Ortiz de Zarate quelques heures avant de mourir : "nous sommes d'accord pour une joie éternelle" ? Amedeo et Jeanne s'étaient-ils déjà mis d'accord pour se retrouver dans l'autre monde ?

Selon Jeanne Modigliani, elle se serait tuée à l'aube du lundi 26 janvier et non le 25 comme il est inscrit sur la pierre tombale du cimetière du Père-Lachaise. Un cantonnier l'avait ramassée dans la cour et transportée sur le palier du cinquième étage chez ses parents qui, épouvantés, n'avaient pas pu ouvrir la porte. L'homme avait alors transporté le corps sur une carriole jusqu'à l'atelier de la Grande-Chaumière où le concierge fit observer qu'elle n'était pas "officiellement locataire". L'homme transporta alors le corps au commissariat où il resta toute la matinée avant d'être ramené dans l'atelier. Chantal Quenneville écrit : "Jeanne Léger était avec moi. Nous allâmes tout de suite à l'atelier où la vue de cette jeune fille, tellement douée, tellement absolue dans son amour pour Modigliani, nous fit une peine infinie. Elle avait été mon amie à l'Ecole des Arts décoratifs et à l'Académie Colarossi. Jeanne Léger alla chercher une infirmière pour habiller le corps. Je restai seule devant le drame déchirant." Chana Orloff, autre amie de Jeanne, qui avait sculpté son portrait sur bois, se souvenait de son corps ridiculement minuscule, brisé dans la chute, et Hanka Zborowska, accourue à l'atelier la décrivait ainsi : "Elle était étendue sur le divan usé. Elle paraissait endormie, sereine et plus belle que jamais."

Selon Chantal Quenneville : "les funérailles de Modigliani furent imposantes. Tout le monde était venu au Père-Lachaise. Que de fleurs ! La guerre était finie, nous ne voulions pas avoir l'air triste, nous étions habitués à la mort." Moïse Kisling avait organisé une collecte auprès des amis pour les obsèques. Le mardi 27 janvier, un millier de personnes suivaient dans un silence impressionnant le corbillard fleuri, tiré par quatre chevaux noirs. Tous les amis de Modigliani étaient là : Max Jacob, André Salmon, Chaïm Soutine, Moïse Kisling, Constantin Brancusi, Léon Indenbaum qui dira "au fond, Modigliani s'est suicidé", Ortiz de Zarate, et Pablo Picasso qui, voyant la police arrêter la circulation aux carrefours, murmurera à l'oreille de Francis Carco : "Tu vois, maintenant, il est vengé.", Gino Severini, Léopold Survage, Jacques Lipchitz, André Derain, Fernand Léger, André Utter, Suzanne Valadon, Kees van Dongen, Maurice De Vlaminck, Foujita, Léopold Zborowski, Simone Thiroux, les modèles, enfin tout Montparnasse, et même les garçons de café qui l'avaient si souvent mis à la porte des bars. Lunia Czechowska qui n'était pas à Paris lorsque Amedeo mourut, n'apprendra la triste nouvelle qu'au mois de septembre 1920 par des amis suédois. Les Zborowski lui auraient dit qu'il avait emmené Jeanne avec la petite Giovanna en Italie.

Un rabbin officia et dit la prière des morts.

Le jour même des funérailles d'Amedeo, par une étrange coïncidence, la galerie *Dewambez*, place Saint-Augustin, gérée par le beau-père de Chéron, exposait une vingtaine de tableaux de Modigliani. D'où provenaient ces tableaux ? Les témoignages ne sont pas concordants. Pour certains, ils pouvaient avoir été peints par Amedeo à l'époque de son passage chez Chéron ; pour d'autres, peut-être Zborowski, pressentant la fin prochaine de Modigliani, se serait-il empressé de les proposer à Chéron.

Dans *L'Evénement* du 29 janvier 1920, Francis Carco écrivait : "On a dit beaucoup de choses insensées sur son compte, il a été ignoré et trop souvent traité injustement... sans doute à cause des excès dont on a tellement parlé au point d'alimenter une vraie légende. Modigliani a été injurieux envers certains collectionneurs, donnant par là prétexte à des réactions scandalisées. Mais ces bizarreries ne concernent que l'homme et ce n'est pas à nous de les juger. Il nous reste son œuvre. Et de quelle puissance ! Je me souviens de ses nus et de ses portraits. Un peintre de caractères, d'attitudes, au rythme raffiné..."

En Italie, on put lire des éloges au "frère de notre compagnon Modigliani, député socialiste de Livourne".

Dans un article de *Sélection* du 1er août 1920, on peut lire sous la plume d'André Salmon : "Il est mort jeune il y a quelques mois à Paris, au moment où son succès commençait à dépasser le cercle de ses amis. Quelques expositions à Paris, quelques portraits de jeunes littérateurs dont le nom grandit avec le sien, une belle exposition à Londres l'avaient mis enfin en pleine lumière. Les années montmartroises n'avaient pas été moins dures pour lui que pour les autres. Il y fit des portraits à cent sous. A cette heure, la spéculation s'est emparée de ces croquis et les côte très haut. Après sa mort, ce fut une renommée sinistrement rapide. Et même les détails d'une tragédie pittoresque et anecdotique n'y manquent pas. On vous les raconte, tout en vous vendant un de ses dessins, si vous êtes parvenu à en dénicher un. Ils sont quelques amis et quelques marchands à posséder ces choses exquises, où la gracieuse déformation, la plus expressive et la plus raffinée atteint un aspect de synthèse ailée, volatile et doucement tourmentée. La plupart les gardent avec tendresse, mais anxieusement, car les offres des marchands deviennent de plus en plus alléchantes. Il y a des têtes de jeunes filles, où la grâce flexible du cou, la tendre mobilité du menton, l'enfantine énigme du regard se trouvent simplifiées jusqu'à une saisissante et profonde puérilité, primitive et parisienne, comme seul cet Italien de Paris put l'exprimer. Et c'est ainsi que la perversité des yeux de ses femmes, quand les jeunes filles ont grandi, est étrangement juvénile et infinie. Un peintre des yeux féminins. Et puis, il y a leurs corps élastiques et dorés, aux mouvements longs et nerveux, par lesquels il simplifie et évoque les souplesses étranges de fauves domptés, mais toujours dangereux. Il ne lui fut pas laissé le temps de devenir le grand peintre que sa personnalité sensitive et subtile annonça. Mais les quelques œuvres qu'il laisse marquent d'autant plus une grande jeunesse d'artiste, non pas pleine seulement de promesses, mais pleine de toute cette beauté inquiétante et tendue, que seule la jeunesse peut donner."

Toujours selon le témoignage de Chantal Quenneville : "L'enterrement de Jeannette fut bien différent de celui de l'homme qu'elle avait adoré humblement. Ses parents ne voulaient voir personne. Ils fixèrent la mise en terre à huit heures du matin. Quelqu'un réussit à le savoir. Qui était là à cette heure, pour nous, invraisemblable ? Zborowski, Kisling, André Salmon et leurs femmes, dans un taxi. Dans un autre, les parents, le frère, Orloff et moi. Le corbillard misérable et les deux taxis firent ce trajet interminable sous un ciel gris et froid jusqu'à un de ces cimetières lugubres de la banlieue lointaine." Il s'agissait du cimetière de Bagneux et c'est seulement un an plus tard que Jeanne, rejoignant Amedeo au Père-Lachaise, sera déposée dans le même tombeau grâce aux interventions conjuguées de Giuseppe Emanuele Modigliani et de Jeanne Léger qui étaient parvenus à convaincre la famille Hébuterne.

Bien que député, Emanuele Modigliani n'avait pu se rendre immédiatement à Paris, faute de passeport, car il y avait encore en Italie des restrictions imposées par la guerre. Emanuele avait donc expédié à Zborowski le fameux télégramme : "Couvrez-le de fleurs." Pour exaucer ce vœu, Kisling avait ouvert une souscription à laquelle tous les amis avaient répondu favorablement, mais sans faire taire les mauvaises langues qui disaient que la famille s'était désintéressée du sort du pauvre Amedeo. Quelques années après la mort d'Amedeo, Margherita écrivait encore à l'éditeur Giovanni Scheiwiller pour lui demander de l'aider à détruire cette malheureuse rumeur : "Aidez-moi à détruire l'odieuse légende qui a coûté tant de larmes à ma pauvre mère : celle de l'abandon dans lequel la famille aurait laissé mon pauvre frère après sa mort... Vous, monsieur Scheiwiller, vous répétez la phrase que tout le monde répète : que Kisling l'a sauvé de la fosse commune en lui payant une place au Père-Lachaise. Cela a été vrai seulement tout de suite après sa mort. Le pauvre Dedo est mort moins de trois mois après l'armistice quand il était encore très difficile de se procurer un passeport pour l'étranger..."

Dans une lettre à Emanuele, Zborowski parle de la petite Giovanna qui a 14 mois : "Je m'occupe d'elle pour le moment. Mais vous êtes le seul qui peut remplacer ses parents. Ma femme et moi, nous prenons bien soin d'elle comme si elle était notre fille, mais Amedeo a toujours manifesté le désir qu'elle fût élevée en Italie au sein de sa famille. De toute façon, ne soyez pas inquiet pour elle. Dans quelques jours, j'irai la voir avec ma femme, elle se porte bien et elle commence à marcher."

Le transfert de la petite Jeanne à Livourne, dans sa famille paternelle, ne fut pas aisé. La petite fille restée orpheline de père et mère, n'ayant été inscrite ni à l'état civil de Nice, son lieu de naissance, ni à Paris, lieu de résidence de ses parents, ne résultait pas comme la fille de Modigliani. D'autre part, sa tante Margherita qui voulait l'adopter n'était pas mariée et déjà âgée de 46 ans, considérée comme une vieille fille.

Lors d'un voyage à Paris, Emanuele Modigliani rencontre Achille Hébuterne : "ce petit homme inoffensif avec sa redingote et une petite barbe de chèvre, un Français typique des années 1900 avec les idées de son temps... Les Hébuterne avaient agi de cette façon (envers Amedeo) plus par stupidité et incompréhension absolue que par méchanceté ; ils avaient des idées étroites et pas généreuses ni tolérantes pour pardonner le manque de respect de leur fille par rapport à leur petit bien." Emanuele parvint à convaincre Achille Hébuterne de l'aider dans ses démarches pour faire entrer Giovanna en Italie. Plus tard, Giovanna retrouvera les restes d'une déclaration notariée en date du 28 mars 1923 :

> *Procès verbal de déclaration devant notaire.*
> *Par-devant Maître Maxime Aubron, notaire à Paris, soussigné...*
> *Ont comparu...*
> *Monsieur Achille Casimir Hébuterne, chef de comptabilité, et Madame Eudoxie Anaïs Tellier, son épouse, qu'il autorise, demeurant ensemble à Paris rue Amyot N° 8 bis...*
> *Lesquels ont requis le notaire soussigné de recevoir leurs déclarations faites ci-après :*
> *Nous déclarons et attestons pour vérité, dans le but que nos déclarations puissent être présentées, tout aussi bien aux autorités judiciaires qu'administratives ; en France et en Italie, aux effets que nous allons expliquer ce qui suit*
> *De notre mariage est née le six avril mille huit cent quatre-vingt-dix-huit une fille Jeanne Hébuterne qui, de son vivant et jusqu'à l'âge dont on parlera a habité avec nous à Paris. Dans le mois de juillet de l'année mille neuf cent dix-sept, notre fille connut un peintre italien nommé Amédée Modigliani de Livourne qui habitait Paris. Ils devinrent amoureux l'un de l'autre..."*

Le 5 juillet 1921, dans une lettre adressée à sa mère, Giuseppe Emanuele évoque les tracas administratifs causés par la situation de la petite Giovanna :

> *Ma petite Maman,*
>
> *Le décret pour ajouter le nom de Modigliani est un procédé que je voulais éviter.*
> *Si vraiment vous voulez l'envoyer immédiatement (pourquoi pas ?) au jardin d'enfants (public?), inscrivez-la sur les bases du certificat de l'état civil où doivent se trouver les noms du père et de la mère. De cette façon ils l'appelleront automatiquement Modigliani. Les démarches pour régulariser l'état civil de Nannoli ne sont pas si simples et parce que je ne pensais pas que c'était si urgent, je n'ai pas encore mis les choses en route. Certes, l'histoire doit être réglée par oncle Alberto en tant que tuteur. Je lui écris tout de suite pour lui suggérer une première démarche. Si ça marchait nous serions certainement tout à fait en règles. Voilà ce qu'il convient de faire. Aller voir le maire de Nice. Lui montrer une copie des actes du Tribunal de Paris et lui demander d'inscrire la paternité. S'il accepte, nous sommes tranquilles. Sinon, j'étudierai la loi française et je verrai. Ici, on cuit de chaleur. Tu peux imaginer ma fatigue en ce jour où l'on ne sait si oui ou non le giolittisme fasciste va céder devant... devant quoi ? Devant une première défaite du fascisme ? Devant une autre crise ? Devant la même crise socialiste ? J'espère – et j'en ai mouillé quatre chemises – que si ce n'est pas une véritable défaite que ce soit au moins un coup d'arrêt. Tout est bon, même une goutte d'eau en mer. Ici, on n'a qu'une goutte d'eau pour l'incendie. Mais espérons que ce soit utile !*
>
> *Baisers.*
>
> *Mené.*

Pendant son séjour à Paris, Emanuele avait également rendu visite au docteur Paul Alexandre qui avait perdu Amedeo de vue depuis 1914. Il lui montra des dessins et des croquis de jeunesse d'Amedeo.

Emanuele s'apercevra par la suite, alors que de nombreuses expositions posthumes des œuvres de son frère seront organisées, que Zborowski avait vendu tous les tableaux d'Amedeo. En 1927, Zborowski achètera une galerie à l'angle de la rue de Seine et de la rue Visconti, une vieille boucherie qu'il transforme en galerie mais qu'il gère très mal et sera finalement obligé de fermer.

223

Après la mort de Modigliani, les vernissages s'enchaînent avec succès. En 1921, a lieu une exposition à la galerie *L'Evêque*, puis suivront, celle de *Berheim-Jeune* où seront exposées 39 œuvres en 1922, et celle de la galerie *Bing* en 1925. En 1929, c'est New York qui lui rend hommage avec une exposition à la galerie *De Hauke and Co.* Il n'y a que l'Italie qui se refuse toujours à reconnaître la grandeur de son artiste, et en particulier la XIIIème Biennale de Venise, en 1922, se révèle un fiasco total à propos duquel le critique Giovanni Scheiwiller citera Baudelaire : "Nous savons que nous serons compris d'un petit nombre, mais cela nous suffit." Il faudra attendre 1930 pour que la XVIIème Biennale de Venise consacre enfin le peintre dans son propre pays, grâce à Paolo d'Ancona et à Giovanni Scheiwiller, les premiers, après dix ans de controverses, à avoir compris, défendu et fait connaître la peinture de Modigliani en Italie. En 1925, le premier écrit toute une série d'articles. En 1927, le second publie une monographie illustrée. En Amérique, le succès rencontré par l'œuvre d'Amedeo Modigliani est favorisé par le docteur Barnes qui dispose d'une immense fortune et se prodigue à faire connaître les peintres de Montparnasse.

Le beau témoignage aux accents d'authenticité de Renato Natali, l'ami de toujours, depuis la jeunesse livournaise et l'aventure vénitienne jusqu'à la bohème parisienne, résume la vie de Dedo d'une manière précieuse et émouvante : "Comme tous les autres, il était sociable, ami, riant et joyeux, mais capable aussi de grandes colères contre tout le vulgaire et le conventionnel ; je ne veux pas parler de sa peinture dont sont pleins la littérature, le cinéma, la critique et les journaux de l'époque. Rien à voir avec la fameuse Ecole de Paris. C'est un pur, un pur-sang qui a payé de sa personne. Ses collègues Picasso, Matisse, Utrillo, Vlaminck et les autres de son temps ont passé la ligne d'arrivée mais je crois que lui, Modigliani, est arrivé seul, le premier, et pas en groupe ; arrivé pour dire et affirmer ce qu'est l'Art dans sa pureté. Son œuvre enfermée dans la beauté éternelle et humaine se reflète dans la beauté et la féminité. C'est là qu'il montre sa lucidité d'artiste face à tant d'autres à l'âme misérable et incapable. Ce ne sont que les peintres de pommes, de poires, de coqs, de pigeons et autres puérilités d'une certaine peinture moderne. Dans toutes les expositions de peintres connus et célèbres, et dans les endroits d'élite intellectuelle, il suffirait qu'on montre un nu de Modigliani pour comprendre sa réelle grandeur. Je me souviens de mon cher ami Dedo toutes ces années avec les peintres livournais, amoureux comme lui de la mer, de l'Ardenza et de Livourne. Je le revois à Florence, à Venise, à Paris, seul dans les musées et dans les galeries, observant et contemplant, contrarié au moindre bruit, occupé seulement à s'imprégner de joie pour ensuite la communiquer avec enthousiasme dans ses toiles. Devant Giotto, Raphaël, Piero della Francesca, Simone Martini, Giovanni Bellini, Carpaccio, Botticelli... immobile tout en contemplation. Alors, il ne peignait pas, mais par la suite en naquit une touche tout italienne. Je le revois encore avec son beau visage pâle, la barbe rasée qui donnait à sa peau cette couleur de plomb, avec ses cheveux touffus qu'il voulut ensuite garder courts, avec sa tête altière, les yeux lumineux qui ne se fatiguaient jamais de scruter, la bouche fermée, presque méprisante. Il n'est nullement vrai que son art soit le résultat de grandes beuveries, il buvait comme tout le monde mais étant donné sa délicate nature d'artiste, cela lui donnait ivresse et réconfort."

Pour rendre hommage à son ami, dont il disait qu'il avait souvent pactisé avec le Diable, André Salmon lui dédiera ce poème :

Comme on boit un coup pour se mettre en train
Tu criais un chant du Paradis ou du Purgatoire,
Quitte ayant bien crié, à t'en retourner boire.
Ah ! j'entendrai toujours tes cris sur leurs silences,
Martyr dont le destin commence.

Nous avons une dernière fois trinqué, un soir,
Avec Derain.
Ton album bleu comme un cahier du ciel était si lourd !
Ton corps plié sous les beaux habits de velours,
Quelle ombre te mordait aux reins ?

Et cette forme exquise que toujours tu peignis,
Intacte a suivi ton essence où vont les morts, Modigliani,
Où les morts vont enfin vivre ce que valut la somme de
Leurs peines.
Le Dôme de Florence se mirait dans la Seine.

"Portrait de femme",
crayon sur papier.

"Modigliani, c'était la fin d'une élégance profonde à Montparnasse, écrira Jean Cocteau, et nous ne le savions pas. Nous imaginions que ces longues journées de pose chez Kisling, ses dessins aux terrasses, ces chefs-d'œuvre à cinq francs, ces brouilles, ces embrassades, dureraient toujours. Mon portrait de Modigliani vaut très cher, paraît-il. Mais ce qui augmente encore davantage, c'est le prestige de nos souvenirs immortels."

* * *

Après la disparition de Modigliani

André Warnod apprend la nouvelle de la mort de Modigliani par une lettre d'André Salmon:

Mon cher Warnod,

Voulez-vous annoncer ce soir la mort de notre pauvre ami, le peintre Amedeo Modigliani, dont vous connaissez l'œuvre. Il est mort hier à la Charité, âgé de 35 ans, nous lui faisons de très belles funérailles.

On se réunira ce mardi, 27 janvier, à 14h 30 à la Charité. Inhumation au Père-Lachaise.

Il était frère de Modigliani, le député socialiste italien.

Merci, et bien à vous.

André Salmon

André Warnod,
"Le Figaro":

Ce furent des obsèques magnifiques, auxquelles assistèrent et Montparnasse et Montmartre: peintres, sculpteurs, poètes et modèles. Leur cortège extraordinaire escortait le char funèbre couvert de fleurs. Sur son passage, à tous les carrefours, les agents de police se mettaient au garde-à-vous et saluaient militairement. Modigliani salué par ceux-là même qui l'avaient si souvent houspillé! Quelle revanche!

Poème pour Amedeo Modigliani composé par Moïse Kisling

Ecrire une ligne sur toi Amedeo?
tant d'écrivains – tant de poètes–
tant d'amis ont déjà écrit sur toi...
que pourrai-je ajouter encore?
– pauvre et grand Amedeo!
dix ans déjà! Que nous t'avions accompagné à ta dernière demeure... ces années ont confirmé ton œuvre splendide!
pourquoi n'es tu pas là pour voir grandir ta gloire ?
Ta gloire qui grandira de plus en plus!

Jacques Lipchitz

Je n'oublierai jamais les obsèques du grand peintre.

Tant d'amis, tant de fleurs, une telle foule massée sur les trottoirs, tant de témoignages de chagrin et d'admiration! Tout le monde sentait que Montparnasse avait fait une perte irréparable.

Kisling et un de ses amis, Moricand, essayèrent de prendre le masque mortuaire de Modigliani mais ils ne réussirent pas et vinrent me demander mon aide; ils m'apportaient des fragments de plâtre où adhéraient des cheveux et des lambeaux de peau. Je réunis ces débris et, remplaçant de mon mieux les morceaux qui manquaient, je fis douze moulages qui furent distribués aux amis de Modigliani et aux membres de sa famille.

(Souvenirs, page 29, Ed. Flammarion 1954)

Lunia Czechowska

... L'après-midi, je rendis visite à une amie suédoise qui savait l'amitié qui me liait à Modigliani, ce fut elle qui me révéla sa mort. Mes amis ne m'avaient pas prévenue immédiatement et n'avaient plus eu le courage de le faire ensuite. J'appris ainsi que Jeanne avait été si désespérée par la mort de Modigliani qu'elle s'était jetée du cinquième étage. Ni sa fille, ni l'enfant qu'elle attendait n'avaient pu lui donner la force de vivre.

La dernière demeure de Modigliani fut assurée par Kisling, l'ami loyal et fidèle ; Jeanne Léger fit tout pour que Jeanne Hébuterne repose à côté de celui qu'elle aimait.

Télégrammes de Livorno par Emanuele Modigliani
à L. Zborowski, 3 rue Joseph Bara. Paris.
 – 1er "Couvrez de fleurs Pourvoyez tout. Rembourserons
Merci empressements. Modigliani". 26, 11h40
 – 2ème "Prière renseignements exacts petite si confie parents ou autre.
Votre dévoué. Modigliani". 27, 21h20.
Ces deux télégrammes furent envoyés par le frère Emanuele Modigliani quelques heures après le décès.

La facture de 1340 francs de Charles Daude "Convois et Transports Funèbres" fut réglée par Moïse Kisling, qui n'eut aucun mal à réunir l'argent nécessaire. Un comité fut constitué et une collecte fut faite à la Rotonde et au Dôme parmi les amis, les artistes et les modèles.

Les funérailles eurent lieu le mardi. Le corbillard était suivi par un porte-couronnes pour accueillir toutes les fleurs envoyées par tous les amis. Kisling, Zborowski et Emanuele Modigliani avaient essayé une longue démarche auprès de la famille Hébuterne, pour pouvoir enterrer les deux côte à côte, mais le refus avait été clair : Achille Hébuterne ne pouvait accepter que sa fille repose auprès d'un homme qui n'était même pas son mari.

"Un millier de personnes environ, qui suivirent les chars fleuris jusqu'au Père-Lachaise..." décrit Luigi Cesare dans une lettre adressée à la famille de Livorno.

Les funérailles de Jeanne étaient fixées par la famille à huit heures du matin pour éviter l'affluence des artistes, dans un climat presque confidentiel et eurent un caractère presque clandestin. Le petit groupe de fidèles suivirent le cercueil jusqu'au lointain cimetière de Bagneux. Le seul geste fut de déposer sur le monticule de terre quelques fleurs blanches recueillies parmi les gerbes qui couvraient la tombe de Modigliani.

Zborowski, Salmon, Kisling ainsi que Chana Orloff et Chantal Quenneville observaient la scène de loin, Achille et André étaient là et regardaient déposer le cercueil dans la terre en silence.

Après plusieurs années les corps furent réunis grâce à Emanuele, Jeanne Léger, Kisling et ils reposent presque ensemble sous une pierre commune sur laquelle deux inscriptions ont été sculptées:

Amedeo Modigliani
né à Livourne le 12 juillet 1884
Mort à Paris le 24 janvier 1920
La mort le prit au moment où l'atteignait la gloire

Jeanne Hébuterne
née à Paris le 6 avril 1898
Morte à Paris le 25 janvier 1920
D'Amedeo Modigliani compagne dévouée
jusqu'au sacrifice suprême.

Décès (N° 204/222 acte fait à Paris)
Le vingt-quatre janvier mil neuf cent vingt, vingt-heures quarante-cinq, est décédé, rue Jacob 47, Amedeo Modigliani, artiste peintre, âgé de trente-cinq ans, né à Livourne, fils de Flaminio Modigliani et de Eugénie Garsin, sans autres renseignements ; époux de Jeanne Hébuterne ; domicilié à Paris, rue de la Grande-Chaumière n° 8.
Pour copie Conforme. Le Maire.

Trois poèmes par Amedeo Modigliani

Rida e strida di rondini
sul Mediterraneo
o
Livorno!
Questa corona di grida questa corona di strida
io t'offro
Poeta dalla testa di Capra
Du haut de la Montagne Noire,
Le ROI CELUI qu'Il élut
pour régner,
pour commander
Pleure les larmes de ceux qui
n'ont pu rejoindre les Etoiles
et du haut
de la sombre Couronne de Nuages
Tombent des gouttes et des perles
sur la chaleur excessive
de la Nuit.

(2ᵉ version du poème écrit au dos du dessin : "Portrait de Cingria, mardi 3, 1917")

Charles Albert Cingria

Modigliani avait un très beau visage où un peu de réserve – ce dandysme naturel en Italie qu'il y a souvent, même chez les Juifs – luttait avec l'amusement.

Il arrondissait bien ses phrases, parlait un très beau français. Il riait d'un petit rire sec, fumeux. Il était juste, il était bon. Il ne flattait personne. Je n'ai jamais connu d'être plus entièrement dépourvu de snobisme. Il était courageux – à Montparnasse il est souvent nécessaire de l'être – Malgré sa courtoisie – oui, une très grande courtoisie – il était obligé quelquefois de dire des choses dures. Il les disait sans défaillance.

C'est en France, à Paris, qu'il avait acquis cet excellent discernement. La France, quelle que soit leur valeur, fait toujours aux Italiens un bien immense. Elle leur apprend à se défaire d'une espèce d'agitation – de susceptibilités sans cause – et d'un travers intellectuel qui est un équivalent de provincialisme. Modigliani, quand je l'ai connu, avait cette belle simplicité qui s'allie si bien avec la grandeur, qualité qu'il avait en propre et qui le définit mieux que toute autre.

Il aimait les Jésuites, aimait l'Italie – non comme un artiste : comme un véritable patriote – aimait le roi "Umberto" primo ou "Vittorio Emanuele", comme ils sont sur les sous…

Il adorait la République française.

Il était Juif et il le clamait.

Avant d'être venu de Florence, et précédemment de Livourne avec des livres et des lévriers[46], il s'était distingué par un grand savoir et un raffinement poétique et spirituel – talmudique et un peu ésotérique, dans son cas – dont se dispensent ordinairement les peintres. Vite, à Paris, ses lévriers moururent, ses meubles se vendirent et il resta sans rien. C'était ce qu'il fallait. Il s'acheta une ceinture de huit mètres, une ceinture rouge, et un solennel habit de velours marron.

Je ne l'ai jamais vu que dans la rue ou des endroits qui sont comme la rue.

Il marchait lentement, s'arrêtait pour causer. Il était suivi, de loin, en général, à une distance considérable – un ou deux kilomètres – par Soutine et Krémegne. Soutine ne savait alors pas le français.

(extrait de : "Dessins de Modigliani", Ed. Mermod, Lausanne 1958)

---

(46) En réalité le chien appartient à une amie intime d'Amedeo, la photographie dédicacée – *Pour Amedeo, artiste-peintre, le barzoï que vous aimez vous attend* – démontre que Modigliani promenait le lévrier dans les rues de Paris pour plaire à cette femme et attirer l'attention des amis.

Appels aux nomades

évoque... vacarme...
grand vacarme silencieux
dans le minuit de l'âme,
o cris silencieux !
abois, appels
mélodies
très haut vers le soleil
rythmes étourdissants
déchirements voluptueux
la Déesse
appels aux nomades,
à tous les nomades lointains
les clairons du silence
barque de quiétude
endors-moi
berce-moi,
jusqu'à la nouvelle aurore

Ave et vale

reconnaissance

sourds drames nocturnes
et féeries nocturnes
escarboucles
jusqu'à ce que jaillissent
en les féeriques palais érigés
les avalanches de lumière
sur des colonnes de lumière.

poème écrit à droite du dessin "L'acrobate" (Paris 1910)

Textes et propos de Modigliani

– Nous c'est un monde. Les bourgeois – c'est un autre – loin de nous.

– Si j'avais un atelier comme les autres... Mais cette vie errante est belle aussi.

– La sculpture est un trop dur métier. Je commencerai à faire de la peinture.

– J'ai horreur de l'alcool – il m'entraîne. Je m'en irai.

– Nous ne sommes pas responsables de notre cerveau, pourtant, c'est lui qui contrôle et qui guide, nous le faisons par son intermédiaire.

– Tu es alcoolique.

Non, je peux boire quand j'ai besoin pour travailler – et cesser quand je le désire.

– Ah ! Les femmes... le plus beau cadeau qu'on puisse leur faire est un enfant. Mais arrêtons-nous là ! Il ne faudrait pas qu'elles bousculent la peinture et l'art, mais qu'elles le servent. A nous de veiller.

– Il faut nous quitter. Je te remercie d'avoir été un si bon compagnon. Je rentre à Paris. C'est là où le bonheur et le malheur sculptent le mieux les visages. C'est Paris mon atelier, mon lieu de travail. Ici c'est le bonheur et la santé, ici je prends mes forces, mais à Paris se sont les tourments qui stimulent mon travail. Au revoir, à Montparnasse...

– Survage : "Pourquoi m'as tu fait dans mon portrait un seul œil ?

– Modigliani: "Parce que tu regardes le monde avec l'un, avec l'autre tu regardes en toi".

– Je ne suis ni ouvrier ni patron. L'artiste doit être libre, sans attaches. Une vie exceptionnelle. La seule vie normale, c'est le paysan, le cultivateur, qui la mène.

– Modigliani citait souvent des textes de la *Divine Comédie* de Dante. Dans un faubourg de Nice il avait découvert un cabaret où des paysans et travailleurs, assis autour d'une grande table, en buvant, récitaient à tour de rôle, en les reprenant, des textes de la *Divine Comédie* de Dante, par cœur.

– Vendez-le, je vous ferai un autre plus beau.

– C'est l'être humain qui m'intéresse – Son visage est la création suprême de la nature. Je m'en sers inlassablement.

– Cara Italia... Je veux retourner à Livorno pour me régénérer.

– Je veux revoir ma mère.

– Je suis né sous le signe du Scorpion. Je me détruis moi-même, c'est la pensée qui me détruit à travers l'alcool.

– Pour travailler, j'ai besoin d'un être vivant, de le voir devant moi. L'abstraction épuise et tue, elle est une impasse.

– Ni patron, ni ouvrier, mais maître de ses moyens.

" Propos de Modigliani ", Souvenirs de Léopold Survage.

＊ ＊ ＊

"Ce que je cherche ce n'est pas le réel pas l'irréel non plus, mais l'Inconscient, le mystère de *l'Instinctivité* de la Race". 1907 (au dos du dessin)

"Ainsi que le serpent se glisse hors de sa peau
ainsi tu te délivreras du péché.
L'équilibre par excès contraires.
L'homme considéré sous trois aspects.
Août !". 1913 (au dos du dessin)

"L'auteur il est saoul un *aveu*"
Modigliani. 1915 (au dos du dessin) "Portrait de J".

"Je soussigné auteur de ce dessin jure de ne plus se saouler pendant la durée de la guerre"
Modigliani. 1916 (au dos du dessin) à M. Edouard Dermit.

"Jacob, à mon frère très tendrement la nuit du 7 mars.
La lune croissante"
Modigliani. 1916 (dessin dédicacé à Max Jacob).

＊ ＊ ＊

Correspondances

Pietrasanta, venerdi 9, (1909)
Modigliani à Cesare Romiti
Cher Romiti,
Les agrandissements pourraient être de 18 x 24, la tête seulement, bien entendu.
Fais-les chic. J'aimerais les avoir vite, trois ou quatre copies chaque (pour toi, en plus, tant que tu veux).
Adresse-les-moi ici à Pietrasanta, rue Victor Emmanuel chez Puliti Emile. J'espère travailler, c'est-à-dire achever et te revoir bientôt.
Salutations.   Modigliani

Livorno, 5 septembre 1909
à Paul Alexandre

Mon très cher Paul,
Il paraît qu'il est trop tard pour envoyer au Salon d'Automne. Envoie-moi, je t'en prie des bulletins d'envoi. On en trouve chez tous les marchands de couleurs.

Ça signifie que j'ai travaillé un peu. Exposer ou ne pas exposer, au fond ça m'est égal mais... Tu vas me voir arriver remis à neuf au point physique et vestimentaire. Ah ! Mon très cher je suis bondissant intérieurement à l'idée de revenir à Paris. Je t'ai envoyé une carte de Pise où j'ai passé une journée divine. Je veux voir Sienne avant de partir. Reçu une carte de Le Fauconnier. Il a écrit quatre lignes absolument extraordinaires de bêtise de Brancusi ce qui m'a fait beaucoup de plaisir. J'aime beaucoup cet homme-là et salue-le de ma part si tu le vois. Mais... tu es occupé tu travailles ah ! Misérable ! Salue-moi Jean bien affectueusement. Dans une vingtaine de jours je vous reverrai tous. Mes amitiés à tes parents. A tout hasard donc envoie-moi des nouvelles du Salon d'Automne.

Bien à toi.   Modigliani.

(Carte Postale)
Livorno 5 septembre 1909
à Monsieur Constantin Brancusi
54, rue du Montparnasse

Mon vieux Branc.
Dans un mois je vais revenir, à bientôt donc et avec impatience le plaisir de te recauser,
ami   Modigliani.

Paris, 28 septembre 1909
Modigliani à Paul Alexandre
Mon cher Paul,
A Paris depuis une semaine. Venu inutilement avenue Malakoff. Grande envie de te revoir.
Salut.   Modigliani.

Livourne, janvier 1910
Eugénie Garsin
à mes cousins
Mes chers cousins,

Oui, décidément le nouvel an a du bon, même s'il apporte quelques rides de plus ou quelques cheveux de moins, s'il nous aide à nous rappeler les uns aux autres de tous les bouts de l'univers. Je suis bien heureuse de constater que la revue annuelle de votre famille ne m'apporte que de bonnes nouvelles, et je vais répondre à vos affectueuses questions. Mon avocat est toujours – et plus que jamais – le leader de son parti ici il est conseiller municipal, orateur populaire etc. ... ce qui fait un peu clocher les affaires professionnelles, mais enfin il se contente, et je n'en demande pas plus ; Umberto à Milan est à la direction d'une assez importante maison productrice de force électrique, il est très occupé, et devrait être satisfait, mais il ne l'est pas, parce que ce n'est pas dans sa nature de l'être. Marguerite est allée à Paris après Grenoble et elle y a pris un diplôme à l'Alliance Française pour compléter sa collection de "parchemins". Tout cela n'a pu s'accomplir sans un peu de surmenage, qu'il faut maintenant soigner, mais cela lui donne l'espérance d'obtenir au premier concours, une place plus lucrative et moins fatigante.

Dedo est à Paris, où il espère – plus tard – se faire connaître comme peintre. Naturellement je me tourmente de le savoir là, d'autant plus que j'ai conservé ma terreur des mœurs françaises et surtout parisiennes. J'ai cédé à son désir parce que jusqu'à présent rien ne m'a mieux réussi avec lui que la complaisance, mais je tremble continuellement. Laure est très bien casée à Milan. Son travail lui plaît et lui donne l'occasion de fréquenter un centre intellectuel qui est juste ce qu'il lui fallait. Gabrielle, hélas ! est hors d'emploi, ce qui est d'autant plus malheureux qu'elle s'en tourmente plus qu'elle ne devrait. Moi – j'ai laissé le plus important personnage pour la fin – j'ai, non pas traduit, mais écrit en anglais un livre en deux volumes sur le Roman italien qui a été traduit et publié en Italie, et qui va l'être dans l'original anglais un de ces jours naturellement. Il ne porte pas mon nom, mais celui de Mr. J. S. Kennard pour le compte de qui je travaille depuis des années. Il y a aussi en français – publié chez Ficherbaker – un volume d'études sur le roman italien qui est de la même plume et sous le même nom. Malgré ces travaux littéraires je n'ai pas entièrement renoncé à l'enseignement. J'espère toujours que des excursionnistes de votre force se laisseront tenter par un tour en Italie et que j'aurai ainsi l'occasion de vous revoir, car pour moi je voudrais bien que la saison des voyages fût entièrement close.

Marguerite veut vous être rappelée particulièrement, nous vous embrassons tutti quanti très affectueusement et vous souhaitons autant de bonheur qu'il est possible d'en trouver en ce monde.

Eugénie.

Paris, janvier 1910
à Umberto Modigliani
lettre avec un dessin.
Très cher Umberto,
Merci, avant tout, du secours inespéré. Avec le temps j'espère arriver à me débrouiller : le tout est de ne pas perdre la tête. Tu me demandes ce que je compte faire. Travailler et exposer. In pectore je sens que je finirai ainsi un jour ou l'autre par me frayer la voie. Le Salon d'Automne a été relativement un succès et l'acceptation en bloc est un cas assez rare de la part de gens qui passent pour former une coterie fermée. Si je renforce l'effet aux Indépendants, j'aurais sans doute fait un premier pas. Et toi que deviens-tu? Salue de ma part tante Lo (Laure). Ecris-moi si tu peux.
Je t'embrasse,   *ton Dedo.*

Paris, 13 février 1910
Modigliani à Paul Alexandre
Dimanche. Cher Paul,
Je viendrai demain lundi à la clinique avec la marchandise. Je vous prierais Monsieur (je ne connais peut-être pas le vrai acheteur) de bien laisser un mot pour moi à la caisse.
Je te serre les mains.   *Modigliani.*

Paris, 8 mars 1910
Modigliani à Paul Alexandre
Mon cher Paul,
Si tu reçois ça à temps viens me voir vers 5 heures. Je voudrais te causer. Je te remercie pour les tableaux. Je te serre les mains.   *Modigliani*

Paris, 18 mai 1910
Modigliani à Paul Alexandre
Carissimo,
La comète (jusqu'à 6h moins dix du moins), n'arrive pas, terrible. Assurément donc à vendredi et après la mort naturellement. As-tu vu Drouard ?
A vendredi.   *Modigliani*

N.B. "la comète" est celle de la nuit du 18 mai, la comète de Halley.

Livorno, le 28 mars 1913
Eugénie Garsin à Amedeo
Chéri, j'ai donné ordre à Umberto de t'envoyer 150 francs et voici un supplément pour lever l'ancre.
Devine si tu peux comme je compte les jours
– annonce toi –
Si tu as encore les Confessions d'un ottuagenario, tu me ferais plaisir en me les rapportant. Baisers ici en attendant mieux.   *Mam.*

Livorno, 23 avril 1913
Modigliani à Paul Alexandre
Mon cher Paul,
Un service : aller chez le serbo-croate prendre la tête, emmener av. Malakoff et me la garder. Réponds-moi fût-ce par un mot quand ce sera fait. La plénitude approche. Elle ne bandera point l'arc pourtant avant que je ne travaille

une quinzaine de jours encore... Je ferai tout dans le marbre. Le patelin près d'où je planterais littéralement même ma tente-une tente d'abri-et de lumière éblouissante de la plus éblouissante limpidité d'air et de lumière qui soit. Bien amicalement à toi et dans l'attente de te lire et de t'écrire.   *Modigliani*

Reçu Maldoror et merci. Je t'enverrai des photos.

Entre le 15 avril 1913 et le 6 mai Modigliani a envoyé 6 cartes postales illustrées par des paysages de Livorno et deux de la Versiglia
Lucca 6 mai 1913
à Paul Alexandre

Indirizzo Modigliani :
Via Vittorio Emanuele. Pietrasanta - Toscana

Lucca (Italie)
Carte Postale
Docteur Paul Alexandre
13, avenue Malakoff
PARIS
Flagorneur et ami, le bonheur est un ange au visage grave. Point de sonnet... le ressuscité.
Bientôt j'écris.

Lucca, 13 juin 1913
Modigliani à Paul Alexandre
Mon cher Paul,
Bientôt je serai de retour à Paris. Je t'envoie av. Malakoff deux petits morceaux de marbre en éclaireurs. Je paye tous les frais ici mais si par hasard il y avait quelques centimes à débourser tu peux être sûr de la restitution à mon retour. Je n'en dis pas plus long car bientôt et de vive voix nous aurons le plaisir de recauser ? En toute amitié.
Modigliani.

Paris, mercredi 1914.
Modigliani à Monsieur Coquiot
Cher Monsieur Coquiot
Je crois vous rendre service en vous envoyant Soutine avec une excellente nature morte.
Agréez mes salutations respectueuses.
Mercredi   *Modigliani*

Paris, 9 novembre 1915
Modigliani à Eugénie Garsin
Ma chère maman,
Je suis un criminel de t'avoir laissée si longtemps sans nouvelles, mais... tant de choses... Changement d'adresse d'abord adresse nouvelle 13, place Emile-Goudeau XVIIIème. Mais malgré toutes ces agitations je suis relativement content. Je fais à nouveau de la peinture et j'en vends. C'est beaucoup. Très content que mon frère soit aux munitions. Quant à Laure je trouve que si elle garde son intelligence et j'ajoute sa merveilleuse intelligence c'est encore, beaucoup. Ca me touche beaucoup qu'elle pense et qu'elle se souvienne et qu'elle s'intéresse à moi dans l'état d'oubli des choses humaines où elle se trouve. Il me semble impossible qu'on ne finisse pas par ramener à la Vie, à la vie humaine un être semblable. Embrasse bien fort mon père de ma part quand tu lui écris. Moi et mes lettres nous sommes un peu ennemis mais ne crois jamais que j'oublie ni toi ni les autres.
Je t'embrasse bien fort.   *Dedo.*

Paris, 16 novembre 1916
Amedeo à Eugénie Garsin

Ma mère chérie,

Je laisse passer trop de temps sans t'écrire mais je ne t'oublie pas. Ne te fais pas de souci. Tout va bien.

Je travaille et je me tourmente parfois, mais je ne suis plus embarrassé comme avant. Je voulais t'envoyer une photo mais elles ne sont pas réussies. Envoie-moi des nouvelles.

Je t'embrasse bien fort,   *Dedo.*

Nice, 31 décembre1918
Modigliani à Zborowski
Minuit juste
Mon cher ami,
Je vous embrasse comme j'aurai voulu si j'avais pu... le jour de votre départ.
Je fais la bombe avec Survage au Coq d'or. J'ai vendu toutes les toiles.
Envoyez vite l'argent.
Le Champagne coule à flot.
Nous vous souhaitons, à vous et à votre chère femme les meilleurs vœux pour la nouvelle année.
Resurrectio Vitae
Ic incipit vita nova
                    In novo Anno !   *Modigliani*
(en russe de la main de Survage) Bonne Année !
Vive Nice
Vive la dernière nuit de la première année.
                    Survage.

Livorno
le 27 Décembre 1918
Eugénie Garsin à Amedeo
J'espère mon très cher Dedo que ceci t'arrive juste le premier matin de l'an comme si c'était un bon baiser de ta vieille maman t'apportant toutes les bénédictions tous les bons souhaits possibles. Si la télépathie est quelque chose tu me sentiras près de toi et des tiennes.
Mille baisers.   *Maman.*

Nice, février 1919
Modigliani à Zborowski
Mon cher Zbo,
Merci de la galette.
J'attends qu'une petite tête que j'ai faite de ma femme soit sèche pour vous envoyer (avec celles que vous connaissez) quatre toiles.
Je fais comme le nègre je continue.
Je ne pense pas qu'on puisse vous envoyer plus de 4 ou 5 toiles à la fois avec la limite du froid.
Ma fille se porte admirablement.
Ecrivez si ça ne vous pèse pas trop.
Saluez bien de ma part Mad. Zborowska et à vous-même une bonne poignée de main.
                    Modigliani
Envoyez la toile au plus vite. N'oubliez pas l'affaire de la place Ravignan écrivez.

Nice, 27 février 1919
Modigliani à Zborowski
Cher ami
Merci des 500 et surtout merci de votre promptitude. Je ne vous ai expédié qu'aujourd'hui les toiles (4).
Je vais me mettre à travailler 13 rue de France.
Les circonstances, le changement des circonstances, le changement de saison me font appréhender un changement de rythme et d'atmosphère.

Laissons aux choses le temps de croître et de s'épanouir.

J'ai flâné un peu ces jours-ci : la féconde paresse : le seul travail.

Le bilan Survage se résume : petit cochon. Viendrez-vous au mois d'Avril ? La question des papiers vis-à-vis de moi est presque complètement arrangée grâce à mon frère. Je peux matériellement, maintenant, partir quand je veux.

Je suis tenté de rester encore de ne revenir qu'au mois de juillet.

Ecrivez si vous en trouvez le temps et saluez bien de ma part Mme Zborowski.

Je vous la serre,   *Modigliani*

L'Enfant très bien.

Nice, mars 1919
Amedeo à Eugénie Garsin
Chère maman,

Mille fois merci de ton affectueuse lettre. La petite va bien et moi aussi. Je ne m'étonne pas qu'ayant tant été mère tu te sentes même hors "les sanctions légales", grand-mère.

Je t'envoie une photo.

Rechange d'adresse : écrire 13 rue de France, Nice

Je t'embrasse bien fort,   *Dedo*

Nice, mars 1919
Modigliani à Zborowski
Mon cher ami,

Très sincèrement touché de votre bonne lettre. C'est à moi du coup de vous remercier.

Ce qui a trait à la publicité je m'en remets naturellement à vous... si c'est indispensable... Vos affaires sont les nôtres, et si je ne tiens pas, en principe d'abord et ne me croyant pas assez mûr après, aux publications je ne méprise pas la "vile monnaie". Mais puisque nous sommes d'accord passons à autre chose.

Voilà ma date et lieu de naissance : Amedeo Modigliani né le 12 Juillet 1884 à Livorno. Maintenant j'ai écrit à mon frère il y a deux ou trois jours et j'attends réponse.

En plus ma carte d'identité "réelle" (dont je n'avais que le récépissé) existe à Paris au commissariat de la rue Campagne-Première. La chose ne devrait pas être si difficile à arranger.

Autre chose : Vous parlez de venir par ici vers la fin avril : je pense que je pourrai très bien vous attendre ici jusqu'à cette date.

En attendant, et en marchant, vous devriez examiner les possibilités d'installation à Paris car il y a là un grand "hic" (Vous occuperez-vous jamais de l'affaire de Montmartre ?)

Ma fille pousse étonnamment. Je puise là un confort et une poussée qui ne peut que s'agrandir dans le futur.

Merci des joujoux. Un peu tôt peut-être...

Il ne me reste maintenant qu'à pousser avec vous le grand cri : "Ça ira" pour les hommes et les peuples, pensant que l'homme est un monde qui vaut des fois les mondes et que les plus ardentes ambitions sont celles qui ont eu l'orgueil de l'Anonymat.

Non omnibus sed mihi et tibi.

Modigliani.

Câgnes, 13 avril 1919
carte postale illustrée à sa mère
Chère maman

Je suis ici tout près de Nice. Très heureux. Sitôt fixé je t'enverrai une adresse définitive.

Je t'embrasse bien fort,   *Dedo.*

Paris, 7 Juillet 1919
déclaration signée par Modigliani
Je m'engage aujourd'hui 7 Juillet 1919 à épouser Mademoiselle Jane Hébuterne aussitôt les papiers arrivés.

Amedeo Modigliani, Léopold Zborowski, Jeanne Hébuterne, Lunia Czechowska.

Paris, 17 août 1919
Carte Postale
Amedeo à Eugénie Garsin
Chère maman,
Merci de ta bonne carte. Je t'ai fait envoyer une revue "L'Eventail" avec un article sur moi. J'expose avec d'autres à Londres. J'ai dit qu'on t'envoie les coupures de journaux. Sandro (Mondolfi) qui est à Londres en ce moment va repasser par Paris avant de retourner en Italie. Ma petite fille qu'on a dû ramener de Nice et que j'ai installée par ici à la campagne se porte admirablement. Je regrette de ne pas en avoir des photos.
Je t'embrasse bien fort,   *Dedo*

Paris, décembre 1919
Amedeo à Eugénie Garcin
Chère Maman,
Je t'envoie une photo. Je regrette de ne pas en avoir de ma fille. Elle est à la campagne : en nourrice.
Je médite : pour le printemps, peut-être un voyage en Italie. Je voudrais y passer une "période". Ce n'est pas sûr, quand même.
Je pense revoir Sandro. Il parait que Uberto (Mondolfi) va se lancer dans la Politique... qu'il s'y lance donc.
Je t'embrasse bien fort.   *Dedo*.

Nice, janvier 1919
Modigliani à Zborowski
Mon cher ami,
Vous êtes un ballot qui ne comprend pas la blague. Je n'ai rien vendu du tout, demain ou après demain je vous expédierai la marchandise.
Maintenant une chose réelle et très grave vient de m'arriver : on m'a volé mon portefeuille avec 600 francs qu'il contenait : il paraît que c'est une spécialité niçoise. Vous parlez si je suis embêté.
Naturellement je suis à sec ou presque. C'est idiot c'est entendu. Seulement comme ce n'est ni votre intérêt ni le mien que je reste en panne voilà ce que je vous propose : Envoyez à l'adresse de Sturzwage 500 francs télégraphiquement... si vous pouvez et je vous rembourserai 100 francs par mois. C'est-à-dire que pendant cinq mois vous pourrez prélever 100 par mois sur ma mensualité. De n'importe quelle façon en somme je vous tiendrai compte de la dette. Argent à part la question des papiers m'embête énormément.
Il ne manquait plus que ça au moment d'être un peu tranquille... enfin.
Malgré tout ça ne peut rien casser d'essentiel j'espère.
Croyez mon cher à ma loyauté et à mon amitié et avec les souhaits que j'adresse à votre femme agréez vous-même une cordiale poignée de main.
     Modigliani.

Nice, janvier1919
Modigliani à Zborowski
Mon cher Zbo,
Voilà la question : ou : that is question
(voir Hamlet) c'est-à-dire
To be or not to be. C'est moi le pécheur ou le *con* c'est entendu : je reconnais ma faute (si faute il y a) et ma dette (si dette il y aura) mais maintenant la question est celle-ci : que je suis sinon totalement en panne, fortement enlisé.
Comprenez-vous? Vous avez envoyé 200 francs dont 100 ont dû être naturellement pour Survage à l'aide duquel je dois de ne pas être totalement en panne... mais maintenant...
Si vous me libérez, je reconnaîtrai ma dette et je continuerai de marcher.
Sinon je resterai immobilisé sur place pied et poings liés... quel en sera l'intérêt?
Il y a actuellement 4 toiles. J'ai vu Guillaume. J'espère qu'il va m'aider pour mes papiers. Il me donne de bonnes nouvelles. Tout irait bien sans ce maudit accident: pourquoi ne pas le réparer et immédiatement pour ne pas stopper une chose qui marche.

J'en ai assez dit maintenant faites ce que vous voulez ou pouvez...mais répondez...seulement ça presse autrement dit le temps court.

Je vous embrasse.

Bonjour à Mme Zborowska   *Modigliani.*

Nice, février 1919

Modigliani à Zborowski

Mon cher Zborowski

Reçu vos 500 et merci.

Je vais me remettre au travail interrompu.

Pour toute explication (car on ne s'explique jamais complètement par lettre) il y a eu "un trou".

Reçu une charmante lettre de votre femme.

Je ne veux pas que vous annuliez aucune dette... au contraire. Etablissez plutôt ou établissons si vous voulez un crédit qui répare les vides *remplissables* que peuvent occasionner des circonstances imprévues. Espère vous voir bientôt à Nice et avant sûrement des nouvelles.

Je vous serre la main,   *Modigliani*

Nice, février 1919

Modigliani à Zborowski

Cher Zbo,

Merci de l'argent. Demain matin je vous enverrai quelques toiles.

Je m'attelle à faire du paysage. Les premières toiles seront peut-être un peu "novices".

Tout le reste bien.

Saluez bien Mad. Zborowska. Une poignée de main,   *Modigliani*

Intercédez auprès de Guillaume pour qu'il m'envoie le "piston" promis pour refaire mes papiers.

Vendredi soir.

1919 au dos du dessin

"La vita è un Dono : dei pochi ai molti: di coloro che Sanno e che hanno a Coloro che non sanno e che non hanno".

La même phrase est écrite plusieurs fois sur plusieurs dessins : Paulette Jourdain.

Algérie, le 29 novembre 1919.

Thora Dardel

carte postale à "Monsieur L'artiste Peintre Modigliani,

Rue de la Grande-Chaumière N° 8, Paris

Belles souvenirs d'Alger. Ici il y a le soleil et de la chaleur. Je ne regrette point Paris, seulement c'est vous qui me manque. J'espère que comprenez mon français. Mille complimentes à votre femme.

Thora.

Paris, le 31 Décembre (1919)

Simone Thiroux à Modigliani

Mon très cher Ami,

Ma pensée la plus tendre va vers vous à l'occasion de cette nouvelle année que je désirerais être l'année de réconciliation morale pour nous. Je mets de côté toute sentimentalité et réclame une seule chose que vous ne me refuserez pas car vous êtes intelligent et pas un lâche : c'est une réconciliation qui me permettra de temps en temps de vous voir. Je jure sur la tête de mon fils qui pour moi est tout qu'aucune idée mauvaise ne passe en mon esprit.

Non mais je vous ai trop aimé et souffre tellement que je réclame cette chose comme une dernière supplication.

Je serai très forte. Vous savez ma situation actuelle : matériellement je ne manque de rien gagnant largement ma vie.

Ma santé est très mauvaise la tuberculose pulmonaire fait tristement son œuvre... Des hauts – des bas.

Mais je n'en peux plus. Je voudrais simplement avoir un peu moins de haine de votre part. Je vous en supplie ayez pour moi un regard bon. Consolez-moi un peu je suis trop malheureuse et demande une petite parcelle d'affection qui me ferait tant de bien.

Je jure encore qu'aucune arrière pensée ne me travaille.

J'ai pour vous toute la tendresse que je dois avoir pour vous.

Simone Thiroux
207 Bd Raspail.

Paris, le 27, janvier 1920
Luigi Cesana à Emanuele Modigliani
Très cher Menè,

J'espère qu'avant celle-ci tu auras reçu ma lettre d'hier. Nous avons accompagné aujourd'hui Dedo à son dernier repos... Dans votre douleur ce sera pour vous un réconfort de savoir quelles manifestations d'affections a reçu votre bien-aimé.

Ce matin différents journaux de gauche donnaient l'annonce de la mort (je joins une coupure de la "Lanterne"). A l'hôpital s'est retrouvée une foule d'amis, parmi lesquels beaucoup de dames. Des artistes de tous les pays et de toutes les races: français, russes, italiens, chinois, etc. Une grande quantité de fleurs fraîches : deux couronnes portaient respectivement deux inscriptions : à notre fils, à notre frère. Tout le monde a suivi le char jusqu'au Père-Lachaise, qui se trouve à environ sept ou huit kilomètres de la Charité. Au cimetière, un rabbin a récité les prières. Je ne sais pas, comme je te l'ai dit hier soir, si cela est dans tes idées et dans celles de ton pauvre frère mais les amis ont cru bien faire en faisant intervenir un ministre du culte et cela fera plaisir à ton père. Je te dirai même que le rabbin voulait savoir le prénom du père du défunt et que personne, en dehors de moi, ne pouvait répondre à cette question, dont je ne connais pas la raison...

De tout cœur, ton vieil ami.   *Gigi.*

Paris, 31 janvier 1920.
Zborowski à Emanuele Modigliani
Mon cher Modigliani,

Aujourd'hui Amédée mon plus cher ami repose au cimetière de Père-Lachaise couvert de fleurs selon votre volonté et la nôtre. Toute la jeunesse artistique a fait des funérailles émues et triomphantes à notre cher ami et à un artiste le plus doué de notre époque.

Il y a un mois Amédée avait grande envie de partir en Italie avec sa femme et son enfant. Il attendait seulement l'accouchement de sa femme, l'enfant qui devait venir il voulait le laisser en France chez la nourrice où est actuellement sa petite fille Giovanna.

Sa santé qui était toujours délicate vers cette époque commençait à être inquiétante. Mes conseils pour aller immédiatement dans un sanatorium en Suisse restaient sans résultat. Si je lui parlais : "Ta santé est mauvaise va la soigner". Il me traitait dans ces moments en ennemi et répondait : "Fais pas la morale". C'était un enfant des étoiles et la réalité n'existait pas pour lui. Rien tout de même ne permettait de prévoir la catastrophe si proche. Il avait de l'appétit ; se promenait et était de bonne humeur. Il ne se plaignait jamais d'un mal trop enfermé. Dix jours avant sa mort il devait se coucher au lit et commençait tout d'un coup avoir grand douleur aux reins. Le médecin venu déclara la néphrite (avant jamais il ne voulait voir un médecin). Il souffrait des reins disant que ça passera bientôt. Le médecin venait chaque jour ? Le sixième jour de sa maladie je suis tombé malade et ma femme est allée le voir le matin. A son retour j'appris que Modigliani crache du sang. On courut chercher le médecin qui déclara qu'il fallait le transporter dans un hôpital, que le sang s'arrête. Deux jours après on le transportait à l'hôpital sans connaissance. On a fait tout le possible les amis et moi, nous avons appelé plusieurs médecins mais la méningite tuberculeuse se déclara, qui le minait depuis longtemps sans que le docteur ait pu s'en apercevoir. Modigliani était perdu.

Deux jours après, le samedi à 8h50 du soir votre frère disparut sans souffrance et sans savoir.

Sa dernière et grande volonté était de partir en Italie. Il parlait beaucoup et souvent de vous et de ses parents. Sa malheureuse femme ne lui a pas survécu. Le lendemain de sa mort à 4h du matin elle se jeta par le fenêtre du 5ème étage de chez ses parents en se tuant sur place.

Quelle tragédie mon cher Modigliani. Quand je pense, qu'il n'y a pas longtemps j'étais chez eux, nous parlions et nous riions et je disais que je voulais le voir en Italie.

Sa fille merveilleuse, qui a 14 mois reste pas loin de Paris chez une nourrice où Modigliani et sa femme l'ont mise. Trois semaines avant sa mort Modigliani comme s'il pressentait sa fin se levait à 7 heures du matin, ce qui était pour lui une chose extraordinaire et partit voir sa fille. En rentrant il était très heureux. Maintenant c'est moi qui m'occupe d'elle. Mais pour remplacer les parents vous êtes le seul. Moi et ma femme nous la prendrions volontiers pour notre fille, mais Amédée exprimait toujours le désir qu'elle soit élevée en Italie en sa famille.

Soyez tranquille absolument pour la petite. Dans quelques jours j'irai la voir avec ma femme. En tout cas elle est en très bonne santé et elle commence à marcher.

Si vous avez un désir à m'exprimer à propos de la fille de Modigliani, écrivez-moi et je remplirai votre volonté.

Pour rendre hommage à Modigliani un petit comité se constituait pour réunir les tableaux des différents peintres et pour les vendre au profit de sa fille. La vente apportera probablement de 25 à 30.000 francs que vous pouvez accepter au nom de la petite.

Car c'est un hommage des artistes à son père.

Mon cher Modigliani, pardonnez-moi que je ne vous ai pas écrit plutôt, mais bouleversé par ces terribles événements je n'ai pas eu de forces d'écrire et de penser.

Je serai très heureux si vous écrivez quelques mots à André Salmon, 6 rue Joseph-Bara, qui était son ami et admirateur et qui a fait beaucoup pour lui pendant sa maladie et après sa mort.

A son ami Kisling, 3 rue Joseph-Bara qui s'occupait aussi des médecins et après sa mort, c'est lui qui organisa les funérailles, car je n'avais pas la tête, fit pour plus un dessin sur son lit de mort. Je vous enverrai la photographie et le dessin faits après Modigliani.

Toutes ces affaires je garderai à votre disposition et quand vous viendrez à Paris je vous les remettrai.

Plus tard j'organiserai une grande exposition des œuvres de Modigliani et je vous préviendrai.

D'autres coupures de journaux je vous enverrai encore.

Je finis cette lettre et je vous écrirai bientôt une autre. Je vous salue, mon cher Modigliani, bien affectueusement, et vous prie de transmettre mes hommages à ses parents.

Répondez-moi et si vous avez un désir quelconque dites-le moi, votre dévoué   *Léon Zborowski.*

3 rue Joseph-Bara.   Paris VI

Firenze, le 6 février 1920
Eugénie Modigliani
via Giambologna N° 18
à Zborowski
Cher Monsieur,

Plusieurs fois j'ai essayé de prendre ma plume Già più volte ho preso la penna tentando di esprimervi la mia infinita gratitudine per tutto l'affetto che avete avuto per il mio caro Amedeo. La commozione me lo ha sempre impedito.

Oggi vi devo la consolazione più grande – l'unica – le notizie della mia piccola Giovanna.

Emanuele vi avrà detto che ripongo ogni mia speranza in questa carne della mia carne, che voglio avere accanto a me, che sono impaziente di vedere e di abbracciare. Mia figlia ed io daremo questo scopo alla nostra esistenza: farne una creatura bella e intelligente come suo padre. Più sana se ne sarà possibile!

Spingo Emanuele a venirla a prendere al più presto per portarmela. Nell'attesa supplicovoi e la signora Zborowska di continuare a vegliare su di lei. Di guidare e consigliare Emanuele per questo viaggio. Vigilate, vi prego, affinché la bambina sia ben coperta; Emanuele non avendo bambini manca di esperienza nonstante tutto il calore del suo affetto.

Spero sarà possibile trovare qualche balia italiana che ritornando a casa consentirà (dietro compenso, s'intende) ad accompagnare Emanuele. Non pretendo, con questo, di dare consigli.

Imploro soltanto che riversiate sulla piccola l'affetto che avevate per il padre.

Ma come esprimo male i sentimenti che mi soffocano! Spero di esprimervi meglio cio che sento e tutte le benedizioni che imploro su di voi e i vostri cari quando verrete in Italia con la signora Zborowska.

Dite anche a tutti gli amici del mio caro scomparso che i migliori auguri di una madre riconoscente li accompagneranno ovunque portando loro fortuna. Racchiudo i loro nomi in fondo al mio cuore per non dimenticarli più. Diteglelo voi per me – io non saprei esprimere i sentimenti che mi soffocano –.

Emanuele vi dirà quanto prima, spero, tutta la gratitudine che vi ha consacrato per sempre.

La vostra devotissima   *Eugenia Modigliani.*

Chantal Quenneville
Paris, février 1920
Jeannette Hébuterne s'était réfugiée chez ses parents, catholiques offensés par son union avec le Juif Modigliani, et ne disait pas un mot.

Deux ou trois jours s'étaient écoulés lorsque je demandai à André Delhay : Et Jeannette ? Il me jeta un mauvais regard. Elle s'était jetée, le matin, par la fenêtre du cinquième étage de la maison de ses parents. Le corps disloqué avait été ramassé, dans la cour, par un ouvrier qui l'avait transporté jusqu'au palier du cinquième étage, où les parents épouvantés, lui avaient fermé la porte au nez. Le corps avait été ensuite transporté par ce même ouvrier, dans une carriole, jusqu'à l'atelier de la Grande-Chaumière, où le portier l'avait refusé déclarant "qu'il n'était pas locataire". A la fin cet ouvrier, resté inconnu et qui mériterait d'être décoré, alla au Commissariat, où on lui dit de le ramener, sur ordre de police, rue de la Grande-Chaumière. Le corps resta là, abandonné, toute la matinée.

Jeanne Léger était avec moi. Nous allâmes tout de suite à l'atelier où la vue de cette jeune fille, tellement douée, tellement absolue dans son amour pour Modigliani, nous fit une peine infinie. Elle avait été mon amie à l'Ecole des Arts Décoratifs et à l'Académie Colarossi. Jeanne Léger alla chercher une infirmière pour habiller le corps. Je restai seule devant ce drame déchirant. La tête blanche et parsemée de taches verdâtres, portait encore les traces de cette vie à laquelle elle avait renoncé par un libre choix héroïque.

Elle avait eu un enfant de Modigliani et elle en attendait un autre. Son ventre faisait une saillie sous la couverture grossière. Une jambe semblait s'être brisée dans la chute...

Je rangeai un peu, balayai l'atelier, plein de boîtes de conserve vides et de charbon. Dans l'autre pièce, un peu partout, il y avait des bouteilles de vin, vides aussi. Sur le chevalet un beau portrait d'homme, inachevé. J'ai vu des dessins de Jeannette dans lesquels elle s'était représentée à sa manière, avec ses longues nattes, dans l'acte de se transpercer la poitrine avec un long stylet. Avait-elle prévu sa fin ?

Les funérailles de Modigliani furent imposantes. Tout Paris était venu au Père-Lachaise. Que de fleurs ! La guerre était finie, nous ne voulions pas avoir l'air triste, nous étions habitués à la mort.

L'enterrement de Jeannette fut bien différent de celui de l'homme qu'elle avait adoré humblement. Ses parents ne voulaient voir personne. Ils fixèrent la mise en terre à huit heures du matin.

Quelqu'un réussit à le savoir. Qui était là à cette heure, pour nous, invraisemblable ? Zborowski, Kisling, André Salmon, et leurs femmes, dans un taxi. Dans un autre, les parents, le frère, Orloff et moi. Le corbillard misérable et les deux taxis firent ce trajet interminable sous un ciel gris et froid jusqu'à un de ces cimetières lugubres de la banlieue lointaine.

Paris, le 6 février 1923
Félicie Cendrars à Eugénie Garsin
Mme Eugénie Garsin
via Giambologna N° 18
Firenze.
Chère Madame,
Modigliani était un grand ami de mon mari Blaise Cendrars, et fréquentait notre maison, quand j'étais à Paris en 1915-1917. Je l'ai vu à Nice en 1918... A Nice, Jeanne portait ses nattes autour de la tête, comme une couronne. Je l'ai vue pour la dernière fois, vers la Noël, après la naissance de la petite. Modigliani et elle cherchaient une nourrice, parce que ni elle ni sa mère se savaient se débrouiller avec une enfant.

Elle était très fatiguée, il y avait à peine trois semaines qu'elle avait accouché. Modigliani m'offrit une mandarine et à sa femme aussi, c'était devant la boutique d'un fruitier : voilà mon dernier souvenir d'eux...

Liste des personnes dont Modigliani a fait le portrait

Maud Abrantès	Max Descaves	Tamara Karsavina
Anna Achmatova	Maurice De Vlaminck	Kiki
Adrienne	Docteur Devraigne	Kikoïne
Jean Alexandre	Henri de Waroquier	Moïse Kisling
Jean-Baptiste Alexandre	Ortiz De Zarate	Renée Kisling
Paul Alexandre	Mariska Diederich	Thora Klinckowström
Almaïsa	Le photographe Dilewski	Kohler
Joseph Altounian	Dirikis	Pinchus Krémègne
Guillaume Apollinaire	Madame Dorival	Germaine Lable
Hans Arp	Charles Douglas	Celso Lagar
Léon Bakst	Maurice Drouard	Henri Laurens
Monsieur Baranowski	René Durey	Marcelle Leoni
Fernande Barrey	Roger Dutilleul	Constant Lepoutre
Berthe Barrieu	Viking Eggeling	Joseph Lévi
Jacques Barrieu	Ilya Ehrenbourg	Jacques Lipchitz
Adolphe Basler	Madame Eyraud	Mina Loy
Dick Beer	Georges Feydeau	Madou
Konrad Bercovici	Léonard Foujita	Marevna
Bernouard	Gabriel Fournier	Fabio Mauroner
Madame Bikel	Mado Fournier	Madame Menier
François Brabander	Othon Friesz	Guglielmo Micheli
Louis Bracon	Donato Frisia	Oscar Mietschaninoff
Constantin Brancusi	Gustave Fuss Amoré	Minoutcha
Félix Bretelle	Gilac	Corinne Modigliani
Anselmo Bucci	Gillet	Vera Modigliani
Mario Buggelli	Juan Gris	Gaston Modot
Guido Cadorin	Charles Guérin	Simon Mondzain
Pierre Camo	Paul Guillaume	Conrad Moricand
Blaise Cendrars	Béatrice Hastings	Vaslav Nijinski
Monsieur Cérusier	Frank Burty Haviland	Sébastien Oesch
Georges Chéron	Dédie (Odette) Hayden	Barone d'Œttingen
Charles-Albert Cingria	Henri Hayden	Albertina Olper
Jean Cocteau	Jeanne Hébuterne	Chana Orloff
Le graveur Corvel	Frans Hellens	Rachèle Osterlind
Lunia Czechowska	Chadanian Heran	Pâquerette
Fabiano de Castro	Céline Howard	Renato Paresce
De Lada	Manuel Humbert	Anna Pavlova
Paul Delay	Léon Indenbaum	Elena Pawlowska
L'écrivain Deleu	Jachine	Pablo Picasso
Alice Derain	Max Jacob	Piquemal
André Derain	Paulette Jourdain	Maurice Potin
Paul Dermée	Ary Justman	Eugène Pratje

240

Raymond Radiguet
Pierre Reverdy
Diego Rivera
André Rouveyre
Morgan Russel
André Salmon
Edmond See
Ida Sitwell
Léon Solà
Aristide Sommati
Gabrielle Soueme

Chaïm Soutine
Guitte Souze Lopez
Germaine Survage
Léopold Survage
Madame Tarelli
Simone Thiroux
Rosalia Tobia
Maurice Utrillo
Madame Georges Van Muyden
Mario Varvoglis
Velchers

Elvira Ventre
Madeleine Verdou
Marie Vassilieff
André Warnod
Le graveur Weill
Compte Wielhorski
Paul Yaki
Hanka Zborowska
Léopold Zborowski

Pablo Picasso.

Constant Lepoutre.

1918, Constant Lepoutre.

Madame Dorival.

Moïse Kisling.

Benvenuto Benvenuti

Max Jacob.

Ilya Ehrenbourg.

Kiki de Montparnasse.

Le peintre Gillet.

Max Descaves.

Ortiz de Zarate.

Elvira Ventre.

1930, Germaine Survage.

Germaine Survage.

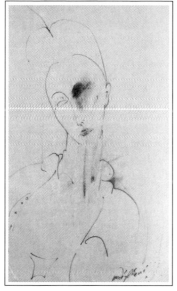

Lunia Czechowska.

Lunia Czechowska.

Henri Laurens.

Eugène Pratje.

Le graveur Corvel.

Paul Guillaume.

Anna Zborowska.

Madame Bikel.

Minoutcha.

Témoignages et documents
Les artistes, les lieux et les rencontres.

Sommaire

"*Portrait d'Amedeo*", *huile sur toile, par
Jeanne Hébuterne.*

"*Portrait d'Amedeo*", *dessin sur papier,
par Jeanne Hébuterne.*

"*Á l'atelier avec Amedeo*", *dessin sur papier, par Jeanne Hébuterne.*

"*L'atelier*", *dessin sur papier, par Jeanne Hébuterne.*

Témoignages

Témoignage d'Emile Schaub-Koch

En 1914, un jour, boulevard Saint-Michel, Modigliani entre au café de *la Source*. Il n'avait pas déjeuné, faute de pécule, et cherchait en compagnie de son ami Sylvain Bonmariage, à se tirer d'affaire.

Soudain, le romancier aperçoit Mme Teischmann, accompagnée de son frère. Mme Teischmann, grand amateur de tableaux et fort riche, suivait parfois les avis de critique de la *Revue Indépendante*.

Sylvain Bonmariage lui présente Modigliani et fait comprendre discrètement la détresse du peintre. M. Arnold Held, frère de Mme Teischmann, sort de sa poche un billet de cinq cents francs pour rémunérer un petit dessin que vient d'offrir Modigliani à sa sœur. Celle-ci prie Modigliani de signer l'œuvre. Alors le peintre prend un gros crayon au fusain, met une signature gigantesque en travers du billet de 500 francs, et le passe à Mme Teischmann.

Voici encore un souvenir de l'auteur d'*Hamlet aux deux Ophélies* :

Un matin, vers dix heures, on frappe à ma porte. Je me lève, j'ouvre, et Modigliani grand, mince, digne et pâle, m'apparaît devant la porte entrebâille.

– Peux-tu me prêter dix francs? – me dit-il, Alexandre n'est pas à Paris. Chéron me refuse. Je n'ai pas de quoi manger aujourd'hui !

Je n'ai plus un sou chez moi. Qu'importe. Modigliani attendra que je sois habillé, et j'irai emprunter un louis à Davesne, le patron du *Clairon des Chasseurs*, qui me rend parfois ce service. Nous voilà partis, Modigliani et moi. Davesne n'est pas chez lui. Nous descendons boulevard de Rochechouart où un ami m'avance vingt francs. J'en passe dix à Modigliani. Celui-ci au lieu de me remercier, se défile, au pas gymnastique. Je le vois entrer chez un marchand de couleurs. L'argent de ses repas est absorbé par des fournitures de papier, de crayons, d'encre de Chine, même une gomme... et voilà vingt sous jetés par la fenêtre.

– Tu ne te sers jamais de gomme – dis je à Modigliani.

Il sourit, hausse les épaules, puis murmure : "On ne sait jamais ce qui peut arriver".

Puis le peintre regarde l'heure.

– Midi sept minutes... Il te reste bien de quoi m'inviter à déjeuner ! – Et cela était dit avec tant de superbe que je ne pouvais qu'obtempérer.

Comme on le voit, du point de vue des contingences pratiques de la vie, Modigliani était totalement inadapté. Il vivait mal, plus que pauvrement, et l'hiver se couchait sans feu, ayant dîné d'un café-crème et d'un croissant. Des amis l'aidaient, amis dans la mesure de leurs très modestes moyens.

C'était le Docteur Alexandre qui n'était pas encore parvenu à sa grande réputation de chirurgien. Modigliani déposait une fois ou deux par semaine une toile ou un dessin chez lui : signal convenu. Le Docteur faisait passer à son ami cent sous, dix francs, plus rarement vingt francs, et Modigliani, quand il avait besoin d'un tableau l'allait chercher chez le praticien.

C'était aussi M. Chéron... Un peu plus tard du reste. Ce commerçant pratique installait le peintre chez lui. Il lui offrait quelques tubes de couleurs, des brosses, une palette, des cigarettes, une demi-bouteille de cognac (à cette "époque Chéron", Modigliani avait hélas ! perdu ses habitudes de sobriété) et un carton ou une toile. En outre le marchand présentait un modèle. Le tableau peint, Modigliani recevait vingt ou trente francs.

C'était le professeur Devraigne qui n'était pas encore le grand accoucheur de la Faculté de Paris, et qui consacrait ses économies à l'achat de tableaux. M. Chéron lui avait parlé de Modigliani. Devraigne acheta des Modigliani à M. Chéron, et il aida modestement le peintre, le soigna et soigna aussi son amie et son enfant aux dernières années.

("Modigliani", Mercure de France, 1933 Lille-Paris)

La Villa Rose

par Henry Ramey, artiste : "Trente ans de Montparnasse"

C'est pendant les deux ou trois années qui précédèrent la première grande guerre que, petit à petit, se créa le Grand Montparnasse, dont la réputation devait devenir mondiale.

Le café de la *Rotonde* s'agrandissait et le petit bar du début s'était adjoint une belle grande salle, celle-ci devenant bien trop restreinte. On s'y débrouillait comme on pouvait, mais aux heures d'affluence, c'est-à-dire de cinq heures jusqu'à tard dans la nuit, il était souvent difficile d'y trouver une place.

On rencontrait certaines des futures grandes vedettes du *Théâtre Européen*, mêlées à des poètes et à des artistes.

Le conspirateur Trotski, accompagné de Diego Rivera, l'un des premiers cubistes, qui devait devenir l'un des plus célèbres peintres de son pays, le Mexique, se rencontraient avec le spirituel et moqueur Ilya Ehrenbourg, tandis que Foujita, poupée japonaise à lunettes, devisait avec Modigliani durant les rares moments où celui-ci ne dessinait pas.

Kiki, premier du nom, c'est-à-dire Kisling, dont l'art de ne pas passer inaperçu tenait déjà du prodige, et l'autre Kiki, le charmant modèle qui un beau jour se mit à peindre, puis écrivit ses mémoires avant de devenir chanteuse de genre, étaient toujours là, et presque chaque soir Pablo Picasso, flanqué d'Ortiz de Zarate, son émule à l'époque, faisait son entrée, bien vite entouré de toute une cour, sous le regard sarcastique de Charles Rappoport déjà installé depuis longtemps non loin d'Aïcha, célèbre modèle de couleur et délicieuse camarade, qui apportait la note coloniale dans ce pittoresque cosmopolitisme.

Je me garderai bien d'oublier Zadkine et son énorme chien Kalouch, qu'il fallait bien caser sous quelque table, ni l'inventive et dévouée Marie Vassilief, ni les sculpteurs Lipchitz et Mietchaninoff, inséparables amis, ni Marc Thaloff, le curieux poète, et tant d'autre comme Granovsky le cow-boy et ce soi-disant Indien coiffé de plumes.

Les aînés qui s'étaient déjà fait un nom, ne négligeaient pas *La Rotonde*, fraternisant avec les jeunes : André Derain, Othon Friez, Charles Guérin entre autres, ainsi qu'André Salmon, le seul écrivain d'art qui ait vraiment connu Montparnasse.

L'Ecole de Paris naissait, de grand talents commençaient à s'épanouir au milieu de certaines déchéances, d'abandons et de drames en puissance que nous ne pouvions pressentir.

En cette ère bénie des dieux protecteurs des Arts, où les propriétaires attendaient avec une angélique patience le paiement de leur termes, ces magnifiques crédits avaient cependant une fin. Aussi, un jour de mauvaise lune, l'Honorable possesseur de la Villa Rose, signifia-t-il à Modigliani son congé.

Je ne vous réclame rien pour vos termes impayés, lui dit-il, mais je vous en supplie, partez, partez, votre sculpture me fait peur!

Il partit, n'emportant que celles de ces œuvres qu'il jugeait les meilleures, laissant sur place une sculpture et de nombreuses toiles.

Un jour, le fameux propriétaire ayant pris la décision de réparer les sommiers de ces chambres (lesquels en avaient le plus urgent besoin) les tableaux de Modigliani, découpés en morceaux de grandeurs diverses, servirent de pièces aux toiles des sommiers usagés.

Modigliani était presque quotidiennement jusqu'à sa mort, au café de *La Rotonde* où, chaque soir il apparaissait, son inséparable carnet bleu à la main.

La nouvelle bohème, dite des "Montparnos", comprenait certes beaucoup d'artistes, alors inappréciés, qui donnaient facilement leurs œuvres pour presque rien, mais Modigliani, même lorsque sa peinture commença à être recherchée par les marchands, continua jusqu'à la fin à dessiner au café.

Montmartre et le Bateau-Lavoir

par Roland Dorgelès, "Bouquet de bohème"

"Curieuse bicoque que ce Bateau-Lavoir où emménageait l'artiste italien. Branlante, obscure, sonore, tout en escaliers, en couloirs, en recoins, et si bizarrement construite à mi-côte, entre deux rues de guingois, qu'on habitait le rez-de-chaussée ou le grenier selon le côté d'où l'on se plaçait.

A la première invitation, les gens n'y comprenaient rien.

– Vous prenez l'escalier, leur expliquait-on, et vous descendez un étage…

– Comment ? Vous habitez au sous-sol ?

– Non… Au deuxième…

– Mais sur la cour, ce qui faisait le compte. En façade, il n'y avait que trois fenêtres : le reste se cachait dans les profondeurs. Pourquoi Bateau-Lavoir ? Nul ne l'a jamais su… sauf Max Jacob.

Peut-être l'aspect de la construction, ce singulier assemblage de poutres et de planches qui faisait penser à une coque de navire. Mais "lavoir" ? Cela ne pouvait se prendre qu'ironiquement : pour les dix logements, il n'y avait qu'un robinet, au bas de l'escalier. Autre bizarrerie, la concierge gîtait dans la maison voisine, ce qui permettait les déménagements discrets. Il est vrai que, même présente, cette bonne madame Coudray n'eût rien dit : elle aimait bien trop les artistes. Et les artistes pauvres, ce qui augmentait son mérite. Pour la remercier, ils lui donnaient de petits coups de main ; les matins de neige, par exemple, ils balayaient le trottoir. L'un d'eux commit même l'imprudence de monter sur le toit pour déblayer les vitres et, passant à travers, tomba dans le vide. Du rez-de-chaussée, il vint s'écraser sur le plancher du deuxième. Encore une chose qu'un profane ne pouvait comprendre.

En plus de ses chausse-trapes, escaliers secrets, portes dérobées, ce manoir à surprises possédait un cachot destiné aux épouses criardes et maîtresses jalouses."

– Avec les rats, Madame ! C'était nécessaire, pour maintenir l'ordre. Car si les soupirs d'amour traversaient les cloisons, les scènes de ménage, à plus forte raison, s'entendaient de l'écoutille jusqu'aux cales. Alors les chiens de Picasso se mettaient à hurler, la petite fille de Van Dongen éclatait en sanglots, le ténor italien s'arrêtait de chanter, l'homme-sandwich rentré saoul menaçait de tout démolir…

– Le cubisme ne pouvait naître autre part, disait ce batifoleur de Jacques Vaillant pouffant de rire.

Quand on ne se chamaillait pas, on chantait, on s'appelait en cognant au mur, et les tableaux se décrochaient tout seuls, comme dans une maison hantée.

La concierge, mieux placée, savait à quoi s'en tenir. Elle n'ignorait pas que ceux qui chantaient le plus se demandaient souvent s'ils mangeraient le lendemain. C'est même pourquoi elle les aidait.

Lorsque le matin très tôt, au petit jour, aux aurores – c'est-à-dire sur le coup de dix heures – elle voyait un monsieur cossu franchir la porte, frapper chez Picasso et revenir bredouille, elle comprenait le danger. Quatre à quatre, elle se précipitait au rez-de-chaussée et cognait :

– M'sieur Picasso ! Levez-vous vite ! C'est sérieux ! Le peintre, aussitôt, sautait du lit et enfilait son pantalon : il savait que madame Coudray ne se trompait jamais et distinguait d'un regard le client du créancier. Il ouvrait donc. Oui, c'était bien un amateur : Olivier Saincère, conseiller d'Etat, acheteur pour les musées, ou Monsieur Angely, l'aveugle, ou ce bilieux de Libaude. Cette visite matinale allait le tirer d'embarras. Néanmoins, il gardait une mine renfrognée. D'abord, cela l'ennuyait d'être réveillé si tôt, et puis il ne se séparait de ses œuvres qu'à regret. "Un tableau n'est jamais fini", soutenait-il. Si seulement cela s'était fait sans discussion. Mais, avec les marchands, il fallait se défendre sou à sou. Surtout avec Sagot, intraitable sous ses airs bon garçon.

Témoignage de Louis Latourette

Quand, vers 1906, à vingt-deux ans, Modigliani vint s'installer à Paris, Montmartre fascinait encore (quoique beaucoup moins, déjà) les jeunes artistes.

Je le rencontrai pour la première fois, peu de temps après son arrivée, certain midi qu'il déjeunait au restaurant *Plancier* (appelé à devenir célèbre sous le patronyme de "Manière") dont il était voisin. Il avait, en effet, loué un atelier dans la partie qui subsistait alors du fameux "maquis" de la rue Caulaincourt.

Vêtu de velours marron à côtes, un foulard éclatant autour du cou, coiffé d'un large feutre, il était selon l'image traditionnelle du rapin, mais avec une originalité, une aristocratie qui retenait l'attention sur la beauté de son type, à la fois sémite et vénitien. La délicatesse de la figure se mélancolisait de quelques évidences de tuberculose ; les yeux brillaient d'ironie ingénue; la bouche souriait tout juvénile – cette bouche qui par la suite devait se tordre en un si amer rictus de sarcasme.

Deux de ses attitudes, plutôt rares parmi la bohème du lieu, me surprirent. A l'ami qui nous présenta, un jeune musicien italien avec qui il s'était lié à Florence, Modigliani annonça une lettre de sa mère, récemment reçue. Il voulut la lire à son camarade. Il commença:

"Mio caro Dedo"– Aussitôt sa voix se brisa, ses yeux s'embuèrent. Incapable de poursuivre, il tendit la missive à son camarade.

Ah ! Ce Dedo, si filialement ému, si puérilement tendre, comme il était différent du forcené cynique de *La Rotonde*, quelques années après !...

Comme nous sortions du restaurant, je m'étonnai de voir entre les mains du peintre un exemplaire d'un livre de Le Dantec.

– J'adore la philosophie, me dit-il. Je l'ai dans le sang. (Ceci en évocation, je crois, de la légende familiale qui rangeait Spinoza parmi ses ancêtres maternels.)

Au cours d'une longue promenade vespérale sur la terrasse du Sacré-Cœur, il récita maints passages de Leopardi, de Carducci, et surtout des *Laudi*, de D'Annunzio, dont il était fervent. Il prit plaisir à l'étalage d'une vaste érudition de Shelley et de Wilde. Pas un instant il ne parla de peinture.

Son contact avec Paris et les nouvelles écoles, me parut-il, l'avait un tantinet désorienté.

Le zézaiement péninsulaire de sa prononciation faisait ressortir sa connaissance très vive et profonde de la langue française.

Nos entrevues, dès lors, furent fréquentes dans le quartier. Chez *Plancier*, à la maison *Vincent* (tenue place du Calvaire par un cuisinier italien), Modigliani, à l'époque, ne buvait que du vin, Vouvray ou Asti, avec une sobriété dont il devait vite se départir. En revanche, il était fort enclin à abuser des succès que lui assurait son charme dans les cercles de petites Montmartroises. Sa foucade pour l'une d'elles, – une svelte et très séduisante blonde, nommée Mado – l'incita quelque temps à une production abondante. Circonstance à retenir pour les modiglianistes : Mado avait été, environ deux ans auparavant, le modèle et amie de Picasso. D'où, en quelques toiles des deux maîtres, si elles durèrent, une ressemblance de modèle qui déroutera les exégètes.

Ses triomphes de joli garçon attiraient au jeune peintre bien des animosités jalouses. Il les affronta toujours avec un courage dont il tirait fierté. Quelques querelles au *Lapin-Agile*, et voire au *Moulin de la Galette* en témoignèrent souvent.

De cette bavure, je rapporterai un éclat auquel j'assistai. Nous nous trouvions un soir, Modigliani et moi, au restaurant de Spielman, place du Tertre, qui appartient à l'histoire héroïque de Montmartre. Près de nous, mangeaient deux boulevardiers en goguette. Ils étaient notoires comme appartenant à un groupe de bretteurs alors en vedette, lesquels se paraient eux-mêmes du titre de "Mousquetaires", et battaient réclame de leurs assauts d'escrime au fleuret démoucheté. Ces messieurs, il va de soi, étaient royalistes, et s'en targuaient, comme de leur farouche antisémitisme. Cette dernière doctrine fut exprimée par nos deux voisins avec une éloquence un peu trop sonore.

Brusque, Modigliani se leva, et, campé devant les deux antisémites, il leur jeta :

– Je suis juif... Et je vous emmer... !

L'insulteur était de petite taille, de complexion mièvre, mais l'insolence et le geste de défi étaient si résolus que les deux mousquetaires s'abstinrent et parlèrent d'autre chose.

Dévers de temps, Modigliani avait dû quitter le "maquis", envahi par les constructions modernes, et s'était logé dans un discret et minuscule pavillon, au fond d'un jardin, qui existe toujours, au n° 13 de la rue Norvins. (Outre la gloire d'avoir abrité l'artiste, ce pavillon a acquis une autre illustration auprès des vieux Montmartrois. Il servit d'asile galant, quelques mois, à M. le Président Deschanel.)

C'est dans ce pavillon si paisible, si poétique parmi le paradoxe de vieux poiriers en plein Paris, que Modigliani (sur la Butte, on ne le nommait déjà plus que Modi, et seuls quelques rares compatriotes étaient admis à l'appeler Dedo) a le plus travaillé. Il lui restait quelques menues ressources, suffisant à sa simplicité et à son encore sobriété. Les plus gracieuses *vitigoncules* du quartier se disputaient l'honneur de poser devant lui. Quantité de maisons de rapport, s'édifiaient rue Girardon, et les compagnons maçons abondaient dans ces parages. Pendant plusieurs semaines, Modigliani fut assidu à son atelier et sur les chantiers, multipliant croquis et études.

Je fus admis un jour à en visiter la collection. Un lit, deux chaises, une table, une malle servant de divan, composaient le sommaire mobilier de la maison Modigliani. Les murs étaient couverts de toiles. Les cartons débordaient. Les plus remarquables qualités de dessin affirmaient dès lors le talent du peintre. Sa personnalité surpassait les influences subies.

La couleur hésitante, sans méthode précisée, déconcertait.

– Tout cela ne vaut rien, me déclara l'auteur.

Et, abordant pour la première fois avec moi, la question de son métier, il m'exprima ses troubles, ses doutes, ses tergiversations, tout ce qu'il qualifiait d'échec de ses tentatives.

– C'est mon damné œil d'italien qui ne peut pas se faire à la lumière de Paris... Une lumière cependant si enveloppante...La saisirai-je jamais ?... Tu ne peux pas imaginer ce que j'ai conçu comme neuves expressions de thèmes, en violet, en orangé, en ocre foncé... Pas moyen encore de faire chanter tout cela... Va, laisse ces foutaises.

Je protestai, exaltant le torse splendidement moulé et clair d'une belle fille, établi d'après la forme d'une jeune tragédienne qui récitait au *Lapin-Agile* des vers de Rollinat.

– Ça n'est pas ça! C'est encore du Picasso, mais raté... Picasso enverrait un coup de pied dans cette monstruosité.

Je tiens à indiquer au passage que Picasso et le douanier Rousseau sont les seuls dont j'aie entendu faire par Modigliani un éloge sans restriction, dans les heures, si espacées, où il formulait une opinion sur les contemporains.

Quelques jours après cet entretien, il m'informa d'un parti qu'il avait pris:

– J'ai à peu près tout détruit de ce que tu as vu... Il faut savoir se juger sans indulgence sentimentale... Je n'ai gardé que deux ou trois dessins... Et aussi le torse qui t'a plu... Oh ! ce n'est d'ailleurs que pour le recommencer d'autre façon... Du reste, j'ai bien envie d'envoyer promener la peinture et de me mettre à la sculpture...

Une idée, on le sait, qui devait le hanter encore maintes fois par la suite.

Un événement avait stimulé Modigliani dans sa décision d'abolir son œuvre de quelques mois. Faute d'avoir payé son loyer... il avait été expulsé de sa masure de la rue Norvins.

Les marchands les plus audacieux se dérobaient. Toujours le premier à rire de ses mésaventures, Modigliani s'amusait à répéter:

– Je n'ai qu'un seul client, et c'est un aveugle !

La boutade était vraie. Le père Angély avait acquis quelques-unes de ses toiles. Un type bien curieux du Montmartre d'antan, ce vieux bonhomme. Ancien clerc d'avoué, mais passionné d'art et de bibelot, très répandu dans les milieux de peinture et de brocante, il avait, au long de sa vie, avec les moyens les plus précaires, rassemblé une collection des plus hétéroclites mais riche de quelques superbes pièces. Atteint par la cécité, ce brave "Léon" (ce prénom était populaire sur la Butte) n'en continuait pas moins d'entasser dans son grenier de la rue Gabrielle quelques spécimens des possibilités de tous les débutants. Une loterie à laquelle il consacrait la maigre épargne prélevée sur sa retraite, avec l'espoir qu'une vente sensationnelle assurerait la fortune de ses vieux jours. Hélas ! les difficultés de la période de guerre le contraignirent à des négociations... Le pauvre cher ami de plusieurs générations d'artistes est mort en 1921, dans une gêne rappelant celle du Cousin Pons...

Au hasard de telles minces aubaines, Modigliani résista pendant nombre de semaines, mangeant dans les gargotes les plus humbles, couchant au légendaire *Hôtel du Poirier*, ou dans des turnes de même acabit.

Force lui fut souvent de se faire héberger et loger par des amis, soit au Château des Brouillards, soit à l'historique maison en bois de la place Ravignan. Après une nuit de noctambulisme, nous le trouvâmes, quelques amis et moi, qui dormait sous la grande table en bois fichée à l'entrée du *Lapin-Agile*.

Jamais pourtant, dans ces jours calamiteux, la moindre déchéance. Nul n'aurait pu reprocher à Modigliani un "tapage" vilain.

S'il ne se résigna jamais aux basses œuvres de l'agrandissement photographique, il consentit à faire des copies, des retouches de tableaux, exécuta même, dans un anonymat sauvagement défendu, des enseignes pour les boutiques.

Quand même, il "tenait le coup" avec brio.

Mais son caractère autrefois si gai, si gamin, devenait acariâtre. Ses rigueurs de jugement et son franc-parler à l'égard de ses confrères avaient écarté beaucoup de ceux-ci. Par plaisir, au surplus, il préférait discuter avec eux. Il admira particulièrement Max Jacob et Guillaume Apollinaire.

Il me souvient qu'avec ce dernier, contraint alors à d'obscurs devoirs de journalisme dans des banques, il engagea une fois un débat de haute philosophie financière.

– Je suis fils et petit-fils de banquiers, proclamait-il. (Il ajoutait, en souriant, "de banquiers juifs".) Si tes patrons écoutaient et appliquaient certaines théories et méthodes que j'ai, nous gagnerions des millions...

Des millions ! Et il n'avait peut-être pas un fifrelin dans son gousset !

De sa peinture, il ne disait mot, non plus que de son esthétique.

La mauvaise nutrition, les libations, les déboires avivés par une récente initiation aux drogues énervantes, en vinrent à mettre en danger les jours de l'artiste.

Une fantaisiste colonie de rapins dans une bicoque en ruine de la rue du Delta, l'atelier pauvre d'un sculpteur de la rue Falguière, suprêmes étapes de son existence d'errant, ne convenaient pas à un état d'anémie aussi prononcé.

Dedo partit en Italie rejoindre sa maman.

Après quelques mois, il revient, réconforté mais non guéri.

Et ce fut à Montmartre qu'il s'installa encore.

Pour peu de temps. La nouveauté de Montparnasse, sa turbulence, l'attiraient.

Quelques centaines de lires en poche enchantaient ses ambitions revigorées par la reprise de contact avec la terre natale.

Il loua un hangar situé rue Jean-Baptiste-Clément, tout au haut de la rue Lepic, à l'extrémité d'une terrasse en jardinet, bordée par quelques maisons qui sont les vestiges du village de jadis.

Calme et claire retraite pour le travail.

Pendant quelques semaines, Modigliani travailla avec énergie.

J'étais son voisin immédiat. Je le voyais souvent. Quel changement s'était produit en lui ! Plus rien ne demeurait du jouvenceau ingénu et fervent, rencontré chez Plancier. Son aigreur névrosée se répandait en sarcasmes. Lui, autrefois si réticent sur ses initiatives et sur ses sentiments, il développait maintenant des principes et des raisonnements interminables. Il ne tarissait pas en conférences sur l'art nègre et les enrichissements qu'il pouvait apporter au modernisme. Mais les efforts de ses rivaux l'irritaient. Tous des truqueurs sans conscience, disait-il, et des ignares. Pendant plusieurs soirées, il m'entretint d'études chimiques qu'il poursuivait pour donner aux couleurs rêvées par lui des tons que ses confrères ne soupçonneraient jamais.

Nobles sujets, certes, mais qu'il ressassait en pontifiant.

Il constatait sa valeur, son progrès, mais s'en vantait avec quelque excès de mégalomanie.

Ceci tenait à l'accentuation de son mal et aussi de son vice.

Il buvait, il s'adonnait de plus en plus à l'opium, à la cocaïne, à l'éther, par moments... selon ses angoisses.

Pour se procurer les toxiques, il avait déserté les sommets de la Butte, hantait désormais assidûment, chaque soir, les cafés et les bars de la Place Blanche et de la Place Pigalle.

Il y fit souvent scandale.

Il y noua une idylle... sa beauté lui assurait toujours maintes conquêtes, avec une courtisane fort accorte et très connue chez Graff et au Cyrano, surnommée la Quique. Tous deux, très épris, rêvèrent quelque temps d'un doux avenir d'amour. Ils s'enfermèrent dans le hangar de la place Jean-Baptiste-Clément. Mais ils s'y enfermèrent avec des absinthes et des poisons dont ils étaient également friands. Les séances de travail – que d'esquisses il traça d'après sa compagne ! – s'achevaient en des ivresses orageuses. Il en fut de cette aventure comme de tant d'autres, aussi hasardeuses. Elle se dénoua tôt.

Je le revis parfois dans Montparnasse, à la Rotonde, dans une boutique de librairie où il se plaisait à pérorer, dans un bistrot italien de la rue Campagne-Première.

Il me demandait des nouvelles des amis : il vitupérait véhémentement contre les bâtisseurs qui envahissaient la rue de l'Abreuvoir et certains coins de la rue Lamarck qui lui avaient été chers.

Un jour où je retrouvais le sourire charmant du Dedo d'antan, il me confia ce message :

– Tu salueras de ma part le cerisier du haut de la rue Lepic... Dire que je n'ai jamais pu manger de ses fruits... les gosses de la rue Norvins me devançaient toujours dès que les cerises rougissaient...

– Je gagne de l'argent, m'assura-t-il dans un rire grinçant, je vais pouvoir faire des placements... Toi qui es dans la boutique, tu m'indiqueras un banquier... il ne me frustrera pas... Au fils d'un confrère, il sera bien obligé d'indiquer les bonnes occasions...

Il termina, à l'instant de me quitter:

– Je suis mal foutu... Va falloir que je fasse une cure d'altitude... l'air de Montmartre me fera du bien... et j'ai envie de revoir quelques bicoques... j'irai te prendre un de ces matins... On déjeunera ensemble chez Labille... je lui réglerai une vieille note que je lui dois... Au revoir...

Jules Pascin (1885-1930)

Il y a, comme le souligne André Bay, un parallèle à établir entre Modigliani et Pascin.

Le 24 décembre 1905 il arrive à Paris, accueilli par une délégation d'amis parmi lesquels Rudolf Grossman, Howard et Georges Grosz collaborateur de la revue *Simplicissimus*, comme Pascin.

"*Portrait de Gabriel Fournier*",
encre sur papier.

"*Portrait de Cingria*", crayon sur papier.

Mado Fournier, modèle pour Modigliani.

Il s'installe à l'*hôtel des Ecoles*, rue Delambre, mais vite il change pour une chambre à l'*hôtel Beauséjour* à Montmartre jusqu'en 1909. Finalement, il s'installe dans un atelier à Montmartre, impasse Girardon, et par la suite beaucoup d'autres ateliers, mais toujours à Montmartre.

Huitième enfant d'un riche marchand de grain de Vidin en Bulgarie, il changera son nom de Mordecai Pincas en Jules Pascin en 1905.

Pendant sept ans il fréquente tous les artistes d'avant-garde, mais il trouve sa façon d'être, de peindre et de vivre indépendant. Placé dans un contexte historique, il trace sa propre histoire de peintre, dans laquelle il ne pourra qu'affirmer sa volonté d'être libre poussant à l'extrême la transgression. Loin d'avoir inventé le nu dans l'art, Pascin se trouve être l'héritier du long travail de ses nombreux prédécesseurs. Il ne joue pas au maître. Dans ses modèles, pas d'académisme, mais des formes encore moins civiles et moins polies que celles offertes par le corps des prostituées. Une manière pour exprimer sa contestation.

En 1907, il rencontre Hermine David (1886-1970), artiste peintre, et c'est une relation durable, malgré la séduction pour le corps de "l'autre" femme, Lucy Krohg. Pascin lui restera très attaché tout au long de sa vie.

Des modèles s'installaient à demeure dans son atelier. La nostalgie du harem, ses fantasmes érotiques, mais surtout la peur de la solitude et de la mort le hantait.

Il était tantôt la proie du diable et tantôt celle des anges, il y avait en lui deux êtres qui se livraient une guerre sans merci.

Des centaines de dessins par jour, des femmes dans tous leurs états !

Les couleurs de Pascin sont les reflets nacrés des couleurs du boudoir : bleu, rose et mauve soulignés par le noir des contours.

André Warnod écrit : "On sentait en lui un être exceptionnel, aristocrate mais attiré par la crapule, toujours inquiet, mais aussi inquiétant".

Le peintre Per Krohg (1889-1965) élève à l'Académie Matisse, fils d'un professeur artiste à l'Académie Colarossi, était lui aussi installé au 3 de la rue Joseph-Bara... en face du rez-de-chaussée d'André Salmon, une maison d'atelier, en bas à l'entrée l'atelier d'Hermine David... après l'escalier dans l'entrée, un jardin, au fond duquel un grand figuier poussait devant la porte de l'atelier. L'atelier de Kisling était au cinquième étage ; au quatrième celui de Zborowski, et en bas la loge de la concierge, la mère Salomon qui devait monter le courrier mais aussi le vin rouge... pour tout le monde, et pour elle aussi en quantité !

Gabriel Fournier (1893-1963)

La Bible et Dante ne quittaient pas la poche de sa vareuse et je l'ai vu forcer un voisin de table à écouter la lecture d'un verset et le malmener quand il ne partageait pas son propre enthousiasme.

Dans son petit ouvrage *Peinture, Religion nouvelle* Adolphe Basler reproche à Modigliani une certaine pose théâtrale ; mais, n'était-il pas italien ? "Il y avait en lui de l'acteur et son ivrognerie, au moins aussi démonstrative que naturelle, provoqua cette perfide remarque de Picasso : "C'est curieux, on ne voit jamais Modigliani saoul boulevard Saint-Denis, mais toujours au coin des boulevards du Montparnasse et Raspail." L'explication est simple: Modigliani ne quittait que fort rarement son quartier. Aussi c'est avec une certaine fierté que je parlerai des sorties faites dans Paris en sa compagnie.

Tout d'abord ce fut la visite à une exposition de peinture française chez Bernheim-Jeune, place de la Madelaine. Ortiz s'était joint à nous et, dès l'entrée du Métro une discussion s'engagea : il faisait très chaud, Ortiz le dandy désirait que nous voyagions en première classe pour la sécurité de ses orteils nus. Avec entêtement Modigliani refusa de se livrer à une telle dépense ; nous nous séparâmes pour monter en seconde, Modi et moi. Cette Exposition n'offrait aux visiteurs que des œuvres de choix classées chefs-d'œuvre par le temps ; *Parisiennes costumées en Algériennes* de Renoir, *Portrait de madame Jos Bernheim* par Bonnard (aujourd'hui au Musée d'Art moderne), des Matisse, Seurat, etc.

Modigliani s'enthousiasma pour la grande toile de Renoir, y revenant sans cesse et comme si ce tableau devînt, pour lui, l'unique peinture de l'exposition. "Ce n'est peut-être pas un très bon tableau mais je l'aime... Je l'aime énormément. Ces Parisiennes vues par Renoir sont tellement parisiennes avec le charme, la grâce naturelle à la parisienne. Et surtout cette féminité que l'on ne rencontre chez la femme qu'à Paris, personne ne l'a peinte comme Renoir dans cette composition.

Modigliani regarda attentivement le portrait de Bonnard : "C'est magnifique de peinture... et quel portrait ! ...Cette grande écharpe bleue qui barre le tableau est belle de couleur ; elle ajoute beaucoup à la grandeur de l'ensemble... et, cependant, il manque quelque chose pour que cette toile soit un chef-d'œuvre... Quoi ? Je ne le sais pas... mais il manque quelque chose."

Seurat lui déplaisait : "C'est compliqué, je n'aime pas ça."

* * *

Lorsque Modigliani apprit que j'habitais rue Serpente tout au haut du vieil *Hôtel Jules César* il s'en étonna d'abord puis me parla de la *Pension Laveur*.

J'ignorais ce qu'était et surtout ce que fut durant tout le XIXème siècle cet illustre et modeste restaurant dont je n'avais remarqué que l'immeuble, construction du XVIIème face à mon logis. "Je veux avoir le plaisir de te conduire dans cet établissement où prirent pension toutes les célébrités du siècle passé : je t'offre à déjeuner et tu verras de beaux Courbet placés là par le peintre en paiement de sa nourriture." Durant le trajet qui nous conduisait de *La Rotonde* à la *Pension Laveur*, Modigliani me prépara à l'atmosphère que j'allais respirer dans cette extraordinaire maison que fréquentèrent Baudelaire, Nerval, Th. Gauthier, Verlaine, Rimbaud... jusqu'à Raymond Poincaré et Francis Carco comme en fait foi le Livre d'Or renfermant photographies et signatures des illustres clients. "Moi, j'adore ça !" clamait Modi, et je partageais son enthousiasme quand il m'eut découvert le grandiose paysage de Courbet devant lequel nous nous installâmes pour déjeuner.

"C'est magnifique, n'est-ce pas ? La matière est d'une richesse... et le grand sentiment qui se dégage de ce tableau me fait instinctivement songer à Poussin : même noblesse obtenue par une sobriété de moyens..." Derrière nous un second tableau de Courbet : des "Fleurs", toile assez patinée, sombre mais belle. A trente-sept ans de distance je respire encore le parfum désuet et exquis de cette maison et ce repas demeure l'un des meilleurs souvenirs de mon commerce avec Modigliani. L'hôtel situé juste en face intéressa vivement Modigliani : ce fut assurément là que nombre des clients de la pension vinrent pour leurs fredaines, dans ces chambres réservées encore au "casuel", vastes pièces aux papiers passés et à peine visibles dans une lumière glauque qu'empêchaient encore de filtrer de lourds rideaux de soie rouge... Chambres envahies de mystères où de grands lits aux ressorts très fatigués créaient à eux seuls une vivante réalité. La partie haute où je logeais baignait dans une tout autre atmosphère, celle du *Diable au Corps* ; ces choses m'étaient si journellement familières que je n'en compris le sens que plus tard, avec le livre de Radiguet.

Ce soir-là je le vis offrir un bouquet de violettes à l'une des jeunes femmes de notre tablée et c'est avec grâce qu'il lui caressa la poitrine de ses joues rosées, délicatement, sans un mot. Au cours de ce dîner éclatèrent deux incidents que Modigliani régla à sa manière, c'est-à-dire de façon si personnelle et si imprévue. Assistait au dîner un jeune sergent aviateur de la Défense de Paris. A cette époque l'arme était nouvelle et les aviateurs trop peu nombreux pour la qualité des cœurs qui s'offraient à eux. Bref, Modigliani qui avait l'oreille fine comprit dans un chuchotement qu'une femme qualifiait les aviateurs de "maquereaux". "Non ! Non ! hurla Modigliani indigné. Cet homme n'est pas un maquereau." Après un violent coup de poing sur la table, il pensa effacer l'épouvantable injure en embrassant l'aviateur qu'il fit boire dans son verre : "Bois, soldat !" Peu après, un long silence envahit la salle entière. Bientôt Modigliani le jugea insupportable et angoissant. Comme Jarry, autrefois, brisa la glace aux *Deux-Magots*, il rompit le silence par un énergique : "Je voudrais ch... au plafond !" Accompagné d'un geste théâtral.

Paul Guillaume (1891-1934)

Il est donc intéressant d'établir l'historique relativement récent du goût que l'on affirme aujourd'hui pour cette curiosité. C'est en 1904, chez une blanchisseuse (Madame Rouzaire) de Montmartre, (Marcoussis, qui habite 76 rue Lamarck, confie lui aussi le linge à la même blanchisseuse, et ils découvrent chez elle les sculptures nègres que son fils a rapportées de son séjour militaire en Afrique) que le hasard m'a conduit pour la première fois devant une idole noire. Comment expliquer la présence en tel endroit d'une chose aussi singulière ?"

Portrait de Paul Guillaume
par Valdemar George

Français de formation purement septentrionale, passionné de science métaphysique, d'astrologie et de magie noire, Paul Guillaume, veut apparaître, avant tout, comme un contempteur et contestateur de la civilisation mécanique de l'occident, de l'esthétique classique et du rationalisme. Ce grand marchand de tableaux, ce digne représentant de la bourgeoisie, classe par excellence contre-révolutionnaire, est un facteur de désordre. Son esprit de négation, son scepticisme hautain, le mépris qu'il professe pour l'ordre traditionnel, pour la structure politique de son pays, pour les lois, pour les institutions, gardiennes de l'édifice social érigé par le capitalisme, font de lui un ennemi redoutable de la société moderne.

Paul Guillaume n'a du Français moyen ni le bon sens, ni l'esprit de mesure. Sa vie est une parade... n'a jamais consenti à jouer cartes sur table. Ce n'est pas qu'il répugne à la sincérité. S'il cache son jeu, c'est qu'il aime avant tout provoquer la surprise, c'est qu'il déclare forfait au moment même où tous ses partenaires s'attendent de sa part à quelque tour de passe, dont il garde jalousement le secret.

Le choix de Guillaume s'est porté avec partialité sur les œuvres des deux premières périodes de Modigliani. La collection Paul Guillaume comporte de nombreux spécimens du temps de ses débuts. Aux prises avec la forme, Modigliani transpose dans la surface les données de la sculpture. Qu'il procède par rabattements, qu'il use de la "synthèse optique" (accumulation d'angles de prise de vues ayant pour objet de présenter une figure à la fois de face et de profil) il met tout d'abord à profit la leçon du cubisme. Mais la grammaire cubiste n'a jamais trompé de son inspiration.

Une exposition presque inaperçue est celle que Paul Morand dans le journal de l'époque ("Journal d'un attaché d'ambassade 1916-17"), note: après l'exposition personnelle d'André Derain, la collective sous le titre: "Exposition d'art nègre chez Paul Guillaume, avec Derain et Modigliani" (novembre 1916).

Paul Guillaume publie ce texte dans le numéro de novembre 1920, de la revue *Les Arts à Paris* et le signe du pseudonyme Allainby, c'est une auto-analyse de son activité :

Dans sa trop petite galerie, Paul Guillaume a entassé tant de choses rares et surprenantes qu'il faut être ami ou habitué pour pouvoir contempler à l'aise la sculpture qui se cache au fond d'une vitrine ou la toile dissimulée derrière un casier. C'est ici que les conservateurs de musée, les amateurs prévoyants s'alimentent en idoles et en masques nègres des vieilles époques aussi bien qu'en peintures des plus jeunes maîtres modernes. Que de toiles d'André Derain maintenant accrochées dans les premières collections du monde furent achetées ici. On vit passer faubourg Saint-Honoré des Matisse, des Picasso, des Vlaminck, des Utrillo, des Marie Laurencin, des Modigliani et des Chirico, ces deux espoirs dont le premier a déjà dépassé les prévisions formulées sur lui et dont le second est si près de les réaliser. De ci, de là, on y trouve même des tableaux de maîtres moins discutés : des Renoir, des Monet, des Manet, des Van Gogh, des Gauguin...

Léon Indenbaum

Arrivé de Russie le 22 mars 1911 à Paris : un ami, Miestchaninoff, le recevra cité Falguière.

Le sculpteur Indenbaum vécut à la Ruche de 1911 à 1927 où il occupa plusieurs ateliers, et y côtoya beaucoup de monde Tchaikov, Chagall, son voisin de porte. Il devait être une sorte de bon Samaritain.

N'est-il pas caractéristique que parmi les premiers acquéreurs de tableaux de Soutine et de Modigliani il y ait eu deux sculpteurs : Indenbaum et Miestchaninoff ? Soutine arriva à Paris avec le portrait d'une femme aux yeux malades. Il était peint maladroitement, mais plut à Indenbaum qui l'acheta immédiatement. C'était la première fois que Soutine gagnait de l'argent avec sa peinture. Plus tard, Indembaum lui acheta d'autres tableaux.

Il a pu ensuite s'installer, seul, dans une baraque du jardin, près de la statue de l'ange aux ailes des roses dans la cour de la Ruche.

"Aidé par Madame Segondet, une grosse dame très myope qui occupait une loge à l'entrée de la Ruche, une camarade plutôt qu'une concierge, son mari bâtissait des masures avec des planches de récupération. En 1912 il y avait encore beaucoup de bois sur le terrain vague de Boucher, et à côté de mon atelier, une masure remplie de matériaux de construction faisait le bonheur de tous.

Un jour, j'allais voir Modigliani boulevard Raspail, dans un terrain vague plein d'orties, où il sculptait en taille directe des têtes allongées et des cariatides en pierre. Entrant dans sa baraque, j'aperçois collée sur le mur, une lettre le priant de quitter les lieux, s'il ne payait pas le loyer.

Je veux l'aider en lui achetant une tête.

A ce moment-là il me regarde avec ses beaux yeux étonnés :

– Pourquoi faire ?

– Cela me fera plaisir, combien ?

– 200 francs, ça va ?

J'avais assez d'argent pour le payer...

Modigliani renonce à la sculpture quand la guerre arrive, à partir de ce moment-là il rencontre Béatrice Hastings qui habite au 53 rue du Montparnasse comme moi, dans le même immeuble.

Un soir, après quelque temps, il m'aborde :

– J'ai vendu la tête que tu as achetée et que tu as laissée chez moi.

– Tu as bien fait.

– Ça c'est un homme, dit-il, en parlant de moi. Je l'ai entendu prononcer cette phrase également à propos de Dostoïevski.

Mais un jour... je viens à lui. Il me pose la main sur l'épaule et après un long silence, me dit :

– Tu as de la couleur? Tu as des toiles?

– Oui.

– Demain matin à neuf heures, je viendrai faire ton portrait.

Le lendemain, à l'heure précise, Modigliani arrive bien rasé, une chemise à carreaux bleus et blancs, toute propre, une ficelle à pompon comme cravate.

Il était splendide avec sa belle tête, son visage d'une grande douceur, et quelle intelligence dans son regard ! Il choisit une toile parmi de vieux tableaux que j'avais récupérés et après trois séances de pose, il la signe : "C'est pour toi."

Ilya Ehrenbourg
(Les années et les hommes, Paris. Ed. Gallimard)

Je fis la connaissance de Modigliani en 1912, il était déjà parisien. Lors d'une de nos premières rencontres, il dessina mon portrait ; tout le monde trouvait alors qu'il était très ressemblant. Par la suite, je lui servis souvent de modèle ; j'avais un carton plein de ses dessins. En été 1917, je rentrai en Russie avec un groupe d'émigrés politique. Alors que nous étions en Angleterre, il nous fut signalé que nous ne pouvions sortir aucun manuscrit, ni dessins ou tableaux, ni même des livres.

Je rassemblai dans une mallette tout ce que j'avais de précieux : une nature morte de Picasso, un exemplaire de l'*Edda*, de Baratynsky avec sa signature, les dessins de Modigliani et je confiai cette mallette à l'ambassade du Gouvernement provisoire. (Le gouvernement provisoire était né à Petrograd de la révolution de février 1917; la révolution rouge d'Octobre le chassa). Ce gouvernement fut en effet provisoire et ma mallette disparut pour toujours.

Mais le peintre faisait aussi autre chose que boire à *La Rotonde*, et dessiner des portraits sur du papier arrosé de café: il passait des jours, des mois, des années devant son chevalet, peignant à l'huile ses nus et ses portraits.

Je m'émerveillais toujours devant le nombre de livres qu'il avait lus. Je crois n'avoir jamais rencontré un autre peintre ayant autant d'amour pour la poésie. Il récitait de mémoire des vers de Dante, de Villon, de Léopardi, de Baudelaire et de Rimbaud.

Ses toiles ne sont pas des visions nées du hasard ; c'est un monde, dont l'artiste, qui avait réalisé en lui l'union rare de l'enfance et de la sagesse, était conscient. Par le mot "enfance" je ne veux dire ni infantilisme, ni maladresse naturelle, ni manière naïve affectée, j'entends une fraîcheur de sentiments, une spontanéité et une pureté intérieure.

Tous les portraits de Modigliani ne sont pas ressemblants. Je puis en juger par les modèles que j'ai connus.

Mais ce qui surprend, c'est la ressemblance des modèles de Modigliani entre eux ; ce n'est pas une manière acquise une fois pour toutes, ni une facture extérieure qui est à l'origine de cette similitude ; c'est la conception de l'univers du peintre. Zborowski avec sa bonne tête de chien de berger velu, Soutine l'air égaré, la tendre Jeanne en chemise, la fillette, le vieillard, le modèle, l'homme moustachu ressemblent tous à des enfants vexés, bien que certains de ces enfants aient une barbe et des cheveux blancs. Je pense parfois que la vie se présentait à Modigliani comme un immense jardin d'enfants organisé par des adultes très méchants.

Combien de fois j'ai vu Rosalie, la patronne d'un tout petit restaurant rue Campagne-première, recevoir un dessin de Modigliani en règlement d'un morceau de viande ou d'une assiette de pâtes. Elle ne voulait pas l'accepter, mais le peintre insistait, il n'était pas un mendiant. Rosalie regardait la feuille couverte de traits fins et déchirés et soupirait douloureusement: "Oh! Mon Dieu!..." Il est vrai qu'à cette époque même les amateurs d'art éclairés ne comprenaient pas Modigliani.

Pour ceux qui aimaient les impressionnistes, il était insupportable par son indifférence pour la lumière, par la netteté de son dessin, par la déformation voulue de la nature. A ce moment-là, on parlait beaucoup du cubisme. Certains peintres, tout en étant parfois obsédés par l'idée de la destruction, devenaient en même temps ingénieurs, architectes, constructeurs ; pour les amateurs de tableaux cubistes, l'art de Modigliani se présentait comme un anachronisme.

Il est vrai, enfin, que certains jours l'inquiétude, l'horreur et la colère s'emparaient de Modigliani. Je me souviens d'une nuit dans son atelier encombré d'un bric-à-brac incroyable. Il y avait beaucoup de monde ce soir-là, entre autres Diego Rivera, Max Volochine, quelques modèles ; Modigliani était très excité. Son amie, la femme de lettres Beatrice Hastings, lui disait avec son accent anglais très prononcé:

"Modigliani, n'oubliez pas que vous êtes un gentleman, votre mère est une grande dame..."

Ces paroles avaient un pouvoir d'incantation. Modigliani resta silencieux pendant un long moment, mais ne put se maîtriser ; il commença à démolir le mur de l'atelier; ayant gratté le plâtre, il essayait d'enlever les briques. Ses doigts étaient en sang et dans ses yeux se lisait un tel désespoir que je n'y pus tenir et sortis dans la cour, sale, jonchée de débris de sculpture.

Pendant les années de la guerre, Modigliani allait souvent manger dans une petite cantine où dînaient des peintres. Il s'asseyait sur une marche de l'escalier intérieur ; quelquefois il récitait des vers de Dante, d'autres fois il parlait du massacre, de la fin de la civilisation, de poésie, de tout, sauf de peinture.

Pendant un certain moment, il se passionna pour les prophéties de Nostradamus – médecin français qui vécu au XVIème siècle. Modigliani m'assurait que Nostradamus avait prévu en détail la Révolution française, le triomphe et la chute de Napoléon, la fin des Etats pontificaux, l'unification de l'Italie.

Il citait d'autres prophéties qui ne s'étaient pas encore réalisées :

"Voici une petite chose – la République en Italie... Mais voici, – et c'est bien plus important – des gens seront envoyés en exil dans des îles... un chef viendra au pouvoir, tous ceux qui ne sauront pas se taire vont être mis en prison, puis on commencera à faire périr les gens..."

Il retirait un livre froissé de sa poche, et clamait :

"Nostradamus avait prévu l'aviation militaire. Nous verrons bientôt que tous ceux qui oseront sourire ou pleurer à un moment inopportun seront envoyés aux pôles : les uns au pôle Nord, les autres au pôle Sud !..."

Lorsque arrivent les premières nouvelles de la révolution en Russie, Modigliani accourut chez moi. Il m'embrassait et dans son enthousiasme poussait des cris d'oiseau (parfois, je n'arrivais pas à comprendre ce qu'il disait).

Une jeune fille – qui paraissait une écolière – nommée Jeanne, commença à venir à *La Rotonde*; elle avait des yeux clair, des cheveux blonds, elle regardait timidement les peintres. On disait qu'elle suivait des cours de peinture. Peu de temps avant mon départ pour la Russie, je rencontrais, rue de Vaugirard, Modigliani en compagnie de Jeanne. Ils se tenaient par la main et marchaient en souriant.

Je pensai : enfin Modigliani a trouvé son bonheur...

Même à cette époque les amateurs d'art éclairés ne comprenaient pas la peinture, l'art de Modigliani.

Il est possible qu'un partisan fervent du "réalisme" fasse remarquer que Modigliani méprisait la nature ; les femmes qu'il a peintes ont des cous ou des bras trop longs. Comme si un tableau était une planche d'anatomie ! Est-ce que les pensées, les sentiments, les passions ne modifient pas les proportions ? Modigliani n'était pas un observateur froid, il ne surveillait pas les gens de côté, il vivait avec eux.

Ce sont des portraits d'êtres humains qui ont aimé, langui, souffert ; ces tableaux ne sont pas seulement les

1919, *"Portrait de Marevna", huile sur toile.*

1919, Marevna : *"Ma chemise est
la même que celle du portrait fait
par Modigliani".*

Ceci est le Portrait de ma mère
dite Marevna de son nom
Maria Vovorobieff Stebelska
fait a Paris au mois de Mai
1919 durant une Visite a Modili
dans son Atelier a Montparnasse
ma mère était habillée avec
la veste de mon père Diego Rivera
et sa petite chemise russe et
son petit chapeau de paille marron
était enceinte de moi 3 mois puisque
Je suis nee le 13 nov 1919 a Paris
Marevna était accompagnée par
Diego qui avait amené la renommée van
a la présence de Pinho Corriant
Sa femme Kiki qui elle aussi était
enceinte — Modili a tous de le
laissa seul avec Marevna pour
ce portrait *Marika Rivera*

Marika Rivera : *"L'histoire du portrait de Marevna
par Modigliani".*

"Portrait de Diego Rivera", crayon sur papier.

jalons de son chemin d'artiste, ils sont les jalons du siècle : 1910-1920. Ce serait ridicule de penser que Modigliani ne savait pas combien de vertèbres se trouvaient dans le cou d'un homme – il avait étudié l'anatomie pendant de longues années dans les ateliers de Livourne, dans les écoles de Beaux-Arts de Florence et de Venise.

Avril 1915
poème "Modigliani"

> Tu restais assis sur la marche d'un escalier très bas, Modigliani,
> et tes clameurs étaient celles d'un goéland qui annonce la tempête...
> Je voyais dans la lumière huileuse d'une lampe baissée, le bleu de ta
> chevelure. Soudain, j'entendais les paroles sombres du sévère Dante
> qui se répandaient en résonnant...

Marevna
Marie Stebelsky-Vorobieff, dite Marevna)
La rencontre Marevna, Diego Rivera et Modigliani.

Selon le témoignage de Marika Rivera-Phillips, sa fille, qui conserve vivant le souvenir de la grande époque où elle grandit sur les genoux des artistes et de sa mère au *Dôme* et dans les ateliers de Marevna et de Rivera, Modigliani réalisa de 1914 à 1918 plusieurs portraits de sa mère, laquelle portait avec autant de grâce le costume traditionnel de son pays que celui de la bohème de Montparnasse.

Paris, les ateliers à Montparnasse, par Marevna.
Ainsi mon cercle d'amis se précisait-il peu à peu, après mon arrivée à Paris en 1912, et l'on finit par nous voir toujours ensemble : Rivera, Angelina Beloff, Ehrenbourg, Volochine, Savinkoff, Paul Cornet, Modigliani, Zadkine, Picasso, sa femme et moi.
A la cantine de Marie Vassilieff, je rencontrais souvent Modigliani, déjà connu pour sa sculpture, il travaillait sur un terrain abandonné derrière une maison du boulevard du Montparnasse.
C'était un garçon très mince et droit. Plus il était ivre, plus il se tenait droit. Comme Picasso à cette époque, il portait le pantalon de velours côtelé et la large ceinture de flanelle rouge des ouvriers. Sa chemise était fréquemment ouverte sur la poitrine vierge de poil.
Il avait une tête fine d'une beauté toute italienne : cheveux un peu frisés et toujours défaits ; et de l'ensemble de ses traits, se dégageait une impression de statue classique.
A l'époque où je le connus, il était déjà assez fou.
Mi-italien mi-juif (sa mère, comme celle de Picasso, était instruite, cultivée, extrêmement désintéressée, ne cherchant ni la fortune, ni la gloire).
J'ai entendu raconter par Rivera que c'était un de ses amis qui l'avait poussé sur le chemin de la perdition et de la drogue. Tous deux aimaient la même femme "fatale", et l'un ou l'autre devait céder la place... Rivalité d'amour, rivalité de gloire ?... Mais est-ce vrai ?
Ce qui est certain, en tout cas, c'est que, sous l'influence du haschisch ou de l'alcool, il aimait déclamer Dante en italien (il connaissait à fond l'œuvre du grand poète). A l'apogée de l'ivresse, il avait l'habitude de se dévêtir, sous les regards avides et curieux de quelques filles plus sur le retour – des Anglaises ou des Américaines qui prenaient plaisir à fréquenter la cantine de Vassilieff. Debout, alors, et très droit, il commençait par défaire sa ceinture, qui devait bien mesurer au moins un mètre et demi. Cela fait, il laissait glisser son pantalon jusqu'aux chevilles puis remontait, lentement toujours, sa chemise jusque par-dessus sa tête, ou l'enlevait aussi et se montrait tout nu, blanc et fin, le torse bombé :
– Hé ! Regardez-moi ! disait-il ? Suis-je beau, hein ? Beau comme l'enfant qui vient de naître ou qu'on sort du bain... Est-ce que je ne ressemble pas à un dieu ?
Et il se mettait à dire des vers. Quand ce n'était pas Dante, c'était un livre qui ne le quittait jamais : *Les chants de Maladoror* de Lautréamont... Ou alors, il chantait, en italien ; il semblait répéter toujours la même chanson : *Capelli biondi, vestito bianco*. Mais il n'y avait rien d'obscène ni de cynique en lui, dans ces moments-là...

Pauvre Modigliani ! S'il y eut jamais "mal-aimé" en ce monde, ce fut bien lui. Il n'eut pas de chance avec les femmes. J'ai personnellement connu ses trois femmes. Je serais bien en peine de dire laquelle, de ces trois femmes, était la plus intéressante. L'une, une petite Française très simple et déjà très malade, Simone, donna un fils à Modigliani, et mourut peu de temps après. La seconde était anglaise : Mrs. H..., intelligente et tant soit peu perverse. Elle mena une vie des plus mouvementées. Non seulement elle prit goût à la drogue mais elle s'abrutissait d'alcool et était toujours en quête d'aventures avec des hommes vagabonds et bohèmes comme elle.

Elle "s'intéressa" (c'est le mot exact) momentanément à Modigliani. Tout le temps que dura cette aventure, le couple but terriblement, se querellant et se battant souvent.

Je me rappelle que Modigliani avait fermé un jour, à clef, la porte de l'appartement où elle habitait et où lui-même vivait, depuis qu'il était son amant. Si bien que Mrs. H... s'était trouvée dans l'incapacité de rentrer chez elle. Elle va à *La Rotonde*, réclamer sa clef au peintre. Mais Modigliani la reçut en lui criant qu'elle n'était "qu'une emmer...", qu'il en avait assez de vivre avec elle et ne pouvait plus la supporter. La dispute tourna à la bagarre, et le peintre se fit battre de belle façon par celle qui lui donnait à la fois l'amour et le gîte.

Il n'en continua pas moins à prétendre que l'appartement lui appartenait et qu'il ne voulait plus que sa maîtresse y remît les pieds. Finalement, on lui prit la clef dans sa poche. A *La Rotonde,* d'ailleurs, on ne voulut plus de lui, après cette bagarre; et il émigra au *Dôme.*

Quant au troisième (et dernier) amour du peintre, c'était, elle aussi, une jeune Française. Elle fit la connaissance de Modigliani dans une Académie et tomba aussitôt amoureuse de lui. Appartenant à une bonne famille bourgeoise, elle avait voulu apprendre la peinture, s'était égarée à Montparnasse où le hasard la fit tomber sur ce magnifique et périlleux garçon... trop tard pour lui, malheureusement. Surmontant les préjugés familiaux et sociaux, elle réussit à faire sa vie avec lui. J'ai bien connu cette jeune fille, belle, toute gentillesse et douceur. Elle posa même chez moi ; je la revois en robe verte très collante, coiffée d'un chapeau de velours noir. Je fis d'elle un portrait dans le style cubiste.

Elle donna une fille à Modigliani. Sa mort reste étroitement associée à la tragique fin de ce dernier. Peu après que le peintre eut quitté ce monde, Haricot Rouge (comme on l'appelait) se jeta par la fenêtre du cinquième étage. Elle était alors enceinte de sept mois.

En dehors de la cantine de Vassilieff et de *La Rotonde*, je rencontrais aussi Modigliani *Chez Rosalie*, où il prenait fréquemment ses repas. La brave femme était loin de se douter du génie qu'elle nourrissait plus ou moins gratuitement. Elle engueulait effroyablement le peintre, mais finissait par lui donner tout de même à manger... et à boire. J'ai gardé le souvenir de scènes qui m'étaient affreusement pénibles. Et lorsque Modigliani avait réussi à se soûler dans le petit restaurant, Rosalie le jetait dehors.

"Rosalie" était une crémerie de la rue Campagne-Première longue et étroite, dont les tables à dessus de marbre blanc étaient alignées perpendiculairement au mur comme dans un wagon-restaurant. Elle était tenue par une lourde Italienne, Rosalia Tobia, au profil empâté de médaille, elle avait posé pour Bouguereau, le maître des naïades en saindoux. Salmon, Apollinaire, Max Jacob, Paul Fort, Diriks, Kisling et bien d'autres venaient avant la guerre y savourer de copieuses portions de minestrone, *della pasta alla bolognese* arrosées d'un honnête Brolio – le tout pour trois francs –

Modigliani lui décora, *à la brave,* un mur de la salle. Après la mort de l'artiste, on offrit *à la brave* femme jusqu'à vingt mille francs de cette fresque, sans qu'elle consentît à la vendre. Non qu'elle eût conscience de sa valeur : elle aurait pu avoir également des dessins et des toiles du peintre ; mais elle refusa toujours de les prendre, persuadée qu'elle avait eu à affaire à un fou...

Rivera, son ami "Diego", aimait énormément Modigliani et regretta toujours qu'il eût abandonné la sculpture. Pour moi, je connais peu de destinées aussi révoltantes que la sienne. Il est affreux qu'un si grand artiste – le plus grand, peut-être, de tous ceux de l'époque, de Montmartre et de Montparnasse – ait pu être aussi négligé et méconnu durant sa vie.

Parfois, il m'arrive d'aller voir cette maison de Cagnes où il vécut. Elle est bâtie sur une jolie colline. A travers les arbustes, je laisse mon regard errer dans le jardin, plein d'ombre et de mystère. Et sous les ombrages, à une fenêtre, il me semble revoir Modigliani se promener ou se pencher, déclamer les vers de ses livres préférés. Soutine, son ami, lui, eut plus de chance.

Il me reste les photos des dessins et du portrait que Amedeo Modigliani a fait de moi à différentes périodes. La toile de 1919 a été exécutée lorsque j'étais enceinte de ma fille Marika. Avec la veste de Diego Rivera, pour cacher mes largeurs et le chapeau pour faire du vélo !

Sous l'influence de Rivera, j'ai appris à voir la nature et les objets d'un autre œil. Mon amour pour l'art est devenu plus profond et plus total.

Diego Rivera (1886-1957)

C'est ainsi que Rivera résume les trois années et demie passées en Europe avant de s'établir à Paris à la fin de 1911 : "...commença pour moi une longue période d'incertitude. J'avais perdu ces qualités qui caractérisaient les croquis de mon enfance, mes travaux devenaient tristes et banals. J'avalais musée sur musée, livre sur livre. Je continuai ainsi jusqu'en 1910, l'année où je vis de nombreux tableaux de Cézanne, les premiers tableaux de peinture moderne qui m'aient donné une telle satisfaction. Ensuite il y eut la peinture de Picasso, le seul pour qui je ressentais une profonde sympathie. Egalement tous les tableaux d'Henri Rousseau, le seul moderne dont l'œuvre fit vibrer toutes les fibres de mon être. Les traces laissées par la médiocrité de la peinture que j'avais étudiée en Amérique latine, tandis que j'allais timidement encore à la rencontre de l'Europe, furent soudain balayées."

Une exposition

Dans la préface du catalogue de l'exposition qui a lieu du lundi 13 au samedi 25 janvier 1910 à la galerie Bernheim-Jeune, le critique d'art Camille Mauclair écrit : "Dix peintres, un sculpteur et trois décorateurs, forment le Groupe Libre qui, avant de se manifester ici, exposa plusieurs fois à Paris et à Bruxelles. Ce sont de jeunes hommes, unis par l'amitié, par la foi dans la recherche sincère, par cette solidarité précieuse que donnent les rêves et les enthousiasmes de leur âge, l'obscurité et les petites privations vaillamment supportées, le travail, la confiance en l'avenir. Ils s'estiment et se soutiennent : groupés, mais libres, en effet, au point d'être fort différents, ils ne s'accordent que sur le point essentiel, qui est de travailler sérieusement, d'exclure la facticité, de ne point se contenter d'impressions et d'ébauches. Pour le reste, chacun obéit à son inspiration. Nous les surprenons au moment le plus attachant peut-être de la vie artistique, à l'heure où la personnalité va éclore, se dégager de l'étude et commence à s'affirmer, avec une fraîcheur et une ingénuité particulière. Ils sont les fils d'une époque désuète, et l'ensemble qu'on voit ici témoigne qu'ils n'ont pu rester étrangers à toutes les théories, à toutes les tentatives techniques qui foisonnent dans notre temps, et nous proposent à tous leurs énigmes sans cesse accrues en nombre et subtilité. Comment ne seraient-ils pas troublés ? Il faut qu'ils le soient, et ce trouble est des plus utiles parmi les éléments qui forment les consciences. Vous ne trouvez donc ici rien de définitif, mais vous prendrez rendez-vous avec quelques-uns que vous n'oublierez pas, que vous suivrez et c'est, je pense, ce qu'ils espèrent de vous... je voudrais seulement dire, à titre de simple passant, combien la franchise de tous me plaît... l'œuvre de Rivera est bien de sa race. (les autres artistes : M. Bach, F. Batigne, P. Baudier, R. Bertaux, A. Bucci, E. et G. Capon, F. Denayer, H. Arnold, P. Jacob-Hians, C. Jacquemont, Offner). Il est vrai qu'il n'y a ni vieux ni jeunes devant le talent et le don et cette réflexion, banale certes, mais bonne à répéter à un moment où les peintres perdent un peu la tête, s'applique à tous les membres de ce vivace et sympathique Groupe Libre."

Adolphe Basler
("Amedeo Modigliani", Crapouillot 1927)

J'ai connu Amedeo Modigliani en 1907. C'était un très beau jeune homme, de cette beauté virile qu'on admire dans les portraits de Bellini.

Débarqué récemment de Livourne, sa ville natale, il s'était installé sur la Butte Montmartre, où il conquit une rapide popularité. On le voyait tantôt chez Frédé, au *Lapin Agile*, tantôt place Ravignan, dans la société de Max Jacob, Picasso et autres habitants ou visiteurs de ces lieux.

A cette époque, Modigliani était encore peu de chose. Les Fauves triomphaient avec Matisse et le cubisme allait tout absorber avec Picasso et Braque, laissant Derain dans l'isolement. Modigliani ne se distinguait toujours que par ses allures de jeune homme beau et spirituel, plaisant beaucoup aux femmes. Homme d'esprit, il aimait à fréquenter les gens d'esprit ; mais il s'alcoolisait déjà et cherchait des jouissances raffinées dans le haschisch, qu'on se procurait, ainsi que d'autres drogues, assez facilement à Montmartre.

Comme peintre, il ne brilla guère aux *Indépendants*, où il exposait en 1909, si je ne me trompe, quelques tableaux témoignant assurément de plus d'intelligence que de personnalité. Dans la même salle, les peintures de Delaunay et de Le Fauconnier voisinaient avec une grande toile d'Henri Rousseau. Pourtant, le substitut Granié remarqua les Modigliani. Quelle curieuse figure que ce substitut Granié, qui fut plus tard procureur général à Toulouse ! Le jeune peintre n'eut pas de plus chaud défenseur que ce magistrat.

Depuis, Modigliani émigra à Montparnasse ou, plus exactement, à Vaugirard. Là, je le vis niché dans un atelier de la cité Falguière, à côté de celui du peintre hongrois fauve, Czobel. Les deux voisins ne s'aimèrent pas beaucoup. Modigliani semblait abandonner la peinture. La sculpture nègre le hantait et l'art de Picasso le tourmentait. C'était le moment où le sculpteur polonais Nadelmann exposait ses œuvres à la Galerie Druet (1909). Les Frères Natanson, anciens directeurs de la Revue Blanche, attirèrent sur ce nouveau talent l'attention de Gide et de Mirbeau. Les recherches de Nadelmann troublèrent aussi Picasso. Le principe de la décomposition sphérique dans les dessins et les sculptures de Nadelmann précéda, en effet, les recherches ultérieures de Picasso cubiste.

Les premières sculptures de Nadelmann, qui émerveillaient Modigliani, furent pour lui un stimulant. Sa curiosité se porta vers les formes créées par les Grecs archaïques et vers la sculpture khmère, que l'on commençait à connaître dans les milieux de peintres et de sculpteurs ; et il s'assimila beaucoup de choses, tout en réservant son admiration à l'art raffiné de l'Extrême-Orient et aux proportions simplifiées dans les sculptures nègres.

Pendant plusieurs années, Modigliani ne fit que dessiner, tracer des arabesques rondes et souples, rehausser à peine d'un ton bleuté ou rosé les contours élégants de ces nombreuses cariatides, qu'il se promettait toujours d'exécuter en pierre. Et il acquit un accent personnel. Puis, un jour il se mit à tailler directement dans la pierre figures et têtes. Il ne tint le ciseau que jusqu'à la guerre, mais les quelques sculptures qui restent de lui laissent entrevoir plus qu'un soupçon de ses grandes aspirations. Il affectionnait les formes sobres, mais non pas tout à fait abstraites dans leur concision schématique. L'époque où Modigliani suivit sa vocation de sculpteur fut une époque heureuse pour lui. Son frère, en lui accordant quelques subsides, lui permit de travailler tranquillement. S'il buvait et tombait souvent dans des états inquiétants, la chose demeurait sans conséquence. Il se remettait vite au travail, car il aimait son métier. La sculpture fut son unique idéal et il fonda sur elle de grands espoirs. Je puis dire que je ne l'ai vraiment apprécié qu'à cette période de sa vie. Outre son talent, il avait tout pour charmer. Il était très racé, d'une culture naturelle et non acquise. On ne l'a jamais rencontré sans un livre dans sa poche. Il lisait et se mêlait volontiers aux discussions sur la littérature, sur l'art et même sur la philosophie. Il n'a pas attendu les surréalistes pour connaître le comte Lautréamont ; et, un jour, André, le garçon du *Dôme*, après l'avoir expulsé du café où, pris de boisson, il insultait les clients, ramassa les *Chants de Maldoror*, tombé de sa poche. Dans l'atelier, cité Falguière, j'aperçus des livres dans tous les coins – livres italiens et français : les sonnets de Pétrarque, *La Vita Nova*, Ronsard, Baudelaire, Mallarmé, et jusqu'à des ouvrages philosophiques –. C'était un homme d'un commerce vraiment agréable.

La situation de Modigliani empira, hélas ! Quelques mois avant la guerre. Il venait de quitter la rue Falguière pour s'installer dans un tout petit atelier, boulevard Raspail. La misère de cet atelier avait quelque chose de poignant. Pour tout mobilier, un matelas et une cruche. L'artiste travailla dans la cour. C'était là qu'avec ses outils il taillait la pierre.

Un jour, il m'emmena de force rue Buci, où il avait rendez-vous avec Martin Wolf, l'employé de l'antiquaire Brummer, et une poétesse anglaise. Ce Martin Wolf, personnage d'un conte d'Hoffmann, passait sa journée à astiquer des sculptures nègres, égyptiennes, grecques dans la boutique de Brummer, et le soir il faisait l'artiste.

Chétif, malade, il se tenait à peine debout. Il ne buvait pas, mais tenait compagnie à Modigliani qui venait faire une scène de jalousie à la poétesse. Une autre fois, je devais assister Modigliani alors qu'un amant trompé voulait lui casser la figure. Il s'agissait d'une femme appelée Gaby, beauté célèbre, il y a trente ans, au quartier Latin. Je la rencontrai moi-même à la *Taverne du Panthéon*, il y a vingt-huit ans. Cette belle Gaby, au bout de quatre lustres, avait encore du charme. A l'encontre des femmes laides et méchantes, elle était bonne et ne manquait pas d'esprit. Elle aima aussi Modigliani. Son ami, avocat sans cause et musicien qui n'avait jamais composé, se tourmentait peu, au fond, des amours de Gaby et de Modigliani. Mais, blessé dans son amour propre, il voulut infliger une correction à son rival : foudres d'ailleurs que le spirituel Modigliani s'avisa de mouiller en faisant payer à boire le bonasse cocu, tant et tant qu'à deux heures du matin, les garçons durent sortir du café les deux adversaires dans un état où, après force pots vidés, ils ne songeaient plus à vider une querelle.

Vint la guerre. Et cet événement modifia tout. Modigliani tomba sous l'empire de la poétesse anglaise. Il fut entouré d'un nombre croissant d'admirateurs de toutes nationalités. Chacun voulait avoir un portrait dessiné par lui. Sa gloire naissait ! Un jour, il se décida à ne faire plus que de la peinture. Il alla chez Frank Burty-Haviland, peintre et collectionneur qui habitait à côté de chez Picasso, rue Schoëlcher. Frank lui prêta couleurs, pinceaux et toiles. Modigliani cherchait à transposer en peinture ce qu'il avait acquis comme sculpteur. Les difficultés de l'existence issues de la guerre le contraignirent d'ailleurs à pratiquer un art moins compliqué que la sculpture, occasionnant moins de frais et plus facile à réaliser. Ce fut chez Haviland qu'il vit la plus belle collection de sculptures nègres. Leur charme le fascina. Il ne se lassait pas de les admirer. Il ne voyait plus que leurs formes et leurs proportions. Obsédé par les simplifications tout architecturales propres aux fétiches du Gabon, du Congo, par ces amplifications que comportent les figurines et les masques de la Côte d'Ivoire dans leurs stylisations élégantes, Modigliani s'achemina lentement vers un type de formes aux lignes allongées, aux proportions exagérées avec goût, avec des détails portant l'empreinte de son admiration pour les sculptures nègres. L'ovale de la tête, le nez uniforme et géométrisé, transposé des fétiches de l'Afrique noire, donnèrent tout de suite à ses portraits un air très piquant. Parfait dessinateur, et même plus dessinateur que peintre, Modigliani accentuait des contours tendres, dissipait la monotonie de ses formes trop symétriques par des déformations pleines de raffinement et, en les rehaussant de colorations très flatteuses, il les rendait excessivement sympathiques. Un mélange de douceur et d'étrangeté, un étalage de mièvrerie corrigé par une expression aiguë, un charme morbide se dégagent de tous ces modèles masculins et féminins, pour lesquels il avait conçu un schéma invariable.

Sa popularité gagna même la préfecture de Police, dont plusieurs hauts fonctionnaires collectionnaient ses tableaux avec acharnement.

Modigliani ne pouvait rêver un public plus idéal que celui qu'il eut pendant la guerre. Des gens de tous les points du globe : Américains, Suédois, Norvégiens, Polonais, Russes, Mexicains tenaient leurs assises à *La Rotonde*.

Son ivrognerie, au moins aussi démonstrative que naturelle, provoqua un jour cette perfide remarque de Picasso: "C'est très curieux, on ne voit jamais Modigliani saoul boulevard Saint-Denis, mais toujours au coin des boulevards du Montparnasse et Raspail!"

Parlez de cet homme à la peintre russe Vassilieff qui, pendant la guerre, le nourrissait dans sa cantine ! Parlez de lui aux hommes, à tous les sympathiques poivrots du Quartier, ou encore au philosophe communiste Rappoport, avec qui Modigliani fut rarement d'accord !

Sous des dehors un peu cabotins, Modigliani était un homme d'esprit que la vulgarité de certains choquait terriblement. D'une subtilité maladive, il fuyait tout ce qui lui paraissait commun.

Un jour, le marchand Y... trouva une toile sur laquelle Modigliani avait collé une chanson populaire. Monsieur Y... crut bien faire en remplaçant la chanson par un poème de Baudelaire. Le peintre, que révoltait un geste d'aussi mauvais goût, se fâcha: "Ah! non, fit-il, pas de ça, entendez-vous ? Imbécile, prétentieux que vous êtes !

– Bon, si je suis un imbécile, je ne vous achèterai plus de tableaux – répondit le marchand.

"Je m'en f..., je vous emm...! et, sur cette simple réplique, l'artiste sortit. Mais il trouva mieux par la suite.

La guerre battait son plein, et tout le monde s'était mis avec rage à acheter de la jeune peinture. Ce fut une aubaine pour tous les crève-la-faim, que les cantines en déficit ne nourrissaient plus. Il faisait beau voir alors les peintres étrangers vendre leurs toiles à Paris, ce qui était rare avant la guerre, sauf pour Van Dongen, Picasso et deux ou trois autres Espagnols. Cependant que les amateurs devenaient de plus en plus nombreux, chacun croyait découvrir un nouveau Van Gogh, un nouveau Cézanne parmi les pauvres buveurs de café-crème à *La Rotonde*. Et la célébrité de Modigliani grandissait toujours. Des gens qui, avant la guerre, n'auraient pas acquis un Derain, qui haussaient les épaules devant les Utrillo à cent francs, achetaient à tour de bras des Modigliani, à des prix fort accessibles d'ailleurs. Car jamais artiste ne se préoccupa moins du succès matériel. Il ne cherchait qu'à briller par l'esprit, qu'à passer pour un grand peintre, qu'à vivre au milieu de gens qu'il éblouissait, ou qu'il aimait vraiment. Jamais non plus artiste ne fut moins jaloux. Il connaissait ses propres faiblesses et enviait les dons remarquables d'Utrillo. Au reste, son amitié pour lui fut très sincère. Souvent il hébergeait Maurice, quand celui-ci s'évadait de Montmartre. Et quel spectacle ahurissant que de voir, à deux heures du matin, ces deux poivrots se reprocher mutuellement leur ébriété !

Blaise Cendrars (1887-1961)
(Frédéric-Louis Sauser, Blaise Cendrars)

Successivement, après beaucoup de pérignations et de voyages, en 1910 Féla et Blaise Cendras s'installèrent à Paris, c'est en effet l'époque de début de la migration de Montmartre vers Montparnasse des grands artistes du Bateau Lavoir. Le Sacré-Coeur, que Cendrars qualifiera de "confiserie" blanche et rose, est encore en construction. Blaise a commencé à écrire des poèmes, qu'il rassemblera dans le recueil intitulé *Séquences*, des contes et des pages illustrés par les dessins de Modigliani, du futur "Moganni Nameh".

Inquiet, il voyagea et découvrit l'Amérique en 1911 où il résida pendant six mois puis rentra à Paris.

"A cette époque, en 1911, les peintres et les écrivains, c'était pareil. On vivait mélangés, avec probablement les mêmes soucis. On peut même dire que chaque écrivain avait son peintre".

Lui-même s'essaya à peindre. Ensemble, ils vécurent des solitudes de la Ruche et des ivresses de Montparnasse.

Soulignant le phénomène qui, à l'époque , voit s'établir des rapports étroits entre les peintres et les écrivains, Cendrars déclare dans *La Tour Eiffel sidérale* : "Chacun des maîtres d'aujourd'hui avait son poète avant la guerre 1914. Picasso : Max Jacob ; Braque : Pierre Reverdy ; Juan Gris : Ricciotto Canudo ; Léger, Chagall, Roger de La Fresnaye, Amedeo Modigliani, je m'excuse Blaise Cendrars ; et toute l'Ecole de Paris, cubistes et orphistes : Guillaume Apollinaire".

Devenu manchot, Cendrars retrouve la capitale avec l'impression d'être un véritable martien. Il voit souvent Modigliani, boit énormément, mène une vie violente et suicidaire.

Lorsque le conflit éclate, Blaise Cendrars prend position. Il rédige avec Ricciotto Canudo, journaliste et écrivain italien, originaire de Bari, un appel aux étrangers les invitant à s'enrôler comme volontaires dans l'armée française. Le texte, publié dans les principaux journaux le 29 juillet 1914, contribuera à susciter l'engagement de ceux qui avaient choisi la France comme seconde patrie : plus de 88000 volontaires de toutes les nationalités prirent part à la guerre. Modigliani en compagnie du "Parisien de Paris" a dû se présenter pour se battre, mais il est renvoyé pour raison de santé. La décision de Modigliani ne relève pas d'une idéologie totalitaire ou nationaliste, mais d'un certain sens de la solidarité avec ses amis et le pays qui l'a accueilli.

Pour Cendrars, le poète doit être soldat : "La place d'un poète est parmi les hommes..."

La réalité du conflit, la rencontre avec l'horreur l'incitent très vite au silence et au refus de la violence. Ses compagnons sont jetés dans la brèche du front Nord, de la Marne à la Somme. Cendrars toujours plus conscient du caractère monstrueux de la guerre : "Je m'étais engagé, et comme plusieurs fois déjà dans ma vie, j'étais prêt à aller jusqu'au bout de mon acte. Mais je ne savais pas que la Légion me ferait boire ce calice jusqu'à la lie et que cette lie me saoulerait, et que, prenant une joie cynique à me déconsidérer et à m'avilir..., je finirais par m'affranchir de tout pour conquérir ma liberté d'homme".

Manchot comme Cervantés, un éclat d'obus vient de lui emporter tout l'avant-bras droit. L'accident a lieu le 28 septembre 1915 devant la ferme Navarin : il est évacué vers l'arrière. La guerre, en général, n'est pas propice à la littérature. Si Apollinaire, Ungaretti se sont montrés capables d'écrire des poèmes sur les tranchées, Blaise Cendrars, lui, ne peut guère qu'emmagasiner des images.

Deux ans après son amputation, le 1er septembre 1917, Cendrars vit : "la plus belle nuit d'écriture", une illumination vient tout à coup changer son écriture: "une conversion euphorique de l'horreur en initiation, de la déchéance en élection", c'est la découverte d'une écriture de la main gauche. On sait que la "gauche" incarne, dans toute la culture occidentale, ce qui est à la fois maladroit et sinistre, situé à gauche, en latin... mais avec un immense bonheur, Blaise sent que la mutilation lui permet en réalité d'écrire d'une façon plus profonde et plus vraie et que peut surgir de lui un nouveau flux créateur.

Le 26 octobre de cette année "symbole 17", il rencontre Raymonde Duchâteau, une jeune comédienne. Muse distante qui se laisse aimer, mais ne se donne pas, ne se donnera jamais... la vestale lui permettra de vivre une vie amoureuse "autre", à la seule condition de ne pas la toucher.

Modigliani dessinera la mutation et la renaissance du poète et de la muse ; le portrait des deux êtres, avec l'étoile comme symbole, arcane 17 du jeu des tarots, que Cendrars connaissait aussi bien à travers Nerval.

L'artiste-peintre et le poète privilégient avec le chiffre 17, deux autres : le 7 et le 33.

Cendrars souligne lui-même la valeur symbolique du 7: "Il y a sept ciels, sept couleurs, sept notes dans la gamme et sept est un chiffre mystique".

Cette attention à la numérologie n'est pas, dans la pensée cendrarsienne, un fait isolé, mais une sorte de vague superstition héritée peut-être de son enfance à Naples, et partagée avec son ami Modigliani, grâce à un livre : "La smorfia" (qui transforme les lieux et les noms en nombre, et où Naples se voit attribuer précisément le numéro 17), les chiffres gouvernent la vie de tous les jours.

Cendrars écrit au cours de cette année 1917 un de ses textes le plus extraordinaires, *L'Eubage*, qui signifie l'initié, le devin, celui qui a accès à la vérité cachée. Le couturier Jacques Doucet, mécène éclairé qui collectionnait entre autres les lettres autographes, lui en avait demandé quelques-unes, en échange d'une petite pension.

L'écrivain a fait mieux : il rédige, à raison d'un court chapitre par mois, un magnifique récit, dont le premier titre est : *Aux antipodes de l'unité*, un grand poème en prose, la cosmogonie d'un Jules Verne qui serait à la fois poète, astrologue et mystique.

Et pour la présentation du 3 décembre 1917 des peintures et des dessins de Modigliani à la Galerie Berthe Weill le poème suivant :

"Sur un portrait
de
Modigliani
Le monde intérieur
Le cœur humain avec
ses 17 mouvements
dans l'esprit
Et le va-et-vient de la
passion"

A l'automne 1918, Cendrars incarne, pour le metteur en scène Abel Gance, dans le tournage du film *J'accuse* : l'homme de peine, le figurant, le chauffeur du patron... "et dans la séquence *les morts qui reviennent*, je faisais un macabé, tout empoissé dans de l'hémoglobine de cheval, car on m'avait fait perdre mon bras une deuxième fois pour les besoins de la prise de vues... ça, c'était du cinéma !"

Et Modigliani précisément devait être présent au tournage et, invité par Cendrars, a participé à cette expérience d'un nouveau langage (peut-être aussi par une courte intervention de simple figuration dans le film).

Portrait d'André Salmon
par André Warnod

André Salmon arriva un soir suivi d'une charrette à bras chargée de son mobilier et s'installa rue Saint-Vincent dans une chambre qui donnait sur le cimetière.

Un signe caractéristique de la bohème montmartroise, dit Warnod, c'est la promiscuité entre les artistes et les filles, les souteneurs, les voleurs, les mauvais garçons de toutes sortes. Ils menait les uns et les autres une existence assez libre pour qu'il n'y ait eu de frottement qu'assez rarement.

On vivait pour rien sur la Butte, en ce temps-là, et sans que cette misère ait le côté noir et tragique qu'elle aurait eu dans un quartier ouvrier ou un quartier comme celui de la place Maub.

Il y avait tout de même des arbres, de vieux murs, une petite pièce coquette.

Les Picasso et les Van Dongen faisaient à peine quelques francs chez le marchand de toiles à matelas de la rue des Martyrs, le père Soulier, le premier mécène de l'équipe, et si André Salmon bénéficiait des tous petits appointements que lui valait sa situation de reporter à *L'intransigeant*, les travaux qu'exécutait Pierre Mac Orlan étaient payés avec une fantaisie confinant au tragique.

Portrait de Constantin Brancusi

Né dans un village de la campagne roumaine à Hobitza, aux pieds des Carpates, il était le quatrième enfant de la famille. Ses trois autres frères, plus âgés que lui, étaient nés d'un premier mariage si bien que ses rapports sont excellents avec sa mère mais difficiles avec son père. A douze ans il quitte la maison pour vivre seul, vivant de ses gains d'employé dans une petite fabrique de couleurs et comme garçon de café. En 1904, il arrive à Paris, le 14 juillet, après un long voyage en partie effectué à pied. Il finit par s'installer au 9 de la Cité Condorcet, expose en 1908 un buste en bronze au Salon de la Société Nationale des Beaux-Arts et rencontre cette même année Modigliani.

André Salmon raconte : "Modigliani vint à l'atelier de Brancusi les mains dans les poches de son éternel costume de velours, serrant sous son bras le portefeuille à dessins cartonné de bleu qu'il ne quittait jamais... Brancusi ne lui donna pas de conseils, ne lui fit pas la leçon mais, de ce jour, Modigliani se fit une idée sur la géométrie dans l'espace bien différente de celle qu'on enseigne généralement dans les écoles et dans les ateliers". La rencontre avait été organisée par Paul Alexandre, à la demande de Modigliani.

Tous deux participent au banquet en l'honneur du Douanier Rousseau dans l'atelier de Picasso. En 1909, pendant le mois de juin, il voyage en Italie avec Modigliani et passe plusieurs jours à Livourne. Ce voyage commun est sans doute le moteur qui entraîne Modigliani à détruire un certain nombre de sculptures qu'il avait faite avant de connaître l'artiste roumain. En 1912, Brancusi reçoit une carte-postale de Modigliani qui est à Livourne. Elle représente la *Création d'Adam et Eve* de Pierre di Puccio, une manière de lui rappeler au travers de la tradition italienne son sujet préféré. Brancusi entretient d'excellents rapports avec Blaise Cendrars et Moïse Kisling en 1917 et à l'automne 1918, il assiste aux funérailles de Guillaume Apollinaire.

Témoignage de Gustave Coquiot

Modigliani loua un atelier sur la Butte Montmartre ; et, comme il était très sage, il se mit tout de suite à accrocher aux murs quelques photographies des tableaux célèbres que son admirable pays possède encore.

C'était un peu un "méli-mélo" d'œuvres. A vingt ans, le "sujet" exerce une emprise certaine ; le désir subit, la passion du moment, devancent toute méditation. On a envie de tout ; on a soif de tout ; on veut tout dévorer; on a de la superbe ; on ne songe pas à la vente, à la personnalité même au vingtième cran du plagiat ; alors on ne se spécialise pas.

Dans l'atelier du bon élève Amedeo voisinaient donc ainsi les *Deux courtisanes vénitiennes*, de Carpaccio, qui ressemblent si bien aux spécimens sans poil des expositions canines ; *La Mort et l'Assomption de la Vierge* ; et de Carpaccio encore ; *Saint Etienne disputant avec les docteurs* ; *Saint Georges combattant le Dragon*, un jeune cavalier à l'air un peu "putassier".

Modigliani avait épinglé aussi le *Portrait de Femme* de Lotto (de la galerie Carrara) ; le *Christ et sa mère*, d'Orcagna ; *Jésus chez Simon* de Veronese ; de Perugino : *La Nativité* et *Don Baltasar* ; *La Vierge et l'Enfant*, de la galerie Pitti que signa Lippi ; *Le Printemps* de Botticelli ; enfin des photographies de tableaux de Tiziano, de Corregio, et même d'Andrea del Sarto.

Toutes ces photographies-là, Modigliani les retrouva un jour devant moi dans un carton; et il se mit à sourire..."Du temps que j'étais un bourgeois!" me dit-il.

De ce temps-là, son autre passion, ce fut de lire Spinoza. A bien dire, plus tard, Modigliani ne sut jamais m'expliquer pour quelles raisons il se plongeait ainsi dans le *Tractatus-theologico-politicus*, si l'*Ethique* lui était moins absconse. Il me dit bien qu'il était pris par la forme géométrique, poussée ici à l'excès de la méthode cartésienne ; et puis, m'ajouta-t-il : "N'ai-je pas ici la forme la plus méticuleuse, la plus exacte, la plus cruelle du panthéisme ?" Soit ! mais j'ai toujours pensé que, pour Modigliani, lire Spinoza fut une fantaisie à ajouter à bien d'autres qui se manifestèrent très vite en lui.

Je le voyais toujours à la recherche maintenant d'une chose nouvelle ; et c'est ainsi qu'un jour il me montra de la sculpture, modelée tout à fait sous l'influence de la sculpture nègre, collectionnée dans certaines ateliers.

C'est vers ce moment-là, le moment précisément de la sculpture d'influence nègre, que Modigliani dévala de la Butte vers Montparnasse.

"Des peintres maudits",
Delpeuch Editeur, Paris 1924

Gustave Coquiot

"Vagabondages", Editions Ollendorff, Paris 1921 ;
"Modigliani et les portraits d'amour"

Les deux filles de l'auberge du pont eussent été des modèles accomplis pour le peintre Modigliani ; car, très longues et très sveltes, elles portent ce haut col qu'il aima tant à placer sous un visage au long nez.

A elles deux, elles n'ont pas quarante ans ; et elles se parent du joli teint d'abricot, qui fut, avec un dessin hautement noble, la signature de ce peintre original.

Certes, il eût chéri de la plus vive passion ces deux sœurs aux grands yeux qui embrasent les nombreux passants devant l'invitante auberge, toute perdue dans la vigne vierge et dans les fleurs.

Car ils viennent de partout, les hommes, pour les voir, ces hautes garces ! Même les gamins suivent les jeunes hommes et les vieillards ; et, comme la rivière est là, tout près, on trouve mille raisons pour rôder autour de la maison où flambent les deux torches vivantes.

Car, vraiment, ce sont deux torches incendiaires, deux torches à cataclysmes et à épouvantements humains, que ces deux filles dures, impénétrables et qui brûlent par tout leur sexe, remonté, dirait-on, à la bouche charnellement rouge, et aux yeux plus chargés de toison qu'un buisson d'épines.

Devant de telles Salomés ou Salopées, – et le mot vulgaire n'est pas assez fort pour exprimer tout le rut qu'elles dégagent ! – devant de telles Salomés, le roi Hérode, brûlant ou brûlé, n'eût pas accordé la tête de saint Jean-Baptiste, mais le torse encore, le corps tout entier. Et quand elles se promènent autour de leur demeure, qu'elles ne quittent même pas pour aller en ville, – je ne sais ce qui les retient ici ! – c'est une lourde atmosphère de féroces désirs qu'elles installent, et qui fait de tous ces hommes attendant des chiens baveux, comiques et aussi, parfois, cruellement tragiques !

Les deux sœurs ne se laissent pas, du reste, approcher. Elles rôdent, pareillement vêtues, pareillement demi-nues ; et, superbes d'indifférence, elles s'épanouissent, au plein été, ces deux fleurs assassines, ces deux fleurs dévorantes, pour la conquête desquelles tous ces hommes qui les convoitent, plus valeureux que les Argonautes, sont prêts à s'entre-déchirer et à s'entr'égorger.

Ah ! certes, j'avoue qu'il est impossible de ne pas goûter, de toutes ses forces, ce régal de chair ; ce redoutable parfum charnel ; et quand on les voit passer, ces deux terribles femelles, ployantes comme des lionnes, ou redressées comme des épées, un âcre désir vous prend rudement à la gorge ; et je me demande, moi, comment tous ces hommes-chiens, moi compris, peuvent résister au crime, et ne pas ensanglanter, de leurs furies enfin satisfaites, ces deux irritantes créatures au long col, qui ont vraiment, ah ! vraiment trop l'air de se f... du monde !

Je les ai, moi, le premier, souvent regardées et je les regarde encore, parce que surtout – et il est prudent que je me tienne à cette évocation ! – elles me rappellent certains beaux nus d'une noblesse si singulière, que Modigliani… Oui, car il est aisé de les imaginer nues, les deux magnifiques sœurs. Elles sont si déshabillées qu'il est possible de découvrir la longueur de leurs jambes, la minceur de leur torse, cabré et élastique, – et aussi de discerner la rondeur de leurs hanches, galbées et remuantes, cette offrande de chair, elle est bien à Modigliani. Il aima de tout son cœur ces créatures qui étaient pénétrées de l'ancienne morbidesse de son pays. Certains jours, les deux filles de l'auberge ont cet alanguissement qu'il rechercha. Il eût réalisé d'après elles de beaux portraits ; ces portraits qu'il dessinait d'une soudaine et impérieuse volonté, – arabesques qui ne souffraient aucun repentir et qui inscrivaient sur la toile ou sur la page blanche, le plus hautain et le plus orgueilleux des verdicts.

C'était, certes, le triomphe de la plus passionnée sagesse et du plus rare amour.

Chaque fois que je revois les deux sœurs, je revois les admirables dessins de Modigliani ; et c'est cela, je crois, qui, au fond, me détourne des immédiats désirs. J'aime les deux sœurs à travers ces dessins uniques.

Francis Carco

("Sélection", N° 4 du 15 Novembre, Bruxelles, et "L'Eventail", 15 juillet 1919.)

Les gens sages, la famille ; j'écrirai "ces Messieurs de la famille" ont accoutumé de dire à propos d'un ami d'un parent qui "rime" (ou ne rime pas) dans un grenier ou qui peint comme on le fait peu, rue Bonaparte : le malheureux ! N'est-ce pas ainsi que l'idée du malheur s'est abattue sur les arts ? ... Quel malheur ?... Chez

Modigliani, que certains considèrent avec ce romantisme démodé de l'idée de malheur, ce n'est point cette idée qui s'impose. Mais n'est-ce point un grand malheur pour un homme que de découvrir, par une sorte d'instinct supérieur, des rythmes et comme une langue nouvelle, dans l'arrière-boutique du bistrot ?

Là et non pas ailleurs... ou si l'on veut pourtant, dans un atelier que la lueur oblique d'un jour de neige éclaire, j'ai l'impression que ce peintre a tenté d'oublier ses travaux de la veille. Vous rappelez-vous ce portrait de femme, dont la tête, rejetée à droite, est liée au corps par un col de guillotinée ? Vous souvient-il de ces visages attentifs, aux jeux fixes, de ces bouches maquillées de rouge brun, du souffle arrêté des poitrines ?... Un amour outrageant et direct de la matière, dont il cherchait à se dégager, le tourmentait. Peinture trouble, déjà traversée par l'éclair d'un regard ou déchirée d'un rire noir, elle marque la première manière de Modigliani et fixe, comme cloués au mur, des armes sauvages, des masques, des lambeaux d'étoffe conquis dans la bataille.

C'est l'époque où les *Saltimbanques* de Picasso menaient la ronde sur une piste étroite, où la démence, battant les cloisons d'une chambre d'hôtel, parlait d'un air décent et naturel, où l'équilibre changeait ses lois...

"Quand la peinture se vulgarise, a écrit Théophile Gauthier dans ses *Etudes sur les Musées*, des images divines on passe à la reproduction des personnages historiques ou réels, toujours avec un certain idéal, puis vient le règne des naturistes ; le paysage, qui jusqu'alors n'avait prêté ses fonds verts que pour faire se détacher les figures, prend de l'importance, existe par lui-même et se passerait au besoin de personnages. La ligne, droite d'abord, s'arrondit puis se tortille ; les fonds d'or cèdent la place aux fonds bleus auxquels succèdent les personnages. Ces transformations sont l'histoire de la peinture dans tous les pays et à toutes les époques. Contrairement à la logique apparente, l'idéal est le point de départ et la nature, le terme.

On peut voir qu'ayant emprunté, pour la façon de peindre, des exemples où il en trouvait, Modigliani est parti du terme que ses maîtres avaient atteint pour s'en écarter et s'élever progressivement jusqu'à cet idéal qui veut que, dans un portrait, nous recherchions aujourd'hui, avant la ressemblance, la juxtaposition des plans, les rapports des volumes et cet esprit qui, dédaigneux de la matière, encourage tous nos espoirs. Il n'est pas de peintre, digne de ce nom et capable de résumer dans son œuvre mille connaissances acquises au cours des siècles, qui ne repousse ces connaissances afin de s'engager dans de nouvelles directions.

Celles où nous constatons que les artistes de notre temps sont le plus enclins à porter leurs efforts, ébahissent encore bien des gens. Mais si nous laissons les théoriciens à leurs vapeurs, un peintre comme Modigliani nous paraît être de jour en jour des plus hautement représentatifs de l'art contemporain.

Alors qu'il traitait dans des roses et des noirs des figures tourmentées, son dessin supprimait peu à peu les lignes. Il suggérait. Il retenait dans une écriture châtiée, les éléments d'un style émouvant et noble. Il plia tout au caractère de ce style. Puis il aborda franchement sur la toile ces étonnantes études dont les nudités semblent ne découvrir que certains modelés du ventre, des seins ou le sourire de bouches plus ambiguës qu'un sexe. La souplesse animale, parfois immobilisée, ses abandons, sa faiblesse heureuse, n'ont point encore connu de peintre plus soucieux de les traduire... Voyez ces mains unies ou qui se cherchent, ce mouvement du visage, ces yeux dont l'un déjà se clôt à l'approche du plaisir, ce doigt...ces cuisses plus tendres que l'appel de deux bras et ce pli délicat qui dissimule la "retraite humide de l'amour..."

...Modigliani peignit ces toiles vers 1917. Depuis, car sa peinture était-du moins, quant aux nus, difficilement exposables, on a surtout apprécié ses dessins et je ne pense pas qu'ils puissent jamais perdre de leur valeur.

J'ai vu Modigliani dessiner. Son sens aigu de la nuance le porte à modeler l'attache d'un bras, la courbe innocente d'un jeune sein. Il soutient d'un trait à peine perceptible toute une architecture, soutient le renflement léger d'un ventre, étend jusqu'au vif de l'âme un mouvement, le laisse vivre...Je voudrais exprimer mon admiration pour les dessins de Modigliani. En eux, toute grâce atteint au style et c'est ce style même que nous retrouvons maintenant dans ses œuvres quand cet artiste entreprend de fixer sur la toile le sentiment qu'il a des choses et sa vision du monde, des rythmes et des couleurs.

L'emploi déterminé des lignes courbes, leurs croisements, leurs oppositions, les plans qu'elles unissent ou séparent, certain allongement du trait et surtout cette solidité dans la déformation et l'établissement des volumes nous font souvenir qu'à Livourne, où il commença de découvrir son destin, Modigliani sculptait dans la pierre des figures d'une très grande beauté. Peintre, il n'oublie pas la nécessité où sont les arts de respecter les conditions qui les régissent et qui leur sont communes. Aussi le sentiment plastique des formes, qu'il détermine par des valeurs, équilibrés selon des plans plus que par la couleur, se manifeste chez Modigliani dès qu'on approche son œuvre et même avec une telle intensité que ses façons de peindre ont pu changer sans menacer en rien le caractère de sa peinture.

S'il arrachait jadis à des fonds bitumeux et qui faisaient masse, le relief tourmenté d'un visage ; si ce visage n'était à son tour qu'un objet de second plan dont il ordonnait les signes essentiels, nous devons constater combien les idées de Modigliani ont évolué sur ce point.

Les fonds s'éclairent. Ils s'animent. Ils sont nourris de mille nuances et leur mobilité, sans artifices, participe à la vie du sujet. La figure elle aussi témoigne d'une âme nouvelle. Enfin la lumière, que ce peintre voulait presque partout égale, crève la ligne, la rend plus sensible et, tout en respectant son arabesque décorative, l'éveille à de plus rares subtilités.

On a pu dire de Modigliani que ses déformations ne choquaient plus le goût humain que nous avons de notre image. Ce n'est pas dire que Modigliani a renoncé aux tendances même de son art. Il a simplement approfondi les ressources qu'un peintre peut tirer de sa palette et les a vérifiées. De là, cette évidente révolution dans sa peinture. Je dirais même l'élévation de sa peinture. Les tons presque uniformes de ses débuts, qu'il soutenait par de fiévreuses oppositions, ou qu'il relevait l'un par l'autre, disparaissent. Il les a rendus plus dignes du bel artiste que nous trouvons en lui... S'il avait pu revenir à ses nus d'autrefois, je gage qu'ils nous auraient fait oublier leur froideur volontaire et que leurs attitudes auraient été moins rigoureuses. Non pas que je tente déjà d'opposer à ces reines, aux chairs orangées, d'autres femmes dévêtues et serviles. Le royaume, que Modigliani a placé au bas de leur couche, n'appartient qu'à elles et ce n'est point à l'arrangement de leur nudité que je fais allusion. Mais l'art qu'elles empruntaient à leur peintre pour égaler leurs rivales, n'est plus celui dont elles sont nées. Il a répudié ses origines barbares ou littéraires et Gauguin – à qui nous pensions sans l'écrire, comme les Espagnols qui inspirèrent voici douze ans les précurseurs de la nouvelle peinture – n'aurait bien pu n'être plus, dans l'évolution de la peinture de Modigliani, qu'une date déjà lointaine.

Qu'il m'est pénible ici d'évoquer la misère dans laquelle l'infortuné Modi s'est, jusqu'à la fin, débattu ! Il habita d'abord Montmartre puis on le vit à *La Rotonde*, dessinant sans arrêt sur un calepin dont il froissait et déchirait les pages. Un marchand avait cru en lui, avait tenté de le lancer, s'était lassé et, finalement, avait résilié son contrat. Dieu lui pardonne ! Modi erra dans un Paris hostile, sans argent, sans espoir, un cache-nez rouge autour de cou, l'hiver, en guise de pardessus et riant du ciel et des hommes, comme un enfant maudit. Il lutta. Il accepta, pour peindre, d'être enfermé par un second marchand qui, lui ayant aménagé une cave pour atelier, le payait tous les soirs quelques francs et bien souvent le querellait. Il était beau ; l'alcool et l'infortune le dégradèrent ; intelligent, des brutes en vinrent à bout ; fier et très doux, aimant son art, le servant, s'y employant avec passion, la vie l'humilia et, par tous les moyens, lui fit comme à plaisir expier cette audace incroyable de prétendre n'exister que pour de secrètes destinées.

– Tu dois nourrir les artistes, disait-il, rue Campagne-Première, à une rude Italienne qui tenait une gargote où il venait manger.

– Et pourquoi les nourrir ?

– Parce que, répondait Modigliani, un artiste ne peut pas gagner sa vie. Il peint... Le reste ? Pffft !... Est-ce qu'on sait ? Vois.

Et, jetant sur le mur une esquisse étonnante, il demandait pris de fou rire :

– Tu aimes ça ?... Vraiment...

– Allons, mets-toi ici et mange, acceptait finalement la bonne femme.

Les clients de la gargote, qui étaient des maçons, des manœuvres aux blouses blanches, s'écartaient silencieusement sur les bancs et, faisant place au peintre, le considéraient avec gêne et lui donnaient raison.

Durant de nombreuses années, la faim au ventre et buvant, car un ami vous offre toujours un verre, Modigliani mena l'existence la plus fausse. Les femmes, que sa très grande beauté frappait, se languissaient d'amour pour lui. Des étrangères, de très humbles filles. Mais Modi les quittait avant qu'elles eussent pu l'attacher. Son ivresse brisait tout dès qu'il sentait la chaîne et alors il traînait misérablement dans les bras où je l'ai rencontré, bien des nuits, son crayon à la main. C'était un homme brun, qui conservait peut-être, de ses origines italiennes, un goût très prononcé pour les discussions sans fin, la politique, l'art, le vermouth. Ses vêtements de velours clair à côtes, son chapeau aux grands bords, son foulard, ses reparties très vives, comme foudroyantes, et son rire qui le faisait tousser dès les premières saccades, attiraient l'attention. Mais Modigliani s'en moquait ! Il n'avait pas d'orgueil. Pas la moindre suffisance et lorsque, ému par sa très grande misère, nous essayions de la vouloir timidement réduire, il refusait, lui-même, de la prendre au sérieux.

D'autre part, lorsqu'en mars 1916, Modigliani reconquit son indépendance, Zborowski se soignait dans le Midi et ce fut sa femme qui, rencontrant l'artiste à Montparnasse, accepta de poser pour deux portraits qu'il vendit sur-le-champ à un coiffeur du voisinage. Un troisième portrait devait revenir au modèle en échange de la pose mais, ce portrait n'étant pas sec, Modigliani le garda dans sa chambre où le hasard voulut qu'un acheteur se présentât le lendemain et le payât dix francs.

— N'est-ce pas ? J'avais besoin de cet argent, expliqua le peintre à la jeune femme qui venait à l'heure convenue prendre possession du tableau.

Celle-ci ne se rebuta point : se séparant d'une toile de Derain et d'une étude de Kisling, elle réalisa une somme qui permit à son mari de regagner Paris. On était en pleine guerre, et Madame Zborowska ne possédant pas de papiers d'identité sur elle, ce fut Modigliani qui expédia le mandat à son nom. Zbo, de retour à Montparnasse, n'hésita pas. Il vendit mille francs à Halworsen un second tableau de Derain, et put ainsi passer contrat avec Modigliani qui, désormais, prit l'habitude d'aller peindre chez son manager qui logeait au *Sunny Hôtel*, boulevard de Port-Royal. Très ponctuel, il travaillait l'après-midi de deux à six et s'en remettait non seulement à Zbo pour l'achat des fusains, des couleurs et de la toile, mais encore pour le choix des modèles ou des accessoires dont il avait besoin.

— Je vous demande d'écrire, m'a dit, l'hiver dernier à Nice, Madame Zborowska, que, contrairement à ce qu'on a prétendu, Modigliani s'est toujours comporté envers nous de la façon la plus correcte. Jamais il n'est venu une seule fois ivre à l'hôtel. Se levant tard, il allait déjeuner rue Campagne-Première chez Rosalie, puis il arrivait dans notre chambre et se mettait aussitôt à la tâche. En une séance de quelques heures, il venait d'habitude à bout d'un tableau de moyenne dimension. Les autres lui réclamaient le double ou le triple de temps.

— Même ses nus ?

— Presque tous ont été exécutés chez nous au cours de l'hiver. Une trentaine environ.

Il commençait par dessiner, puis se reposait un moment avant de saisir ses pinceaux. Quand un modèle lui déplaisait, au lieu de grogner comme tant d'autres, il se vengeait (ainsi qu'il l'a fait pour Elvira qui lui avait ramené une bouteille de cassis au lieu d'une bouteille de gros rouge) en exagérant l'expression de dignité bourgeoise qu'il lui trouvait. Mais jamais un mot ordurier, un reproche. Ses seules façons de protester consistaient à rire, quelquefois durant toute une séance, ou à déclamer des passages de Dante qu'il savait par cœur, ou de Rimbaud, de Verlaine.

On comprenait alors qu'il ne fallait pas l'embêter.

— Mais ce gros rouge ?

— Il n'en buvait guère qu'une bouteille. Mon mari la payait, naturellement, ainsi que toutes les fournitures et le loyer de sa chambre. Le contrat le stipulait. Modigliani logeait rue de Buci, dans le petit hôtel situé presque en face du café *Procope*. Il recevait aussi vingt francs par jour, mais ces vingt francs étaient vite dépensés, et il revenait dans la nuit réclamer une avance sur la journée du lendemain. Nous étions obligés d'éteindre la lumière pour qu'il ne la vît pas de la rue, car nous n'étions pas riches. Zbo empruntait de l'argent sur quelques toiles qui nous restaient pour faire vivre Modigliani, dont les tableaux ne se vendaient pas.

— Et les dessins ?

— Il en faisait des quantités que le frère de Lucien Descaves venait acheter par dizaines.

Ces soirs-là, nous laissions la lumière allumée dans la chambre. Puis nous avons quitté l'hôtel pour nous installer rue Bara. C'était en juillet 1916. La guerre s'éternisait… Il y avait une grande misère parmi les peintres. Pour manger quelquefois, j'allais acheter chez l'épicier un kilo de haricots rouges que Modi partageait avec nous.

Une exposition, de Modi lui valut son premier succès. Mais quelle révolution dans la rue ! Les nus du peintre, qu'on voyait de dehors, attirèrent aussitôt les badauds. De petits pâtissiers, des télégraphistes, de vieux messieurs à guêtres blanches, des bourgeois, des trottins, amassés devant la boutique, s'écrasaient littéralement et le commissaire, que cette foule surprenait, s'approcha lui aussi de la devanture et cria au scandale. Ce fut épique. Par ordre du commissaire, Mademoiselle Weill dut suivre les flics au poste où elle tenta en vain de défendre Modigliani. Rien n'y fit. La circulation était troublée par le nombre des curieux et il fallut décrocher du mur les admirables toiles (l'une d'elles, un nu couché, fut vendue 22.000 francs en mars 1925 à la salle Drouot) du malheureux Modi qui n'en vendit pas une, même au prix le plus bas.

Timide et rougissant comme une jeune fille j'ai rencontré aussi là "En famille", l'artiste de la musique Dignimont, ce surprenant garçon n'a jamais laissé à personne l'impression qu'il pouvait s'ennuyer. Du tambour, il passa plus tard à l'accordéon car, ayant changé de quartier, de Montmartre à Montparnasse, il s'était dit qu'il était légitime qu'il changeât aussi d'instrument. Marcel Roche, Warnod, Pirola – mort trop jeune – le sculpteur Howard et Roger Wild, son grand ami, l'ont connu rue Turgot, à Montmartre, après un déménagement classique à la cloche de bois. Son premier envoi au Salon des Indépendants remonte à 1910. Puis celui-ci présenta à la *Galerie Pancardie*, rue Bonaparte, une série d'aquarelles et de dessins. Sur les invitations, il avait jugé bon d'inscrire en grosse lettres : "Venez. C'est très joli."…

Or, à l'époque, par une soudaine clémence du ciel qui s'était par trop acharné contre un si grand artiste, Modigliani découvrit au *Dôme* en 1916 un ami qui, partageant sa noire et douloureuse détresse, courut Paris et se jura de le rendre célèbre. Cet ami n'a jamais douté de Modigliani. Pour l'aider à vivre, il eût vendu ses vêtements, sa montre, ses chaussures, couché dehors en plein hiver et emprunté, à n'importe quel taux, un peu d'argent. Cet ami se nomme Zborowski. Il n'était point encore marchand mais poète et logeait, rue Joseph-Bara, dans un étroit logement où Modigliani souvent venait coucher et ameutait l'immeuble.

Zborowski l'avait envoyé se soigner à Nice (qui n'est point un pays pour les artistes et encore moins pour les malades) et là, Zborowski payant les frais, ce peintre incomparable travailla.

Il logeait, rue de France, dans un hôtel de prostituées où "ces dames", le sachant phtisique et trop pauvre pour avoir un modèle, posaient le matin dans sa chambre, quand les "marlous" étaient partis. Quelle existence ! Zborowski me l'a racontée :

"L'une de ces femmes qui ne demandait rien pour ses séances au peintre, fut une fois surprise chez lui par l'homme qu'elle nourrissait et cet homme réclama de l'argent. Comment aurait pu faire Modigliani ? Il ne possédait, et Zborowski non plus, que de toiles dont personne ne voulait.

Les vendre ! Mais à qui ? Divers écrivains fort connus refusèrent de donner un centime. D'autres, plus avisés, les marchandèrent. Ils achetèrent à Zborowski qui les suppliait de l'aider à sauver Modigliani :

Hé ! C'est normal. Un peintre n'a pas besoin de mener la grande vie s'il est pauvre.

Qu'il s'arrange ! Pourquoi n'habite-t-il point Paris ?

— Mais il est très malade, leur disait Zborowski. Il crache le sang.

On le chassa. On l'envoya chez des amateurs du pays qui, plus qu'ailleurs sont âpres et mirent Zborowski à la porte, sans s'émouvoir de sa misère. C'était partout le même accueil, froid, insolent. On eut juré que la bêtise et la vanité se liguant, jusqu'à la fin contre cet homme qui croyait à son peintre, l'en voulussent dégoûter.

Mais Zborowski en avait vu bien d'autres quand, habitant chez Soutine, sur un palier de la Cité Falguière, Modigliani devait arroser le plancher pour pouvoir s'isoler des punaises, des cafards, de la vermine qui, dans l'atelier foisonnaient. Il vécut ainsi de longs mois, stoïque, endurant tous les maux et buvant pour oublier. Puis Zborowski lui loua rue Racine une mansarde à l'*Hôtel des Etrangers* et Modigliani venait peindre dès le petit matin chez son ami le poète, qui, pour le fournir des éléments indispensables, courait Paris de l'aube au soir et rentrait harassé.

— Eh bien, ça va? s'informait Modigliani.

— Tu as vendu ?

— Non. Il n'avait pas vendu. Il n'avait rien vendu mais, afin de cacher au peintre le résultat de ses démarches, il avait emprunté quarante sous dans le quartier et acheté de la viande et des haricots rouges qu'il faisait cuire et partageait avec Modigliani. Tout un hiver, ils ne s'étaient nourris que de haricots rouges et le peintre qui n'avait que peu de toiles, peignait sur les murs ses figures, sur une porte qui existe toujours et, irrité de ne pouvoir mieux faire, s'asseyait dans un coin de la chambre et attendait que Zborowski revînt.

De Nice, Zbo partit presque nu à Marseille où il vendit cinq cents francs, quinze toiles que Modigliani lui avait confiées et lui envoya la totalité de la somme, ne conservant que le prix du voyage. Il rentra. Il chercha. Il trouva, rue de la Grande-Chaumière, un atelier où le peintre put ensuite s'installer. Dieu, qu'il fallut à Zborowski de ténacité, pour lutter de la sorte!

Modigliani l'a-t-il su ? Je l'ignore. Toujours est-il que, dans cet atelier, qui n'était pas meublé, le peintre se crut un temps à l'abri du besoin. Ses tableaux, peu à peu, se vendaient. J'ai parlé des collectionneurs suisses. Il y en eut quelques autres dans Paris, mais ils ne payaient pas très cher et Modigliani qui avait eu de sa maîtresse une petite fille, se privait comme avant.

Vers cette époque, William Kunding, de passage à Paris, acquit pour trois cents francs un *Nu rose*. J'en avais, moi aussi, acheté cinq très beaux, à des prix dérisoires ; puis Netter, que l'exemple d'un camarade, amateur des Impressionnistes, avait fini par décider, prit à Zbo plusieurs toiles et les mit de côté. Des amateurs se présentaient. Zamaron, secrétaire général de la Préfecture de police, fut des premiers à reconnaître le talent de Modigliani. Libaude se fit faire son portrait. Enfin le banquier Schnemayer arriva en coup de vent et, sans prendre la peine d'examiner les cinq ou six figures dont Zbo réclamait quatre mille francs, les emporta séance tenante.

– Nous sommes sauvés ! s'écria le peintre.

Hélas ! La grosse Bertha tirant sur Paris, la vente fléchit, devint à peu près nulle. Pressé par la nécessité, Zbo relança Netter qui s'adjugea vingt toiles pour deux mille francs. Une sorte de panique paralysait le marché. On offrait des Derain, des Vlaminck, des Utrillo, des Valadon à si bas prix que personne n'en voulait. Les amateurs sont ainsi faits qu'ils n'achètent qu'à la hausse et s'affolent aussitôt que celle-ci ne se maintient plus. S'associant de moitié avec Zbo, Netter prouva qu'il était beau joueur et n'entendait pas profiter cyniquement de la situation. Grâce à lui, non seulement l'infortuné Modi put se tirer d'affaire, mais un peintre qu'il avait recommandé à Zbo s'en trouva bien.

C'est alors, vers novembre 1919, que miné par le mal qui devait l'emporter, Modigliani sentit diminuer ses forces. Il travaillait au prix d'un effort épuisant et, comme il s'enivrait de plus en plus car il offrait à la boisson un organisme ruiné, cet effort le brisa. Zborowski lui proposa vingt fois de prendre quelque repos, soit dans le Midi, soit dans une maison de santé, où un docteur qui lui était acquis, acceptait de soigner Modigliani pour rien.

Modigliani refusa.

Il ne voulait que se promener dans les rues et réparer ainsi sa faiblesse qui augmentait de jour en jour. Il toussait affreusement et, quand on insistait pour qu'il quittât son atelier : "Non... non... répliquait-il... Laissez-moi !"

On arriva vite à décembre. Modigliani qui ne se croyait pas si gravement atteint, parlait de reprendre ses pinceaux puis au printemps d'aller en Italie avec sa jeune amie et son enfant.

– Là, disait-il, j'ai la mère...

Malgré tous les conseils, il travaillait sans feu chez lui, apportait à Zborowski ses toiles, le pressait de les vendre puis, déchiré par une toux qui le laissait des heures entières exténué, s'enfuyait et évitait les gens.

Il avait la fièvre.

Il tremblait sur son pauvre divan, s'agitait. Il ne voulait pas qu'on appelât le Docteur qui, mandé quelques jours plus tard par Zborowski malgré lui, arriva néanmoins et ordonna de transporter d'urgence le peintre à l'hôpital.

Mais rue Jacob, dans l'une des salles de l'hôpital de la Charité, il revient à lui et, la fièvre augmentant, se débattit, parla très haut, déclama des vers toute la nuit. Le lendemain soir, il était mort.

Je le demande à ceux qui l'ont connu, aime et admiré, Modigliani mort, nous eûmes immédiatement la certitude que son règne commençait.

...vint me l'apprendre Kisling. Cela ne s'explique pas. En un instant, la nouvelle circula dans Paris. Il me conta comment Jeanne, enceinte une seconde fois, avait eu le courage dans son désespoir et, s'étant jetée sur le corps de son amant, ne s'en voulut plus séparer.

Kisling était bouleversé. Il me demanda mon obole pour l'enterrement, la nota sur une feuille où déjà des dizaine de noms étaient inscrits, m'accompagna à l'Hôpital.

Gardée par ses amis, la dépouille de Modigliani était couverte de fleurs et, sous les fleurs, une boucle épaisse de cheveux blonds reposait sur la poitrine du mort.

– C'est elle – m'apprit-on à voix basse. Sa maîtresse. Elle a coupé une boucle de ses cheveux quand on a dû l'obliger à partir.

De toutes parts des camarades, des marchands, d'humbles gens, des bistrots, des modèles arrivaient. Tous étaient atterrés. Avec Modigliani, le dernier bohème d'une génération – qui n'avait point été ménagée par la vie – s'éteignait. Nous le sentions. Nous en éprouvions une grande peine et le lendemain, lorsque encore atterrés par ce qui venait d'arriver dans la nuit, Zborowski et Kisling nous rapportèrent que Jeanne s'était précipitée par la fenêtre de ses parents et que ceux-ci n'avaient point voulu recevoir le cadavre, un sentiment inexprimable nous bouleversa.

Derrière le corbillard que, par une ironie suprême, des gerbes, des couronnes, des bouquets de grand prix chargeaient d'un poids énorme, une foule étonnante se rangea. Il y avait beaucoup de peintres, de femmes, d'écrivains, tout Montparnasse et tout Montmartre, unis étroitement dans un hommage suprême à la mémoire de l'ami qui partait et qui, durant son existence de hasard et de désordre, avait manqué de tout plus que personne. On rappelait des anecdotes.

On parlait de l'œuvre qu'il laissait et, suivant le cortège, je voyais dans les rangs les amis du malheureux Modigliani. Ils avaient vieilli, engraissé légèrement. Ils ne reniaient rien du passé. Au contraire. C'était avec Modigliani leur jeunesse qu'ils menaient en terre et les agents qui, sur le parcours, joignaient d'un coup sec les talons et saluaient, les mêmes peut-être qui, tant de fois, avaient conduit Modigliani au poste, ne se doutaient certainement pas que leur geste prenait à nos yeux une sorte de tardive, mais publique réparation.

Ce fut Picasso, comme toujours, qui tira de ce spectacle le sens qu'il renfermait car, se tournant vers moi et

désignant le corbillard où Modigliani reposait sous les fleurs, puis les agents au garde à vous, il me dit doucement:
– Tu vois... Il est vengé !

Témoignage de Jean Cocteau

En 1916, pendant la guerre, c'était Montparnasse. J'y vins par l'entremise de Picasso. Ses fenêtres donnaient sur les tombes du cimetière Montparnasse. Il désirait me peindre en Arlequin. Après les poses nous sortions et visitions les ateliers cubistes. La promenade s'achevait au Café de la Rotonde.

C'était notre mail, notre havre, notre domaine. J'y débarquais de l'autre rive. On m'adopta. Car encore fallait-il que les indigènes du lieu vous adoptassent. (Tandis que le métro Nord-Sud y conduisait sans passeports les indigènes de Montmartre où régnaient Max Jacob, Reverdy et Juan Gris.)

Rarement on débordait les zones saintes. Il nous arrivait de passer l'eau et notre bande traînait ses espadrilles de la boutique de Paul Guillaume à la vitrine des Bernheim et de la vitrine des Bernheim à celle de Paul Rosemberg. Plus tard Léonce Rosemberg devint un de nos rendez-vous, grâce à des séances qu'il consacrait aux poètes modernes, parmi les toiles cubistes et les objets Napoléon III.

Je conservais, à Montparnasse, mon costume de rive droite ou mon uniforme (que je porte sur le dessin de Picasso). En 1916, je servais en Belgique et je n'apparaissais qu'aux périodes des permissions.

Si j'insiste sur le costume c'est à cause de ceux qu'on mettait à Montparnasse et qui devinrent légendaires.

En vérité, il ne s'agissait ni de se négliger, ni de surprendre. Les Montparnassiens usaient à Paris salopettes, chandails, chemises, sandales du bord de la mer. Ensuite vinrent les cow-boys et les Indiens à plumes raides. Ensuite la mode et les déguisements.

Modigliani était beau. Beau, grave, romantique. Il travaillait chez Kisling, rue Joseph-Bara, non loin de l'immeuble où Salmon fumait une pipe Gambier cuite et recuite entre des murs de livres.

Si je ferme les yeux, que vois-je ? Notre place d'Armes. Modigliani, debout, trépigne une sorte de danse d'ours. Kisling lui répète inlassablement : "Rentre ? Allons, rentre." Il refuse. Il fait "non, non" de sa tête à boucles noires. Nous essayons de le convaincre. Kisling use de la force. Il empoigne la ceinture rouge et tire. Alors Modigliani change de danse. Il lève les bras à l'espagnole, claque des doigts et tourne sur lui-même. La ceinture rouge se déroule, interminable. Kisling s'éloigne. Modigliani éclate d'un rire terrible et trépigne de plus belle.

Pendant la période où il fit mon portrait à, l'huile, nous nous liâmes encore davantage. Je posais à trois heures dans l'atelier de Kisling. Je posais pour les deux peintres. Sur la toile de Kisling, on découvre, au fond, Picasso, en chemise à larges carreaux noirs, en train de dessiner sur une table.

Le portrait de Modigliani (il le vendait de cinq à quinze francs). Nous ne nous préoccupions pas des suites de nos actes. Aucun de nous ne vivait sous l'angle historique. Nous tâchions de vivre et de vivre ensemble.

Le dessin de Modigliani est d'une élégance suprême. Il était notre aristocrate. Jamais sa ligne, souvent si pâle qu'elle semble un spectre de ligne, ne rencontre une flaque. Elle les évite avec une souplesse de chat de Siam.

Modigliani n'étire pas les visages, n'accuse pas leur asymétrie, ne crève pas un œil, n'allonge pas un cou. Tout cela s'organise dans son cœur. Tels il nous dessinait aux tables de la Rotonde et sans cesse (car il existe de nous une multitude de portraits inconnus) tels il nous jugeait, nous ressentait, nous aimait ou nous contredisait. Son dessin était une conversation silencieuse. Un dialogue entre sa ligne et les nôtres. Et de cet arbre si bien planté sur ses jambes de velours, de cet arbre à jambes, de cet arbre si dur à déraciner lorsqu'il prenait racine, les feuilles tombaient et jonchaient Montparnasse.

Si les modèles finissaient par se ressembler entre eux, c'est à la manière dont les jeunes filles de Renoir se ressemblent entre elles. Il nous ramenait tous à son style, à un type qu'il portait en sa personne et, d'habitude, il cherchait des visages qui ressemblassent à cette configuration qu'il exigeait d'un homme ou d'une femme.

C'est ainsi qu'on se trompe sur la fausse similitude qui existe superficiellement entre Chinois et Chinois, Japonais et Japonais, nègres et nègres. C'est ainsi qu'on se trompe sur les profils des temples d'Egypte. A Louxor, il m'advint de reconnaître, sur une fresque, la famille de Séti Ier.

Chez Modigliani la ressemblance est si forte qu'il arrive, comme pour Lautrec, que cette ressemblance s'exprime en soi et frappe ceux qui n'ont point connu les modèles.

La ressemblance n'est alors qu'un prétexte par l'entremise duquel le peintre affirme sa propre image. Et non pas son image physique, mais celle, mystérieuse, de son génie.

Les portraits de Modigliani, même ses autoportraits, ne sont pas un reflet de sa ligne externe, mais de sa ligne interne, de sa grâce noble, aiguë, svelte, dangereuse, semblable à la corne des Licornes.

A cette terrasse de *La Rotonde*, Modigliani ne m'évoquait pas ces dessinateurs qui, carton sous le bras, cherchent la clientèle et dessinent le portrait-minute. Il m'évoquait ces gitanes méprisantes et superbes qui s'asseyent à votre table et vous lisent dans la main.

Après la pose, on savait à quoi s'en tenir. Les lignes de la main ne renseignent pas davantage, ni sur le peintre ni sur le modèle, mariés dans un graphique aussi significatif que les calligrammes d'Apollinaire.

Au reste, je le répète, Modigliani ne portraiturait pas à la demande. Son ivresse, son grognement, ses rugissements, ses rires insolites, il les exagérait comme une défense contre les fâcheux qu'il insultait par sa morgue.

Au terme de sa vie, si courte, il se hâta, s'enferma chez Zborowski et devint la source d'un fleuve de nus et de figures féminines.

D'autres raconteront son pittoresque. Ici, c'est l'artiste qui compte et l'œuvre dans laquelle se résument les singularités hautaines de son âme.

Le cygne de Livourne

Par Paul Dermée

— Monsieur, me fit une grosse Américaine au teint coloré, acceptez d'être juge. Aimez-vous ces dessins ?
— Je venais tout juste d'entrer.

Et c'était pour la première fois dans l'atelier de Wassilief, avenue du Maine. J'y apportais un cœur révolté contre le XIXème siècle qui, en cet hiver de 1915, ne finissait pas d'agoniser boulevard Saint-Michel.

— De l'air frais ! soupirais-je.

Et voilà que je vis, dressés au pied d'un mur, trois dessins dont l'arabesque d'abord me séduisit. Des arabesques ? Non : le trait modelait des formes qui prenaient leur place dans l'espace et tournaient, eut-on dit, sur quelque musique sacrée. Je murmurai, enivré : "Son fantôme dans l'air danse comme un flambeau." Puis, m'adressant brutalement à la dame :

— Mais c'est très beau. En doutez-vous ?

L'Américaine acheta les trois gouaches, de la série des "cariatides", 75 francs les trois. Elle tira son carnet de chèques et demanda le nom de l'artiste. C'était Amedeo Modigliani.

— Camarade, me dit-il, voilà un marché qui mériterait d'être arrosé. Mais il faut attendre que j'aie touché ce chèque demain matin. Acceptez en attendant une poignée de main.

Un éclat de rire plus franc que tout l'or des milliardaires. Nous étions amis.

Je ne cesse depuis de bénir cette rencontre. Car Modigliani m'a révélé un des secrets du bonheur : l'ivresse dionysiaque que donne la beauté bue fraîche à la source.

On répète que l'ivresse qui lui faisait traverser la vie la plus misérable avec un sourire de ravissement dans les yeux était puisée "dans le flot sans honneur de quelque noir mélange". Anecdote ancienne, et d'ailleurs sans intérêt. Car le haschisch ou l'alcool ont-ils jamais donné du génie à des imbéciles ?

La drogue ou l'alcool ne furent pour rien dans l'exaltation lucide de ses longues séances de travail. D'ailleurs, nul ne lui connut de ces dépressions angoissantes qui sont l'enfer de ceux qui escaladent les paradis artificiels.

Non, l'admirable série des portraits et des nus que j'ai presque tous vus naître, de 1915 à 1920, ne sont pas les produits de la drogue.

Modigliani, fils de roi, prince de l'esprit, aristocrate en chandail ou en veste de gros velours côtelé, avançait dans la vie les narines frémissantes, l'œil éclairé par une joie intime, œuvre de toute la beauté et toute l'intelligence du monde. On pouvait le définir l'anti-Wilde, la réplique lumineuse de ce mauvais ange qui se couvrait de joyaux, pratiquait l'artifice, haïssait les femmes et avait peur de se battre.

Or le don le plus rare, celui qui donne ses harmoniques les plus chauds, les plus émouvants, à son œuvre d'artiste, c'est le don d'humanité. Car ses portraits – d'abord chefs-d'œuvre de la peinture – nous révèlent la vie profonde, *unique*, d'êtres qui, pour d'autres peintres, seraient des pommes dans un compotier.

La réalité qu'il exprimait devenait de jour en jour plus pathétique. Cependant que son art restreignait volontairement ses moyens, pour ne plus signifier que l'essentiel dans l'ordre plastique et humain.

– Il vécut misérable, me dit-on : mais les marchands n'avaient donc pas d'yeux pour voir ?

Tous ils regardèrent.

– parce qu'on les y força !

mais les marchands n'avaient donc pas d'yeux pour voir ?

Tous ils regardèrent.

– parce qu'on les y força !

mais ils ne virent que des couleurs circonscrites par des lignes insolites. Le grand conseiller Fénéon, l'infaillible, se récusa avec un geste courtois. On a le goût des ateliers de sa jeunesse…

Il fallut qu'un poète, le Polonais Zborowski – pâle et longue figure slave que la maladie réchauffait d'une perpétuelle fièvre – s'improvisât marchand sans capital pour faire vivre un des plus grands peintres du siècle.

Un témoignage à propos d'Amedeo Modigliani

par Henry Certigny

En 1912 ou 1913, un jour de beau temps, j'avais rendez-vous avec une amie dans une galerie de la rue de la Boétie. Le peintre Gros y exposait. L'endroit était quelque peu cérémonieux… Un larbin endimanché, à la figure en demi-lune, planté dans le fond de la salle, dévisageait qui entrait. Quand j'arrivai, Modigliani regardait les tableaux exposés dans le vestibule qui conduisait à la salle. Nous nous saluâmes en italien, selon notre habitude. Ayant rendez-vous avec une dame, j'étais bourgeoisement habillé. Il n'en était pas de même de Modigliani, qui portait une chemise défraîchie et n'avait pas de cravate.

Quand le larbin nous aperçut, il fit quatre pas vers nous et montra la paume à Modigliani pour le repousser, à cause de sa tenue négligée. Le peintre lança quelques jurons: "Porca Madonna… *Se lo vada a pigliare in culo!…*" Nous sommes sortis ensemble. J'étais tellement révolté que, naturellement, je serais parti avec Amedeo, si je n'avais pas dû attendre la dame en question à l'intérieur de cette galerie si peu hospitalière…

Un peu avant la grande guerre, je prenais mes repas dans un petit restaurant situé au n° 1 de la rue Delambre, et où je vis souvent le vieil animalier Pompon. Généralement, nous arrivions après le coup de feu, vers deux heures, deux heures et demie. Modigliani mangeait rarement à cet endroit. Une fois, cependant, il y entra. Je m'y trouvais justement, et je n'étais pas arrivé plus tôt que d'habitude. Il commanda un quart de rouge, sans déjeuner, puis un second. Notre conversation s'anima. Il avait la voix un peu forte. Au moment de l'addition, la patronne me fit discrètement signe de l'emmener. Notre conversation continua sur le trottoir. Dans le feu de la parole, il s'écria tout à coup :

– Vous, les Italiens, vous ne pouvez pas comprendre…

– Et m…, qu'est-ce que tu es, toi, Turc?

Comment un compatriote pouvait-il commencer une phrase par "Vous, les Italiens…" Je n'y comprenais rien. Ce n'est que par la suite que l'on m'a appris qu'il était israélite.

Après la grande guerre, j'ai assisté à une petite scène qui m'a ému. Sortant de la *Closerie des Lilas*, Modigliani, Tofoli, Ortiz de Zarate et moi, nous marchions sur le boulevard du Montparnasse, continuant la conversation du café. Silencieuse, comme à son habitude, Jeanne Hébuterne nous suivait. Pendant tout le trajet, Modigliani, absorbé par la conversation, ne lui adressa pas la parole. Mais, arrivé au coin de la rue de la Grande-Chaumière, le groupe se disloqua, et je vis avec plaisir Modigliani passer le bras autour du cou de Jeanne et s'occuper gentiment d'elle. J'en fus fort heureux, car j'avais été frappé par la tristesse de Jeanne.

Pas plus que nous, elle n'ignorait que Modigliani se droguait. La chose est si vraie qu'un jour, en plein carrefour Vavin, il s'approcha de moi et m'offrit dans sa "tabatière anatomique", une pincée de poudre blanche. Au lieu de la renifler, j'ai soufflé dessus. Du coup, il s'est fâché et m'a fait remarquer que j'aurais pu "la" lui laisser…

Pendant l'hiver de 1918-1919, qu'il passa à Nice et à Cagnes, Modigliani se laissa pousser la barbe. Le fait est attesté par une photographie d'identité qu'il donna à notre ami commun Tofoli. Je crois que c'est la seule image qui le représente ainsi. Dans la suite, Tofoli a fait agrandir le cliché.

Le milieu italien où évoluait Modigliani comptait aussi *il signor* Talamini, correspondant de *l'Avanti*, journal de gauche. Client assidu de *La Rotonde*, Talamini connaissait Amedeo, mais surtout son frère qui était, en sa qualité de vice-président de la Chambre, un des chefs du Parti Socialiste italien.

Lorsque le politicien venait à Paris, ou y passait à l'occasion d'un congrès à Bruxelles, c'est Talamini qui le pilotait. Sachant Amedeo un panier percé, le politicien chargea Talamini de déposer une certaine somme chez un restaurateur afin que le peintre ait au moins ses repas assurés. On devine pourquoi la famille préférait cette combinaison à l'envoi de fonds à l'artiste... La patronne du restaurant de Pompon refusa cette offre, qui fut faite ensuite, sans plus de succès à la belle Rosalie. Celle-ci avait le cœur sur la main, mais n'aimait pas trop ces *combinazioni*.

Revenant de Bruxelles peu après l'armistice, le politicien se trouvait un jour à *La Rotonde* avec des amis, Amedeo et moi-même. Le parlementaire parlait, parlait, parlait... Tout à coup Amedeo me fit un signe discret pour que nous sortions ensemble. Lui, qui était pourtant le premier à souffrir du paupérisme national, il me dit, en traversant le boulevard :

– Io me ne frego della politica.

(Moi, je m'en f... de la politique)

Nous entrâmes au *Dôme*, et je crois que c'est une des rares fois où il vint dans ce café, car notre quartier général se tenait toujours en face...

Mais, on ne peut dissocier le souvenir de Rosalie, cette "Mère Courage de Montparnasse", de celui de Modigliani et de tous les Montparnos de cette époque. Rosalie était dure au travail. Chaque matin, elle allait aux Halles. Je l'ai souvent rencontrée lorsqu'elle revenait, un gros sac de victuailles sur le dos. Elle le portait comme un fagot. Je l'ai souvent aidée à monter les escaliers du métro, ce qui m'attirait les plus aimables mercis. Au physique, cette femme au cœur d'or ressemblait à une marchande de poisson, et croyez bien qu'elle ne se mettait pas en frais de toilette pour ses clients. Quant à son franc-parler, il est légendaire. Au famélique Tofoli, elle servit un jour, tout ensemble, un énorme plat de spaghetti, et cette remarque :

– Tieni, mangia, magro!...

(Tiens, mange, maigre !...)

Et Tofoli le prit mal, car il était susceptible. Notre Romaine avait d'autant plus de mérite à être bonne pour les artistes qu'elle n'avait aucune notion esthétique. Par exemple, ayant reçu de Modigliani, en paiement de ses notes, un rouleau de dessins, elle le mit dans sa cave.

Henry Certigny

Documents, lettres par Max Jacob
Juillet 1912, lettre de Max Jacob à Jean Cocteau

On m'a conté en Bretagne que tu disais un mal énorme de moi, comme si je te connaissais pas... Il parait aussi que j'ai dit, moi, que tu me trahis tous les jours (quand ? où ? à qui ?) et que Picasso m'a dit à moi te détester. Enfin : des histoires énormes et très bien inventées... Moi je te demande de faire avec moi le pacte que j'avais fait jadis avec Picasso : "Je n'écouterai pas ce qu'on me dira de toi et tu n'écouteras pas ce qu'on te dira de moi !" Mon voyage en Bretagne a été semé de ces cailloux : on n'imagine pas ce que tu es connu ! et les gens sont jaloux de ce que je sois, moi, ton ami. Alors on se venge ! jadis Modigliani a fait croire à Picasso (juillet 1912) que je passais ma vie à dire du mal de lui, moi qui ai dévoué quinze ans de mon existence à sa gloire négligeant même le travail ! Et Picasso ne l'a jamais oublié : c'est ce qui est le plus fort"

Max - juillet 1912

Février 1916, numéro 12 de la revue "291"

"La vie artistique":

par Max Jacob : "...On a même remarqué dans les coulisses les costumes de Modigliani : veste à côtes gris perle sur un tricot de femme vert pâle ; cravate de satin blanc, chapeau rond, chemise à carreaux bleus et blancs, souliers de cuir brut à lacets, cette toilette fera fureur. Modigliani donnera la mode(igliani)."

Le 16 mars 1917, lettre de Max Jacob à Picasso

Cher ami,

J'ai créé le genre de la caricature en poèmes en prose ; tu en fais toi la caricature. Je souhaite qu'on se souvienne plus de cette caricature que de la mienne : car on ne se souvient guère de ce que j'ai fait si j'en juge par la manière dont tu t'en moques.

Je t'ai écrit une lettre que tu parais n'avoir pas reçue.

Je te disais que j'ai commencé les démarches nécessaires à l'édition de mes poèmes en prose. Et je te demandais si tu voudrais me faire une eau-forte. Il est nécessaire pour les bulletins de souscription que je sois fixé.

Si tu m'en fais cadeau je serai très content. Réponds-moi aussitôt que possible, je t'en prie.

Je te demandais aussi de m'écrire des "Impressions d'Italie".

Bonjour à Diaghilev et mes amitiés au confrère Cocteau. Dis-lui que la cape romantique de Papini m'a fait plaisir. J'ai fait la connaissance d'un jeune Italien qui dit qu'il y a de très grands poètes en Italie, que Marinetti c'est de la blague, que le futurisme est foutu, qu'il n'y a que le cubisme, c'est-à-dire Picasso et Braque. Je lui ait dit qu'il était dans la bonne tradition.

Nous avons les mardis d'Apollinaire au *café de Flore*. On s'y ennuie. Et la revue de Reverdy qui sera la gaieté même à ce que je crois. Roges Karl, réformé, vient à Paris faire de la littérature psychologique. Il a fait une petite nouvelle en cinquante pages et voudrait être le Dostoïevski français. Tu parles, Carle !

Monsieur Modigliani que Moricand surnomme une majuscule sans nom propre continue à être l'ornement des petites réunions artistiques. Lhote prétend que c'est moi qui l'empêche de décorer la boutique de Mlle Monnier...

J'ignorais que Mlle Monnier eût une boutique.

Zagarra croit que je l'empêche de faire des affaires avec Doucet. Ces gens me croient beaucoup de puissance.

Je t'aime toujours mais tu me traites comme les nations les moins favorisées (carte postale avec deux mots).

Fidèlement à vous.

Max Jacob

Absolution.

11 juin 1917, lettre de Max Jacob à Picasso

Cher Pablo,

Je n'ai jamais douté de toi une minute bien que tout le monde se soit moqué de moi au sujet de l'eau-forte, mais moi je sais que tu ne m'as jamais laissé dans les emmerdements quand tu as vu que c'était sérieux.

Je travaille beaucoup vraiment et s'il plaît à Dieu je travaillerai davantage, bien que je ne sois pas très bien portant (l'estomac!). J'ai fait pour Doucet un petit travail *ad libitum* qu'il m'avait demandé. Il m'avait prié de lui faire des "portraits"; mais je ne trouve pas très bien de lui faire des portraits des amis, ça aurait l'air du service d'espionnage, alors je lui fais mon portrait en toute espèce de costume. Je lui ai fait "La Défense de Tartuffe ou portrait de l'auteur en martyr" (à cent francs). Je lui confectionne un "Portrait de l'auteur au travail" ou différences des sortes d'inspirations à la gloire de la religion chrétienne. Je fais aussi une nouvelle sur Paris-France qui, si elle est trop longue pour le *Nord-Sud*, ira chez Doucet avec ce titre : "Portrait de l'auteur en blouse". Je te dois aussi Doucet.

Je ne vais guère à Montparnasse qui, vraiment, n'a pas d'intérêt sans toi. Les souscriptions sont lentes mais non arrêtées ; je pense avoir les dernières épreuves du livre tout à l'heure et que tout sera prêt cette semaine. Pour l'édition à cent francs, on attendra que l'eau-forte soit faite. Les autres éditions sortiront d'abord. J'ai acheté une paire de souliers de quarante francs à la santé des souscripteurs ainsi qu'un chapeau de six francs ; j'ai fait teindre mon costume qui ne te plaît pas, le gris clair, et nettoyer ma jaquette ; je compte que tu me trouveras pas mal habillé. J'ai vu rue Jean Jaurès deux petits pots, genre cruche, que j'ai envie de t'acheter ; on verra ça quand l'imprimeur sera payé.

Je reçois des lettres très amicales de Reverdy qui proteste qu'il n'a voulu froisser personne dans son poème en prose contre Ribera.

Il dit aussi qu'il est sans argent : on ne peut vraiment pas aider tous les amis sans argent ni tous les pauvres de la

Butte : je vais lui écrire de vendre ses manuscrits à Doucet. Dermée est assez malade ; il a mal à la vessie et voudrait connaître un médecin sérieux.

Nous avons eu un concert avec *Parade*. C'est de la bonne musique je crois. Il y avait aussi un morceau du frère de Durey, très Stravinsky, il a l'air de savoir. Je n'ai pas trouvé Georges Auric très fameux ; il ne veut pas souligner ses intentions humoristiques, on croit que "c'est lui" quand il fait des blagues.

La pièce d'Apollinaire avec décors de Serge est retardée. Musique de la femme d'Albert Birot. Je chante dans le chœur deux lignes qui ressemblent à l'opérette ordinaire.

Tu sais l'histoire de Cocteau avec Sic. On a imprimé des vers sans son nom. Les premières lettres des vers forment un acrostiche : Pauvre Birot. Apollinaire dit que c'est Metzinger qui a fait ça. Metzinger dit que c'est Basler. Je pense que ça vient plutôt de l'Intran. Divoire ou Warnod.

Je t'embrasse, cher parrain et collaborateur.   *Max*

Hier on a discuté avec Satie et Modigliani pour savoir les différences et ressemblances qui existent entre le bon Dieu et toi très sérieusement.

Max Jacob

"Pour Modigliani"
Modigliani, ton œuvre pleine de fruits
rouges et de fleurs est sciée atrocement par
un spectre, la muse de ta peinture aux bras
forts, les yeux vers la récolte, attendait :
c'est la mort qui est venue et nos douleurs
avec elle ! Ta vie d'une simple grandeur fut
vécue par un aristocrate et nous t'aimions.
Voici notre deuil et tu restes pathétiquement près de nous.

Portraits de Léopold Survage

Léopold Sturzwage (son vrai nom) est né à Moscou, de père finlandais et de mère danoise, il fréquente l'Ecole des Beaux-Arts de Moscou. Il arrive à Paris en août 1909, et il gagne sa vie comme accordeur de piano. Archipenko, arrivé en France en décembre 1908, rencontre son ami Survage et l'introduit dans le milieu littéraire et artistique de Montparnasse. Sur une photographie de 1909, on peut voir Survage à côté de Matisse parmi les élèves du maître, le jeune est entré à l'Académie, où les disciples sont encadrés par une formation classique.

Et parmi les élèves on a pu retrouver des notes prises par l'un d'eux, qui sensible aux paroles de Matisse écrit : "...copier les objets dont se compose une nature morte n'est rien. Ce qui importe, c'est d'exprimer la sensation qu'ils vous inspirent, l'émotion que suscite l'ensemble, les relations entre les objets représentés, le caractère spécifique de chacun d'eux, modifié par ses rapports avec les autres, le tout entrelacé comme une corde ou un serpent". Mais, au bout de quelques mois, Survage quitte cet enseignement.

En 1911 il rencontre Modigliani au Salon d'Automne, où l'artiste russe expose deux dessins, une aquarelle et un panneau décoratif.

"Ma conférence sur Modigliani", Paris le 20-05-1947
(Conférence à Paris en 1947 par L. Survage)

Pendant la guerre 14-18, Madame Meyer était à Nice, réfugiée avec ses deux filles. Un jour se trouvait Monsieur Pierre Bertin chez eux. Il connaissait Modigliani, et ce dernier arrivait aussi.

Pierre Bertin parlait avec lui et Mademoiselle Germaine Meyer passait par la chambre. Bertin la présentait à Modigliani qui aussitôt exprimait le désir de faire son portrait. Mademoiselle Meyer acquiesçait et Modigliani le lendemain arrivait avec son matériel.

Il demanda à Mademoiselle Meyer de se mettre au piano et elle lui jouait : *Ma mère l'Oie* de Ravel. Modigliani observait et brusquement dit : "Basta". Il commença à dessiner rapidement et ensuite à peindre le portrait. Le lendemain il le terminait et en faisait cadeau à Mademoiselle Meyer. Il commença un deuxième portrait, mais Mademoiselle Meyer tomba malade de la grippe espagnole. Quinze jours après Modigliani décidait qu'il ne pouvait reprendre le travail qu'il avait abandonné. Il faisait un troisième portrait.

Germaine Survage, témoignage, Paris 1918

J'ai rencontré Modigliani à Nice. J'habitais avec mon beau-frère, Pierre Bertin, et ma sœur. Un jour que Modigliani était venu les voir, je suis passée dans l'entrée dans une robe bleu ciel, et le soir mon beau-frère m'a dit : "Modigliani voudrait faire ton portrait."

J'ai accepté.

Le lendemain il s'y mettait, et mon portrait était fait en une ou deux séances. C'était le premier.

Modigliani peignait très vite. Il avait dessiné mon visage en une seconde.

Il m'a d'abord fait mettre au piano, je lui ai joué du Ravel. Il m'a bien regardée, et puis il m'a dit :

"Allons-y.

Moi, je ne reprends jamais un portrait."

Léopold Zborowski (1889-1932)

Né à Zaljszckyki, dans les environs de Lvov en Pologne il est le fils d'un propriétaire terrien. Il arrive à Paris en juin 1914.

Zborowski gagnait sa vie comme enseignant à Lvov, il écrivait aussi des poésies, avant d'arriver à Paris. Il faisait partie du Groupe du 41° degré, né à l'Académie de Tiflis, et qui, à travers toute la Russie et l'Europe, avait une ramification en France. C'était une école de poésie toute constructive, et qui comptait, comme le cubisme en peinture, ses extrémistes. Et lesquels ! Kroutchenick, le plus important des poètes russes contemporains, avait inventé la poésie zaoumienne, c'est-à-dire de l'esprit pur : une poésie qui ne doit pas avoir de sens et ne chanter que pour chanter : on l'appelait aussi la poésie des sons.

Kliebnikoff avait composé la *Trinité de la Suprême Inconvenance*, imprimé à Moscou par ordre du gouvernement des Soviets et qui sapait la "morale bourgeoise".

Pour vivre, en France il vendait les livres qu'il trouvait chez les bouquinistes, des gravures, des éditions originales.

A combien d'ingrats a-t-il montré de la bienveillance ?

Zborowski signait des contrats avec des artistes et leur payait des mensualités, du moins quand il avait de l'argent. Il paya Modigliani, au début par tranches quotidiennes. En homme du monde, il fréquentait les établissements les plus luxueux de Paris, de sorte qu'il lui restait rarement assez d'argent pour payer aux peintres ce qu'il devait. Pendant la première guerre mondiale il vendit à Netter, contre quelques centaines de francs, une caisse pleine de toiles. Elle contenait entre autres, des tableaux de Derain, d'Utrillo et de Modigliani. Modigliani avait à plusieurs reprises essayé d'intéresser Zborowski à Soutine, mais il s'était heurté à un refus, car dans un première temps Zborowski, loin d'aimer les toiles de Soutine, les trouvait horribles. Pour le faire revenir à des meilleurs sentiments, Modigliani dessina un jour le portrait de Soutine sur la porte de Zborowski : à force de voir ce visage, Madame Zborowska est, dit-on, tombée malade. Soutine lui-même tournait autour de Zborowski et le suivait comme son ombre.

Mais, voici comment Zborowski parle de Soutine à Georges Michel :

– Peut-être le peintre le plus vigoureux de notre époque. Et il ne s'en doute pas, le malheureux. Il arrive du fond de son pays, marchant ici comme dans un paradis, en France, un pays où il a le droit, lui, de s'asseoir sur un banc sans que les sergents de ville ne le battent. Je lui ai acheté un veston, un jour. Il voulait prendre n'importe lequel, chez le marchand. Un veston, pour lui qui n'avait jamais porté que la blouse ? Mais pourquoi choisir, n'importe lequel, et ce serait déjà trop beau !... Par exemple, il n'a jamais voulu porter de chapeau. Ça, non. Pas plus que vous ne voudriez "vous habiller en tzar" tous les jours. Mais regardez-moi cette toile ! Savez-vous comment il peint ?...

Il s'en va dans la campagne, où il vit comme un misérable, dans une sorte d'étable à cochons. Il se lève à trois heures du matin, fait vingt kilomètres à pied, chargé de ses toiles et couleurs, pour trouver un site qui lui plaise et rentre se coucher en oubliant de manger. Mais il décloue sa toile et, l'ayant étendue sur celle de la veille, il s'endort à côté. Je lui payais une mensualité pendant deux ans sans qu'il m'eût rien donné quand j'allai enfin le relancer : je trouvai trois cents toiles peintes, empilées les unes sur les autres, dans son galetas, dont il n'avait pas ouvert les fenêtres depuis ces deux ans "afin que les toiles ne s'abîment pas". Tandis que j'allais lui chercher à manger, il y mit le feu, sous prétexte qu'elles ne lui plaisaient plus. J'en ai pourtant sauvé quelques unes, après m'être férocement battu avec lui...

Zborowski se trouvait en 1918 en possession d'une somme importante, ce qui l'incita à la générosité. Il donna deux cents francs à Modigliani, deux cents francs à Soutine et l'envoya peindre dans le Midi.

Lunia Czechowska nous raconte dans ses "souvenirs" que : "Modigliani rêvait d'un atelier ; ce n'étaient pas les ateliers vides qui manquaient, mais toujours l'argent qui nous faisait défaut".

Zbo arriva enfin à faire une surprise à Modigliani ; il loua à son nom un atelier rue de la Grande-Chaumière, dans la maison où vivait déjà Ortiz de Zarate.

– Nous avons attendu que tout soit aménagé pour lui parler. Hanka et moi avions nettoyé l'atelier et l'avions peint en gris clair ; nous y avions installé un poêle ; seul le plafond resta comme il était, car nous ne nous sentions pas de taille à le blanchir. Comme nous n'avions pas assez d'argent pour les rideaux, nous avons badigeonné les vitres au blanc d'Espagne. Un divan, une table et quelques chaises, voilà les meubles. Ce royaume était bien modeste mais il lui appartenait. Jamais je ne pourrai oublier le jour où il prit possession de son nouveau domaine ; sa joie était telle que nous en étions tous bouleversés. Il avait enfin un coin à lui.

Zborowski était poète, avant d'être marchand, et le demeurait :

"MODIGLIANI"

Dans la rue ouverte, vers le soir en juillet,
 la foule errante, hagarde et accablée.
Ils ont besoin de chaleur ces hommes des
 passions nouvelles.
Des deux côtés le café.
Un jeune homme se lève de sa chaise, il est
 mon voisin, avance quelques pas et
 s'arrête au milieu du boulevard.
Les autos, les tramways n'effraient pas son
 Oreille – le jeune homme prend le
 cahier dans ses mains, ouvre les ailes
 bleues – les feuilles détachées tombent
 sur le pavé chaud.
Une sorte d'évanouissement.
Les prières du soir.
Allons amenez-moi ce monsieur à la maison.
Agent.
Amis.
La porte se ferme comme la paupière dans la nuit.
Voici comment un soir de juillet ma vie a été liée avec
 celle de Modigliani.
Depuis chaque jour traversant les rues à pied, je venais
 dans son atelier.
Un grenier vaste et endormi.
C'était l'époque douloureuse pour lui.
Modigliani sculpteur mourait sa santé
 l'a trahi.

Voyez-vous ses sculptures c'est un spectre,
un fantôme, je ne les toucherai plus.
Ses yeux sombres regardaient dans une
Etrange rêverie les cariatides d'une
Forme simple les longues têtes les
Femmes aux bras croisés.
Il avait horreur de la rhétorique, la multitude
des paroles n'éclairera pas les routes
obscures – adieu dernière née – sans
bruit de lamentation.
Le secret de la vie pourpre s'éteint vite.
Il faut céder aux temps propices.
Il revient vers la peinture.
La peinture, il l'a faite dans sa première jeunesse,
mais la rétablir en son état, voilà
qui est difficile.
Les poumons brûlent comme des flambeaux,
il ne faut pas traîner en longueur.
Sa vie un instant rapide.
Dans la sculpture l'Orient bon pilote l'appelle
et dirige son cœur.
l'avenir :
Le grenier est plein.
Rome, Italie.
De quoi te plains-tu, malheureux ?
Digne enfant de tant de voyages, dans ses
yeux le baiser reste, – pur soleil.
Modigliani travaille,
Sur la toile blanche coulent des flots de gloire.
Voici dans leur chaleur riante, les femmes nues.
Un miracle de la mesure,
L'explosion de sa palette est pleine d'ardeur,
Le feu jaillit du cœur.
Il suit sa vision intérieure écoutant un haut
état d'amour.
De graves regards de femmes dans les portraits
de Modigliani sont une confession
sur l'amour dont elles vivent et succombent.
Merveilleuse unité déchaînée par l'intelligence
sensible.
Quelques hommes pourtant lui jettent parfois
un appel et disparaissent.
Je le vois passer foulant sous leurs beaux
pieds les dessins par terre.
L'œuvre d'artiste.
Modigliani amoureux de la ligne n'ignore pas
sa portée,
Un frisson religieux fait vibrer harmonieusement
son imagination.
Conquérant qui jette aux yeux la joie mystérieuse
de la beauté.

Oh ! que la vie est atroce pour lui.
Effroyable silence de pierre,
Etes-vous aveugles, les hommes ?
L'hiver vient,
Le mois de janvier 1920.
Trois jours avant sa mort il travaille.
Devant sa toile, il perd connaissance.
Vaincu – échappe aux souffrances.
Le Monde marche.

Témoignage de Ludwig Meidner

Jamais je n'avais entendu un peintre parler de la beauté avec autant de fougue. Il me montra des œuvres des primitifs florentins. Ce qu'il en disait était encore plus beau que les tableaux. Parmi les artistes plus récents, Toulouse-Lautrec et Gauguin surtout le charmaient. Pourtant Modigliani aimait aussi Whistler et ses tons délicats.
(extrait de "Modigliani" par J. Lipchitz)

Beatrice Hastings

Elle arriva à Paris au mois d'avril 1914, selon le témoignage d'Ossip Zadkine et s'installa tout de suite au 53 de la rue du Montparnasse, exactement en face de l'atelier de Brancusi et de Liptchitz. Particulièrement raffinée, journaliste et également poète, elle se fit rapidement remarquer par sa manière de vivre libérée des conventions. Correspondante du journal anglais "New Age", elle y tenait régulièrement une rubrique littéraire, une série d'articles intéressants et très innovateurs pour l'époque. Zadkine présenta Modigliani à la jeune anglaise et celui-ci tomba immédiatement amoureux d'elle.

Beatrice était une femme de lettres, grâce aussi à ses poèmes, à ses chroniques publiées dans le *Journal* de Katherine Mansfield.

Blonde au teint pâle, elle était née en Afrique du Sud, à Port Elizabeth, en 1879, dans une famille de commerçants. Tempérament fort, elle avait épousé à dix-huit ans un forgeron, champion de boxe, avec lequel elle vécut peu d'années, mais dont elle garda le nom.

Béatrice écrivait des poèmes depuis l'adolescence et décida d'aller faire ses études à Londres.

Rapidement elle s'intégra en Angleterre aux mouvements rénovateurs et contestataires. Elle devint la femme de Richard Orage, directeur de la revue "The New Age".

"The New Age", september 18, 1913.

"Conciliation"
From the Mahabharata
By Beatrice Hastings

A Brahmana, with Vedic wealth endued,
Whilst in a grove by darkness sat subdued-
And there was seized by Rakshasa, a thief
In nature sateless as the tooth of grief.
The sage who knew all natures, searched his mind
For means this cannibal to render kind:
"Gifts will not serve – he needs but steal my store –
Let me conciliate his spirit sore!"
The Rakshasa, by two – fold passion rent,
Adressed that Brahmana intelligent:

"Thou shalt escape, but, Master, tell me true
Why I am lean, why I am pale of hue?"
The sage upon his miud the question tried,
Then freely in well – spoken words replied.

O righteous one, though thou has affluence vast,
Thou dwellest far from home and thy dear kin;
Thy present roots not in faliliar past –
It is for this that thou art pale and thin.

Verily friend, by friends art thou perplexed
Who take thy gifts but give thee no return;
Thy utmost bounty leaves them sour and vexed:
The vicious, fed, but worse envy burn!

Thou art endowed with merit like the wise,
Yet'tis thy lot to see the witless crown'd;
And rich, dull men thy arts and gifts despise,
Bid thee be mute while fools the world astound.

Thou know'st the wide and easy ways to fame,
Yet art not found there mingling with the mean;
Thy haughty soul endureth all but shame –
It is fot this that thou art pale and lean.

Once thou didst stint thyself to serve a friend –
He deemeth thee but victim of his schame –
Thou grievest seeing love in hatred end,
And lust and wrath throw souls in hell extreme.

For word's affairs, the course of thought and deed,
For mysteries thou hast capacius wit;
Thou caust dispel the doubts of men in need:
Such tap thy counsel – ne'er their source admit.

Though wisdom's treasure fail, and Vedic lore,
Thy mind, bespent, recoil from tasks undue –
Thou wouldst by energy accomplish more:
It is fot this that thou art pale of hue.

Thy life austere by kinsmen is opposed.
Thy youthful neighbour covets thy good wife.
Ears of unreason scorn thy words disclosed.
Him thou didst chide in love, holds thee in strife.

One offered thee some prize, who now would steal
The meed of labour out thy winning hand.
Thy kin obscure, whom but thy wits reveal,
Believe their fame give thee such goodly stand.

Thy heart is hot with plans of rich avail
Which shame forbids thee publish'mong the crowd;

For men derive invention lest it fail –
And while success delays the laugh is loud.

Thy will is set where Nature is averse,
Since by thy influence thou wouldst unite
Men of desires, customs and faiths diverse:
How shalt thou cage the sparrow with the kite?

Unlettered, timid, poor-thou didst essay
The works of learning, courage, and of Wealth,
Thou hast not that for which thou most didst pray,
That which thou doest some foe undoes by stealth.

One coursed thee-guiltless, thou, of wishing ill.
Helpness, thou seek'st friend's sorrow to relieve.
Those see'st the low-born rogue high office fill,
And free men serving slaves-and so dost grieve.

In want, attached to life, thou tookedst gift
From one whose bounty left thy heart unclean.
Thou know'st that good is slow and evil swift-
It is for this that thou art pale and lean.

Pendant sept ans elle animera cette revue à laquelle participeront Ezra Pound, Havelok Ellis, G.B. Shaw, G. Chesterton. Beatrice découvre Katherine Mansfield, dont elle publie les premiers contes.

Beatrice écrira des chroniques reflétant d'ardentes convictions féministes en défendant le droit à l'amour libre et à l'avortement.

La rupture avec Richard Orage intervint au printemps 1914, elle quitta Londres et vint seule à Paris, à la suite d'un conflit avec Katherine Mansfield et son futur, John Middleton Murry. Béatrice ne supportait plus Murry, Orage était ami des deux, et il était d'un avis contraire. Mais elle continuera à collaborer à "New Age" de Paris, avec des chroniques littéraires et artistiques qui constituent des témoignages importants sur les années d'avant guerre.

Elle arrive à Paris dans les milieux littéraires de Montmartre et Montparnasse, elle s'habille en bergère, d'une façon excentrique, décadente, mais séduisante.

Elle rencontre Modigliani et l'amour fou éclate.

Béatrice devient la femme entreprenante, directive et désinvolte, prépare la carrière de Modigliani, pendant deux ans ils allaient vivre à Montmartre.

Ils commencèrent à se chamailler pour motifs intellectuels.

Rosalia Tobia

"La bonne hôtesse de Montparnasse nous raconte ses souvenirs sur Modigliani, Utrillo, Picasso,
qui furent ses jeunes clients",
("L'Intransigeant", par Michelle Deboyer, Paris, janvier 1932)

– Allons… Louis… tu les mettras de côté… ces perles du Japon.

– Louis, c'est son fils, s'approche, enlève les deux boîtes de tapioca. La table de marbre clair est ainsi libérée et, de biais, Rosalie s'accoude et continue son monologue.

– Voyez-vous, continue-t-elle, ma maison n'a pas changé depuis 1908. Il est temps qu'elle se modernise… J'arrivai là, venant de l'autre côté de la rue où je tenais un médiocre restaurant, auquel on accédait par deux marches en contrebas. Un rideau de lustrine séparait la cuisine de la salle, où il n'y avait que deux tables. On faisait queue dehors, même sous la pluie, pour venir manger. Vers le soir, quand les gens partaient, les rats entraient… Mais ils étaient apprivoisés ou presque, moi aussi.

Les yeux dans le lointain, Rosalie évoque ses souvenirs sans presque prendre garde que je l'écoute.

– Ici, je payai mon fonds 1.000 francs tout compris : les tables telles qu'elles sont, les tabourets, la glace, le buffet, et dans l'arrière-boutique tout ce qu'il faut pour la cuisine… 1.000 francs…

J'ai là, sous les yeux, le décor pauvre qu'on peut obtenir pour cette somme… Mais les murs sont peints d'un jaune gai, l'horloge tinte gentiment. Un violon suspendu promet des airs de danse, et des paysages naïfs rappellent qu'ailleurs il y a des arbres feuillus, de l'eau vive, des brises.

Et puis, ici, Modigliani, Utrillo, Pascin, Matisse, Picasso, vinrent chercher, près de la bonne hôtesse les terrestres nourritures… qu'ils eussent ou non de quoi la payer.

– Ce pauvre Modigliani ! S'exclame Rosalie… Toutes les femmes couraient après. Il était pauvre et buvait plus que de raison. Mais il avait des mains nobles.

Elle demeure grave et pensive. Puis :

– Las ! Quand il s'était battu à *la Closerie* ou ailleurs il s'endormait dans quelque ruisseau. Des camarades le rapportaient ici, je jetais des sacs sur le parquet, on l'étendait dessus.

– Un homme a le droit de manger sans payer quand il n'a pas des sous, me disait-il.

– Et pour faire les provisions aux Halles, il me faut pourtant de la monnaie.

– Je te donnerai des dessins.

– Moi, cela me faisait pitié, les dessins de Modigliani. Toujours ses femmes avaient le cou trop long, un œil borgne.

– Il avait peint aussi Lucie, ma petite servante. Il voulait que je suspende le tableau bien en évidence dans le restaurant. Vraiment, je ne pus pas le lui cacher : " C'est trop laid ! "

– Même moi qui, naguère, ai été une jolie femme, il m'avait dessinée avec un gros nez ridicule.

– Et Soutine ? Et Utrillo ?

– Las ! Soutine arrivait de sa montagne, bossu et affamé. Il m'aidait à éplucher les haricots pour se faire bien voir… Quant à Utrillo, les gamins du voisinage m'avertissaient toujours de son arrivée… Il était maigre, mal vêtu, les gosses lui couraient après en le raillant. Lui se retournait et criait, pour les effaroucher : "Pschch.. Pschch… Pschch".

– Un jour, voilà Modigliani qui entre en hurlant :

– Cochon… cochon (Il s'adressait à Utrillo)… Je te donne un lit pour te coucher la nuit dernière… et en te réveillant tu me voles un paletot…

– Je ne l'ai pas…

– Bien sûr, continua Rosalie. Il ne l'avait plus, il l'avait vendu à une brocanteuse de la rue Delambre…

– Et les femmes, les femmes qui étaient les compagnes de ces hommes… elles étaient aussi pauvres qu'eux. Elles aimaient l'art… Elles riaient, elles pleuraient facilement… Elles n'étaient pas belles. Sauf Kiki… celle-là promettait déjà… Il y avait Simone, qui adorait Modigliani et que lui n'aimait point…

Léonard Tsuguharu Foujita (1886-1968)

Le jeune peintre japonais arriva à Paris en été 1913 après une traversée de près de deux mois.

Dans un entretien qu'il accorda plus tard à Jean-Marie Drot, il démontra qu'en peu de jours tout Montparnasse lui avait été révélé. "A peine arrivé à Paris je suis allé à Montparnasse, j'avais déjà entendu parler à Tokyo de ce quartier, et je me suis précipité à sa découverte. Le soir même, je suis allé dîner à *La Rotonde* et le jour suivant au *Dôme* où je fis la connaissance de tous, Picasso, Max Jacob, Modigliani et je me suis trouvé à mon aise."

Ses rencontres avec Modigliani furent constantes lorsqu'en 1915, Foujita retrouve Montparnasse après un voyage à Londres. En effet, "Chaïm Soutine et Amedeo Modigliani lui apprennent qu'un atelier s'est libéré au 14 de la Cité Falguière. Foujita s'y installe parmi une majorité de sculpteurs dont son premier guide au Salon d'Automne, le sculpteur russe Mietschaninoff. Soutine et Modigliani sont ses voisins. Modigliani qui peint peu à cette époque, sculpte avec Brancusi (qui habite rue du Montparnasse). Soutine, lui, rumine et peint dans un atelier d'une saleté repoussante. Montparnasse a changé depuis 1913, la guerre a aggravé la misère des rapins et les a totalement coupés du monde. Une "petite bonne femme" arrivée de Russie depuis dix ans, Marie Vassilieff, a ouvert dans son atelier, et

*Foujita dans son atelier
à Montparnasse.*

*Catalogue de l'exposition à Bruxelles
organisée par F. Barrey.*

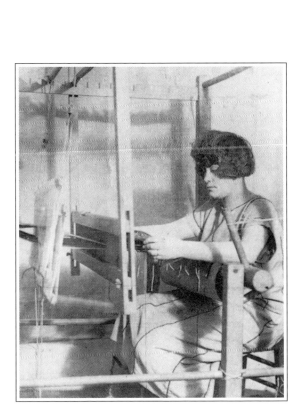

*Paris 1917, Fernande Barrey
au métier à tisser.*

*1917, "Jeune femme brune", (Fernande Barrey),
huile sur toile.*

pour tous les artistes, une cantine qu'elle finance entièrement. On va alors misérablement du *Dôme* au 21 avenue du Maine manger la "soupe de Marie". (in "Léonard-Tsuguharu Foujita" Sylvie et Dominique Buisson, A.C.R. Éditions, Paris)

Fernande Barrey, (mariée à Foujita), témoignage de 1917

"Modigliani était un comédien. Lorsque Libion le mettait dehors parce qu'il faisait trop le tapage ou cherchait querelle aux clients, il revenait, poussait la porte d'un air dramatique, et clamait :

"Je rentre pour vous dire que vous êtes un rufian, monsieur Libion ! ..."

Et il claquait la porte, heureux d'avoir réussi sa sortie. Une nuit, il se coucha sur les rails du tramway devant le *Dôme*, affirmant qu'il voulait mourir devant tout le monde. Il fallut entrer dans son jeu :

"Ecoute, Amedeo, lui dit-on, relève-toi, tu vaux mieux que ça !".

– Satisfait, il se releva.

Un soir, pendant les années de guerre, on vit entrer Soutine en coup de vent à la Rotonde: "On tue Modigliani !" cria-t-il.

On s'élança et l'on retrouva Modigliani gisant sur le sol dans un bistrot du Val-de-Grâce. Il s'était pris de querelle avec des soldats convalescents sortis de l'hôpital. Avec un absurde entêtement il soutenait que l'état militaire n'était pas un métier, "sinon de fainéant".

Manque de chance ! Ses interlocuteurs étaient soldats de métier, ex-enfants de troupe. On se jeta sur lui et on le rossa à coups de béquilles.

Les amis le ramenèrent chez lui.

Soutine, à cette époque, avait une ombre, une ombre qui devint d'une bien jolie couleur. C'était le peintre Krémègne. Est-ce parce qu'il était, plus petit que Soutine, plus maigre et qu'il semblait accablé par la destinée plus que son ami, Krémègne paraissait plus timide encore quand, derrière ou à côté de Soutine, ils passaient et repassaient devant ces cafés pleins de chaleur, de lumière et d'amis où leur pauvreté et leur fierté surtout les empêchaient d'entrer, nous décrit Georges-Michel. Krémègne connaissait tous les peintres du monde. Moins véhémente que celle de Soutine, sa peinture est peut-être plus torturée et sans effet théâtral, mais l'homme sait transfigurer sa peinture devant la réalité. A Montparnasse, on a rarement vu d'êtres plus dignes, plus simplement dignes que Soutine, Krémègne et Modigliani.

Roger Wild

Son élégance était très négligée, mais aussi très étudiée avec son costume de velours délavé, sa chemise à carreaux, bleus et blancs, la seule qu'il possédait, mais qu'il lavait tous les soirs, et la cravate de travers, toujours de travers. Ça l'aurait choqué, semble-t-il, d'avoir sa cravate droite comme tout le monde.

Jacques Lipchitz

J'ai connu Modigliani bien avant la guerre. Je me souviens à cette époque m'être promené avec lui et Max Jacob en 1913 au jardin du Luxembourg. Il nous récitait par cœur la *Divina Commedia*. Malgré que je ne comprenais pas la langue, j'étais conquis par la chaleur de sa voix, par la passion de la poésie que dégageait toute sa personne.

Je ne sais pour quelle raison mystérieuse, je ne puis penser à Modigliani sans associer son souvenir à la poésie.

De l'amour qu'il portait à la poésie je garde un autre souvenir. C'était en 1916. Nous étions ma femme et moi profondément endormis quand des coups violents à notre porte nous ont réveillé. C'était Modigliani qui nous rendait visite (il était trois heures du matin). Il se rappelait, m'a-t-il dit, que je possèdais un volume de poésies de François Villon et manifestait le désir de le lire.

Je l'ai installé dans l'unique fauteuil et il se mit à lire à haute voix.

A mesure qu'il avançait sa voix s'élevait. De tous côtés mes voisins commençaient à frapper aux murs pour protester, et plus ils protestèrent plus Modigliani élevait sa voix. Ses yeux avaient une lueur étrange, sa voix devenait criarde, la petite lampe à pétrole projetait ses ombres fantasques, une atmosphère unique. Je garderai toujours le souvenir de cette nuit.

Souvenir de Jeanne. (1918)

Une femme étrange, svelte, avec une longue figure ovale si blanche qu'elle n'évoquait pas l'idée de la chair, et des cheveux blonds coiffés en longue nattes. Elle me faisait l'effet d'une vierge gothique.

Le 216 du boulevard Raspail

Quand j'arrivais chez lui – c'était le printemps ou l'été (1913) – il travaillait dehors. Plusieurs têtes de pierre – cinq peut-être – étaient posées sur le sol cimenté de la cour devant l'atelier. Il était en train de les réunir.

Quant nous parlions des différentes sortes de pierres, dures ou tendres, Modigliani affirmait que l'espèce importe peu : il fallait créer, par la sculpture, une impression de dureté, c'était l'affaire du sculpteur. Certains, quelle que soit la pierre, donnent à leurs œuvres un air de mollesse, alors que d'autres, en utilisant la pierre la plus tendre, communiquent à la matière qu'ils travaillent un air de fermeté.

Ces compositions sont basées sur l'agencement de formes ovoïdes, des volumes pleins et ronds, s'imbriquant harmonieusement les uns dans les autres et s'adaptant parfaitement à la souplesse du corps féminin.

Il me semble que je le vois encore : penché sur ces têtes, il m'expliquait que, dans son idée, elles devaient former un tout. Je crois me rappeler qu'elles furent exposées quelques mois plus tard, la même année, au Salon d'Automne, échelonnées comme des tuyaux d'orgue pour réaliser la musique qui chantait dans son esprit.

Il travaillait avec acharnement, esquissant dessin sur dessin sans s'arrêter pour corriger ou réfléchir. Il se fiait, semblait-il, uniquement à son instinct... un instinct d'une finesse et d'une sensibilité extrêmes, en vertu peut-être de son héritage italien et de son amour pour les maîtres du début de la Renaissance.

L'intérêt que lui inspiraient les êtres humains prédominait en lui et il peignait leurs portraits avec fougue, emporté, pour ainsi dire, par l'intensité de ses sentiments et de son imagination. C'est pour cette raison que Modigliani, malgré son admiration aussi grande que la nôtre pour l'art africain et les autres arts primitifs, n'a jamais été profondément influencé par eux – pas plus que par le cubisme. Il leur a emprunté certains procédés sans se laisser pénétrer par leur âme. Certes leurs formes étranges et nouvelles lui ont procuré une satisfaction immédiate, mais il ne permettait pas à l'abstraction de contrecarrer le sentiment et de s'interposer entre ses modèles et lui. C'est ce qui explique la remarquable individualité de ses portraits, la franchise sexuelle de ses nus.

En 1916, je venais de me marier et nous décidâmes, ma femme et moi, de demander à Modigliani de faire notre portrait.

– Mon prix est dix francs la séance et un peu d'alcool – répondit-il quand je le pressentis.

Il vint le lendemain et exécuta l'un après l'autre plusieurs croquis préliminaires avec sa rapidité et sa précision habituelles.

Enfin nous convînmes d'une pose inspirée par notre photographie de mariage.

Le lendemain à une heure, Modigliani arriva avec une vieille toile et sa boîte de peinture et la séance commença. Je le vois encore, assis devant la toile qu'il avait installée sur une chaise ; il travaillait en silence et ne s'interrompait que pour prendre de temps en temps la bouteille placée près de lui et boire une gorgée d'alcool. Parfois il se levait, regardait son œuvre d'un œil critique et la comparait avec ses modèles.

A la fin de la journée il déclara: "Voilà, je suppose que c'est fini".

Nous contemplâmes nos deux portraits qui, en effet, étaient terminés. Mais j'éprouvai quelque scrupule à les payer le prix modique de dix francs. Je n'avais pas pensé une minute que Modigliani exécuterait deux portraits sur une seule toile en une unique séance. Je le priais donc de continuer à travailler un peu et j'inventai des prétextes pour obtenir des séances supplémentaires: "Vous savez, dis-je, nous autres sculpteurs, nous aimons les choses un peu plus consistantes".

"Eh bien, répondit-il, si vous voulez que je le gâche, je peux continuer".

Autant qu'il m'en souvienne, il passa à peu près deux semaines à achever notre portrait ; c'est probablement la plus longue période qu'il ait jamais consacrée à un seul tableau.

Conrad Moricand

D'origine suisse, mais né à Paris en 1887, il vivait dans un milieu bourgeois et aisé, peignait et exposa en novembre 1917 lors des soirées de "Lyre et Palette". Ses apparitions remontaient à l'avant-guerre, période où il fréquenta Montmartre puis Montparnasse. Il fut parmi les personnages invités le 31 décembre par Apollinaire. Il rencontra Modigliani, Picasso, Cocteau et Kisling. Il fréquenta les académies de peinture. Passionné d'astrologie, il fera pour la naissance du premier enfant d'Amedeo, Jeanne, une topographie astrologique de sa naissance. Une longue amitié le lia à Max Jacob et il fera tout pour tenter de le sauver du camp de Drancy.

Témoignange de Abdul Wahab
("Information Artistique" N° 43 octobre 1957 - Paris)

C'était en 1912 au Bateau-Lavoir à Montmartre que j'ai connu Modigliani, Modi pour les amis, et ils étaient nombreux ses amis, à tel point qu'il ne pouvait jamais être seul dans la rue, on le hélait de partout... et il fallait aller boire un verre. Il avait peu d'argent à l'époque mais était très large vis-à-vis de tout le monde. Pour lui, le mot bohème n'était pas un vain mot. Un jour, il sortait du Bateau-Lavoir, avec, sous le bras, un énorme rouleau enveloppé dans du papier journal. Une femme peintre qu'on appelait "La concierge" et qui vivait là aussi, le salue et lui dit en désignant le paquet : "Veinard, tu as vendu quelques toiles, et tu vas les livrer ?"

"Penses-tu, répondit Modigliani, ce sont simplement mes couvertures que je porte au Mont-de-Piété, maintenant qu'il fait chaud, je n'en ai plus besoin..."

Plus tard, à Montparnasse, Modigliani habita avec Béatrice Hastings et Max Jacob. De fréquentes disputes éclataient entre le peintre et son amie ce qui faisait dire au poète: "Mon Dieu, pourvu que ce soir il reste encore un peu de vaisselle..."

En ce temps-là, lorsque Picasso avait un peu d'argent, il achetait un sac de haricots qu'il distribuait à ses amis.

Modigliani aimait beaucoup Picasso qui le lui rendait bien. Une fois, Picasso et d'autres peintres étaient installés à la terrasse d'un café quand apparaissent ensemble Modigliani et le peintre K... aujourd'hui décédé. Tout à coup, Picasso qui les regardait venir ne peut s'empêcher de s'écrier : "Regardez la différence qu'il y a entre un gentilhomme et un parvenu..."

Car Modigliani était un seigneur dans toute l'acceptation du mot. A sa classe naturelle, se joignait une culture très étendue, tout, dans son comportement avait une grande noblesse, celle que l'on retrouve dans sa peinture à laquelle il croyait beaucoup.

Il ne supportait pas la grossièreté, c'était là un trait dominant de son caractère. Je me souviens, au cours d'une soirée dans un des nombreux cafés de Montparnasse que nous fréquentions d'un intrus qui l'agaçait par ses réflexions auquel il répondit : "Tu finirais par me faire dire m..."

Il lisait Platon et le *Dialogue des Morts*. Il croyait à la Magie. La Cabbale l'intéressait particulièrement et il essayait souvent d'expliquer certains faits par des interventions surnaturelles. Je me souviens d'une conversation qu'il eut avec un tirailleur sénégalais qui portait sur lui une quantité incroyable de gris-gris.

– Pourquoi as-tu ces gris-gris sur toi ? lui demanda Modigliani.

– Voilà, lui répondit le noir.

Quand je vais réclamer une permission, je serre bien fort mes gris-gris sous mon bras et je dis : "Je veux une permission, je serre mon bras et je dis : "Je veux une permission pour mes gris-gris" parce qu'on ne peut pas la leur refuser...

– C'est formidable, s'exclamait Modigliani.

Car formidable était un mot qu'il employait beaucoup.

Georges-Henri Cheval (peintre)

Moi, c'est en 1916 que j'ai connu Modigliani. J'étais un tout jeune peintre et je travaillais à l'Atelier Colarossi, lors d'une séance je terminais un nu quand Modigliani, qui se trouvait derrière moi me frappa l'épaule et me dit en désignant mon dessin : "C'est pas mal du tout, viens boire un verre..."

Nous en avons bu beaucoup ensemble par la suite.

Nous buvions beaucoup. Modigliani trouvait dans le vin rouge un excitant. Sa sensibilité débordante avait sans doute besoin de ça. Il se droguait également, mais ses amis souvent remplaçaient les boulettes de drogue par de boulettes de mie de pain...

A Montparnasse, pendant la guerre, il habitait un atelier Cité Falguière, où il faisait de la sculpture. Soutine habitait la même maison que lui. Par les beaux soirs d'été Modigliani aimait se promener dans le quartier. Un soir, nous nous sommes arrêtés boulevard de Vaugirard et, étendus sur un banc, chacun d'un côté, seulement séparés par le dossier. Les yeux au ciel, nous regardions les feuilles des arbres au-dessus de nous et, à cette heure tardive, d'après leurs dessins, leurs formes, leurs découpages, Modigliani m'a expliqué tout le principe des mosaïques byzantines.

En 1915, pendant la guerre, il travaillait pour un marchand de tableau du nom de Chéron. Il peignait dans les sous-sols de la Galerie.

Chéron, lui donnait dix francs par jour.

Il était très fier et déclarait partout : "Maintenant, je suis un ouvrier salarié".

Ce qui ne lui l'empêchait pas d'essayer de vendre ses peintures ailleurs.

Il n'était pas avare de ses œuvres. Il avait toujours avec lui un cahier de dessin dont chaque page se déchirait selon un pointillé.

Avec Lady Hastings, il avait pris l'habitude de boire du gin. Au café, il interpellait n'importe qui en disant : "Paye-moi un gin et je te fais un dessin".

Si l'affaire était conclue, il s'exécutait et donnait son dessin comme on donnerait un chèque.

Car Modigliani passa une partie de sa vie au bistrot comme presque tous les peintres à ce moment-là. Ses réparties ne se comptent plus.

A *La Rotonde*, au temps du père Libion pendant la guerre, le soir presque toutes les lumières étaient éteintes, Modigliani et nous tous... menions un assez beau tapage qui finit par réveiller le patron endormi. Effrayé, le brave homme descendit après avoir passé hâtivement un pantalon et demanda à Modigliani de cesser ce vacarme.

Très digne, Modigliani se leva et s'écria : "Monsieur... pour me parler, allez mettre un faux-col".

Une autre fois, dans un café, Modigliani appelle un camelot qui, la valise à la main, vendait des chaussettes. Le peintre voulait en acheter une paire. Le camelot lui fit remarquer que, s'il en prenait trois paires, il lui ferait une réduction, alors Modigliani lui dit : "Pourquoi trois paires ? Je ne suis pas un mille-pattes !"

A la fin de sa vie, Modigliani écrivait des poèmes en italien et en français. Tous ses manuscrits ont disparu ; enfin, je me rappelle d'un tiercet, le voici :

Un chat se gratte la tête
Comme un poète qui cherche une rime.
Ma femme me jette un pot à la tête.

Car il était poète, lui, l'Italien de Livourne qui disait, en parlant de sa ville :

Cri et rire d'hirondelle
Oh ! Livorno !

Oui, ainsi fut Modigliani, un peintre et un homme.

Chez *Baty*, un café qui se trouvait en face de *La Rotonde*, la bouteille de Bordeaux coûtait 18 sous. Quand nous étions là, tous réunis et, bien entendu sans argent, Modigliani faisait venir un modèle et criait très fort :

"Déshabille-toi, on va te dessiner."

Immédiatement, pour ne pas choquer le restant de la clientèle, le patron arrivait et nous offrait à boire. Devant cette bonne volonté, chacun de nous laissions en compensation les dessins tout simplement, que le patron ou les garçons revendaient au brocanteur voisin.

Et tout cela est vrai. De passage place Gaillon, je pousse la porte d'un café, et m'installe au comptoir. Derrière sa caisse, le patron, qui me dévisageait depuis un moment, me demande mon nom. Sur ma réponse, il se présente: c'était un ancien garçon de chez Baty, qui, au rappel du temps passé, ne trouvait que ces mots à dire : "Avec vous tous j'ai raté ma fortune... et quelle fortune !"

("Information Artistique", N° 43, octobre 1957 - Paris)

Maurice De Vlaminck
("Portrait avant décès", Paris)

Le Café de La Rotonde offrait, à cette époque, un spectacle curieux. Polonais, Japonais, Américains du Nord et du Sud, Hollandais, Suédois, Norvégiens s'y trouvaient réunis. Il formaient une Société des Nations en miniature, une Internationale intellectuelle dont les Membres se seraient donné rendez-vous, non pas à Genève, mais autour de la table d'un café, chargée de Pernods et de Whyskies.

Peintres, sculpteurs, écrivains, poètes, critiques d'art, on y trouvait de tout... Hayden, Modigliani, Picabia, de Zayas, Ortiz de Zarate, Picasso, Foujita, Metzinger, Kisling, Pascin, Archipenko, Zadkine, Lipchitz, Raymond Radiguet, Cocteau, Bernouard, Max Jacob, Louis de Gonzague Frick, Waldemar Georges, Zervos, Adolphe Basler, André Salmon, Guillaume Apollinaire, Zborowski, Alvorsen ! Quel cocktail international ! Que de paroles, de propos, de conversations, de discussion en longueur et en largeur sur tous les sujets : guerre, amour, art, littérature, argent, le tout assaisonné de petits potins, mesquins ou haineux, de petits mensonges, de grands espoirs.

Et puis des femmes ! Kiki de Montparnasse, Aïcha l'Africaine, et d'autres encore. Certaines, aux cheveux coupés, à l'allure masculine...

Ils étaient là, matin et soir, le jour et la nuit et c'était surtout pour se voir eux-mêmes qu'ils y venaient. Ils s'accouplaient au hasard de leur dilettantisme pour s'essayer à la littérature, s'initier à l'Art de "L'Ecole de Paris" ou faire l'amour...

Dans la capitale, on comptait trois banques pour une boulangerie. Par un phénomène curieux, les banques s'étaient mises à pulluler au même rythme que les autos et les galeries de tableaux. Les cinémas champignonnaient dans toutes les rues, dans tous les faubourgs. De tous pays, les étrangers arrivaient, par avion, par bateau, par chemin de fer, par autocar. La Ville Lumière étaient devenue une Tour de Babel, un casino, une ville d'eau, un bazar, un lieu de plaisir, un lupanar.

Peu nombreux ceux qui, perspicaces, humbles et conscients, n'étaient pas éblouis par cette facilité et reconnaissaient que telles ou telles réussites n'étaient pas dues à des qualités personnelles et géniales, mais tout simplement, aux circonstances exceptionnelles du moment... L'Art et la Littérature ne sont, en somme, que le vrai visage des mœurs ; ils expriment les aspirations et les sentiments intérieurs propres à une époque.

A une époque où on ne juge trop souvent les hommes que sur les signes extérieurs de la richesse, Modigliani a pu, sans doute, paraître, aux yeux de l'observateur mondain, comme un pauvre hère, un bohème qu'attendait l'hôpital et l'Institut médico-légal...

Or, Modigliani était un aristocrate !

Toute son œuvre en témoigne. Si ces figures, ces portraits de femmes, de jeunes filles si racées, voire si "fin de race" sont comme un reflet de la décadence italienne, la peinture de Modigliani est empreinte d'une infinie distinction. Elle n'est jamais grossière, ni banale, ni vulgaire.

Je revois Modigliani assis devant une table, à *La Rotonde*, son regard autoritaire, ses mains fines, ses mains aux doigts nerveux, ses mains intelligentes, traçant d'un seul trait, sans hésitation, un dessin qu'il distribuait – il n'était pas dupe – comme une récompense, aux camarades qui l'entouraient. –

Avec des gestes de millionnaire, il tenait la feuille où parfois il se laissait aller jusqu'à mettre sa signature, comme il eût donné un billet de banque, en paiement d'un verre de whisky qu'on venait de lui offrir. Un jour qu'il venait de faire le croquis d'une Américaine de passage dans le milieu rotondin, il le lui offrit gracieusement. Comme elle insistait vivement pour qu'il le signât, agacé de sa vénalité, il traça en travers de la feuille, une signature en lettres énormes, des lettres aussi grandes que celles des écriteaux pour les appartements à louer...

Un matin d'hiver 1917, sur un refuge du boulevard Raspail, fier, hautain, il regardait défiler les taxis dans l'attitude d'un général aux grandes manœuvres. Une bise glaciale mordait la peau. Dès qu'il m'aperçut, il vint à moi et simplement, comme s'il s'agissait pour lui d'une chose superflue:

– Je te vends mon pardessus me dit-il, il est trop grand pour moi... Il t'ira très bien.

Un autre jour, un camarade était venu s'asseoir à sa table. C'était un individu famélique dont l'existence était un problème. Sans que celui-ci s'en aperçût, Modigliani fit tomber à terre un billet de vingt francs et, le poussant, négligemment du pied:

292

– Tiens, on dirait dix francs! dit-il. Et il se leva tout à coup, comme s'il partait à la poursuite de quelque chose de très important...

Modigliani offrait un lot de dessins à un marchand pour un prix plus que modique. Le marchand discutait, espérant un rabais. Sans un mot, Modigliani ramassa le tas de feuilles, le perça soigneusement d'un trou et alla accrocher le paquet dans les water-closet.

J'ai bien connu Modigliani ! Je l'ai vu ayant faim. Je l'ai vu ivre. Je l'ai vu riche de quelque argent. En aucun cas, je ne l'ai vu manquer de grandeur et de générosité. Jamais je l'ai vu irascible, irrité de constater que la puissance de l'argent qu'il méprisait tant contrariait parfois sa volonté et sa fierté.

– Modigliani était un artiste!

Moïse Kisling (Cracovie 1891 - Sanary 1953)

A l'âge de 19 ans, en 1910 arrive à Paris, après avoir voyagé avec son ami Mondzain, qu'il connaît depuis la fréquentation des Beaux-Arts de Cracovie, il ne parle pas français, il a 20 francs en poche... arrivé dans la capitale, Kisling loue une chambre dans un hôtel de la rue des Beaux-Arts, mais bientôt découvre Montmartre selon les conseils de son ami Josef Pankiewicz. Au Bateau-Lavoir, il rencontre très vite trois amis : Max Jacob, Amedeo Modigliani et André Salmon.

En 1911, Kisling rencontre l'écrivain d'art polonais Adolphe Basler, qui en réalité fut aussi le découvreur de Modigliani, et c'est avec lui que Kisling signera un premier contrat. L'écrivain est en même temps marchand d'art à domicile et un des premiers à vouloir "ses artistes" à Céret, dans cette petite ville "cubiste" des Pyrénées Orientales pour y travailler, peindre loin de la capitale.

André Salmon nous décrit le choix de Kisling de vivre à Montparnasse: "Après avoir inévitablement tâté d'abord une ou deux chambres de ces hôtels où il est absolument impossible de peindre mais où de pittoresques étrangers faisaient échange des notions de vie française acquises au jour le jour, voir de nuit, Kisling trouva ce qu'il cherchait au numéro 3 de la rue Joseph-Bara. Situé sous le toit, un atelier suffisamment grand, aux murs couverts d'un plâtre jaunissant et déchiré, bon asile de pauvre pour artiste d'avenir.

La rue Joseph-Bara est une rue bien tranquille, une rue sans boutique, une voie à laquelle confère un peu de mélancolie le long mur d'un couvent. On trouvait là aussi une académie de peinture, l'académie Ranson où enseigna Sérusier, installant à Montparnasse ses fantômes de Pont-Aven ; les abords de ce séminaire d'art furent toujours moins animés, moins bruyants que ceux des académies voisines, celles de la Grande-Chaumière. Alentour pouvaient vivre au calme des gens sérieux, à savoir les religieuses et leurs élèves aristocratiques et aussi leurs dames pensionnaires..."

Ensuite d'autres artistes, dans les années qui suivent seront familiers de cet immeuble. Rembrandt Bugatti, Pascin, Modigliani, Per Krohg, Zborowski habitent les étages ; Soutine, Guillaume Apollinaire, Jean Cocteau, Picasso, Conrad Moricand seront les invités.

L'astrologue et peintre Moricand raconte dans ses mémoires comment il a fait connaissance des artistes des lieux : "...d'autres membres de la tribu Modigliani, Lipschitz, Pascin et Van Dongen, qui avait alors un atelier rue Denfert-Rochereau et où l'on ne s'ennuyait pas. Je commençai donc à "faire des bords" à Montparnasse, découvris ainsi *La Rotonde* du Père Libion, où il y avait indéniablement à cette époque-là une atmosphère et entre-temps, me mis à fréquenter assidûment les académies libres de la Grande-Chaumière.

Le père Libion, patron de l'endroit, de grande taille, flottant toujours dans des jaquettes grises et claudicant légèrement... ressemblait à un "alligator endimanché", avec une petite moustache de marcassin. Il nous appelait "têtes de cochons" et en abusait même un peu... mais c'était chez lui terme d'amitié et histoire de rire... comme pour le pain d'épice de St-Antoine, à la Foire du Trône. On lui rendait la vie dure par nos exigences, nous faisant verser des Turin "à l'eau" jusqu'au bord, où il aurait été bien difficile d'en mettre une seule goutte... et aussi, avec nos comptes élastiques. Mais il nous aimait ou plutôt, devait avoir pour nous une certaine considération en tant qu'artistes.

Les murs et les glaces de *La Rotonde* étaient vierges de tableaux, mode qui n'apparût que plus tard, mais Libion, catéchisé par l'ineffable Zborowski, "collectionnait" déjà certaines "touéle", ainsi que prononçait Kisling, et notamment des Modigliani qui était le grand poulain de "Zbo"... mais que Libion abhorrait et ne supportait que parce qu'il était des nôtres. Je le vois encore Libion, à quelques années de là, pleurant presque dans un marc. La Cloche pour avoir vendu ses Modigliani trop tôt... quand le "boom" de la surenchère sur Amedeo fut déclenché."

Une dispute ouvre un nouveau chapitre de l'histoire de Montparnasse : les deux polonais Kisling et Léopold Gottlieb se provoquent en duel.

La rencontre a lieu au matin du 11 juin. Le journal du dimanche le "Mirror" du 21 juin reproduit les photos du duel et en gros caractères titre : "Des Polonais se battent au sabre, se blessent. Ils blessent même de surcroît deux témoins". Le texte : "Deux Polonais , M. Kisling et Gottlieb, qui pratiquent la peinture, art pacifique, viennent de se battre de telle manière qu'ils semblent avoir bien mérité de leurs grands ancêtres, les "fauves" romantiques. Deux balles sans résultat précédèrent un furieux débat de sabre, au cours duquel – les armes s'étant faussées cinq fois, tant le jeu était rude ! – M. Kisling se fit enlever sept centimètres de cuir chevelu et taillader le nez, tandis que M. Gottlieb voyait tomber à ses pieds un fragment de son menton. Le duel des deux peintres polonais, quelque furie qu'ils aient apportée à s'entre-détruire, ne fut pas dangereux seulement pour eux-mêmes. A la dernière reprise, ils se précipitèrent l'un sur l'autre en faisant de tels et si effrayants moulinets, menaçant tour à tour de se décapiter et de s'ouvrir le ventre, que M. Dubois, directeur du combat, et M. Rouzier-Dorcières se jetèrent entre les combattants. M. Dubois faillit avoir la cuisse ouverte et M. Rouzier-Dorcières, qui avait saisi M. Gottlieb à bras le corps, fut blessé au genou."

Conrad Moricand donne une version différente de cette histoire :

"Un beau matin, Kiki m'apprit qu'il se battait en duel, sabre et pistolet, de plus qu'il avait choisi, ainsi que notre ami commun, le Docteur A.R. Barrieu, ami de Modigliani aussi, comme témoins !...

Une histoire de poule, naturellement, un soir au *Dôme*, avec un nommé Gottlieb, peintre, qui aurait "offensé" Kiki et qui, selon l'usage des peuplades, aurait dû demander réparation aussitôt et par les armes... ce qu'il avait omis de faire. Morale : le nommé Gottlieb était proscrit depuis des mois par la communauté polonaise, y compris les marchands... et ainsi, ne pouvait plus gagner sa vie. Une délégation d'amis était venue trouver Kiki, lui demandant s'il accepterait encore une réparation tardive. Celui-ci n'avait pas balancé un instant et était d'accord pour se battre, à la condition que la rencontre fût d'autant plus sérieuse. Ouais !..

Kiki, comme de juste, n'avait jamais touché un sabre ni même un fleuret de sa vie et il en était de même pour le pistolet. Je le dépêchai donc à la salle d'armes Lafont et Bourdon, rue de Londres, où j'avais tiré naguère en compagnie de Paul Morand et Bourdon.

L'un des premiers témoins de Gottlieb : le sculpteur Danikowski avait demandé au cours de la première réunion chez le peintre Markous, que la rencontre ait lieu sans protection des membres et le torse nu... Pourquoi pas "à la hache" ?

Ces deux témoins, en dépit de la courtoisie de Markous, furent récusés et l'adversaire nomma à leur place le peintre Diego Rivera, avec lesquels nous nous entendîmes rapidement ; ayant stipulé que si l'échange des balles était sans résultat, la rencontre au sabre – maximum 10 reprises – aurait lieu dans l'équipage habituel, mais les avant-bras et les carotides protégés.

Nous avions décidé en autre avec Dubois, pour dérouter la foule de journalistes, de ne pas révéler l'endroit choisi pour la rencontre. Dubois me téléphona donc la veille à minuit que ce serait le Parc des Princes... ce qui n'empêcha pas qu'il y ait déjà une soixantaine de buveurs de sang à leur poste. Je vois encore arriver le cher André Salmon qui était vert comme le gazon... à l'idée que son vieux Kiki allait peut-être en découdre.

Le duel au sabre et au pistolet, entre deux Polonais... et le soir même, cette rencontre demeurée célèbre dans les fastes de Montparnasse, passait chez Gaumont... ce qui fut un coup de publicité formidable pour l'"écurie Basler" et pour son poulain..."

En 1914, Kisling se rend à la caserne Chaligny, où il est affecté au deuxième Régiment Etranger d'Infanterie. Quelques semaines d'instruction et c'est directement la zone de combat.

Kisling et son unité sont engagés en Artois depuis l'automne.

Au printemps de 1915, Carency est emporté d'assaut. Ses défenseurs se rendent. Mais lorsque les attaquants se regroupent, le légionnaire Kisling est de ceux qui manquent à l'appel. On le retrouve enseveli par la terre remuée par les éclatements d'obus. Il est inerte mais vivant, la poitrine quasi défoncée. On comprendra par la suite et par son propre récit qu'il s'est agi d'un coup de crosse reçu dans une lutte au corps à corps.

Dans une autre unité de la Légion combat aussi Blaise Cendrars, il sera grièvement blessé en Champagne en septembre suivant. Un obus lui arrachera le bras droit et il écrira plus tard ces témoignages:

"Un bras droit sectionné au-dessus du coude et dont la main vivante fouinait le sol des doigts, comme pour y prendre racine..."

"Portrait de Renée Kisling", encre
sur papier par Modigliani.

La concierge Mme Salomon et Guy Krohg
au 3 de la rue Joseph-Bara.

"Les couleurs de l'altelier", huile sur toile par Kisling et Modigliani.

"La table de l'atelier", huile sur toile par Kisling et Modigliani.

Carency et trois autres villages totalement en ruine. Georges Braque est lui aussi grièvement blessé à la tête pendant cette même bataille.

Pour Kisling, Braque et Cendrars, la guerre est finie. Ils seront réformés définitivement.

Les autres de la bande ont été mobilisés : Carco, Derain, Mac Orlan, Léger, Salmon, Segonzac, s'engagent dans la Légion Etrangère Apollinaire et Mondzain, Jean Cocteau et Per Krohg sont ambulanciers volontaires, Soutine offre de travailler à l'arrière. Modigliani a été refusé pour raison de santé, Pascin s'embarque pour l'Amérique, Foujita part pour Londres, puis Tokyo, Picasso reste en France.

Un jour de printemps de 1914, Kisling étant à *La Rotonde*, vit une jolie femme, assise près d'un guéridon de marbre, coiffée d'un chapeau à brides, portant au côté un petit panier rempli des fleurs. Elle était habillée, costumée plutôt, avec cette audace qui n'est admise qu'à Montparnasse, d'une ravissante robe Kate Greenaway, Kisling l'invita à venir poser pour lui. La belle ne vint pas. Une nouvelle rencontre décidée, le résultat identique. Kisling, rencontrant Modigliani et Béatrice Hastings, reprocha à celle-ci son abandon : "C'est moi, dit Modigliani, qui me suis opposé à ce que Béatrice vienne chez toi. Quand une femme pose pour un peintre, elle se donne".

– Temps merveilleux que le nôtre, où la peinture touche à ce point le "cœur" et l'esprit.

Renée Kisling
"Montparnasse 18", par Beatrice Hastings

Beatrice Hastings exprime sous une forme pittoresque l'atmosphère de Montparnasse à la fin de la première guerre mondiale :

Minnie Pinnikin passa chez Kisling. Elle montait le grand escalier tout couvert de velours, de fleurs et de bouteilles en demandant :

– Où est Kisling ?

Renée sortit de la foule. Elle portait un tricot gris et un chapeau de Kisling et elle était très jolie :

– Il est là-haut sur le second balcon. Il est très saoul et probablement malade.

Minnie Pinnikin le croyait en flammes tant sa beauté éclatait. Il était tout nu, mais si gracieux qu'on avait envie de pleurer. La foule courut au bord du balcon pour voir la représentation.

Minnie Pinnikin s'assit entre deux dames. La vaste salle était vernie à merveille. Il y avait des fenêtres de couleur, or et argent, en dessins audacieux et fins.

– Quel est cet endroit ? demanda Minnie Pinnikin en enlevant son chapeau et sa fausse dent, tant elle était joyeuse et à son aise.

– C'est la maison de Kisling. Cette salle est son atelier. Quelle chance il a d'être jeune, beau et l'enfant gâté de parents millionnaires !

Dans l'air étaient suspendus des gâteaux glacés immenses et des corbeilles de fruits faites de lait, du miel et de la lune. Une vieille en chapeau noir en loques et qui agitait un plumeau annonça les artistes. Personne ne l'écoutait, tout le monde faisait à son gré. A gauche, une dame chantait en marchant. Elle avait des yeux bleus, brillants. Elle oublia les derniers vers et se terra, fixe comme une enfant étourdie.

On rit, et applaudit.

– Voilà comment on doit finir toute chose, dit Minnie Pinnikin, oublier la fin.

Renée s'habilla en bleu rosé et dansa. Une petite actrice grasse et blanche chanta son amour pour un cheminot. Minnie Pinnikin devint pâle de rire.

– Pour cette fête ? demanda Minnie Pinnikin à sa voisine.

– C'est fête des juifs. Jour de l'an ! Ces rideaux noirs au bout de la salle cachent l'arche. Faites-moi connaître votre amie, là.

– Je ne la connais point, répondit Minnie Pinnikin, *mais je vous lui représenterais volontiers*.

Elle descendit, toute folle de gaieté, chercher des gâteaux ; mais la foule la pressait vers le chemin de fer.

– Où allez-vous ? demanda le garde quand le train fut parti.

– Je ne voudrais aller nulle part. Je veux descendre, répondit Minnie Pinnikin. Alors, on arrêta le train, et elle descendit. Il n'y avait point de gare, seulement les employés de la gare. Mme Salmon arriva sur le coup avec son mari. L'uniforme de celui-ci était bleu comme le ciel, sans tache et plein de boutons d'or. Sa moustache était frisée.

– Comme il fait obscur, dit Minnie Pinnikin ; je ne peux pas voir où je vais.
– Alors, répondit Mme Salmon, n'allez pas à Montmartre. Venez à Montparnasse.
Le tram n'était pas tout à fait bâti, et il était plein de gens qui attendaient que l'électricité soit installée.
– Je ne peux pas voir, dit Minnie Pinnikin. Je me tiendrai tranquille dans ce tram.
– Oui, répondit Mme Salmon ; faites-lui peur !
Il sonnait minuit.
– Seulement ça ! s'écria Minnie Pinnikin, et pensez que j'ai quitté le bal chez Kisling.
– Il y a un bal chez Kisling ! s'exclamaient les Salmon, et on ne nous a pas invités ! On ira quand même !
Modigliani sortit d'une porte cochère. Minnie Pinnikin se cacha en disant :
– Toujours lui ! Pensez que j'ai oublié ma fausse dent, dit Minnie Pinnikin. Non, la voilà, dans mon sac. Voilà, la même folle, je n'oublie pas ma fausse dent. Ça prouve que je m'aime plus que la folie. Que je suis bête !
La lumière fut éteinte chez Kisling.
– Alors ! dit Mme Salmon, baladons-nous un peu. Dans un quart d'heure on peut prendre du café à la Rotonde.

(texte publié pour la première fois dans "Les nouvelles Littéraires" du 17 avril 1958)

Alice Halicka (épouse Marcoussis)
" Hier "
(Souvenirs, Editions du Pavois, Paris 1946)

...je faisais le portrait d'un jeune étudiant, sortant d'un camp de concentration – il était comme moi né en Pologne autrichienne – et que j'avais connu avant la guerre. C'était le futur marchand de tableaux Zborowski. Plus tard il m'offrit un contrat, mais Marcoussis ayant une confiance limitée dans la régularité de ses paiements m'avait dissuadée de l'accepter. Je le regrettais car Zborowski s'est surtout fait connaître pour avoir découvert et protégé Modigliani. Sa première exposition eut lieu pendant la guerre dans la galerie de la marchande de tableaux Berthe Weill. Berthe Weill était une toute petite vieille demoiselle qui avait commencé sa carrière comme marchande à la toilette à proximité de Tabarin. Par quel hasard – peut-être quelque relation commerciale avec une des compagnes des peintres Dufy, Vlaminck ou Derain – s'était-elle mise à aimer et à acheter ces œuvres dont personne ne voulait à l'époque ? Elle aurait pu faire fortune pendant l'ère de la prospérité si son funeste penchant à jouer aux courses ne l'en avait empêchée, lui faisant perdre tout ce qu'elle gagnait avec les tableaux. Curieuse petite personne sans âge elle écrivait des poèmes satiriques dans une revue qu'elle éditait elle-même. Plus tard elle émigra rue Laffitte.
Modigliani à sa première exposition n'avait rien vendu, mais le fait que la police avait trouvé ses œuvres immorales lui apporta une véritable auréole de gloire. Il avait commencé sa carrière artistique comme sculpteur et il ne s'était résigné à être peintre qu'en raison des difficultés matérielles. Il peignait des portraits et des nus et réussit à concilier les grâces du Quattrocento avec l'influence de la sculpture nègre. C'était un grand garçon brun vêtu de velours côtelé, qui vendait ses dessins pour cinq francs aux camarades, à la terrasse des cafés de Montparnasse.

Thora Dardel
"Si vous saviez ce qu'on aimait faire la bombe ! De Montmartre à Montparnasse, ça n'arrêtait pas. Même les "appaches" qui rôdaient dangereusement autour du *Lapin-Agile* ne nous empêchaient pas de nous amuser. Le fils du patron, Frédé, a été tué par l'un d'eux, pourtant.
Il n'y a pas tellement d'artistes qui m'ont peinte, je n'étais pas un modèle professionnel. Rien que Pascin, Man Ray, Kisling, Nils, mon mari bien sûr, et Modigliani.
J'étais venue étudier la sculpture chez Bourdelle, à l'académie de la Grande Chaumière à Montparnasse. Pendant le voyage en bateau qui m'amenait en France, j'ai fait la connaissance d'un peintre déjà célèbre en Suède: Nils Dardel. Il devait devenir mon mari.
Nous nous rencontrions à *La Rotonde* : quelques tables, un sol d'une propreté plus que douteuse, des garçons en long tabliers blancs. C'est là que j'ai rencontré Modigliani pour la première fois. Il parlait fort et riait beaucoup. Tous ces artistes avaient quelque chose qui retenait l'attention : Pascin était un peu fou, mais très

297

séduisant, Picasso était passionnant, Modigliani, lui, il me faisait un peu la cour, tout en me dessinant sur des feuilles de papier à lettres qu'il avait demandées au garçon de café. Il m'a très gentiment offert ses dessins, mais je me trouvais très laide !

Il m'impressionnait beaucoup. J'étais très jeune et, comme Modigliani avait environ trente-cinq ans, je le trouvais d'un âge avancé ! Il était mal soigné, habillé d'un costume de velours noir et il portait un foulard de soie rouge. Je me souviens qu'il était toujours extrêmement vif. Il était d'une grande gaieté apparente lorsque nous sommes allés en bande chez Rosalie, une grosse Italienne qui avait un restaurant rue Campagne-Première. Elle se montra très maternelle envers Modigliani.

Il était tellement beau, tellement artiste et romantique... on ne peut pas tout avoir ! Modigliani avant de disparaître ce soir là, il avait écrit sur le couvercle d'une boîte d'allumettes son adresse : 8, rue de la Grande-Chaumière, à 2 heures. Modigliani avait demandé à Nils d'abord, puis à la jeune Suédoise de venir poser pour lui, et le rendez-vous fut pris.

Je ne me suis jamais rendue seule chez lui. Je l'ai toujours appelé : monsieur Modigliani ! D'ailleurs, la première fois, Nils m'a accompagnée, ensuite Annie Bjarne, épouse d'un auteur suédois et que j'avais également connue à *La Rotonde*, fut chargée de me chaperonner...

Modigliani faisait un portrait en deux ou trois séances. Je suis allée trois fois chez lui. Je me rappelle de la cour avec le petit jardin, l'escalier étroit. L'atelier était au dernier étage. Juste deux grandes pièces en enfilade avec une verrière. Il y faisait très froid l'hiver et le poêle allumé avait complètement noirci le mur derrière. Pas une toile aux murs d'une totale nudité : Zborowski, son marchand, les lui prenait au fur et à mesure qu'il les faisait contre de l'argent qu'il lui versait régulièrement. Un seul tableau, retourné : je n'ai pas osé demander à le voir. Annie Bjarne et moi avons été impressionnées par tous ces détails qui trahissaient une pauvreté évidente.

Modigliani buvait du rhum – c'est bon pour la toux – disait-il. Annie Bjarne s'était assise dans un coin. Pendant qu'il travaillait à mon portrait, il devait sans doute lui jeter de fréquents coups d'œil... car plus tard, il a voulu qu'elle lui serve aussi de modèle !

Le parquet était couvert d'un mélange de charbon écrasé, d'allumettes, de mégots... un vrai tapis dont il devait sans doute être fier, car lorsque j'ai proposé, pour être aimable, de lui donner un coup de balai, il s'est fâché très fort !

– Inutile ! Si c'est comme ça ici, c'est que c'est bien !

Pendant la pose, la porte s'ouvrait et apparaissait, discrète, la compagne de Modigliani, la douce Jeanne Hébuterne, et je ne pouvais pas deviner alors quelle fougue et quelle passion cachait son air plein de réserve.

Jeanne était enceinte, elle paraissait très jeune avec ses nattes relevées ; je lui trouvais l'air las et inquiet : sans doute à cause de notre présence ! Elle saluait, puis elle se retirait vite à nouveau.

Elle ne sortait presque jamais avec lui... Peut-être parce qu'elle était enceinte de près de huit mois à ce moment-là. Mais aussi, je pense, parce que c'était dans son tempérament à lui, de laisser sa femme à la maison quand il allait dans les cafés.

Il expliqua : Jeanne est enceinte de notre deuxième enfant. Elle va bien, et bientôt va accoucher. Nous avons déjà une petite fille en nourrice à la campagne, à côté d'Orléans.

Il fermait à demi les yeux, s'approchait aussi près que possible de la toile, tout en sifflant et en chantant des petites chansons qu'il inventait, pour lui-même. Il chantait surtout en italien.

On disait que c'était un fumeur d'opium quand il en avait les moyens, un buveur d'absinthe, aussi, à l'occasion. Mais c'était vraiment assez courant à *La Rotonde*, parmi les amis, ils avaient tous les mêmes pratiques. Ils remplaçaient le Pernod par l'absinthe. C'est de la même couleur. Et souvent, les garçons fermaient les yeux.

Il avait eu des relations passionnées avec deux femmes que je fréquentais tous les jours, Béatrice Hastings et Simone Thiroux... elles sont des amies.

Dans l'atelier de Modigliani, non loin du chevalet : une photo de lui, prise il y a quelques années. Thora l'observe, l'œil en coulisse. Et, mutine, elle demande : "Vous me la donnez ! Elle est si belle !"

– Je ne peux pas, réplique Modigliani... Je n'en ai pas d'autres et la plaque est cassée.

– Si vous ne me la donnez pas, répond Thora, sans se démonter, je la chipe..."

"Je suis sûre, dit Thora, radieuse aujourd'hui encore de son larcin, qu'il a ensuite été dire à tous ses amis que j'avais sa photo et que je le trouvais beau. Il était comme ça ! Cette copie je l'ai eue de ses propres mains, comme je viens de vous le raconter !

Quand il a eu terminé, il m'a montré le tableau qu'il avait fait. Je n'ai pas aimé du tout ! Mais je n'ai pas osé le

1919, Paris, le modèle
Thora Dardel.

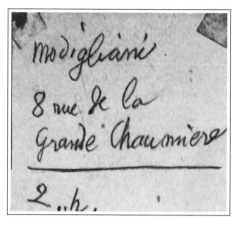

*Carte de visite
pour rendez-vous à
l'atelier.*

1919, Montparnasse, Paulette Jourdain
et le chien Riquette.

1919, Soutine,
Paulette Jourdain
et le chien Riquette.

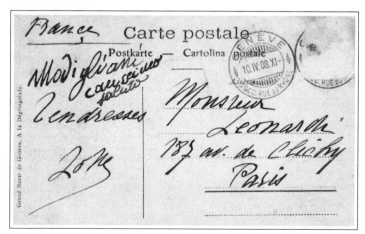

Carte postale de Mme Leonardi, signée par Modigliani.

Portrait de Mme Leonardi.

lui dire, bien sûr. C'était comme pour les dessins qu'il m'avait donnés : il m'avait fait de gros bras, et n'avait pas du tout respecté la couleur de mes habits, et puis, ce n'était pas moderne !

C'est en novembre 1919 que Nils emmène Thora vers les paysages d'Afrique. Avec le peintre Abdul Wahab et sa femme Beppo, il se rendent en Algérie.

Abdul était un très grand ami de Modigliani, alcoolique comme lui aussi, très raffiné et très affectueux. Je peux affirmer qu'il a été plus proche de Modigliani que beaucoup d'artistes qui ont déclaré l'avoir tellement aimé de son vivant !

Le 29 novembre, d'Algérie, j'ai envoyé une carte postale à "Monsieur L'artiste-Peintre Modigliani, Rue de la Grande-Chaumière N° 8, avec quelques mots :

"Belles souvenirs d'Alger. Ici il y a le soleil et de la chaleur. Je ne regrette point Paris, seulement c'est vous qui me manque. J'espère que comprenez mon français. Mille complimentes à votre femme;

Thora."

Je voulais lui dire que je pensais beaucoup à lui.

Nils Dardel, Pascin notre grand ami, Max Jacob et, bien sûr, Zborowski, entre autres, pensaient que c'était un grand peintre, mais j'étais trop inexpérimentée pour comprendre la vraie valeur et le sens de ces toiles. Modigliani n'appartenait à aucune école.

Modigliani n'était pas un artiste maudit ! Au *Lapin-Agile*, par exemple, il y avait des toiles de tout le monde et, particulièrement, un superbe Picasso... mais pas un Modigliani. Le fameux Frédé, qu'on appelait "le papa", n'en voulait pas ! De toutes façon, Modigliani n'était pas vraiment pauvre. Sa famille lui envoyait de l'argent. S'il se trouvait dans cet état-là au moment où je l'ai vu, c'est qu'il dépensait très vite, il achetait peut-être des toiles et des pinceaux ; d'ailleurs, je n'en suis pas si sûre, car souvent, on devait les lui fournir, mais aussi beaucoup d'alcool. En ce temps-là, on allait chez les uns et les autres et on faisait la fête avec trois fois rien !

On allait, ensemble, au cirque Médrano, par exemple. Il y avait Picasso, Cocteau, Max Jacob, Derain, Modigliani... On riait !

Du rire aux larmes, temps des grandes amours tragiques...

J'ai bien connu la poétesse anglaise Béatrice Hastings, qui avait été la maîtresse de Modigliani ; elle était depuis devenue celle de Radiguet, mais elle n'avait pas oublié Amedeo. Je savais qu'ils avaient eu une relation tumultueuse et violente, qu'ils s'étaient battus comme des fous ! J'avais du mal à imaginer ça. Modigliani avait été si prévenant, si gentil avec moi. Béatrice m'en parlait en termes enflammés. Je l'entends encore me dire : "Vous savez, moi aussi, j'ai été enceinte de lui. J'ai mis au monde une petite fille qui n'a pas vécu, malheureusement."

C'est inouï, toutes ces femmes qui voulaient un enfant de Modigliani ! Simone Thiroux avait été sa maîtresse. Elle était folle de lui et s'était retrouvée enceinte. A peu près en même temps que Jeanne Hébuterne. Simone avait eu un fils que Amedeo n'avait pas reconnu. Elle lui avait donné pour nom Gérard, mais souhaitait le lui changer contre celui d'Amedeo. Nous avons été très amies et c'est elle qui m'a confié tout cela. Les gens étaient cruels envers elle et se moquaient : on l'accusait d'avoir inventé cette histoire pour retenir Modigliani, mais je suis sûre que "les autres" l'attaquaient par jalousie.

Simone donnait des leçons de français à des Scandinaves et habitait dans une famille norvégienne de la rue Joseph-Bara. Une de ses tantes habitait boulevard Raspail. Elle fréquentait donc Montparnasse et appartenait à une famille bourgeoise. Un soir, Simone l'avait ramené chez elle, Modigliani avait abusé de cette situation pour vivre une relation un peu "discutable" avec elle.

Soudain, c'est un aspect moins radieux de cette fascinante époque qui nous est révélé : point de salut en dehors du mariage pour celle qui devient "fille-mère"

Je sais que Simone est honnête et modeste... si Modigliani n'a pas reconnu l'enfant, c'est peut-être aussi parce qu'il n'avait pas les moyens de payer une pension."

Simone est morte, emportée peu de temps après Modigliani par le même mal : la tuberculose. Elle crachait le sang.

Son fils fut placé en nourrice. C'était un petit garçon blond aux yeux brun. Modigliani n'était pas blond bien sûr, mais ces yeux-là ! Simone, elle, avait les yeux bleus. Une amie est allée chercher l'enfant à la campagne pour que sa mère puisse le voir une fois encore avant de mourir, à l'Hôpital Cochin. Le petit Gérard était chez une nourrice (Madeleine Cournilloux) à qui j'envoyais de l'argent, dans le Loiret à Lailly. (La même nourrice avait aussi chez elle Jeanne Modigliani).

J'ai failli l'adopter, mais j'avais 21 ans, je vivais dans un meublé... et comment rentrer en Suède avec un enfant qu'on aurait imaginé être le mien ? Ma mère, à qui j'avais fait part de mon projet, était horrifiée. Finalement, un couple a adopté l'enfant en insistant pour qu'il ne sache jamais rien de sa véritable origine. Je me suis résignée, le cœur gros, à ne plus le voir. Le mystère reste complet. Pour ma part, je suis absolument certaine que Gérard était le fils de Modigliani. Simone était une femme sérieuse et sa relation avec Modigliani fut la grande histoire de sa vie.

Henri Gaudier-Brzeska (1891-1915)

"Et comme j'ai souvent eu l'occasion de le dire, je ne suis pas un peintre, mais un sculpteur...". "Je hais... tous les sculpteurs à l'exception de Dalou, Carpeaux, Rodin, Bourdelle".

Lettre à Uhlmayr, Paris 24 mai 1910 : "Je me demande si les formes primitives ne révèlent pas une compréhension plus étroite de la nature, plus grande et plus intelligente ...de Rodin"

Mais un peu plus tard, en 1913, il nous fera savoir, à mesure de ses prises de position, qu'il aime: Brancusi, Zadkine e Modigliani...

C'est Nina Hamnet, l'épouse de l'artiste norvégien Krislian et artiste elle-même, collaboratrice active des ateliers Omega, qui parle de Modigliani et de sa sculpture à Henri . En novembre 1913 Nina parle du jeune Gaudier à l'anglais Roger Fry, qui accepte de le recevoir dans son école, et il sera introduit au sein des Ateliers Omega.

Francisco Pompey

(artiste espagnol – témoignage in "Recuerdos de un pintor que escribe", Madrid 1972)

Avec Amedeo Modigliani à Montparnasse (Paris 1909-11)

Abandonàbamos las salas del Salon de los Indipendientes caminando despacio hacia el boulevard de Montparnasse, cuando al llegar a la "Rotonde", Modigliani me propone almorzar juntos en un modesto restaurante que habia cerca del famoso café Dôme. El restaurante, antiguo, limpio y coqueto, era solo una sala con unas cinco mesas. En una comiamos Modigliani y yo, cuando entra una dama que se sento en la mesa contigua a la nuestra. La senora, elegante y bella, de unos cuarenta anos, se sonto en la silla cercana a la que ocupaba Modigliani. En uno de sus gestos, Amedeo puso su mano izquierda en el respaldo de su silla e involuntariamente tropezo con la derecha de la senora, quien no solo no la retiro, sino que sonrio con una expresion de admiracion que incito a Modigliani a mantener la mano en la de la dama. Yo disimulaba no ver nada. Al irse, la dama hizo un gesto a Modigliani. Amedeo me dijo : "Caro Pompey, vamos a ver en qué para esto. Esta noche nos veremos en la "Rotonde".

Aquella misma tarde, en la terraza de la "Rotonde", me refia la aventura amorosa.

En aquella terraza, y otras de famosos cafés de Montparnasse, Modigliani hizo no pocos dibujos – retratos de damas – que le daban unos francos por ellos. Eran los ingresos que permitian ir al restaurante, adquirir drogas y seguir viviendo".

Ossip Zadkine

"C'était au printemps. Montparnasse vivait ces derniers jours tranquilles "d'English quarter", avant l'avalanche qui a bouleversé ses rues et recoins, et mettant le feu partout. Ma première rencontre avec Modigliani date de ce printemps. Il revenait d'Italie, portant un costume de velours gris. Il avait un port de tête magnifique. Des traits purs. Ses cheveux, noir corbeau, entouraient un front puissant et rasés de près sur le menton, faisaient une ombre bleue sur sa figure d'albâtre. Cela se passait boulevard Saint-Michel, où toute la terre jeune se rencontrait, où toutes amitiés naissaient, puis nous nous sommes revus à *La Rotonde*... Modigliani à présent veut faire de la sculpture. Il ne veut plus vivre à Montmartre, toute sa peinture précédente est quelque part dans un hôtel, cité Falguière. N'importe ! Il a un atelier au 216, Boulevard Raspail. Et il faut que j'aille le voir : voir ces sculptures.

Ce petit appendice où, par un passage, on pénétrait dans une courette large, où deux, trois ateliers longeaient le mur ; du terrain derrière, des arbres barraient leurs branches noires aux feuilles vertes sur les toits des vitres comme pour protéger du soleil, du vent et de la pluie, cette jeunesse très pauvre, mais si riche d'espoir et d'envie.

L'atelier de Modigliani était une boîte en verre : le temps des vaches maigres pour nous deux ; on s'asseyait aux terrasses des bistrots, Modigliani faisait des portraits de voisins de table qu'on leur donnait pour essayer d'avoir un franc..."

Soulevant les feuilles, il m'a montré ses sculptures, des têtes en pierre, têtes à ovale parfait. Œufs parfaits le long desquels couraient des nez en flèches vers la bouche, jamais finie, comme par pudeur, non extraite pour une raison mystérieuse.

Nous nous voyons plus tard chez Picasso rue Schoelcher, où dans l'immense atelier des masques nègres pointent leurs admirables grimaces, avant de déclencher la conquête de Paris. Puis dans l'atelier de Madame Hastings, poétesse et femme charmante, j'allais voir ces grands dessins de cariatides, où des formes, des corps d'enfants soutenaient avec peine le poids d'un ciel italien lourd et bleu. C'est dans cet atelier qu'il a recommencé à peindre des portraits de Madame Hastings, où (dans l'atelier) il continuait à faire de la sculpture, mais polychromée.

Petit à petit le sculpteur se mourait.

Des portraits de Rivera, de Kisling, de Soutine, des dessins repoussaient ces têtes de pierre et on les trouvait toutes dehors, inachevées, se baignant dans la boue de courettes de Paris, embrassant sa magnifique poussière… Une grande statue en pierre, l'unique qu'il ait taillée, gisait avec sa face et son ventre sous le ciel gris. La bouche inachevée était comme pleine de terreur inexprimée.

La guerre. Ma propre vie, en toute petite goutte qu'elle était étant prise dans le terrible tourbillon m'obligeait à me terrer, réviser le pauvre bilan d'un jeune sculpteur, qui ne gagnait pas un sou.

Je m'éloignais de mes amis, de *La Rotonde* où durant l'année 1915, je revenais parfois. C'était comme un îlot, un reste du volcan. C'est là que je trouvais Modigliani, mais toujours seul, mal rasé, avec un cahier à dessins, il s'asseyait et dessinait. Toujours des portraits, portraits d'amis, d'inconnus, de gens de hasard que les guéridons du café réunissaient pour un instant.

N'en pouvant plus, me sentant mal à l'aise, je m'engage. En décembre 1917, je suis réformé. Je revois de nouveau Modigliani, maigri et miné, ne pouvant plus boire grand-chose, devenant saoul avec un verre de vin. Mais toujours assis à la table d'amis, dessinant toujours. Parfois d'une voix enrouée, respirant mal, il chantait. Il chantait des paroles incompréhensibles où on ne pouvait tracer aucune musique. Mais ça lui était égal à lui, il poursuivait la chanson qui haletait en, oui, en saccades souterraines. Parfois on se réunissait chez Rosalie, qui tenait restaurant. Modigliani venait manger là. Payant ou pas payant, mais il trouvait toujours de quoi manger et boire. Il lui laissait des cahiers entiers bourrés de dessins que la pauvre vieille lançait dans la cave, furieuse de ne jamais voir un sou. Et parfois, attardés autour du vin chaud, éclairés par une bougie, nous restions dans ce bistrot, parlant sans fin.

Un jour le quartier est en émoi :

– Un coiffeur du quartier vient de pavoiser les murs de sa boutique des portraits de Modigliani. Mystérieusement, les appétits se sont mis en branle. La course après les tableaux du "Peintre Maudit" était lancée. Tout un petit monde de requins, de dimensions encore minuscules, mais d'un appétit mordant ont entouré Modigliani. Il échappait aux amis…

Dans un atelier de la rue Huyghens, une exposition fut organisée, où nous occupions chacun un mur. Modigliani, Kisling, Durey et moi, où, pour la première fois, la cellule des musiciens les "Six" a joué leurs œuvres. Cocteau et Cendrars disaient des poèmes. Pendant ce temps on commençait à "soigner" Modigliani. Je pense qu'il voyait très bien ces soigneurs, mais ne disait mot.

1916, couverture du carnet "Mod à la musique".

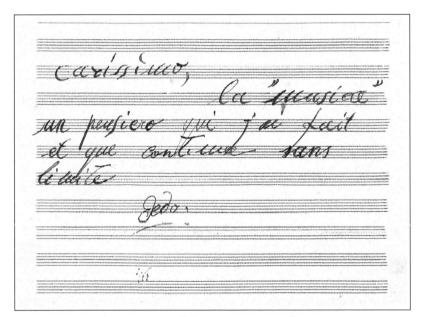

Dédicace aux amis de la soirée consacrée à la musique.

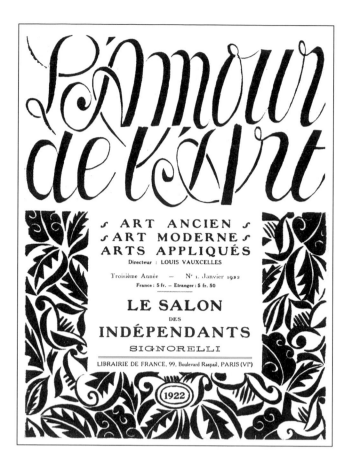

L'Amour de l'Art

✦ ART ANCIEN ✦
✦ ART MODERNE ✦
ARTS APPLIQUÉS
Directeur : LOUIS VAUXCELLES

Troisième Année — N° 1. Janvier 1922
France : 5 fr. – Étranger : 5 fr. 50

LE SALON
DES
INDÉPENDANTS
SIGNORELLI

LIBRAIRIE DE FRANCE, 99, Boulevard Raspail, PARIS (VI°)

1922

Modigliani

MARIAGE renouvelé de la passion totale et de l'extrême raison !
L'œuvre de Modigliani, disparu à 35 ans, en pleine force, dans la pleine jeunesse de son talent, perpétue le drame et l'idylle, au-dessus de sa mort, comme dans sa vie.

Œuvre qui fait songer aux prudences divines du plus prodigue des humains.

Œuvres vraiment datées de l'âge qui vit mourir, produisant jusqu'au dernier jour, et dans la gloire unanimement accordée, le grand Renoir au jardin de Cagnes, l'âge aussi qui reconnut enfin Greco pour mieux entendre la leçon de Cézanne.

Cara Italia ! soupirait Modigliani mourant conduit à l'hôpital. Il ne dit plus rien d'autre, lui qui, une semaine avant, exaltait la richesse manuelle et spirituelle, vraiment, du plus humble des barbouilleurs d'enseignes de son pays. Il devait beaucoup à la France, débiteur joyeux de sa dette. Parmi tant d'étrangers, et parmi les meilleurs de nos disciples ajoutant à notre patrimoine, il sut le secret d'établir un lien subtil et profond entre deux hautes traditions.

Modigliani portait en lui des puissances

LE MÉDAILLON *(coll. Paul Guillaume)*

d'épopée, des fureurs attendries qui sont toute la gloire de vivre en homme, et tout cela, il le réduisit, enivré de mesure, à l'espace d'une figure, miroir de l'univers.

On pressentait l'élargissement de cet art appuyé sur la stricte volonté de ramener toutes les ardeurs humaines à l'art merveilleux de peindre. Chez cet artiste savant, la composition méditée laissait toujours place à l'émotion directe.

Modigliani paraît être venu à nous (il n'eut rien de l'adolescent prodige), attiré par Paris, pour s'y chercher des maîtres avant d'en avoir reconnu aucun. Ce ne fut que beaucoup plus tard qu'instruit à l'école des durs réformateurs de ce siècle, il se tourna, docilement et saisi d'un immense espoir, vers l'Italie à laquelle s'impose d'insulter le futurisme ; l'Italie que n'ont pas toujours bien su définir les rédacteurs de catalogues ou de romans distingués et aussi, et j'ose dire d'abord, l'Italie des masses populaires, celle des culs nus et roussis au soleil de Naples, des gueux et des portefaix romains, des matrones portant un panier de raves avec des gestes de choéphores, deux marmots noirauds suspendus au jupon ample et figu-

---

rant une foule, une église militante accrochée à la lumière vivante ; les foules plus lentes, plus dures, culottées de velours bleu, aux chemises ouvertes sur du bronze poilu, les foules des *lavoratores* des cités industrielles où fermente une autre *Vita Nuova* (1). Modigliani aimait à nous redire que c'était aux profondeurs populaires, chez les prolétaires (et le mot a ici son sens plein, une fois par bonheur !) que l'Italie entretenait ses réserves de puissance esthétique. Chez ces ouvriers s'ignorant rien que leur valeur réelle, comptant parmi eux des badigeonneurs employés à des réfections de chapelle, selon le hideux système de taylorisation, et conservant intacte une haute tradition qu'on exigerait en vain des académiciens. En France, constatait justement Modigliani, seule la bourgeoisie reforme les cadres de la vie artistique. Et plus il gagnait en science, en conscience de soi et du beau métier, plus ce délicat, ce raffiné, cet intellectuel sensuel se rendait au peuple de sa patrie. Cara Italia !

Nous ne croyons plus à la poésie de la guenille, nous ne savons plus chérir, diviniser une sainte misère à la Verlaine. Il y eut du défi dans la misère, dans la guenille de

LES MAINS CROISÉES *(coll. Paul Guillaume)*

Modigliani qu'on ne put sauver et qui eut dû être moins misérable.

Un destin forcené fit de ce prince l'hôte des bouges, des lieux maudits. Ce dandy en habits déchirés hanta tous les lieux, tous les sites d'infamie, au réel et en imagination. Des drôles souillent de *graffiti* immondes, amples autant que la sottise, les murailles sacrées et les clôtures royales.

Modigliani, vêtu à peu près ainsi que les plus durement châtiés d'entre eux, couvrait, lui aussi, de fébriles improvisations les faces de ses gîtes. Mais sa fièvre était d'essence divine et, hantant les lieux maudits, il purifiait de ses inscriptions les murs lépreux, suintants de fièvre, dégouttant la mort. Il les revêtait d'infinie pureté. Des maternités ingénues souriaient dans le cadre du sale papier déchiré sur les murs de la mansarde d'une bonne-à-tout-faire, infanticide ! Des ventres de vierge signaient mystiquement le taudis de la prostituée du dernier degré et sur les marches usées où la mendiante mène paître sa vermine, processionnaient, ascensionnaient les plus pures formes humaines de la douceur et de la charité. La courtoisie nue blasonnait la façade du cabaret où le sang coule comme la vinasse, frelaté. Il éclairait d'une figure de fiancée, image de la Vraie Patrie, le cachot noir du déserteur.

J'ai dit naguère à quel point Modigliani méprisait la critique d'art. Pourtant, par

(1) Amédéo Modigliani était le frère du Citoyen Emmanuel Modigliani, député de Livourne, le grand orateur du Parti Socialiste Italien.

---

absence absolue de pédantisme, j'eus le bonheur de le faire souscrire à une étude pas trop directe ; et, au fond pleinement d'accord avec lui, j'avais formé le projet de substituer à toute glose une poésie sans apprêt. Sa mort, aux couleurs de drame populaire, et des funérailles de prince ! — me dicta d'autres vers, pas moins humbles, à dessein :

Comme on boit un coup pour se mettre en train
Tu criais un chant du PARADIS ou du PURGATOIRE,
Quitte ayant bien crié, à t'en retourner boire.
Ah ! j'entendrai toujours tes cris sur leurs silences,

Martyr dont le destin commence.

Nous avons une dernière fois trinqué, un soir, avec Derain.

Ton album bleu comme un cahier du ciel était si lourd !
Ton corps pliait sous tes beaux habits de velours,
Quelle ombre te mordait aux reins ?

Et cette forme exquise que toujours tu peignis
Intacte a suivi ton essence où vont les morts, Modigliani,
Où les morts vont enfin vivre ce que valut la somme de leurs peines.

Le Dôme de Florence se mirait dans la Seine.

**

Jeanne Hébuterne qui l'aimait ainsi qu'un tel être peut être aimé, et qui avait reçu de son amour la grâce de bien peindre, le suivit, en effet, dans la mort ; n'hésitant pas à surcharger d'un fait-divers déchirant cette mort de pauvre, pour se résoudre dans la même lumière d'au-delà nos indigences.

Modigliani mena une existence qui fut une ou deux fois, celle d'un vagabond traqué. Le zèle intelligent d'un sympathique fonctionnaire, sa patience de collectionneur sans préjugé et dédaigneux de l'avis des courtiers, font qu'une des plus complètes, des plus riches, des plus significatives collections d'œuvres de Modigliani se trouve dans les locaux de la Préfecture de Police !

Je ne sais pas si Modigliani est inimitable. Ce petit problème ne m'intéresse pas. Je sais qu'à cause de lui, qu'à cause de son œuvre le problème de la peinture s'est augmenté d'une valeur douloureuse de purification.

ANDRÉ SALMON.

NU COUCHÉ *(coll. Paul Guillaume)*

Pages de la Revue : "L'Amour de l'Art", par André Salmon, rep. coll. P. Guillaume, Paris, décembre 1921.

Témoignages littéraires

Texte Préface by Arnold Bennet

Catalogue of exibition of "French Art 1914-1919"
Mansard Gallery
Tottenham Court Rd. - London -
August 1919

For artists, an island is especially an island. And it is so, not because of the surrouding water, but because it cannot possibly be near the centre of things. Britain, really, is a colony of queer and obstinate and romantic people lying on a scap of earth in the ocean somwhere to the west of Continent. And thus Britain is certainly regarded by the Continent. British artists suffer from their seclusion in a way in which British writers, for example, do not. The transport of books is a simple affair. The transport of pictures and sculpture is quite an enterprise. British artists do not travel enough-for five years they have travelled enough, but with rifles and other impedimenta unconducive to the study of art. And even when they do travel, in normal times, they usually travel at seasons when the truly interesting Continental art exhibitions are not open. Hence they are throuwn inwards upon themselves. Their talents, therefore, are apt to intermarry too much, with the customary results. Hence their need, and the need of the smaller passionate public which encourages evolution among them, is to see more and still more illustrations of foreign evolution in art.

I do not mean that they need to see the pictures and sculpture of the arrived, successful, and accepted Continental artists. The works of the latter always travel with ease. I mean that they need to see the works of the younger pioneers, those who are clearing new paths, those whose reputations are yet unachieved, those of whom the English dowagers cry out in their raucous imperious voices : "But you mustn't try to persuade me that he is not deliberately pulling our legs!" (As if anybody would dream of pulling their legs!).

The present exibition fulfils a feld want, both for young artists and young public. It is widely Continental, and has been collected from France, Spain, Poland, Russia, Italy and Norway. It is the first of its kind since the war; and in my opinion it is the best of its kind at any rate since the celebrated exibition at the Grafton many years ago.

It is chiefly an exibition of young artists. Modigliani (Italian) is 29, Survage (French) is 25, Utrillo (Spanish) is 32, Kisling (French) is 28, Bara (French) is 26, Krohg (Norway) is 26, Fournier, Dufy, and Soutine are probably all under thirty. And I have mentioned only a representative few. The exibition is steadied by such "veterans" as Picasso (who still looks about 23), Derain (who looks little more), Matisse, Vlaminck, and the excellent Lhote. As an amateur who ignorantly excites himself about all the arts I have no intention of differentiating between these pictures (the sculpture had not turned up when I wrote this note). Bute I am determined to say that the four figure subjects of Modigliani seem to me to have a suspicious resemblance to masterpieces; thet in particular Soutine's red fiddle, Kisling's yellow dancer, Dufy's amusing paddock scene, Fournier's blu river, and Bara's landscape with the scarlet centre remain provocatively and delightfully in my mind; that the Matisses are very good Matisses, and the Picassos and Derains very advanced indeed; and finally that the adorable Vlaminck, who in spite of his reputation is scarcely better appreciated than Gauguin was before he went to the South Seas, is steadily rising.

This exibition ought, in its degree, to do as much good as the lately departed Russian ballet. It is an education to the islanders; and, of course, it is equally a joy. Arnold Bennet.
(This Collection has been brought together by Osbert and Sacherverell Sitwell)

Katia Granoff
Chemin de Ronde
"Amedeo Modigliani"

Tombé du ciel d'azur des primitifs italiens, porteur de toute leur grâce spiritualisée, un ange déchu rencontra dans sa fulgurante trajectoire les sombres sortilèges de l'art nègre. Il atterrit à Montparnasse et s'appelait Amedeo Modigliani.

S'évanouissant un jour en pleine jeunesse, ce génie céleste laissa à la peinture la forme parfaite et pure de la Féminité :

Nourri par les enseignements
Des grands maîtres de l'Italie,
Il trouve à Paris, "Ville-Aimant",
Son style et sa mélancolie.

L'art nègre avec ses sortilèges,
Les cubistes et l'art abstrait,
Cézanne et son nombreux cortège
L'inspirent sans l'intégrer.

C'était un bel archange sombre...
Jeanne Hébuterne à dix-neuf ans
S'y attachait comme son ombre,
Dans la mort même le suivant.

Deux hommes l'aimaient tel un frère :
"Zbo"- son marchand, et Brancusi,
Mais la nuit, amante stellaire,
Fatalement l'avait choisi.

On connaît sa navrante histoire,
La maladie et la boisson,
La drogue et la misère noire,
Tuaient le malheureux garçon...

Madone en Bleu

Elle est un Modigliani
Empreint de charme énigmatique
Et son regard pâle, extatique,
Est le reflet de l'infini.

Madone en bleu que ne ternit
Aucune ombre, muet cantique,
Elle est un Modigliani

Empreint de charme énigmatique

Forme idéale en qui s'unit
Le cygne fier au lys mystique,
Doux séraphin mélancolique
Du ciel d'Angélico banni,
Elle est un Modigliani.

"Rencontres et souvenirs"
Modigliani à Montmartre (in "Arts", Paris 14/12/1945)

Nous avons rencontré l'autre jour le docteur Paul Alexandre… que nous n'avions pas vu depuis près de quarante ans…, après l'avoir connu sur la Butte. Il parle avec tendresse de Modigliani, dont il fut l'ami. Il en parle comme s'il l'avait quitté hier ; c'est que Modigliani n'était pas un garçon qu'on oublie aisément.

Tout de suite nous tombâmes d'accord pour convenir que Modigliani, quand il arriva sur la Butte, n'était pas du tout ce qu'il fut par la suite.

Dans les premiers temps qu'il vivait à Montmartre, personne ne le remarquait d'une façon particulière.

On le connut d'abord soucieux de stricte correction vestimentaire : il devait adopter ensuite ce costume de velours brun clair, cette tenue de travailleur qu'il portait à la façon d'un prince.

Il travaillait beaucoup, mais ce qu'il faisait alors ne valait pas grand-chose et il détruisait à peu près tout. Sa destinée le voulut ainsi ; ce n'est que lorsque le malheur, la souffrance et la débauche se furent abattus sur lui qu'il put affirmer sa personnalité. Ces temps d'ailleurs approchaient, l'argent commençait à manquer, Modigliani se trouva sans domicile fixe, sans ressource, allant coucher tantôt chez l'un, tantôt chez l'autre.

Il étalait une ivresse pompeuse et déclamatoire, le haschisch lui ouvrait toutes grandes les portes d'un paradis fabuleux.

Le docteur Alexandre me dira :

– Voulez-vous mon avis ? …Ce n'est pas du tout pour découvrir des sensations nouvelles ou des pays imaginaires que Modigliani prenait de la drogue, mais tout bonnement pour oublier qu'il n'avait pas l'existence pour laquelle il était fait.

– Dans les premiers temps qu'il était "de la cloche", Modigliani habita un moment dans cette fameuse maison de la rue du Delta, où je venais souvent d'ailleurs et où vous viviez avec quelques copains, des peintres, des carabins, des poètes. Je la revois encore cette maison à demi ruinée dans un terrain vague, séparée du monde par une palissade en bois.

– On a raconté là-dessus bien des choses extravagantes. On a dit que nous nous y étions introduits, par surprise, la nuit, que nous occupions le terrain conquis, que la Ville de Paris, à qui appartenait le terrain et la maison, ignorait notre présence. C'est une belle histoire de Montmartre, mais la vérité est bien plus simple. Je connaissais quelqu'un à la Ville de Paris, et grâce à lui nous avons pu louer très régulièrement cette maison à demi ruinée pour une toute petite somme. Après l'avoir rafistolée de notre mieux, nous nous réunissions avec nos amis. Nous avons même, vous vous en souvenez, installé un théâtre dans le jardin. Quelques-uns d'entre nous y habitaient : le peintre Doucet, le sculpteur Drouart. Nous avons été heureux d'y accueillir Modigliani…

Dans cette maison de la rue du Delta, le réveillon de 1908 fut l'occasion d'une fête préparée soigneusement à l'avance. On avait fait venir un tonneau de vin de je ne sais plus quel vignoble. La maison avait été décorée par le peintre Doucet et il y avait une profusion de nourriture et puis le haschisch qui donna tout de suite à la fête un caractère extraordinaire. Modigliani en était le grand maître. Je me souviens de Utter dansant, ses cheveux blonds dardés comme une flamme ardente en haut de sa tête ; de Jean Marchand, étendu sur un canapé, les bras grands ouverts, gémissant et pleurant parce qu'on lui avait dit qu'avec sa barbe il ressemblait au Christ en croix et que, la drogue aidant, il le croyait.

– Modigliani a-t-il habité longtemps rue du Delta ?

– Moins longtemps que je l'aurai voulu, mais il revenait assez souvent nous voir. Et puis un jour qu'il n'avait pas sa raison il est parti pour ne plus revenir, après une scène très violente qu'il a eu avec les camarades qui habitaient là. Je l'ai bien regretté. Je ne dirai jamais assez que le vrai Modigliani n'est pas le garçon frénétique et délirant qui est devenu légendaire. Il venait très souvent chez mes parents ; il a même fait le portrait de mon père. Je me souviens de sa gentillesse, de sa politesse, de sa correction. Il avait l'air content de venir à la maison, cela le changeait de sa vie de Montmartre. C'est alors que je lui ai fait connaître Brancusi et qu'il s'est mis à la sculpture.

– C'est dans ses sculptures, à mon sens, qu'on commence à déceler la voie qu'il va suivre. Il a été certainement influencé par l'art nègre et aussi par des reproductions de fresques pompéiennes qu'André Utter, un de ses grands amis, avait dans son atelier de la rue Ramey.

– Peut-être, mais souvenez-vous, déjà dans les portraits qu'il a peints rue du Delta on trouve son goût pour les figures allongées, les profils aigus et cette tendance vers la pureté qu'il atteindra durant ses dernières années. Quoi qu'il en soit je n'ai pas vu Modigliani depuis 1909, mais j'ai gardé de lui un souvenir très vivant.

– Il quitta Montmartre pour Montparnasse peu de temps après, mais il remontait parfois sur la Butte pour voir Utrillo. Celui-ci allait aussi le voir parfois à Montparnasse. Vous imaginez comment ces expéditions finissaient. La guerre de 1914 est arrivée. La dernière fois que j'ai vu Modigliani c'était en 1916, pendant une permission.

Michel Georges-Michel
"Peintres que j'ai connus", Editions Brentanos, 1942

A Paris, Bakst habitait un des immeubles du 112 boulevard Malesherbes, près de la place. Son atelier, bureau et salon de réception, était une grande et haute pièce rectangulaire, méticuleusement propre et ordonnée, avec de grandes armoires à dessins, des classeurs presque américains. Une reproduction en bronze, grandeur nature, du David de Donatello, des vases de porcelaine chinoise, des cactus.

("De Renoir à Picasso", Librairie A. Fayard, Paris 1954)

Bakst, qui m'avait prédit le grand avenir de Chagall, me demanda, un après-midi :

– Demeurez dans mon atelier. J'y attends quelqu'un, véritablement "quelqu'un".

– Mon cher, regardez les seins de cette odalisque, comme j'ai pu les faire lourds de volupté, regardez les bouts… Et sentez-les, mais si, n'est-ce pas tout l'orient ? Ils sentent la rose, le musc, la sueur, mais oui, la sueur aussi. Respirez… Et restez, vous allez voir quelqu'un…C'est un sculpteur et peintre italien, de Livourne, Modigliani. Il fait mon portrait. Tencz, voici déjà une esquisse, toute linéaire, qu'il a tracée très attentivement. Tous les caractères de ma physionomie y ont été burinés comme avec un stylet, et sans retouche. Il doit être pauvre, mais il a l'air d'un grand seigneur. C'est "quelqu'un", je vous l'affirme.

A cette époque, vers 1918, je préparais un roman dont je dois bien parler, je m'en excuse, puisque son héros principal n'est autre que Modigliani, du moins dans les grandes lignes de sa vie passionnée.

Depuis le siècle dernier, la bohème vivait toujours sous le signe de Murger. Et je venais d'en découvrir une nouvelle, infiniment plus large, plus profonde, plus estimable aussi : celle de ce quartier Montparnasse où accouraient, avec leurs idées propres, les peintres, les sculpteurs, les penseurs de tous les pays du monde. N'avait-on pas vu, dans ces cafés, jusqu'à Trotzky et Lénine, qui pensa un moment être modèle dans le midi de la France, (Lénine, me révélait le gendre de Bourdelle, renonça de lui-même à cette modeste ambition en disant mélancoliquement : je suis trop petit de taille…), et qui, le soir, la nuit, passait des heures à jouer aux échecs ?

Dans ce Montparnasse en ébullition, je cherchais un héros bien représentatif du quartier, de la nouvelle bohème et des luttes et aspirations de ses habitués.

J'interrogeais les uns et les autres, et un nom venait chaque fois sur les lèvres de tous : celui de Modigliani…

Bakst allait donc me faire connaître, vivant, évolué, mon personnage en gestation.

Je vis entrer dans le studio un grand jeune homme droit dont la démarche un peu dansante, dans ses espadrilles, semblait être celle d'un Indien des Andes, le torse moulé dans un chandail. Et dans la figure aux muscles pâles ombrés par une lourde chevelure, sous les larges ailes de sourcils aigus, le regard éclatait…

Modigliani passa vite sur les politesses, comme s'il avait eu une hâte quasi fébrile de commencer à travailler, laissant refroidir la tasse de thé, la tarte chaude que Bakst lui avait fait préparer.

Le peintre posait la couleur lentement, mais fermement, tous ses muscles durcis, ceux de ses joues, de ses maxillaires, ceux de sa main. Il répondait avec courtoisie, mais à peine, à nos propos, toute son attention demeurant fixée sur son œuvre.

Il ne s'anima, en dehors de son ouvrage, que lorsque Bakst lui parla de Maurice Utrillo. Et comme une personne, arrivée entre-temps, lui demanda pourquoi Utrillo ne peignait que des sujets tristes, Modigliani répondit avec moins d'amertume que de rage :

– On peint ce qu'on voit. Mettez les peintres autre part que dans des faubourgs. Ah ! ils sont choqués, les amateurs, les marchands, parce que nous ne leur donnons, pour paysages, que d'horribles banlieues aux arbres tordus comme de noirs salsifis, sous la suie et la fumée, et des intérieurs où la salle à manger voisine avec les communs !... Puisque ces temps nous obligent à vivre comme des chiffonniers dans des quartiers lointains, eh bien, c'est la vision que nous en laisserons. Chaque époque a les peintres et les poètes qu'elle mérite, et des sujets selon la vie qu'elle leur fait. Sous la Renaissance, les peintres vivaient dans des palais, des velours, du soleil !... A présent, regardez dans quels gravats vit un peintre comme Utrillo, quels hôpitaux l'ont hébergé, de Picpus à Fontenay, et vous ne demanderez plus pourquoi il ne peint que des murs pleins de chiures, des rues aux façades lépreuses, et des grilles, des grilles, des grilles !

Un jour, j'entendis son médecin lui reprocher de trop boire. Modigliani, déjà bien malade, lui répondit, enfiévré, et je fus bien troublé par ses paroles :

– J'ai besoin de flamme, pour peindre, pour brûler. Ma concierge, le garçon boucher, ils n'ont pas besoin d'alcool, surtout si cela leur fait mal. Ils se doivent de conserver leur précieuse vie... Mais moi, ma vie, elle ne compte qu'en raison de ce que je mets sur ma toile... Alors, qu'importe que je donne un instant de ma vie, si, en échange de cet instant, je puis créer une œuvre qui, peut-être, durera...

Zborowski habitait alors avec sa femme, Anna, Anka et de qui Modigliani a bien souvent fait le portrait, rue Joseph-Bara, juste au-dessous du petit logement d'un autre de ses poulains, dans un local composé de deux pièces basses, terriblement encombrées, jusque sous leur lit, de toiles de tous les peintres que le poète voulait aider. Il y avait même, sur l'espèce de balconnet d'une des fenêtres, quelques sculptures de Modigliani, exposées à la pluie, à la poussière, à la suie...

Un jour, le hasard me fit découvrir, chez un photographe ! Un beau "Modi" et un Soutine.

Ce Soutine, c'était le petit pâtissier au tablier blanc et aux oreilles décollées.

Comme je les regardais :

– C'est à vendre, me dit le photographe.

– Je vais vous amener un acheteur, lui répondis-je. Mais à une condition.

– Oh ! Il y aura pour vous ce que vous voudrez, Monsieur, me dit cet homme.

– Il ne s'agit pas de cela, dis-je en riant. Ma condition, la voici : vous n'acceptez pas de vendre le Modigliani sans qu'on achète le Soutine.

– Ah ! Je comprends, fit le photographe. Vous êtes Monsieur Soutine !... Et bien c'est entendu.

Une heure après, Paul Guillaume et moi emportions le Modigliani et le Soutine que le photographe avait fait trois cents francs.

– Ce n'est pas si mal, tu as raison. C'est vraiment épatant. Et il y a une extraordinaire véhémence dans la couleur, comme dans le caractère du personnage. Eh bien, je vais te faire plaisir... Mademoiselle – dit Paul Guillaume à sa dactylographe, mettez cela dans la vitrine. Nous allons choisir un cadre riche...

Texte, publié dans la revue: "Sélection" N° 8, du 15 mars 1921 - Bruxelles

Notes sur la Société "La jeune peinture française"

On aura intérêt à savoir que la société belge de la "Jeune Peinture Française" fut fondée par Marcel Gaillard en 1918, qu'une première exposition eut lieu à Paris, sous le feu de l'ennemi, en juin 1918 et une seconde au mois de juin 1920.

D'une interview avec Marcel Gaillard, président de la jeune société, dont André Lhote est le vice-président, nous détachons ces quelques renseignements précieux :

"J'avais déjà, nous dit Marcel Gaillard, collaboré à l'organisation de plusieurs expositions, dans le passé ; mais, depuis longtemps, j'étais hanté par le désir de voir groupées en une sélection précise les jeunes tendances qui exercent leur influence au cours des plus récentes années. Ces tendances étaient à peu près inconnues du public qui définissait maladroitement dans le fatras des grandes expositions. En ces halliers et ces fourrés, son jugement s'égarait souvent, à cause de la diversité même et de l'antagonisme de ce qui lui était mis sous les yeux.

Je résolus donc de constituer un ensemble aussi harmonieux et aussi homogène que possible et, pour faire cette démonstration nécessaire, fixai mon choix sur la galerie de la *Ville-l'Evêque*, où je trouvai l'accueil le plus aimable. Pour que l'initiative pût porter des fruits, il convenait d'en assurer le renouvellement régulier : une association devait donc être formée. Je dressais, en conséquence une liste succincte des camarades qui me semblaient désignés et adoptai le titre : *La Jeune Peinture française*. Réminiscence peut-être, car ce n'est que plus tard qu'un hasard me fit retrouver les articles d'André Salmon (1912) parus sous ce titre même. Hasard heureux, puisqu'ainsi un chaleureux défenseur de notre jeune peinture se trouve être le parrain de notre groupement nouveau-né.

Disposant du local, ayant jeté les bases de notre union, j'en sollicitais les futurs associés et reçus, d'abord, les adhésions enthousiastes de Corneau, Dufy, de Waroquier, Durey, Lhote, Fournier, qui devinrent mes collaborateurs de la première heure.

Ajoutons que la société n'accepte que des membres d'origine française – c'est pourquoi manquent au présent appel des peintres comme Van Dongen, Picasso, Kisling etc. – et qu'elle invite chaque année quelques aînés dont l'œuvre est jeune, quelques grands précurseurs dont l'influence a été reconnue par les artistes nouveaux. C'est ainsi que la première exposition fut placée sous le patronage de Cézanne et de Renoir et réunit des œuvres de Paul Signac, Félix Valotton, Charles Guérin, Jules Flandrin, Rouault, Bonnard, Manguin à côté de celles des sociétaires. Qu'à la seconde exposition furent invités encore Sérusier, Matisse, Maurice Denis, Marquet et réunies des œuvres de Doucet et de Modigliani qui venaient de mourir.

Témoignages de Lunia Czechowska

"De 1918 à 1919, c'est la plus belle époque de Modigliani. C'est alors qu'il fit des nus admirables et ses portraits les plus beaux. En particulier un portrait de Madame Zborowska en robe noire ; d'autres encore d'elle et de Jeanne Hébuterne. Il fit de moi plusieurs portraits de toutes grandeurs, parmi lesquels deux semblables en robe jaune (dans l'un, je tiens à la main un éventail) achetés par Netter 150 francs chacun ; un ravissant petit portrait de profil, bleu-vert foncé, pour lequel j'ai posé sur la terrasse qui donnait sur la plus grande pièce de l'appartement (rue J.-Bara) où il travaillait" ("Les souvenirs", Ed. Milione, 1958)

Collectionner des tableaux modernes : c'est le plus souvent être mêlé à l'histoire de la peinture de son temps.

Un collectionneur ne se contente pas toujours, en effet, de suivre de loin tel ou tel artiste, de fréquenter les galeries de tableaux, les Salons ou l'hôtel des Ventes. Il s'intéresse le plus souvent à la vie même des peintres qu'il a su distinguer. Car un collectionneur digne de ce nom, alors même qu'il possède une galerie de tableaux formée avec le plus large éclectisme, marque pourtant sa préférence pour deux ou trois talents sur lesquels porte, avec son attention, l'effort qu'il fait pour les aider.

Il y a toujours dans un groupe de peintres qu'on apprécie en bloc ceux qu'on estime les meilleurs, du moins les plus originaux. Cette distinction permet ainsi des sélections qu'on veut un jour, à tort ou à raison, définitives.

Sur les quatre cents toiles environ que possède Jones Netter, un certain nombre, et des mieux choisies, dénotent le plaisir que leur propriétaire a pris à les cataloguer. Utrillo, Modigliani, Kisling, Soutine reviennent en effet alternativement comme des motifs toujours renouvelés sur les murs bien garnis de son appartement.

Qu'elles ornent les pièces de son domicile particulier ou celles de son bureau du boulevard de Strasbourg, les toiles de la collection de Netter ne comptent pas cependant dans la production picturale de ces dernières années. Ici un petit paysage de Corot, là un Toulouse-Lautrec, plus loin une femme par Renoir et, parmi l'œuvre des vivants, une marine de Signac, un paysage par Marquet, les Trois filles par Rouault, situent en la poussant jusqu'à nos jours une partie du mouvement artistique de cette récente époque.

– Je m'occupe de tableaux lorsque j'ai le temps, nous dit modestement Netter, et je ne tiens pas à ce que vous mettiez ma collection trop en avant.

Pourtant elle est d'une rare qualité, cette collection.

Un nu, une nature morte et une figure par Derain, une scène champêtre par Othon Fries, un nu également par Fries, celui-ci datant de 1924, de fougueux Vlaminck, les uns de l'époque fauve, les autres presque assagis par des finesses de 1928, un village corse par Suzanne Valadon et, de la même, une nature morte qui a l'accent de la maîtrise, forment, entre autres toiles, un ensemble particulièrement attirant.

Au reste, plusieurs peintres encore comme Hayden, Coubine, celui-ci avec une dentellière et deux paysages, Favory avec un nu, sont aussi exceptionnellement bien représentés.

Cependant Netter est allé retirer d'un placard quelques portraits par Modigliani.

– J'ai commencé à m'intéresser à Modigliani, nous dit-il, en 1915, presque en même temps qu'à Utrillo. A ce moment, personne ne se souciait de ces peintres. Trois cents francs, le prix généralement demandé pour une toile, semblait excessif aux amateurs. Je sais... je sais...

– Et M. Netter a un sourire en coin.

– Certaines gens reprochent parfois aux collectionneurs, à ceux qui prennent les peintres à leur début, de se former une collection à bon compte. Mais n'est-ce pas justement leur mérite ?

Des Modigliani sont installés devant nous, appuyés au dossier des châssis : Voici le portrait de Soutine, tout rouge avec ses lèvres épaisses, des nus couchés comme on en voit chez les beaux primitifs, des attitudes diverses de la femme du peintre, le visage allongé s'encadre entre deux nattes, plus loin un jeune garçon, les mains sur ses genoux, laisse pencher sa tête, et ses deux joues couleur de brique s'éclairent tristement dans deux orbites vides.

Des Soutine sont mis à leur tour en évidence contre les meubles : paysages tourmentés, portraits tragiques. On comprend qu'en vieillissant toute cette pâte sanguinolente sera résorbée par la toile, que le temps réduira ces épaisseurs, éclaircira ces ombres.

Une toile de Kisling Les trois abandonnés – datant de 1918 – rasséréna par son trio d'enfants le coin de la pièce que les colorations de Soutine avaient ensanglanté.

– Il y a loin de Modigliani à Kisling, et pourtant ne trouvez-vous pas une vague parenté entre l'expression triste de ces trois têtes d'enfants, de Kisling et celle du jeune homme de Modigliani ? – constate M. Netter.

Quand il aborde l'œuvre d'Utrillo, le collectionneur égrène des souvenirs :

– Utrillo est un des peintres, comme Modigliani, dont je fus, il y a une douzaine d'années, l'un des rares admirateurs.

Des églises, des paysages de Montmagny, des vues de Montmartre, des toiles achevées, des pochades, jalonnent à de courts intervalles les murs des pièces que nous traversons.

– Si j'avais suivi mon inspiration, nous dit textuellement M. Netter, j'aurais acheté tous les Utrillo et tous les Modigliani que je voyais. Mais on plaisantait autour de moi.

– A-t-on idée, me répétait-on, de ne collectionner que deux peintres ? Un vrai collectionneur doit être éclectique. Je me suis laissé ainsi influencer. J'ai fait des échanges. Si je n'avais agi qu'à mon idée, j'aurais aujourd'hui une collection bien plus complète encore d'Utrillo et de Modigliani.

Il me souvient, qu'au début de 1919, Suzanne Valadon, lasse de voir son fils exploité par la bande montmartroise qui favorisait son vice pour en tirer quelques toiles, nous demanda à Zborowski et à moi de lui retenir sa production et de le faire soigner pour lui permettre de travailler en paix. C'est alors que nous fîmes entrer Utrillo à la maison de santé de Picpus. Y fut-il heureux ? Physiquement, oui, car il était traité comme un pensionnaire de choix, mais il lui manquait la liberté... et surtout la liberté de boire. Et il le prouva bien le jour où il s'enfuit pour aller en compagnie de Modigliani, tout un jour durant, taquiner les bouteilles.

C'est à cette époque qu'eut lieu la vente Mirbeau, où pour la première fois, deux toiles d'Utrillo atteignirent des prix inattendus.

M. Netter a la mine un peu désabusée d'un amateur que vingt ans de recherches ont fini par blaser. Mais, devant certaines œuvres, son visage s'illumine. Sa voix s'anime, et mis en confiance par nos exclamations admiratives, il nous confie en riant :

– Il y a des profanes, de passage dans mon bureau, qui m'ont demandé si j'étais l'auteur de tous ces tableaux accrochés là. Dites donc, quel œil il me faudrait avoir !

Mais M. Netter ne désespère pas de l'éducation picturale des foules.

– J'ai vu un jour rue La Boétie un petit groupe d'ouvriers en arrêt devant la vitrine d'un marchand de tableaux. Naturellement les rires allaient leur train, mais l'un des compagnons les fit taire : "Vous rigolez, dit-il, parce que ça change avec ce que vous avez toujours vu. Moi je ne comprends pas très bien. Mais je trouve que le bonhomme qui a fait ça a quelque chose dans le ventre...

– C'est un drôle de démon, n'est-ce pas que la peinture !

Est-ce que la classe ouvrière elle aussi va se laisser tenter ?"

Mariska Diederich
Le collectionneur, par George Biddle

"C'était elle aussi une artiste assez connue, cubiste dans le style de la première forme du cubisme. Elle connaissait naturellement les autres peintres russes de Paris : Chagall, Soutine, Larionov, Goncharova, Grigoriev et d'autres encore. Les Diederich étaient aussi amis d'Albert Gleizes, Pascin et Modigliani.

Il entrait chez eux plusieurs jeunes artistes. Ils étaient tous attirés autant par le mysticisme doux et perceptif de Mariska que par l'exubérance, le charme et la vitalité de Hunt Diederich. Sa vitalité était explosive, irresponsable, déchaînée. L'intelligence de Mariska était renfermée, introspective, indisciplinée, mais d'une véritable intuition critique.

Par la suite, après le divorce des Diederich, pendant un voyage dans le sud de la France, mon frère rencontra Mariska. Elle était naturellement "dans la purée" sans un sou. Elle avait mis dans une valise tout ce qu'elle possédait, entre autres, un rouleau de dessins, environ une trentaine, de Modigliani, que l'artiste lui avait donnés lui-même. Sydney la pria de les lui confier avant qu'ils ne s'abîmassent irrémédiablement. Il les lui acheta par la suite. Pendant des années, avant sa mort récente, les meilleurs d'entre eux restèrent accrochés aux murs de sa maison-ferme de West Chester ; les autres, il les avaient donnés ou il les gardait dans un album à la disposition de ceux qui désiraient les voir..."

Témoignage de Jacques Guérin
"Histoire d'une collection"

"Dès après la mort de Modigliani, son œuvre traversa la Seine et fut admise chez les marchands de prestige alors situés rive droite, et adopté par Paul Guillaume. C'est chez ce dernier que Madame Guérin acquit son premier Modigliani, *La petite Louise*, suivi de beaucoup d'autres.

Mais c'était encore durant les années vingt, chez Zborowski qu'il fallait se rendre si l'on voulait voir un choix de ses œuvres. Il recevait dans un pauvre logement du 3, rue Joseph-Bara, près du Luxembourg.

Mon frère y allait souvent et y conduisit ma mère ainsi que moi et Monsieur Monteux. Ce dernier épousa Madame Guérin à cette époque et se laissa entraîner dans l'admiration que nous portions à Modigliani. C'est ainsi que conseillé et poussé par mon frère et ma mère, il acquit en 1923 un certain nombre des chefs-d'œuvre : deux nus allongés, une femme en chemise, un grand portrait de Jeanne Hébuterne, l'autoportrait du peintre, une petite fille, et deux ou trois toiles, toutes destinées à sa propriété du Cap d'Antibes. Il y adjoint une dizaine de Picasso dont le grand nu acquis par Madame Walter qui le légua à l'Orangerie. S'y ajoutèrent des Bonnard, des Matisse, des Utrillo, des Vuillard qui firent de cette somptueuse demeure un lieu bien représentatif d'un goût sûr et raffiné.

Pour bien fixer les contours de ces acquisitions, je préciserai que la *petite Louise* fut payée 5.000 francs, que les deux nus furent achetés 10.000 francs, prix nettement inférieurs à celui des autres peintres".

Jacques Guérin

Ortiz De Zarate raconte

Après la Madeleine, après Montmartre, rue Ravignan, Amedeo Modigliani s'en vint habiter rue de la Grande-Chaumière, en dessous de mon atelier...

Il était très malade... Chaque semaine, je lui faisais parvenir du charbon, puis je dus m'absenter une huitaine de jours. Au retour, j'allai le voir. Il était très mal. Couché avec sa femme sur un grabat d'une saleté repoussante... je m'inquiétais.

"Au moins, manges-tu ?" lui dis-je...

A ce moment même, on lui apporta une boîte de sardines et je m'aperçus que les deux matelas, le plancher étaient couverts de plaques luisantes, huileuses... des boîtes et couvercles vides... Modigliani, déjà moribond, mangeait des sardines depuis huit jours !

Je lui fis monter un pot-au-feu par la concierge, et je fis venir un médecin en qui j'avais plus de confiance.

"L'hôpital, immédiatement", conseilla-t-il. Et comme nous le conduisions à la Charité, il me dit, d'une pauvre voix éraillée : "Je n'ai plus qu'un tout petit morceau de cerveau... je sens bien que c'est la fin."

Et il ajouta : "J'ai embrassé ma femme, et nous sommes d'accord pour une joie éternelle."

J'ai compris... plus tard.

Hélas, tous soins étaient maintenant inutiles. J'allai rendre visite à notre pauvre ami, sa femme et Mme Zborowska m'accompagnaient. Seul, j'allais aux nouvelles.

Picasso et Jacques Guérin à côté de la cariatide
sculptée par Modigliani.

"Cariatide", pierre, sculptée
par Modigliani à Montparnasse.

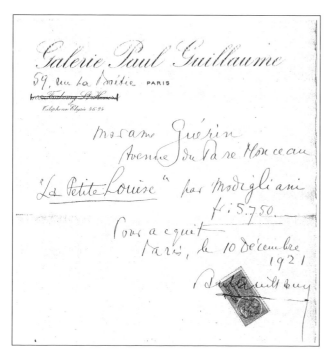

Lettre de Paul Guillaume
à madame Guérin.

Madame Guérin dans son appartement
avec les peintures de Modigliani.

313

Quinze jours plus tôt, et peut-être il eût été sauvé… Il souffrait atrocement. Une piqûre l'endormit à jamais… Comme je me taisais devant sa femme, elle me dit : "Oh ! je sais bien qu'il est mort. Mais je sais aussi qu'il sera bientôt vivant pour moi."

Christian Zervos, préface
(extrait du Catalogue de l'exposition à New York, à la Galerie Hauke & Co, 1929)

"…dans la subtilité pensive des visages de Modigliani nous pouvons reconnaître cet élément singulier que l'art de Botticelli introduisit dans la peinture italienne…

L'influence de Paris sur Modigliani devrait donc être réduite aux effets de cette heureuse atmosphère qui exalte les sentiments, stimule les enthousiasmes et crée un esprit d'émulation. Que la nature de Modigliani ait trouvé à Paris les éléments favorables à son développement, rien n'est plus vrai.

Mais c'est tout.

Avec le temps, sa nature émotive se développa à tel point que tout en lui était poussé aux extrêmes. Et sa sensibilité s'aiguisant, l'intensité de ses émotions ne fit que croître. C'est pour cette raison que l'évolution des dernières œuvres de Modigliani n'aboutit pas à un changement de forme ou de technique ; nous n'y trouvons que des changements tendant à une perception plus aiguë des sentiments, qui maintenant unit, imprègne toute la composition tandis que dans des œuvres plus anciennes l'émotion était souvent localisée.

Dans ces œuvres de la fin, nous pouvons observer une sorte d'abandon au sens visuel, un abandon à ces expressions impulsives qui vont au delà de toute conception préordonnée, et semblent se soustraire au domaine spirituel. De "travaillées", ses œuvres sont devenues spontanées. La rapidité de l'improvisation a remplacé cette lenteur primitive due à la réflexion, à la recherche de l'expérience, aux difficultés et aux espoirs. Portraits et nus sont dessinés d'un trait rapide, comme par un geste réflexe, et ces heureuses expressions de l'inconscient sont le meilleur de l'œuvre de Modigliani.

La profonde tristesse de sa destinée se reflète dans toutes ses œuvres et leur donne leur vraie valeur. Cette tristesse infuse dans les visages de ses modèles, leur donne à tous une qualité pathétique indicible. Dans ses nus il n'est guère de visage de femme que la mélancolie de l'artiste ne couvre de son ombre, et leur tristesse, douloureuse, résignée ou indifférente, leur donne un air incomparablement chaste…"

"Modigliani", préface
(Extrait du Catalogue de l'exposition à Bâle, Musée Kunsthalle, 1934)

"… Ce fut un ami des survivants d'Apollinaire, il ne participa pas au mouvement néo-classique des contemporains de *Parade*. Il ne s'intéressa au cubisme qu'un très furtif moment. Quand ce fut terminé, Cendrars écrivit : "Le cube s'effrite". Au lieu de passer comme Picasso et d'autres à l'italianisme qu'encourageait Diaghilev, il se cantonna dans une acuité pseudo-primitive plus en accord avec sa matière… Ce hiératisme, chez lui comme chez le Greco – mais renonçons à le comparer au Greco – devait aboutir à le faire se dispenser de la Renaissance… Mais son art se définit mieux par une résistance à toute influence, soit contemporaine, soit immédiatement contemporaine…

L'étiquette de fauve, bien qu'à Montparnasse on l'ait entendu rugir, est aussi à rejeter. Il y a trop de sûreté, trop de respect tendre dans son métier. Je le comparerais plutôt aux primitifs japonais que souvent les primitifs toscans rappellent."

Maud Dale
"Modigliani", préface
(Extraits du Catalogue de l'exposition rétrospective à Bruxelles, novembre 1933)

Apollinaire, Max Jacob, André Salmon, Francis Carco, Maurice Raynal, Pierre Mac Orlan, Warnod et Jean Pellerin – Marie Laurencin, Braque, Picasso, Vlaminck, Derain, Dufy, Utrillo et Modigliani, voilà les acteurs d'une merveilleuse aventure à la fois sentimentale et artistique qui commença à Montmartre dix ans avant la guerre, et dont le récit est l'une des pages les plus brillantes de l'histoire de l'art et des lettres.

Comment, à une époque où la façon de vivre et de penser se modifia complètement, les peintres et les poètes n'auraient-ils pas été profondément troublés par de tels changements ? L'horizon s'élargissant, la couleur, l'éloquence et la liberté des formes prêtaient aux compositions musicales de Claude Debussy une ampleur particulière ; les cathédrales de Claude Monet, gigantesques édifices de tonalité, symbolisaient cet esprit nouveau.

Une fois de plus, l'ordre établi allait être renversé. Et pourquoi pas, puisqu'un ordre d'une valeur équivalente allait lui succéder, sous les influences décisives de l'art nègre et du cubisme.

Art Nègre. Emotion dramatique et primitive. Les contemporains de Modigliani y découvrirent les fondations de l'art égyptien et de la première sculpture grecque. Quant au cubisme, dont l'harmonie semblait se perdre en des dissonances stridentes, ce fut une véritable révolution. Il nous faut admettre enfin que tant d'intelligence, d'imagination, tant d'effort pour comprendre la diversité de nos réactions envers les objets et les formes laissèrent leur empreinte sur tous ceux qui prirent part à ce mouvement.

La guerre survint. Les hommes d'alors vécurent une existence plus intense ; ils la vécurent, sinon avec plus d'intelligence, du moins avec plus de passion, et avec la frénésie désespérée de ceux que la mort attend.

De Modigliani, de quelques-uns de ses plus brillants compagnons de Montmartre, il ne nous reste plus, hélas, que le témoignage d'une œuvre brève. Et puisqu'il demeure vrai que la grandeur d'un artiste dépend de sa sensibilité particulière et de la plus ou moins heureuse capacité d'interpréter son temps, Modigliani a droit à toute notre admiration, car il est vraiment le peintre de Paris de 1913 à 1920.

Son intimité avec ce milieu rendit sa vision désespérément sûre. Il n'est jamais ordinairement sentimental, vulgaire ou superficiel et, comme les plus grands génies, quel que soit le sujet qu'il traite, il le traite toujours dramatiquement.

C'est pendant les années de notre adolescence entre 15 et 20 ans que se détermine l'orientation de notre existence. C'est la période la plus impressionnable de notre vie et les jours qui suivent n'amèneront que la réalisation ou la désillusion de nos rêves d'alors.

Ces années, Modigliani les passa en Italie… plus tard nous le retrouvons à Rome, à Venise et enfin à Paris, en 1905.

Tandis que l'art nègre commence à exercer son influence sur le groupe de Montmartre, Modigliani est encore sculpteur. Les têtes en pierre et les nombreux dessins de cariatides qu'il nous a laissés nous montrent à quel point il a compris la puissance formelle de la sculpture. Par elle, il traduit le cubisme et poursuit ses recherches d'une symétrie qui fait partie intégrante de l'art Byzantin émigré à Rome avec la religion chrétienne. Mais son état de santé s'aggravant, c'est à cette époque qu'il renonça à tailler la pierre et se tourna définitivement vers la peinture.

La plus grande partie de l'œuvre de Modigliani fut réalisée à Montparnasse, où le groupe de Montmartre s'était établi. Une situation matérielle précaire l'avait conduit sur la rive gauche car les logis y étaient alors peu coûteux. Modigliani habite tantôt avec Soutine ou Kisling, tantôt avec Zborowski, mais sa vie est alors si diverse qu'il nous est difficile de la suivre.

Le voici. Il passe ses nuits dans un café quelconque, le carnet de croquis à portée de la main, entouré de modèles. Les heures de sommeil vraiment calmes sont si rares, à cause des quintes de toux qui le déchirent, qu'il préfère renoncer à ce problématique repos. Avec l'énergie factice de celui que la fièvre dévore, les yeux brillants, l'esprit surexcité, il dessine. Il se lève. Il va de café en café, une écharpe de couleur vive autour du cou. Son charme agit sur tous ceux qui l'approchent.

… son existence intensivement tourmentée le mêla à une vie âpre de lutte. Son intelligence, sa sensibilité lui permirent d'en exprimer toute l'essence.

Maud Dale

Portrait des Howard

Plusieurs documents et de nombreuses recherches nous ont permis de localiser le *Grand nu* de Céline Howard. Une peinture particulièrement intéressante sur le plan de la facture et de son appartenance. Peint dans l'atelier de Moïse Kisling, au n° 3 de la rue Joseph-Bara, à coté de l'appartement des Zborowski, le tableau exécuté en 1918 nous permet de retrouver la femme du sculpteur Howard allongée sur le divan qui servit aux modèles que les deux peintres utilisèrent successivement pour leur sujet préféré, décrite avec les couleurs de la palette "commune" aux deux amis. La jeune femme posa le temps de trois séances sous l'étroite surveillance de son mari qui avait choisi justement l'atelier de Kisling rassuré par la présence de la femme de ce dernier, Renée Kisling.

La toile présente les caractéristiques des chefs-d'œuvre précédents, structurée par la même ossature triangulaire du corps, suivie de lignes courbes construites pour susciter des rythmes alternés. Les yeux de ce modèle d'exception sont ouverts et scrutent avec un regard amusé le spectateur auquel elle semble envoyer un message de joie.

Le fils de Moïse Kisling, Jean, eut le privilège d'avoir ce tableau sous les yeux pendant plusieurs années et se souvient exactement de son histoire qui fut une longue pérégrination. Chez les Kisling, tous les amis étaient accueillis et bien nourris, aussi les Zborowski qui habitaient le même palier, allaient et venaient comme chez eux avec la petite Paulette qui était leur employée. Les femmes Anka, Renée et Jeanne étaient attentives à tous les événements quotidiens de la troupe réunie pour un seul idéal: l'Art.

Il ne se passait pas un jour à cette époque sans qu'ils ne se rencontrent pour mettre au point la "stratégie" à adopter pour réussir à exposer, à vendre et faire connaître leur travail; et Zborowski tentait de concrétiser le plus rapidement possible pour redonner espoir à ces jeunes qui avaient foi en lui et en ses dons de marchand.

Le nu "Howard" resta pendant des années à Paris jusqu'à ce que la guerre fasse sentir aux deux jeunes époux américains, Céline et Cécil Howard, qu'il valait mieux retourner au pays. Ils s'embarquèrent à Marseille pour l'Amérique avec le tableau qui n'eut pas à souffrir de son transport, intègre aujourd'hui dans sa dynamique colorée.

Le revoir et le retrouver aujourd'hui dans un contexte contemporain n'enlève rien à sa facture et à sa manière si actuelle de se présenter. Dans le cas présent, il s'agit bien de la part de Modigliani d'une "provocation" préméditée, lui qui peignait la femme de son collègue, sous l'étroite surveillance de ce dernier. Il ne pouvait donc s'agir ouvertement d'une provocation de séduction... mais d'une constatation de la beauté du corps féminin, un hommage rendu à sa grâce.

Les nus de Modigliani sont particulièrement provocants mais leur audace est calibrée d'une savante dose de séduction qui les rend attirants mais jamais vulgaires, plastiquement vivants et non aplatis par les déformations anatomiques de la perspective.

Portrait des Sitwells

Une récente exposition à la *National Portrait Gallery* de Londres, intitulée "The Sitwells" (octobre 1994-janvier 1995) a porté à la connaissance du public les rapports qu'eurent Modigliani et la famille anglaise Sitwell. L'exposition présenta un seul dessin parmi tous ceux que la famille possédait ; les autres avaient été hélas détruits depuis de nombreuses années par l'inconscience, ou la trop grande vigilance, d'un valet d'Osbert Sitwell qui se servit des dessins pour "bourrer" les chaussures de son maître et les protéger de l'humidité, lors d'un séjour à Biarritz. Edith, Osbert et Sacheverell Sitwell avaient connu Modigliani à Paris. Deux frères et une sœur d'une très étrange famille anglaise.

Le premier contact de Modigliani avec elle fut en 1907 à Londres. Il exécuta lors de son court séjour le portrait de Lady Ida Sitwell, la mère, présentée par le photographe d'origine italienne Bassano. Cette rencontre concorde avec le témoignage d'André Utter qui dans une lettre écrivait : "J'ai connu Modigliani, vers 1908 (hiver 1907-1908) – il rentrait je crois de Londres d'où il venait de participer à une exposition des préraphaélites..." Le rapport de l'artiste avec cette dame n'eut pas de suite comme en témoigne la manière hâtive du tableau, par ailleurs fort intéressant dans sa concentration aiguë autour du visage.

Osbert Sitwell fréquenta avec assiduité le groupe des artistes liés à Zborowski et, particulièrement éclectique, collectionna les œuvres de Severini, de Picasso, de Gris et de Chirico. Il fut l'éditeur de "Art and Letters", une revue qui avait débuté en 1917 et s'était éteinte en 1920 avec peu de numéros et peu de lecteurs, mais qui avait été d'une rare qualité quant au choix des textes, des illustrations et de ses collaborateurs. Lié aux positions révolutionnaires de son ami, le sculpteur Henri Gaudier-Brzeska, le jeune Osbert lui confia les nombreuses illustrations de sa revue. Amedeo Modigliani eut droit à une illustration du numéro 4 du IIème volume de l'automne 1919, celle-ci est reproduite à coté de celles de Gaudier-Brzeska.

A cette époque, Sacheverell abandonnait définitivement l'université pour voyager et promouvoir l'œuvre des artistes qu'il avait appréciés à Paris. Avec Zborowski, les frères Sitwell organisèrent un échange d'expositions

*Cecil de Blaquière Howard
dans son atelier à Montparnasse.*

Céline Howard.

CAFÉ DE PARIS
NICE
TÉLÉPHONE 20 48

Mon cher Cecil

Merci de l'argent. Ta Toile est chez Zb.

Je T'embrasse. Mon amitié à
Ta femme.

Modigliani

Nice 1918, "Café de Paris", lettre à Cecil par Modigliani.

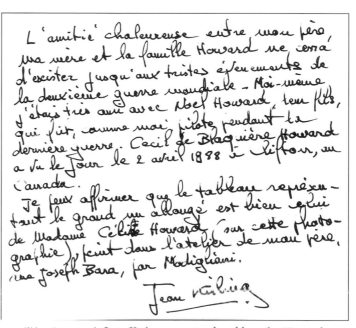

Témoignages de Jean Kisling, au sujet du tableau des Howard.

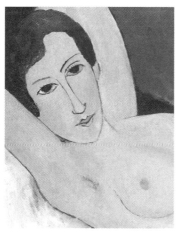

*1918, "Grand nu allongé"
(Céline Howard), huile sur toile.*

*"Céline Howard", crayon sur papier,
par Cecil Howard.*

317

complémentaires entre Londres et Paris, l'une, de la peinture Vorticiste anglaise à Paris et l'autre, d'art moderne français à Londres. Celle-ci se tint à la Tottenham Court Road, dans la Heal's Mansard Gallery en août 1919. Le catalogue préfacé par Arnold Bennett, présenta 177 peintures et sculptures accompagnées de quelques 141 dessins provenant de 39 artistes. Il y avait deux Picasso, quatre Matisse, six Derain, Dufy, Soutine, Léger, Vlaminck, Friesz, Archipenko, Zadkine et, sur le conseil d'Osbert, des Modigliani et des Utrillo, peu connus, qui provoquèrent le plus grand émoi.

L'auteur, et l'éditeur Osbert, consacra, avec comme collaborateur Herber Read, des pages au mouvement cubiste et aux futuristes avec des textes de James Joyce et T.S.Eliot. A cette époque, les enfants *Sitwells* étaient passionnés par les ballets Russes et étroitement liés à leur diffusion. Nina Hamnet qui avait déjà introduit l'artiste italien Modigliani auprès d'eux, leur présente Sergei Diaghilev, Igor Stravinsky, Tamara Karsavina et Vaslav Nijinsky. Nous avons retrouvé les témoignages et les trois portraits dessinés que Modigliani avait fait des interprètes des Ballets Russes.

Lady Ida Sitwell photographiée
par Bassano, Londres 1907.

1907, "Ida Sitwell", huile sur toile.
(ancienne coll. Bassano, Londres).

Dorignac, Georgette-Céline et Modigliani

A l'écoute de Georgette-Céline Hébuterne
Marie-Claire Job-Mansencal

A la fin d'une belle journée d'avril 1999, je rends visite à Georgette-Céline Hébuterne, la fille de Georges Dorignac. Je viens lui confier mon souhait d'écrire sous sa dictée les souvenirs de ses années passées à La Ruche. Elle se soumet volontiers à mon "interrogatoire", répond aux nombreuses questions qui étaient à ce jour restées sans réponse et de sa propre initiative se confie un peu plus. J'ai pu ainsi recueillir les souvenirs de cette vieille dame, née rue de La Barre à Montmartre le 2 mars 1902, relatés avec bonheur, d'une voix claire et mélodieuse. Ces souvenirs vivaces, aussi extraordinaires qu'innombrables émaillent cet entretien. Les moments vécus réapparaissent, ponctués d'observations et de commentaires étonnants. Parfois elle chante ce qui se fredonnait alors dans le jardin par les galopins et se met à rire, fait revivre certains épisodes qui ont marqué sa vie d'adolescente, conte ses rencontres, les faits divers purement anecdotiques dont elle a été le témoin ; ils semblent aujourd'hui d'autant plus importants qu'ils concernent des artistes majeurs. Elle est très amusée par mes demandes qui relèvent pour elle de l'évidence. Parfois au cours de l'entretien le ton se charge d'émotion : *"Je vous remercie de vous occuper des artistes. Ils sont bien seuls et ont besoin que l'on s'occupe d'eux. Il faut que les gens qui aiment la peinture sachent combien la vie d'un artiste est faite de dévouement et de désintérêt"* me dit-elle avec la bonne humeur qui la caractérise au gré des divers entretiens auxquels elle se prêtera, sans manifester ni impatience, ni lassitude. De cette période de l'histoire de l'art du début du XXème siècle, la première grande époque de La Ruche où elle a vécu dès sa plus tendre adolescence, Madame Hébuterne reste le seul témoignage vivant. Elle y côtoya de nombreux artistes et non des moindres, pour la plupart venus d'Europe de l'Est. Malgré son grand âge : *Je suis vieille, maintenant, vous savez ! Je crois que j'ai 97 ans*, comme il lui plaira à le dire, à plusieurs reprises. Elle s'exprime d'une voix ferme et mélodieuse et raconte de bonne grâce ce que fut un passé bien lointain assurément mais ô combien présent dans son esprit enjoué et alerte.

Georges Dorignac connu principalement par les nus qu'il exécute tantôt au fusain tantôt à la sanguine ou au sépia est remarqué par les critiques de l'époque, tels Salmon et Guillaume Apollinaire. L'influence de l'école espagnole dont il fait partie avec Nonell et Regoyos marquent les débuts de sa carrière artistique. Le paysage et le portrait domineront cette période jusqu'en 1904. Par la suite il sera captivé par les maternités dont sa nombreuse famille lui fournira les sujets. Georgette-Céline était le modèle favori de son père dont il exécuta de nombreux portraits. En 1922 elle épouse André Hébuterne, peintre de paysage qui sera admis à l'académie de la Villa Abd-El-Tif à Alger. Il était très lié à l'académicien Maurice Genevoix lequel officier pendant la guerre de 1914 aura sous ses ordres le caporal Hébuterne. André Hébuterne a une sœur, Jeanne, artiste, et élève de l'atelier Colarossi, qui deviendra en 1917, la compagne de Modigliani.

Lorsque nous parlons d'Amedeo Modigliani sa voix s'assombrit quelque peu ; avant de reprendre son récit elle prend soin d'observer quelques secondes de silence : *Modigliani, c'est toute une histoire ; une histoire bien triste. Il était en ménage avec ma belle-sœur au grand désespoir de mes beaux-parents et de mon mari. Jeanne ma belle-sœur avait un type, un genre pas comme tout le monde, elle était petite et avait les yeux verts. Elle est morte très jeune et c'était déjà une artiste. Ma pauvre petite belle-sœur*, phrase qu'elle répétera de façon constante tout au long des divers entretiens. *A la mort de Jeanne Hébuterne, c'est la famille de Livourne qui recueillera Jeanne l'orpheline. On ne l'a jamais revue, et je ne sais pas si mes beaux-parents eurent quelques liens avec la famille pour s'entretenir de la petite Jeanne. La mort de Modigliani laissa Jeanne désespérée, et voulait le rejoindre dans la mort. Son frère resta dans sa chambre de la rue Amyot, toute la nuit pour la surveiller. Il est cinq heures, et André s'est assoupi. Le bruit que fit la fenêtre lorsqu'elle s'ouvrit, le réveilla, mais il était déjà trop tard.* Georgette-Céline courbe la tête doucement sur sa poitrine, et à nouveau fait silence.

J'enchaîne aussitôt sur un autre sujet, sur son père, sa famille, son arrivée à La Ruche. Elle reste assise sans bouger sur son fauteuil dans le salon, face à la fenêtre, très digne, un collier autour du cou, les cheveux attachés sur la nuque. Elle s'agite un peu à la vue des photos des dessins de son père, reconnaît les visages, cite des noms et parfois fait quelques remarques : *Tiens c'est maman !* et encore : *c'est moi lorsque j'étais gamine. Mon père voulait que je pose mais je n'aimais pas ça. Il fallait rester longtemps immobile et ce jour là j'étais privée de jardin.*

En 1911 le ménage Dorignac s'installe à la Ruche, phalanstère d'artistes crée par Alfred Boucher neuf ans plus tôt. Georgette-Céline est la cadette des quatre filles que compte la famille. Sa demi-sœur Suzanne, de six ans son aînée, épousera le peintre Haïm Epstein arrivé de Pologne la même année 1911 pour élire domicile dans ce lieu mythique où accourent de nombreux exilés des pays de l'est. Très rapidement Epstein établira des relations amicales avec les Dorignac, Krémègne et Modigliani qui fit son portrait en 1918. Il figure sur le recueil Epstein par Waldemar Georges. La palette du Polonais s'éclaircira sous l'influence de Georges Dorignac avec lequel il partait dans la campagne étudier un site, les ciels lourds et plombés, les reflets de l'eau au bord de la Seine. André Derain, André Metthey, Jean Dunand, le sculpteur Indenbaum feront partie des habitués de l'atelier de Georges Dorignac, non pas à la Rotonde mais dans une annexe placée au fond du jardin, à proximité de la rue Montauban, dans le coin des Princes. Deux logements situés là au premier étage lui étaient alloués, dont un pour l'habitation, contigu à l'atelier. *J'observais ces messieurs qui montaient voir mon père. Arrivés au premier étage ils longeaient le grand corridor, l'atelier étant tout au fond. On les voyait entrer et sortir, mais rien ne filtrait de leurs conversations ; mon père n'était pas très bavard. Parfois c'était un remue-ménage auquel nous assistions par la porte entrebâillée de la cuisine. C'était très amusant.*

Georgette-Céline est intrépide, pleine d'entrain et ne va pas à l'école de la République. Adèle une jeune étudiante lui dispense l'éducation que complète en histoire de l'art et histoire ancienne son le père qui clôture ses cours par un petit *laïus*. Lorsqu'elle ne pose pas pour son père, elle aide volontiers Madame Segondet la concierge à distribuer le courrier aux occupants de cette cité des Artistes. *Madame Segondet était grosse et se déplaçait avec difficulté, alors je portais le courrier et le déposais dans les boites à lettres. J'aimais me promener dans le jardin, j'aimais les oiseaux et la nature et je jouais à observer ces étranges occupants, Krémègne et surtout Soutine qui était vêtu quel que soit le temps d'un ample manteau et passait de longs moments allongé sur un banc, la bouteille de vin posée sur le sol. Mon père nous disait de ne pas l'approcher, car il était toujours saoul. Modigliani venait très souvent et m'accostait dans le jardin de la Ruche. Il n'avait qu'une idée, me dessiner. Il aimait beaucoup dessiner les femmes. La Ruche à cette époque* disait-elle, *était peuplée de peintres et d'artistes, et c'était presque un spectacle quotidien auquel j'assistais.* Georgette-Céline et ses soeurs surtout au printemps passaient le plus clair de leurs temps dans ce jardin encombré de statues, de fleurs et d'arbustes. *Nous avions les consignes de notre père à respecter ! et notre père nous disait de ne pas parler à ces bonhommes.* Georgette fascinée par cette effervescence connaît ainsi les peintres, les musiciens, les sculpteurs, elle même musicienne accomplie se produira en soliste salle Gaveau. Elle chantait des airs de Mozart, *et aujourd'hui je n'ai plus rien à faire, alors je chante quand je m'ennuie.* Au grand désespoir de son père qui la surveille de près, elle enfreint cependant la loi paternelle et pose pour Soutine : *il me poursuivait et voulait faire mon portrait,* et Modigliani. *Mon père était un homme bon et généreux mais très sévère, lorsqu'il s'agissait d'éducation. Il ne voulait pas que nous posions pour les artistes et craignais je ne sais au juste quoi, ou bien était-ce par pur égoïsme de sa part. Il voulait que nous restions à l'écart de leurs vies. Rarement ces messieurs venaient à la maison et mon père partait assister à leurs réunions au café la Rotonde chez le père Libion. Leurs conversations se prolongeaient tard dans la nuit.*

Voici donc Georgette-Céline qui transgresse l'autorité paternelle pour poser. A l'occasion d'une promenade dans le jardin, elle croise Modigliani dans les allées qu'il avait coutume de traverser pour rendre visite à un autre peintre ou un ami. Mince et de petite taille Georgette-Céline avait un visage ovale posé sur un long cou, de grands yeux noirs rieurs, les lèvres charnues, le front haut et bombé. Une natte retenait sur sa nuque une chevelure abondante et de couleur roussâtre.. Tous les ingrédients étaient réunis et correspondaient aux conceptions picturales de l'italien. Le jour de la première pose, alors qu'elle est seule, assise sur le banc de pierre du jardin, à l'abri des regards indiscrets, Modigliani qui passait dans l'allée comme il le faisait fréquemment à cette époque lui dit : *ne bouge pas je vais te dessiner.* Debout devant elle, il fixe ses traits au crayon, sur son carnet à dessins à couverture bleue. *Il a exécuté mon portrait en peu de temps, car Modigliani dessinait très vite. Il me disait sans cesse de ne pas bouger, levait la tête, m'observait quelques instants et reprenait son ouvrage. Il parlait de cette voix un peu aigrelette et rapide et m'adressait de temps à autre des compliment comme celui-ci : tu es jolie.* Georgette a gardé en mémoire cet épisode très marquant de sa vie, et l'évoque avec enjouement. Il lui plaît de raconter ces historiettes, de décrire le jardin où elle a passé tant de bons et heureux moments : *Il était encombré d'arbres et de tonnelles, les fleurs embaumaient l'air, et je vivais au centre de ses si étranges locataires dont Jeannette, l'ânesse faisait partie. Modigliani venait très souvent et parfois dormait chez un ami. Il s'arrangeait toujours pour que je lui serve de modèle et je me souviens qu'il m'a dessinée*

de face, en buste, quelques cheveux sur le front. Je me rappelle qu'une autre fois, il m'a transformée en cariatide, je devais avoir 12 ou 13 ans à ce moment là, et orne mon front de quelques mèches droites et courtes. Modigliani fait ainsi son portrait à trois reprises sans que le terrible père ne s'en aperçoive. Un jour absorbés, lui par le dessin elle par la pose, ils sont surpris par ce père furieux qui l'a fortement enguirlandé. Il a été obligé de s'enfuir en courant. Modigliani a gardé le dessin. J'ignore où il est aujourd'hui, peut-être à l'étranger ! *ajoute-t-elle avec un brin de nostalgie dans la voix :* Savez-vous que Modigliani était mon beau-frère ! et qu'il venait souvent à La Ruche, dans l'atelier de papa. Il était beau et toujours bien mis. Il portait des vêtements sombres. Il n'était pas mal et c'était un grand artiste ! Comme mon père, Modigliani exposait à la galerie Chéron, rue de la Boétie où j'étais employée. Je devais avoir 16 ou 18 ans, et j'y suis restée trois ou quatre ans, je ne me souviens plus très bien. Je devais recevoir les visiteurs, leur montrer les tableaux, enfin m'occuper d'eux. C'est ainsi que j'ai vendu des peintures de mon père, aux Allemands surtout, mais aussi des toiles de Modigliani. Monsieur Chéron était un homme quelconque, ni bien ni mal.

C'est grâce à la musique que j'ai connu mon mari. Un jour il est venu voir mon père à l'atelier. Ils se connaissaient car ils étaient partis peindre des paysages avec Epstein au pays basque, à Saint-Jean-Pied-de-Port. Mon mari était passionné de musique et mon père me fit appeler. Je me mis au piano et leur jouai je ne me souviens plus si c'était du Beethoven ou du Mozart. Voilà comment j'ai connu l'homme qui devait devenir mon mari. A l'époque nous n'étions encore pas mariés et il venait me chercher pour assister aux concerts. Nous allions à l'époque fréquemment au théâtre. Je ne me souviens plus très bien à quel âge j'ai connu mon mari. Je sais que je me suis mariée à l'âge de vingt ans."*

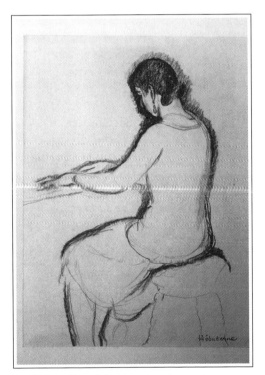

Dessin d'André Hébuterne de son épouse, "Georgette Dorignac au piano".

1917, "André Hébuterne en soldat", portrait par Jeanne Hébuterne.

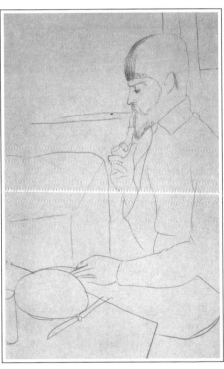

1917, "André Hébuterne à Paris", portrait par Jeanne Hébuterne.

Anna Zborowska
ou
passé simple
par Pierre Noël Drain

Comment, en restreignant le champ de vision et à l'instar de cet indiscret génie qui possédait le don de soulever les toits pour observer les lieux et leurs habitants, le curieux éventuel est convié à pénétrer dans l'immeuble du 165 boulevard du Montparnasse.

Anna Zborowska habitait le registre inférieur à celui où se situait l'atelier que j'occupais. Malgré l'exacte similitude de leurs plans, les configurations différaient cependant notablement. En effet, afin de ménager la place d'une loggia / balcon comportant coin cuisine et partie salle d'eau, la hauteur sous plafond était, chez elle, considérable d'où un volume démesuré alors que la pente du toit, à l'étage supérieur suscitait une sensation d'espace plus équilibré tout en ménageant les mêmes commodités sur la loggia. Celle-ci, assez exiguë au demeurant, se desservait grâce à une échelle de meunier, escalier fort pentu qui aura son rôle dans ce théâtre d'ombres.

L'atelier dont je bénéficiais était garni, par la propriétaire, de meubles de famille de qualité. Commode arbalète Louis XIV, semainier Louis XV, console Louis XVI en acajou récitaient complaisamment leurs déclinaisons stylistiques. Une robuste table rustique franc-comtoise placée parallèlement à la baie vitrée, complétait l'ensemble dont le sol se jonchait de tapis de prix... que je m'empressais, à mon arrivée, de rouler afin de leur éviter toute atteinte.

Elément positif supplémentaire à cette hauteur d'immeuble, la vue ménagée par la moindre élévation de la maison d'en face et qui réservait une plongée sur une cour intérieure riche de trois marronniers, seuls éléments naturels à marquer le rythme des saisons, dans cet ensemble à dominante architecturale.

Curieusement, au lointain, mais hors de tout contexte le dôme du Sacré-Cœur de Montmartre apparaissait comme une cheminée baroque supplémentaire posée exactement sur l'arête somitale des toits de la seconde rangée d'immeubles fermant la perspective.

L'atmosphère se révélait différente chez Anna Zborowska. L'échappée visuelle butait sur la façade opposée et la grande surface vitrée donnait ainsi la sensation de vivre dans une vitrine, surtout le soir, car les imposants rideaux coulissants protecteurs se bloquaient irrémédiablement au tiers de leur course. Le mobilier se composait d'une armoire rustique située sous le balcon de la loggia, de chaises paillées accompagnées d'un fauteuil confortable assez informe du genre dénommé "crapaud" et d'une commode. Seul accessoire remarquable, un grand coffre bas d'esprit renaissance italienne, placé en gradin à l'aplomb de l'allège de la fenêtre.

Contre la paroi de gauche trônait le poêle à feu continu, coiffé d'un interminable tuyau à la base portée au rouge dès les premiers frimas. Ce mur se creusait d'une niche oblique, espace résiduel dû aux conduits des cheminées mitoyennes ainsi que cela s'observe fréquemment, à l'extérieur, sur les pignons des immeubles parisiens. Des rayonnages transformaient cette singularité architecturale en volumes de rangement porteurs de quelques objets mais surtout de livres disposés en vrac. Quelques cartons à dessin posés à même le sol complétaient cet inventaire.

La paroi opposée, à laquelle s'adossait le lit, était quasi recouverte par un imposant TAPA polynésien, tendu sur châssis, proposant des strates horizontales de triangles, scandées de points. Ce magnifique décor d'une remarquable autorité abstraite constituait un des rares reliquats des collections réunies par Léopold Zborowski et dispersées lors de la vente qui suivit la débâcle financière consécutive à sa disparition. Accrochée au mur subsistait une remarquable sculpture d'art africain, statue funéraire BAKOTA caractéristique avec ses apports métalliques fixés sur une âme de bois, si expressive aussi, avec son étrange coiffure en arc de cercle et son regard étonné scrutant quelque au-delà indéfini.

En témoignait encore, placée parmi les livres une grande photographie d'une sculpture en bois BIERI-GABON-PAHOUIN vendue autrefois à Paul Guillaume ainsi que deux petits masques de pierre polie d'origine Aztèque, simplement posés sur le dessus de la commode. Subsistaient aussi, dans un autre registre deux petits tapis de prière avec représentation d'un Iwan dont la situation fluctuait souvent soit roulés ou encore à demi pliés sur le bord de la rambarde de la loggia.

Les tableaux accrochés aux murs, de petites dimensions, se révélaient plutôt disparates. Ainsi à coté de l'armoire, suspendu à même le châssis, se voyait un paysage avec des arbres et une maison au toit empâté de rouge, très véhément d'expression, oeuvre d'un des derniers protégés de Zborowski émule avoué de Soutine mais plutôt suiveur que disciple. Sur la surface verticale du garde fou du balcon voisinaient une baigneuse de Souverbie aux charmes néo-classiques confrontés aux harmonies post-cubistes d'un Latapie banc, jaune et noir.

Le reste des oeuvres exposées se composait de quatre dessins de Modigliani. Le premier très petit, représentait Anna Zborowska avec, en bas une mystérieuse inscription : il sera fait mention, ultérieurement, de lui et de son double. Simple sous-verre aux bords de papier gommé il subissait, les jours d'hiver la radiation réconfortante... mais assez dangereuse du tuyau de poêle proche.

Le second, de format raisin, punaisé à même le mur au dessus de la commode, comportant des rehauts de crayon bleu, faisait partie de la série dite "des cariatides", allégories féminines tout en courbes et contres-courbes, souvent accroupies et porteuses d'invisibles charges.

A la tête du lit enfin et encadrés d'une baguette de chêne, deux superbes portraits au crayon sur papier, d'Anna et de Léopold. Pièces exceptionnelles de formats identiques mais relativement importants et qui ne devaient de rester en possession de leur propriétaire qu'à la suite d'une péripétie administrative pittoresque. En effet Anna les destinait au Musée d'Art Moderne de Paris dans le moment où on lui avait conseillé d'entreprendre les démarches de naturalisation française puisque, depuis les tracas politiques de l'Est de l'Europe, elle n'envisageait plus de retourner dans son pays.

Or les formulaires alors en vigueur stipulaient que cette requête devait s'assortir du quasi abandon de la nationalité d'origine et même qu'en cas de conflit, expliquait-elle encore outrée, elle aurait été contrainte d'opter pour la France fut-ce en opposition à son ancienne patrie. Bien qu'ayant quitté la Pologne depuis plus de cinquante années et ne conservant là-bas qu'une lointaine parentèle, Madame Zborowska restait romantiquement attachée à son pays. Scandalisée par cette partialité gallicane et cocardière, elle résolut de rendre la pareille en ne donnant plus suite à ses dossiers de régularisation... et en gardant ses dessins.

Malgré l'abondante lumière qui magnifiait la pièce l'ensemble laissait une impression de modestie un peu triste due au vieillissement du papier peint recouvrant les murs, à la décrépitude des grands rideaux, à la rusticité du sol dont la dalle de béton subsistait à l'état brut. Ajoutons que le seul moyen de chauffage étant le poêle à charbon et que ce dernier se stockant en haute de loggia, sa manipulation, jointe au fréquent décendrage du foyer, ne favorisaient guère l'entretien des lieux. Cela n'affectait pas outre mesure Madame Zborowska sauf à déclencher parfois une autocritique acerbe : "*Quel taudis !*" me prenait-elle alors à témoin, hochant la tête après un regard circulaire. Mais elle compensait aussitôt cette défaillance par un mouvement inverse, se remémorant ses précédentes habitations parées de qualités décoratives.

Défilaient alors les lieux où elle avait vécu en Pologne, singulièrement la résidence d'un oncle ecclésiastique à Lublin ?, ou encore une maison de campagne proche de la ville.

Suivait le 3 de la rue Joseph Bara appartement modeste mais vivifié par le passage constant d'amis et par l'éclat des peintures ponctuellement exposées, chefs d'oeuvres dispersés actuellement dans les grands musées ou les collections de renommée internationale, ou pour finir la petite résidence du Loiret à laquelle elle était très attachée et que les Zborowski possédèrent dans leur période prospère.

Nulle amertume dans ces évocations, ces moments de dépression restaient rares et la plupart du temps Anna Zborowska gardait (sauf peut-être à la fin de son séjour Boulevard Montparnasse où les atteintes de l'âge altéraient son appétit d'exister), une énergie surprenante née du sentiment d'avoir participé à des choses intéressantes, de son amour de la vie aussi, allié au réconfort de ses souvenirs.

Où les souvenirs fugaces de l'apparence physique quotidienne d'Anna Zborowska se confrontent à la constante célébrité des peintures de Modigliani la représentant.

La peinture, par son pouvoir évocateur, influence la vision que l'on porte sur les êtres et les choses. Ainsi, je n'ai jamais dissocié le visage d'Anna Zborowska, même altéré par l'âge, de ses nombreux portraits peints par Modigliani.

Simplement, j'estimais que la vison qui m'en était temporellement offerte à l'époque où je l'ai rencontrée se trouvait perturbée par des signes, en quelque sorte parasitaires, un peu comme patine et lichens altèrent l'épiderme d'une statue sans radicalement affecter la perception de ses volumes principaux. A vrai dire, les inévitables rides et tavelures dûes à l'âge ne transformaient guère l'architecture de ses traits.

Dans ce contexte, seul élément irréductible à la légende des images : son regard dont les yeux, selon les interprétations du peintre, subissent une double tension, l'une de se porter vers l'intérieur de l'être, l'autre de tenter de le relier au monde. Or ceux, bien réels d'Anna Zborowska, à la différence des évocations picturales distanciées, pétillaient d'intelligence, scrutaient l'interlocuteur, exprimaient la vivacité et l'humour, totalement impliqués dans le présent.

Autre surprise, sa taille. En effet Modigliani en dehors de la mise en page plus large des nus, cadrait généralement sévèrement ses personnages. Comme sa manière, indifférente au pittoresque conférait un caractère volontiers monumental à ses effigies, il devenait difficile de les relier, ainsi magnifiées, à une réalité physique. Or Anna Zborowska était plutôt petite, rendue encore plus menue par la vieillesse qui l'avait fragilisée, comme miniaturisée.

Toujours habillée sobrement d'une jupe grise assez longue et d'un pull-over souvent à col roulé, elle revêtait pour sortir, en toutes saisons, un invraisemblable manteau de fourrure, sorte de "peau de bique" élimée dont elle croisait les pans devant elle comme pour les resserrer frileusement ou se garantir d'éventuelles agressions extérieures.

L'autre accessoire rituel consistait en un indispensable chapeau plat dont la fonction principale était de retenir une voilette formant écran car, consciente de sa beauté d'antan, elle supportait mal ce qu'elle nommait *"la déchéance de l'âge"* et particulièrement celle de son visage. Elle s'alarmait des taches de sénescence sur sa peau dont elle surveillait âprement la répartition. A la fin de sa vie cela devint une véritable obsession, prenant son entourage à témoin, l'accusant selon son humeur d'indulgence excessive ou de mauvaise foi délibérée quant à l'évaluation exigée de l'estimation d'une éventuelle progression des dégâts.

La voix présente un grand pouvoir de suggestion dans le souvenir que l'on préserve de quelqu'un. Anna s'exprimait dans un français châtié, aux tournures volontiers littéraires puisqu'elle l'avait acquis de façon livresque dans le milieu polonais cultivé qui était le sien.

Subsistait cependant cet inimitable accent slave qui transforme les paroles par le charme d'accents insolites et sa façon, surtout, de prononcer les "R", laquelle, à la différence du roulement bourguignon enraciné dans fa force du terroir, tenait plutôt de la phonétique du roucoulement conférant une séduction supplémentaire à sa conversation.

Résonne encore en moi la musique du *"CHERrrr'GARrr'rçon"*, cher garçon dont elle me gratifiait, vocable qui, au gré de ses intonations, passait de l'intérêt affiché au reproche suggéré.

Lectrice assidue, elle commentait longuement chaque ouvrage dont elle disposait, ceux extraits à l'occasion, des rayonnages poussiéreux ou ceux issus de prêts. J'appréciais ses exégèses qui témoignaient d'une approche personnelle, originale parce que distanciée par l'âge, nourrie par une culture étendue mais préservant l'indépendance critique.

Périodiquement elle se remémorait ses échanges poétiques avec Modigliani, la façon surtout qu'il avait de citer de mémoire Dante, par strophes entières de la Divine Comédie. Cet aspect de la vie du peintre a dû frapper ses familiers puisque de nombreuses évocations relatent ces circonstances. En revanche, peu de monographies signalent les capacités littéraires d'André Derain que, quand il s'agissait de culture, Anna Zborowska installait volontiers en symétrie de son admiration pour Modigliani.

Sur ce plan elle vouait une véritable admiration à Derain qu'elle avait beaucoup fréquenté et dont elle proclamait qu'il était, à sa connaissance, *le seul peintre à faire passer, en peintre, sa culture dans sa peinture.*

Où s'installent des rites de société, des échanges de livres et de propos qui mêlent, de manière informelle les attendus de la vie courante et les péripéties du passé.

J'avais appris l'histoire de l'art dans la distanciation des manuels : je la retrouvais vivante, singulièrement décrite, passionnellement énoncée. *"Amédéo"* ou *"Modigliani"* (elle ne disait jamais *"Modi"* comme cela se pratiquait couramment à la radio ou dans certains journaux) restait la figure majeure, toujours évoquée avec révérence. En revanche elle vouait à Soutine (*Le "Soutine"* comme elle le dénommait) une persistante détestation, ce qui me choquait plutôt car j'ai toujours porté une grande admiration à son oeuvre. De son point de vue, il méritait cette animosité par son indifférence aux soins corporels qui entraînait une aura olfactive puissante et par la rusticité de ses manières.

Elle avait mal vécu l'épisode devenu légendaire du débarquement de la police rue Joseph Bara en pleine période de fêtes de Nouvel An intimant à Zborowski l'ordre de faire évacuer d'urgence les carcasses en décomposition servant de modèles dans les chambres de bonne / atelier de "son" peintre. Des voisins peu amateurs d'art mais sérieusement incommodés s'en tenaient aux désagréments éprouvés... sans prendre en considération l'admiration de Soutine pour le "bœuf écorché" de Rembrandt, à l'origine de ses travaux et de l'incident.

"Trouvez donc, sinon à prix d'or, des éboueurs à domicile ces jours là" précisait-elle encore avec rancune. De même Léopold lui ayant prêté leur maison de campagne pour y peindre, Anna avait découvert les marbres des commodes transformés en palettes. *Cela dit*, poursuivait-elle, *Le Soutine a connu une période mondaine : c'était pire car il s'inondait alors de parfum de prix, ce qui rendait sa présence tout aussi insoutenable par l'excès de l'intensité, inversement odorante.*

Dans son panthéon personnel André Derain conservait une place de choix mais, grâce à elle, j'appris à apprécier les oeuvres d'artistes que je considérais un peu distanciés comme Hermine David, Kisling, Loutreuil, Pascin et surtout Gabriel Fournier. Ce dernier devait à Robert Rey, historien, critique d'art, puis conservateur du Musée de Fontainebleau (dont j'avais suivi, avec passion, quai Malaquais, le cours consacré à la Renaissance Florentine et ses sources littéraires) la découverte d'un atelier bellifontain, ce qui l'éloigna de Montparnasse.

Anna restait très liée au couple et lors de la mort de son mari en 1962, sa veuve Madeleine Fournier lui envoya une lettre très touchante qu'elle me communiqua.

Autre constat dans cette nouvelle approche de l'histoire de l'art : alors que celle-ci professe une volonté généraliste sinon encyclopédique, l'amour de l'art lié directement aux acteurs qui la composent possède ses cécités, ses incompatibilités, ses exclusives... car la passion favorise telle tendance mais oblitère totalement d'autres expérimentations. C'est ainsi que Zborowski restait éloigné des recherches de Picasso ou de Matisse et plutôt étranger – ce qui pouvait surprendre de la part d'un poète – au mouvement surréaliste, peintres ou écrivains confondus.

De même Anna et Léopold gardaient une certaine méfiance vis à vis de Jean Cocteau, pourtant familier de Modigliani, déroutés sans doute par l'aspect mondain, brillant, du personnage alors que Max Jacob – il est vrai plutôt imposé par Amédéo – fréquentait parfois la rue Joseph Bara quand il daignait quitter Montmartre pour Montparnasse.

Sanglots à propos du portrait d'Anna dit "à la collerette" – acheté à prix d'or par la Galleria Nazionale d'Arte Moderna de Rome – Stupéfaction du témoin et exposé des évènements qui furent à l'origine de cette peine.

Le destin tragique de Modigliani, sa mort prématurée, les circonstances bouleversantes du suicide de Jeanne Hebuterne fournissaient déjà la trame de récits exploitant la légende du "peintre maudit de Montparnasse".

Il était fatal que le cinéma s'empare d'un scénario si romanesque d'où le film *Montparnasse 19* de Jacques Becker qui plongea Anne Zborowska dans une rage persistante.

D'abord (et malgré le charme reconnu de l'acteur) elle trouvait Gérard Philipe trop mièvre d'aspect, trop "français" dans son jeu, si loin de la plénitude italienne et de la passion exprimée d'Amédéo qu'elle ne reconnaissait en rien dans les péripéties du spectacle. Mais ce qui l'outrait particulièrement, c'était l'épisode où l'on suggérait que, pour l'obliger à travailler, Zborowski séquestrait le peintre avec une provision de bouteilles d'alcool incitatrices. Les rôles ainsi dévolus à l'un comme à l'autre, à son avis, confinaient au scandale absolu. *"Jamais au grand jamais, entendez-vous, mon mari n'en aurait usé de la sorte, il respectait, il aimait trop Modigliani. Quant à ce dernier, avec sa fierté native et sa nature impulsive, vous l'imaginez piégé dans un réduit ?"* Elle rappelait que la pièce principale de leur appartement avait servi, un temps, d'atelier à Amédéo, ce qui témoignait amplement de l'attention qu'on lui portait car continuer à vivre, plaidait-elle, sans gêner son travail réclamait autre chose que la violence supposée de travaux forcés à huis clos. En disant cela elle arpentait fiévreusement la pièce, heurtant les meubles du plat de la main et en haussant les épaules par saccades.

Pendant plusieurs jours je ne reçus aucun message par le médium de la cloison, occupée qu'elle était à préparer un droit de réponse pour la presse.

Mais son texte ne la satisfaisait jamais – soit trop plat pour le caractère de la cause, soit trop véhément donc mélodramatique ou encore trop injurieux donc insignifiant.

Le temps passa, l'actualité s'estompa (d'ailleurs le film reçut un accueil très mitigé à la fois de la critique et du public). Elle résolut donc de traiter l'affaire par le mépris et tout rentra dans l'ordre.

Cependant ces échos populaires avaient exalté le mythe naissant de *Montparnasse/Modigliani* qui, dépassant la sphère culturelle traditionnelle avait, de la sorte, acquis une dimension universelle. Autre constat, les oeuvres proposées sur le marché devenaient rarissimes parce que immobilisées dans les musées ou installées dans les grandes collections. Comme il advient logiquement en de telles conjonctures, le marché de l'art s'emballe à la moindre occasion. C'est ainsi que je pus lire parmi les rubriques des évènements marquants du mois, dans la revue *"Connaissance des Arts"* l'achat pour une très forte somme (performance dont on signalait l'importance financière) du portrait d'Anna dit "à la collerette" par la Galleria Nazionale d'Arte Moderna de Rome, article accompagné d'une petite photographie du tableau.

Selon un raisonnement logique – mais qui se révéla, à l'usage, bien fallacieux – j'imaginais naïvement que cet évènement qui dotait la "cara italia", la chère patrie d'origine assez démunie sur ce plan jusqu'alors, d'une oeuvre majeure du peintre et qui, de plus, plaçait l'effigie de Madame Zborowska dans un environnement prestigieux... serait de nature à compenser les avanies subies lors de la sortie du film de J. Becker. Je dégringolais quatre à quatre l'escalier et frappais derechef à sa porte, ravi de lui communiquer la nouvelle.

Assise dans son fauteuil elle considéra d'abord distraitement la page puis en entreprit avec application la lecture. Alors, avec étonnement, je vis couler ses larmes puis elle fut secouée de sanglots. Désarçonné, peiné par cette attitude imprévue je ne savais que dire et devais présenter une mimique si stupéfaite que, levant les yeux en me dévisageant, elle mêla les rires aux pleurs.

Un peu confuse elle m'expliqua alors pourquoi sa réaction avait été si forte.

D'abord la vue impromptue de la photographie provoqua en elle la brusque remontée du souvenir de la création du portrait *"j'étais belle en ce temps là !"* Séquence heureuse car Zborowski s'était enfin imposé en tant que marchand parallèlement à des rivaux reconnus sur la place, Modigliani se trouvait en pleine possession de son art, ils se voyaient entourés d'amis jeunes et confiants en l'avenir malgré les inévitables aléas de l'existence.

Ensuite, avec le recul du temps elle se remémora l'enchaînement des évènements qui survinrent, la brièveté, la fragilité de cette apparence du bonheur si vite altérée par la maladie de Modigliani, sa mort, les disparitions de son mari et des acteurs familiers de leur entourage d'où la prise de conscience de la solitude à laquelle sa propre longévité la condamnait.

Enfin, sans être particulièrement vénale, elle ne pouvait qu'entretenir d'amères comparaisons entre l'estimation financière présente et les détresses d'antan, ce décalage obscène entre les bénéfices spéculatifs face au dénuement absolu de la fin du peintre, la banqueroute subie, la dispersion des collections de la Galerie de la rue de Seine au décès de Léopold et, plus intimement encore, la modestie précaire de sa propre situation présente.

Certes la cote internationale si triomphalement claironnée constituait, à postériori, une éclatante reconnaissance de leur action, de leurs choix parfois si controversés mais l'injustice profonde résidait dans les disproportions imposées dans la mesure où une très modeste partie de ce pactole aurait suffi à atténuer, sinon éviter, tous ces drames.

En outre, s'agissant d'une autre oeuvre d'art elle aurait admis naturellement cette situation (après tout, le marchand s'intègre initialement librement dans ce processus valorisant) mais celui-ci était SON tableau car l'origine en provenait d'une sorte de "coup de cœur" de Modigliani pour le détail vestimentaire qui lui donnait son titre. Elle avait choisi, elle-même, ce chemisier pourvu d'un revers plissé, court à l'échancrure pour s'épanouir en éventail à l'arrière. Ce motif qui dégageait le cou avait d'emblée ravi Amédéo qui commença aussitôt son travail. Contrairement à son habitude – il peignait d'ordinaire très rapidement – il y consacra plusieurs séances rue Joseph Bara. Puis, soit gêné par l'animation ordinaire du lieu (il passait beaucoup de gens, amis ou clients chez Zborowski) soit déficience de la lumière, il déclara qu'il ne pouvait terminer dans ces conditions. Le poète / marchand négocia alors la location ponctuelle d'une pièce dans un petit hôtel voisin. Cette circonstance explique, me fit-elle remarquer certains illogismes de la représentation, car la collerette reçoit la lumière d'une source émanant de la gauche (en bas et à gauche du tableau justement) alors que les ombres portées du nez et du menton indiquent une direction lumineuse inverse, les fenêtres se plaçant autrement par rapport au modèle dans les deux différents ateliers improvisés.

Antérieurement à son dépôt historique à Rome, ballade parisienne pittoresque du "portrait à la collerette" et où Zborowski – toujours précurseur – pratique, lors d'un dîner mondain.

Ainsi, aux périodes fastes, succédaient des moments de dèche voire d'endettement. Anna ne s'en formalisait pas outre mesure, ce sort étant très partagé dans leur entourage et la période restant encore caractérisée par le dynamisme optimiste de "l'après guerre".

Dans ces moments de pénurie Zborowski paraît à l'urgence. C'est ainsi qu'il avait vendu, sans consulter Anna et parce qu'il en avait l'opportunité immédiate, une "*communiante*" peinte par Soutine dont il avait été pourtant convenu qu'elle faisait partie de sa collection personnelle (malgré son animosité pour le personnage, elle appréciait certaines oeuvres... ou était-ce, en ce cas précis, l'influence du sujet, résurgence de sa pieuse enfance en Pologne ?). Cette transaction subreptice avait déclenché une violente colère de la propriétaire spoliée et restait un motif récurrent de reproche... quand le propos d'une autre querelle manquait (de son propre aveu !) à Anna.

Vint un autre jour où la situation financière du moment s'avérant catastrophique, il convenait en urgence de trouver une solution. Cette fois-ci Zborowski agit à la loyale ; il informa son épouse qu'un de ses clients, lors d'un passage rue Joseph Bara, semblait intéressé par son portrait à la collerette et que, si elle voulait bien accepter de s'en séparer, ce dernier serait prêt à l'acheter éventuellement, l'idéal étant qu'elle aille elle-même le lui présenter... d'ailleurs... il avait déjà fixé rendez-vous par téléphone. Il s'agissait d'un homme d'affaires résidant Boulevard Malesherbes (dont elle me livra le nom et que j'ai oublié depuis).

Le trajet Montparnasse / rive droite effectué en voiture publique fut agréable mais d'acheteur potentiel, flairant le caractère impératif de la proposition et espérant en tirer profit tenta de négocier un rabais important. Cette manoeuvre qui lui aurait sans doute paru naturelle pour la cession de toute autre oeuvre d'art, scandalisa Anna et comme il s'agissait de "*son portait*" et de "*son tableau*" elle refusa fièrement toute compromission puis quittant le bureau, se retrouva dans la rue.

Or il ne lui restait plus un sou en poche et elle dut regagner le carrefour Vavin à pied. Heureusement le temps était clément, sauf un vent persistant qui s'accentua en rafales au long des quais et sur le pont lors du franchissement de la Seine, heurtant la surface du panneau, le secouant par soubresauts.

Pour mieux l'assurer elle passa son mouchoir dans la traverse médiane du chassis. Si la préhension était facilitée, garantissant une relative stabilité à l'ensemble, les sautes de vent provoquaient des mouvements latéraux. La base du tableau la heurtant alors déchirait ses bas et écorchait ses jambes. Elle parvint, épuisée, chez elle : "*heureusement il nous restait encore quelques nouilles à cuire pour dîner et oublier de la sorte l'incident*".

L'épisode ne s'arrêta pas là. Un marchand doit accepter la règle du jeu et s'exposer aux lois du marché : le client agit comme il l'entend. Zborowski gardait assez d'entregent, d'habileté pour conserver le contact et ainsi Anna fut conduite à revoir l'amateur réticent non dans une perspective affairiste mais dans un contexte mondain lors d'une invitation à dîner toujours Boulevard Malesherbes, dans l'appartement privé cette fois-ci. Le lieu répondait aux fastes Haussmanniens : hauts plafonds chargés de stucs, vastes salons en enfilade, salle à manger aux murs recouverts de boiseries, le tout desservi par des portes solennelles.

Le plan de table répartissait avec pertinence les convives nombreux, Anna se trouvant placée face à son mari. On parvenait presque à la fin du repas quand elle remarqua qu'il quittait la pièce discrètement, ce qui ne l'interpella pas outre mesure.

Soudain on vit s'ouvrir brusquement les doubles vantaux d'accès au salon et Zborowski apparaître, dans l'encadrement, entièrement nu. Sans prononcer un seul mot ni jeter un regard sur l'assistance il fit lentement, presque cérémonieusement, le tour complet de la pièce pour rejoindre la double porte – aussitôt refermée après son passage par le personnel médusé.

La stupéfaction fut totale, les conversations suspendues, les regards alarmés. Seule Anna gardait un calme souverain comme si tout cela relevait du plus grand naturel. Quelques instants plus tard Zborowski réapparut, revêtu de ses habits, les conversations reprirent et le repas se termina normalement.

Dans le taxi qui nous ramenait à Montparnasse poursuivit Anna je lui demandais : "*Pourquoi avez-vous fait ça ?* (par jeu ou pour marquer quelque moment privilégié nous usions parfois du vouvoiement)"... *Mais tu ne les trouvais pas cons ?*... fusa la réponse à laquelle Anna ne rétorqua rien car elle lui parut marquée du sceau de l'évidence.

Imaginant la scène je supposais que, compte tenu de sa qualité d'épouse, tous les hôtes devaient la prendre à témoin, guettant sa réaction et lui demandais si elle avait ressenti quelque gêne.

"Aucune, dit-elle, pour la bonne raison que j'étais trop absorbée par le spectacle. En effet bien que nous vivions ensemble depuis des années, je ne l'avais jamais vu tout nu de si loin et sous une telle lumière : qu'il était drôle si blanc de peau avec la tache sombre, un peu rousse de sa barbe !!"

Savez-vous que les peintres ont toujours raison ? fut l'ultime commentaire de l'incident car, m'expliqua-t-elle, quelques années auparavant pour illustrer l'aspect missionnaire de la vocation de découvreur de Zborowski, Modigliani l'avait représenté, par jeu, en Saint-Jean Baptiste sur un croquis rapide, nu exactement comme il était apparu non aux bords du Jourdain, mais rive droite de la Seine ! Prémonition ou conséquence, qui le saura ?

"Cher'r gar'rçon, m'expliqu-t-elle avant l'arrivée providentielle du Docteur Barnes nous traversions, une fois de plus, une période difficile. L'argent manquait et Zborowski avait décidé – sans espoir exagéré pourtant de multiplier ses chances en organisant une exposition à Londres où, depuis plusieurs jours, il séjournait.

Restés à Paris pendant ce temps là, les occupations journalières continuaient pour nous et selon une de nos habitudes nous étions attablés, à la Rotonde, Modigliani et moi à la terrasse intérieure (là où les fenêtres s'ouvrent à la frontière des sièges placés sur le trottoir) afin de prendre ensemble un déjeuner rapide. J'avais conservé mon chapeau dont le rebord important m'obligeait à relever parfois la tête pour dégager le regard. Ce comportement frappa Modigliani aussi commença-t-il en attendant les plats, à dessiner directement sur la nappe de papier. Ayant l'habitude de poser pour lui, je ne changeais pas pour autant mon attitude, mais si vous examinez attentivement ce croquis, par le port de tête, l'absence d'indication du front et l'accentuation des sourcils, vous sentirez la présence de cette capeline bien qu'elle ne soit en rien indiquée.

Nous avions presque terminé le repas lorsqu'un voisin du 3 de la rue Joseph Bara, connaissant nos trajets et points de repères car nous ne quittions guère le périmètre Vavin) m'apporta un "petit bleu". En ce temps là, le télégramme qui devait son surnom populaire à sa couleur de papier, restait un moyen de communication plutôt réservé aux évènements exceptionnels, inhabituels ou urgents, d'où le souci de me le remettre au plus vite.

Un peu inquiète, j'en pris connaissance aussitôt. Bonnes nouvelles de Londres car fort heureusement Zborowski m'annonçait brièvement le succès de la manifestation et surtout la vente des nus de Modigliani selon des estimations très favorables. Ce succès était dû, en partie, au renom suscité autrefois par le scandale du retrait des tableaux de la vitrine de la Galerie Weill pour cause prétendue d'obscénité et outrage aux bonnes moeurs. L'événement passé prenait rang de légende, focalisant l'attention du public à partir de ce fait-divers et apportant ainsi une publicité inattendue à l'exposition. Quoi qu'il en soit, notre situation matérielle se trouvait non seulement rétablie mais devenait même prospère.

Après les commentaires appropriés, Modigliani ramena alors théâtralement l'attention sur son croquis et expliqua avec un ton de mondanité affectée que si un simple nu valait tant d'argent alors comment justement estimer, par un chiffre, le portrait d'un être d'exception comme Anna Zborowska ? Il posa aussitôt l'unité qu'il fit suivre emphatiquement d'un nombre imposant de zéros et, pour bien marquer son pouvoir de transmutation monétaire, signa avec ostentation en intégrant, comme une sorte de monogramme, l'abréviation de la monnaie anglaise "livre sterling".

Sur ces entrefaites ayant terminé notre déjeuner et ravis de l'aubaine nous quittions les lieux pour rejoindre l'appartement quand, avant de partir, Modigliani préleva le dessin en déchirant la nappe assez maladroitement dans son pourtour, ce qui explique son format insolite, et l'empocha.

Quelques jours passèrent, il me le rapporta, transcrit à l'identique mais sur un meilleur papier et un format plus grand. Le fait me surprit pas car il travaillait souvent dans la continuité quand il explorait un sujet en exécutant, à partir d'un même motif, de nombreuses versions, portraits ou cariatides. Par ailleurs, à cette époque, il multipliait avec prodigalité les feuillets à l'atelier ou aux terrasses de café comme le racontent de nombreux témoins apparemment dépités, à présent, de n'en avoir pas assez profité.

Mais, me souvenant de son intervention ostentatoire et théâtrale à la Rotonde, comme en retour de réplique, je simulais une mine dépitée, me récriant que le vrai dessin était celui prélevé dans la nappe le seul qui, à mes yeux, commémorait directement l'événement de la prospérité retrouvée. Rentrant lui-même dans le jeu, il prit un air outré, fit mine de rouler en boule l'objet du litige qu'il replaça avec une feinte colère dans son carton – puis, ouvrant à nouveau celui-ci, il me remit cérémonieusement les deux versions en riant. Voilà pourquoi, cher'r gar'rçon vous vous contenterez aujourd'hui du second choix car le premier, conformément à mon testament, ira à mon neveu".

Le singulier de l'épisode ne s'arrêta pas là car elle me transmit une note de sa main où elle racontait la suite de l'histoire. Elle y relatait que la dépêche explicite mais laconique avait été suivie d'une longue lettre de Zborowski commentant son séjour en Angleterre. Ce récit s'achevait par un dénouement inattendu, si on l'évalue à l'aune du romantisme mélodramatique ultérieurement attaché à la geste du "peintre maudit".

En effet Zborowski, afin de fêter dignement la réussite anglaise, demandait ce que Modigliani souhaiterait comme cadeau personnel à lui rapporter de Londres. Celui-ci, dans doute pour satisfaire le versant dandy bien connu de sa nature, réclama "de belles chaussures". Anna décrit ainsi la fin de la scène : "*il se déchaussa et posant son pied sur une feuille de papier, dessina très attentivement les contours. Je l'ai envoyé au destinataire et Modigliani reçut en grande joie son cadeau*".

Enfin, conclut malicieusement Anna, *si vous lisez attentivement ce fragment de mes souvenirs vous y apprendrez que vous avez au moins un point commun avec Zborowski : votre identique aversion pour le thé, puisque dans sa lettre il déplorait l'obligation d'avoir à se soumettre quotidiennement à cette coutume, sacrée outre manche, alors qu'il détestait ce breuvage.*

Quant à son autre déception, à savoir celle de n'avoir pas aperçu dans les couloirs du castel où il passa le week-end le traditionnel fantôme, je ne comprends pas pourquoi il allait si loin pour cela : à Montparnasse on en rencontre à chaque coin de rue !

Paris-Nice aller et retour immédiat :où voyage et vengeance s'accordent pour se révéler finalement bien décevants. Episode à verser au dossier des récits conventionnels relatant les pulsions passionnelles et goûts déambulatoires traditionnellement attribués au tempérament slave.

Jean-Paul Crespelle, dans son livre "Montparnasse Vivant" (Hachette 1962 - page 232) à propos du coté joueur impénitent de TERECHKOVITCH rapporte, parallèlement un trait de caractère d'Anna laquelle, en tout circonstance, conservait une aristocratique distanciation. Selon ses dires Zborowski, lors d'un de ses séjours dans le midi après avoir payé sa note d'hôtel à Sanary revint trouver sa femme et lui dit : "*Paris troisième classe ou Avignon première classe ?*" Madame Zborowska sans s'émouvoir répondit : "*Avignon*".

La boutade révèle sa détermination élitaire mais semble en retrait, pour une fois de l'amplification légendaire si je me réfère à l'épisode d'un autre de ses voyages que m'a raconté Anna.

Zborowski possédait, tous les témoignages concordent,un charme évident, de la prestance, alliés au besoin de convaincre et de plaire. S'ajoutait aussi circonstanciellement, l'effet sidérant d'attitudes ou de gestes parfois imprévisibles ou provocateurs imputables, outres les gènes personnels, au renommé *fonds slave* passionnel et flambeur.

Ces dispositions entraînaient logiquement, en ses débuts de "marchand en chambre", des fluctuations de situations devenues quasi habituelles, effets de balancements où alternaient des périodes de prospérité suivies de déconfitures retentissantes, heureusement passagères, la prudence et les vertus de maintenance ne faisant guère partie de son fond de commerce. Les aventures partagées, les contrastes assumés lors des alternances de fortune et d'infortune soudaient plutôt le couple et Anna retraçait avec plaisir ces séquences dont on aurait pu supposer qu'elles présentaient pourtant un inconfort parfois difficile à gérer.

Quand s'installa la prospérité apportée par l'arrivée sur le marché des collectionneurs américains – et singulièrement le pactole Barnes – quand, en 1926 se conforta l'aisance grâce à l'ouverture de la Galerie de l'angle de la rue de Seine et de la rue Visconti, Zborowski ajouta à la séduction de sa personne la puissance de l'argent. Outre son train de maison – chauffeur, cuisinière, femme de chambre, secrétariat – le cercle de ses relations mondaines... et le champ de son attraction auprès de ses interlocutrices féminines s'élargit considérablement.

Paradoxalement Anna gardait, quand elle l'évoquait, un souvenir mitigé de cette époque, apparemment euphorique, sans bien expliquer les raisons de ces réticences, lesquelles, à la réflexion, pouvaient dépendre de deux mobiles.

Le premier tenait à la vue d'ensemble qu'elle portait rétrospectivement sur leurs vies, sur le bilan désabusé qui découlait de la fragilité de ces apparences de prospérité. Au sommet de l'excitation de la fête à Montparnasse, éclate le krach économique de 1929, en Amérique qui stoppe l'évolution du marché de l'art.

S'achève alors, à Paris, l'optimisme utopique de ce qu'il a été convenu de nommer *"les années folles"* avec la décrue des illusions et la montée de la crise. Avant celle-ci, disparaît brutalement Zborowski terrassé par une crise cardiaque, mort en 1932, quasi ruiné. S'éclipsent alors les faciles conquêtes de la période faste car, dans l'adversité, les amitiés se raréfient et s'accroit le sentiment de précarité rendu encore plus insupportable quand il succède aux incertitudes que confère la fortune... une fois celle-ci effondrée.

L'autre raison paraît d'ordre plus personnel. Anna tenait beaucoup à Zborowski, supportait mal le manège des profiteurs – et surtout des profiteuses – autour de lui, la facilité avec laquelle il se laissait circonvenir, sa prodigalité inconséquente.

Enfin elle s'avouait profondément possessive à son égard, donc jalouse.

Elle ne m'indiqua pas la raison exacte qui, dans ce contexte de vie facile fit soudainement déborder le vase selon la métaphore couramment utilisée, sinon qu'elle ressentit l'impression d'avoir été trahie. Elle décida de ne plus admettre cette situation qui lui rendait insupportable son existence à Paris, prit brusquement la résolution de tout quitter... et la matérialisa aussitôt en hélant un taxi, carrefour Vavin.

"Pouvez-vous me conduire à Nice ?" Un peu perplexe, croyant avoir mal compris le chauffeur lui demanda dans quel quartier cela se trouvait ou, tout au moins, de bien vouloir lui indiquer la station de métro la plus proche du lieu.

"Mais voyons, au bord de la mer Méditerranée !".

Précisions réitérées, conditions matérielles acceptées, le conducteur réclama simplement la faveur de passer en début de course à son domicile afin de prévenir son épouse et d'emporter linge personnel, objets de toilette, nécessaire à raser... avant que d'entreprendre le grand périple.

Le début de l'épopée se passa dans la jubilation de la vengeance, la satisfaction d'imaginer le vide qu'elle laissait soudain, les suppositions malveillantes des ennemis, les interrogations perfides que ne manqueraient pas de poser les faux amis, les supputations de l'entourage, blessantes pour l'amour-propre bafoué de l'ex-héros triomphant.

Elle fut émue aussi par le désarroi qu'exprimeraient, assurément, avec leur inquiétude latente, les vrais amis -ce qui lui donna l'occasion de s'attendrir un peu plus sur son propre sort.

Un bon repas à l'étape réconforta le chauffeur et la conforta nettement dans ces dispositions revanchardes.

Cependant la route était longue, la conversation avec le complaisant guide plutôt limitée et, durant des heures et des heures de transport, ses rancœurs s'amenuisèrent jusqu'à pratiquement se dissiper. Alors, ce qui avait été abandonné à Paris, par l'effet du temps écoulé depuis et l'éloignement de la distance, prit une dimension nouvelle, bien nostalgique.

Une fois le but enfin atteint, l'arrivée à Nice perdit totalement la dimension escomptée de refuge, de protestation souveraine, de contestation et d'attitude hautement symbolique.

"Et puis cher'r gar'rçon qu'elle est triste cette ville hors saison et sans les amis". Je dis au conducteur : *Mais que faisons-nous là ? si nous rentrions à Paris ? il n'attendait que cela et nous reprîmes aussitôt la route en sens inverse...*

Pour tirer la moralité de l'histoire , je lui posais la question : mais comment Zborowski a-t-il réagi à votre retour ?

Anna s'adossa confortablement dans son fauteuil, se perdit un instant dans ses rêveries puis le regard malicieux et l'ironie dans la voix : *"Il a payé !..."* répondit-elle d'un air sybillin, laissant à penser qu'au delà de la facture et de la somme sans doute conséquente fixée par le taxi, un autre contentieux, plus subtil celui là, s'était de la sorte, réglé.

Où les objets révèlent autre chose que ce à quoi les destine leur usage présumé, témoignant de la sorte de relations complexes entre les êtres lesquelles, pour être comprises, doivent être explicitées... Ce à quoi s'emploie Anna Zborowska à

propos d'un éventail, accessoire théâtral, d'un livre aux feuillets non coupés et de volumes géométriques chargés par Max J. de magnifier les obligations mondaines en spéculations néo-pythagoriciennes.

Un autre objet, sans autre valeur que sentimentale, que me confia Anna à l'occasion de la nouvelle année mais qui me parait à présent magique par ce qu'il évoque, consiste en une très modeste boîte de bois munie d'un couvercle coulissant de verre transparent et qui contient des volumes géométriques compliqués aux facettes multiples, eux-même taillés dans du bois. Soigneusement alignés au fond de cette sorte de petite vitrine ils comportent (outre des numéros gravés ou mentionnés à l'encre noire) comme on le voit dans les reliquaires anciens où les fragments d'os sont recouverts de titulatures en banderolles de papier collées, de petites notices mentionnant leurs noms :

octadèdre obtus 9/2 - octadèdre aigu 10/2 - double pyramide exagonale 13/4 -
scalenoèdre 14/4 - rhomboèdre obtus 16/4 - octaedre oblique à base rhombe 20/5 - prisme oblique à base rectangle 25/5 - prisme doublement oblique 26/6...

Ces appelations érudites composent une sorte de poème surréaliste combinatoire selon l'ordre dans lequel on en détaille le contenu ou l'inventaire formel déployé en les considérant.

En fait, il s'agit simplement d'un répertoire pédagogique de formes géométriques exemplaires, issu vraisemblablement de quelque armoire du cabinet des sciences d'un établissement d'enseignement du quartier latin et Anna s'appliqua à m'indiquer par quel tortueux détour il était parvenu au 3 rue Joseph Bara.

Modigliani appréciait beaucoup Max Jacob d'après lequel il avait réalisé plusieurs portraits dessinés ou peints. Zborowski, quant à lui, restait plutôt réservé face à ce personnage complexe dont la vie privée parfois dévergondée suivie d'accès de repentirs mystiques ostentatoires le déroutait, dont l'œuvre figurée lui semblait plutôt relever de l'imagerie que de la peinture, dont les écrits, enfin, ne correspondaient guère à ce qu'il appréciait d'ordinaire en matière de littérature. Le Montmartrois, sensible à ces réticences – même non expressément formulées – se tenait lors de leurs rencontres plutôt sur la défensive – peu à l'aise dans ce climat.

Amédéo, pour lequel l'amitié primait toute autre considération, n'en avait cure et, un soir où il convié à dîner à la table des Zborowski (chose qui lui était tout à fait familière) alors qu'il avait passé l'après midi avec Max Jacob, insista pour qu'il l'accompagne. Ce dernier aurait volontiers accepté mais pour ne pas s'imposer abusivement ou passer pour un pique-assiette, ne voulait acquiescer que pour autant qu'il satisfasse aux règle de la bienséance en marquant son arrivée par une offrande – même modeste. Or ni l'un ni l'autre des hôtes potentiels ne possédaient en poche de quoi acheter des fleurs ou de la pâtisserie afin de répondre aux usages convenus en ce genre de circonstance.

Par bonheur, aux abords de la Gare Montparnasse en remontant coté Boulevard Edgard Quinet, se tenait épisodiquement un *"déballez-moi ça"*, marché aux puces très modeste où des brocanteurs occasionnels proposaient leurs vétustes marchandises disposées sur des couvertures ou posées à même le trottoir.

Max Jacob tomba en arrêt devant cette boîte mystérieuse placée parmi un fatras de bricoles insignifiantes. Il décréta qu'elle correspondait tout à fait aux préoccupations présentes de Zborowski, lequel avec Derain professait, il est vrai, un intérêt alors marqué pour les vers dorés des Pythagoriciens, dont témoignaient de grands feuillets imprimés par leurs soins ou par ceux de leur entourage et comportant des extraits marquants de ces textes philosophiques.

Comme le prix exigé pour cette curiosité n'excédait en rien leur maigres disponibilités réunies, ils conclurent opportunément l'affaire.

A l'heure du dîner, Max Jacob l'offrit dès son arrivée, cérémonieusement accompagnée d'un commentaire plutôt alambiqué, aux dires d'Anna, où il développait les analogies intellectuelles et les similitudes de démarches géométriques évidentes exprimées par le contenu de cette boîte avec celles dont bénéficiait l'esprit de recherche du maître de maison – argumentation rhétorique spécieuse dont, apparemment, il resta seul convaincu.

Au delà de ces spéculations structurelles, l'intention primant nettement la valeur intrinsèque ou symbolique le don fut apprécié et l'objet prit place à coté de quelques statues "nègres" auxquelles il apportait le contrepoint de concepts formels géométriques.

Lors de la liquidation des collections qui suivit la mort de Zborowski, cet élément inclassable resta sans possibilité de négociation ou de transaction reconnue. Derechef il fit partie des quelques vestiges de cette époque, transfuges de la rue Joseph Bara et qui accompagnèrent Anna, par la suite, au 165.

Où la disparition des amis apporte la démesure du néant, fatalité qu'il est ardu de surmonter... sinon par l'intercession dérisoire et les secourables sortilèges de petits riens.

Anna Zborowska n'évoquait que très rarement la mort de Modigliani. Pour elle et malgré la déchéance physique de ses derniers jours, il restait symbole d'enthousiame, de passion.

Elle gardait un souvenir néfaste des doubles obsèques, accusé par l'attitude violemment hostile des parents de Jeanne Hebuterne qui avaient refusé une tombe commune au couple maudit. *"Nous étions, venus en taxi,une dizaine à peine, à l'enterrement de Jeanne fixé en banlieue en tout début de matinée : tout était sinistre"*.

Pour Amédéo les choses se passèrent différemment car ses amis nombreux l'accompagnèrent au Père Lachaise.

André Salmon dans son livre sur Montparnasse (repris par J.P. Crespelle Montparnasse Vivant Hachette 1962 page 24) accrédite la légende selon laquelle le frère de Modigliani resté en Italie aurait envoyé un télégramme ainsi rédigé : "enterrez-le comme un Prince".

Ce trait avait le don d'exaspérer Anna "C'était peu connaître la famille, sa qualité d'esprit, son élévation de pensée que de lui prêter cette emphase". Le télégramme envoyé aux Zborowski stipulait simplement "Couvrez-le de fleurs". *"C'était beaucoup plus beau*, soulignait-elle. *Je l'ai conservé longtemps, ce télégramme, je ne l'ai plus... mais je sais qui me l'a dérobé"* ajoutait-elle sibylline.

A cette mort, elle associait quasi emblématiquement la disparition d'André Derain car, ainsi qu'elle le mentionne dans une note manuscrite : *"il se peut que le dernier qui a eu une visite de Modigliani était Derain. Les deux amis avaient beaucoup d'estime mutuelle pour leur peinture. Derain a fait un portrait de Modigliani (dessin) d'après lequel celui-ci a exécuté une merveilleuse petite toile. L'expression douloureuse et lointaine est un suprême et conscient adieu à la vie"*.

Restée constamment en relation avec Derain et sa famille elle me remit un texte qu'elle avait jeté rapidement sur une feuille au retour de l'exposition rétrospective qui lui a été consacrée et où elle le célèbre avec lyrisme.

"Il n'est pas de mise de dire que le vernissage de Derain a été "réussi". On peut appliquer ce mot à une manifestation d'ordre courant où l'artiste recherche et trouve sa voie.

Pour Derain, c'est autre chose. A travers un demi-siècle d'activité, d'efforts et de recherches patientes et douloureuses, il nous a été permis de jeter un regard émerveillé et plein de ferveur sur ses toiles à partir de celles de Suresnes – passant par le Fauvisme pour aboutir aux chefs d'œuvre : l'enfant au tambour et l'auto-portrait datant de 52.

Dans un éclair d'intuition Derain s'est vu tel que les derniers mois de sa vie l'ont fait. Eloigné du monde extérieur, effrayé jusqu'au bord de la folie par sa puissante vision intérieure, incapable de l'exprimer autrement que par cette tête d'homme (où le démon qui le possède contemple l'univers avec des yeux qui n'ont rien de leur ancienne froideur et pénétration). La figure convulsée exprime la torture d'un être abandonné à lui-même, trahi, désespéré par l'abîme de solitude et d'incompréhension dans lequel il sait qu'il ne manquera pas de sombrer.

Il l'accepte car telle est la loi et aucun recours contre elle.

Les générations de peintres iront chercher une leçon, un guide dans son œuvre puissante.

Lui – le créateur – restera à jamais seul avec son âme incomprise et inassouvie !"

Anecdotique rebondissement, à Noël 1962, avec une carte de vœux émanant d'Alice Derain, elle m'offrit très cérémonieusement un petit paquet en papier plié contenant, à ce qu'elle précisa, deux boucles d'oreilles d'art populaire mexicain.

Comme je lui faisais remarquer que ce type de bijou ne correspondait guère ni à mon format corporel, ni à mon type-de-beauté (si tant est que celle-ci existe...), elle m'expliqua qu'il ne s'agissait là que d'une moitié de cadeau "demandez à votre mère de le compléter en transformant son usage en boutons de manchettes – quand, au retour de vos vacances vous me montrerez le résultat,je vous expliquerai le pourquoi de ces parures".

L'opération effectuée (à la surprise du bijoutier bourguignon contacté pour ce faire) et à mon arrivée au 165, pour présenter mes voeux de nouvelle année j'abandonnais mes habituels et confortables cols-roulés et revêtu d'une chemise comportant aux poignets ces ornements, frappais à sa porte afin de lui faire admirer l'effet ultime. Ce fut d'ailleurs la seule fois... où je les portais car ces pauvres fleurs d'argent, assez fragiles et de fabrication rustique se déformaient à la moindre tension ou, compte tenu de leur taille réduite, se décrochaient de leur nouveau support en disparaissant dans les boutonnières des poignets de chemise au risque de s'égarer au premier mouvement.

Ces inconvénients échappèrent à Anna, satisfaite de voir son projet mis ainsi à exécution. Vinrent alors les explications liées à cette métamorphose :

Zborowski estimait la peinture de Derain... tout en ne l'aimant pas vraiment. D'ailleurs, très vite, le succès de l'artiste fut tel qu'il n'avait guère besoin des services d'un "marchand en chambre" tel que mon compagnon pour subsister. Quant à moi, je l'appréciais beaucoup depuis notre tout premier voisinage rue Joseph Bara et nous avions lié une fidèle amitié même (et surtout) quand, après la libération, il connut quelques tracas politiques. L'homme, en dépit des apparences physiques et sa carrure de lutteur forain, possédait une grande sensibilité alliée à une culture comparable à celle de Modigliani. Il avait en outre sur ce dernier l'avantage d'exercer ses talents de façon multiple, du théâtre à l'édition de livres d'art et d'être un découvreur et collectionneur d'objets, cela avec une sûreté de goût jamais démentie. En ce sens il a beaucoup influencé Zborowski pour les livres comme pour les productions d'art exotique. Son appétit de vivre, son énergie, sa puissance de travail me donnaient un sentiment de force et de permanence.

Aussi, quand il fut heurté par une voiture en traversant la rue en Juillet 1954, ce stupide accident me peina sans m'inquiéter outre-mesure, car j'étais persuadée qu'un tel colosse survivrait à tout !

L'annonce brutale de sa mort me laissa complètement désemparée. Incapable de rester solitaire dans l'atelier, je descendis retrouver l'animation du Boulevard et par habitude j'entrais chez Katia Brunoff.

Après avoir commenté mutuelleemnt l'évènement, celle-ci, afin de détourner mon attention de ce drame, me fit admirer quelques nouvelles acquisitions, des céramiques, des dessins et ensuite, pour me distraire me présenta un lot de bijoux fantaisie. J'avais besoin de conjurer le sort aussi, machinalement, j'essayais quelques colifichets puis, ayant mis ces boucles d'oreilles en forme de fleurs elles agirent mystérieusement car, sans oublier ma peine celle-ci me parut soudain plus supportable...

Je les achetais en manière de commémoration en me disant que chaque fois que je les mettrai, j'accorderai une pensée à André Derain.

On a toujours besoin, dans la vie, de ce genre de talisman. Voilà pourquoi je tenais à vous le transmettre.

Mais elle ajouta, levant la main en un geste d'interrogation dubitative "je ne suis cependant pas certaine de son pouvoir sur vous car, cher'r gar'rçon, nous autres femmes, possédons l'avantage vital de la *sagesse futile*, c'est-à-dire de savoir nous consoler des grandes peines par de petits riens..."

Où l'échange de livres permet de passer outre les attendus propres à chaque génération, de rappeler le temps passé mais aussi de s'ancrer dans le présent, de céder à quelques colères au risque de commettre un "autodafé". De s'échapper, enfin, au-delà des limites du boulevard Montparnasse, jusqu'à ces spéculations que nous renvoient les miroirs d'astrologie : cosmologies familières heureusement tempérées par le signe de la balance.

Jeanne Modigliani énumère, dans la biographie qu'elle lui a consacrée, les écrivains favoris de son père : Pétrarque, Dante, Ronsard, Baudelaire, Mallarmé... et Lautréamont. "*Au moins sur ce dernier point, Jeanne dit la vérité, insista, après une pause appuyée, Madame Zborowka car nous avons lu ensemble Amédéo et moi, des passages entiers de ce texte dans l'exemplaire qu'il possédait, quasi en ruine à force de traîner dans ses poches, d'être corné pour marquer les pages recelant ses passages préférés. Ce dernier point, d'ailleurs, m'a toujours frappé : alors que Modigliani quand il peignait, gardait une palette rigoureuse (je vous en montrerai une, cassée, dont j'ai conservé le fragment) nettoyait scrupuleusement ses pinceaux, et (chose que vous ne faites que rarement, je l'ai remarqué dans votre atelier !) refermait soigneusement ses tubes de couleur, il ne soignait pas du tout ses livres. Sans doute parce que ce qui lui importait, en l'occurrence c'était le texte inclus plus que l'objet en lui-même*".

Je promis d'être attentif à l'exemple pour l'entretien matériel des tubes de peinture mais ayant noté ses réticences lui demandais les raisons de sa réserve.

"Examinez vous-même la cause" me dit-elle en me confiant l'œuvre de Jeanne, "*Modigliani sans légende*" parue en 1958 et rééditée par Gründ en 1961 "après l'avoir lu, vous ne donnerez votre sentiment à ce sujet".

Ce fut là, il me faut l'admettre, un des rares points litigieux entre nous car, quand je lui rendis le livre, sans renouer avec l'invitation précédente d'appréciation personnelle envisagée, elle entama aussitôt un discours vengeur, plongée dans une colère analogue à celle qu'avait autrefois déclenchée le film *Montparnasse 19*.

Elle m'assura projeter de participer à une émission radiophonique pour affirmer ses convictions, défendre son point de vue d'authentique témoin et surtout réfuter des passages, à ses dires mensongers ou empreints d'affabulations déplacées.

Si j'avais toutes raisons de ne pas douter du bien-fondé de sa critique, je manquais, bien évidemment, de repères ou l'éléments pour prendre parti sur ce qu'elle contestait. L'orage passé, elle remarqua mon silence et réclama alors mon avis.

Sans autre précaution oratoire...car cela me paraissait évident, je lui déclarais qu'en ce qui concernait les points litigieux j'étais désarmé, incompétent, mais que ces écrits, en eux-mêmes, traduisaient plutôt à mes yeux une quête émouvante du passé, appuyée nécessairement sur des échos multiples dont certains pouvaient prêter légitimement à caution. Cela singulièrement si l'on prenait en considération une personnalité aussi contrastée, riche et multiple que celle de Modigliani, phénomène encore accusé par les sédiments imaginaires suscités par le romanesque légendaire. Il convenait alors, en ces circonstances, de justement relativiser ces diverses données. Cependant le ton général, à mon avis, laissait transparaître une admiration entière et un désir forcené, émouvant, de reconstituer la figure du père peut-être pour conforter, à travers elle, sa propre identité. Je me permis de lui rappeler, dans un ordre d'idée similaire, combien l'avait autrefois compromise la sensation de dépossession de ses racines lors de l'épisode de sa demande en naturalisation française.

Soudain distanciée et hautaine elle me dévisagea avec désapprobation : "*A la mort de Modigliani, après le suicide de sa mère nous avons soigné et aimé Jeanne avant que sa famille italienne ne l'accueille. Mais, selon moi, ni les liens du sang, ni la mémoire d'une petite fille de deux ans, son âge lors de ce drame, ne suffisent à lui donner, actuellement, une autorité absolue sur l'appréciation de la vie et de l'œuvre de son père*".

Ainsi fut clos sans appel, ce soir là, le débat.

Le lendemain, rentrant du travail, je trouvais glissés sous ma porte deux feuillets comportant chacun tracés de la main d'Anna, des poèmes de Modigliani. Un peu surpris je descendis aussitôt l'étage afin de la remercier.

"*Cher'r gar'çon... je suis confuse de mes réactions d'hier et de ma véhémence. mais si on ne défend pas la mémoire de nos plus chers amis qui le fera ?*" ... puis sans abdiquer pour autant elle ajouta : "*Soyez sûr, au moins, que ces textes – eux – sont authentiques !*"

Pierre Noël Drain

Léon Bakst, "Le théâtre", éventail offert à Anna Zborowska.

Films

1er Film,
Jacques Becker
"Montparnasse 19"
avec Gérard Philipe, Lilli Palmer, Lino Ventura, Anouk Aimée.
Sortie à Paris : 4 avril 1958, aux cinémas "Colisée" et "Marivaux".

2ème Film,
1988, Rome
"Modi", avec Richard Berry, Elide Melli.
regia : Franco Brogi Taviani
Rai 2.
coproduction France-Italie.

Témoignages.

Souvenirs de Henry Certigny : Le film "Montparnasse 19" étant à peu près achevé, les derniers amis de Modigliani furent invités aux studios de Billancourt. Sur le plateau, je vis une reconstitution de l'atelier... et une fausse devanture de café avec l'inscription "Le Dôme". Choqué, je fis remarquer à l'actrice qui assumait le rôle de Rosalie, Lea Padovani, que Modigliani était loin d'être un familier de cet établissement. L'actrice m'expliqua que l'erreur était peut-être volontaire. Souci publicitaire ? Notre discussion fut interrompue par l'arrivée de Gérard Philipe, que l'on me présenta.

"Bataille autour d'un film"
(Information artistique, N° 43 octobre 1957)

...voici ce que M. Jacques Becker a bien voulu nous déclarer lors de la visite que nous lui rendîmes au Studio de Boulogne en cours de tournage.

– Puisque vous réalisez la vie de Modigliani, pouvez-vous nous donner quelques précisions ?
– Avec plaisir.
– M. Michel Georges-Michel n'avait-il pas un contrat avec la firme stipulant que son nom était inséparable du titre "Les Montparnos".
– Pouvez-vous nous dire pour quelles raisons vous vous êtes écarté du roman des "Montparnos" et en avez-vous changé le titre ?
– Au début Ophuls et Jeanson ont travaillé ensemble, mais ils se sont éloignés tellement du sujet des "Montparnos" que c'est devenu un tout autre sujet, qui a incité le producteur à changer le titre. J'ai évidemment pris connaissance du scénario de Max Ophuls et Henri Jeanson, les indications techniques de Max Ophuls ne pouvaient m'être d'aucune utilité car mon prédécesseur s'était contenté de quelques détails rapides, que j'ai dû refaire entièrement pour rétablir mon découpage.
– Qu'avez-vous conservé du scénario d'Henri Jeanson ?
– J'ai conservé la presque totalité du texte et des dialogues d'Henri Jeanson et si j'ai coupé certaines scènes par souci du métrage et ajouté des séquences nouvelles, c'était pour consolider la construction et la rendre plus intelligible aux spectateurs. En tout cas, c'est mon style personnel que j'ai cherché à imposer...

J'ai tenu dans ce film à faire beaucoup plus l'histoire d'un personnage que celle d'un couple. Ensuite, je me suis rapproché beaucoup plus de l'époque 1920, puisque les faits se sont déroulés à l'époque en question.

– Où avez-vous puisé vos sources ?

– J'avais 14 ans à l'époque et je ne suis pas sans me rappeler Montparnasse. Evidemment, j'ai bien dû consulter quelques ouvrages et faire appel à des témoignages.

– Avez-vous rétabli le suicide de Jeanne Hébuterne, cause primordiale de votre désaccord avec Jeanson ?

– Non. Le film se termine sur le mot de Modigliani, dans l'heure même qui suit sa mort, parce que je conçois Modigliani présent du début à la fin du film. Et, a-t-on assez vu, dans le passé, de ces films finissant dramatiquement, à tel point que le public en était saturé. Ce n'est d'ailleurs plus au goût du jour. C'est ce qui m'a amené à supprimer le suicide de Jeanne.

– Ainsi vous ne respectez pas la vérité historique ?

– Maintenant, je ne dis pas, j'aurais réalisé ce film il y a vingt ans, j'aurais peut-être tenu compte du suicide de Jeanne Hébuterne et j'aurais respecté la verité historique. J'ai donc créé un dénouement nouveau en introduisant une scène, celle du marchand de tableaux. Le film s'achève au moment où celui-ci conduit Modigliani à l'hopital et assiste à sa mort. Puis il se rend chez Jeanne sans la prévenir de la mort de son amant et il achète tous les tableaux. Je crois avoir trouvé là la scène dramatique qui convient à la fin du film.

C'est là, certes, une attitude courageuse mais qui n'est pas sans inspirer quelques inquiétudes...

Geo Sandry et R. de Cazenave.

*1958, Paris. Foujita, Gérard Philipe et Anouk Aimée
durant le tournage du film "Montparnasse 19".*

Amedeo Modigliani
Catalogues de référence

– Arthur Pfannstiel
Catalogue Présumé (reproductions : 288 huiles, 47 dessins, 4 sculptures)
"L'Art et la vie", Modigliani. Préface de Louis Latourrette
Editions Marcel Seheur, Paris 1929.

– Arthur Pfannstiel
Catalogue Raisonné (reproductions : 362 huiles)
"Modigliani et son œuvre",
La bibliothèque des Arts, Paris 1956.

– Ambrogio Ceroni
"Amedeo Modigliani" (reproductions : 156 huiles)
suivi des souvenirs de Lunia Czechowska
Edizioni del Milione, Milano 1958.

– Ambrogio Ceroni
"Amedeo Modigliani" (reproductions : 222 huiles, 156 dessins, 25 sculptures)
Dessins et sculptures
Edizioni del Milione, Milano 1965.

– Ambrogio Ceroni
"L'opera completa di Modigliani" (reproductions : 337 huiles, 25 sculptures)
Rizzoli Editore, Milano 1970.
Editions Flammarion, Paris 1972.

– Joseph Lanthemann
"Modigliani" (reproductions : 420 huiles, 32 sculptures, 599 dessins), Catalogue Raisonné.
Editions Condal, 1970.

– Bernard Schuster et Arthur Pfannstiel
"A Study of his Sculpture" (reproductions : 39 sculptures)
Editions Namega, U.S.A. 1986

– Osvaldo Patani
Amedeo Modigliani
Tome 1er. Catalogo Generale, 1991 (reproductions : 349 huiles)
Tome 2ème. "Sculture e disegni", 1992 (reproductions : 26 sculptures, 221 dessins)
Tome 3ème. " Disegni", 1994 (reproductions : 982 dessins)
Leonardo Editore, Milano

– Noël Alexandre
"Modigliani, la collezione Paul Alexandre", Disegni.
Edizioni Allemandi Torino 1993 (reproductions : 376 dessins)
traductions: Editions Fonds Mercator, Anvers.

– Christian Parisot
"Modigliani", Catalogue Raisonné Tome Ier.
texte Jeanne Modigliani. Documents Archives Légales A. Modigliani.
Dessins, Aquarelles (reproductions : 446 dessins)
Editions Graphis Arte, 1990.

– Christian Parisot
"Modigliani", Catalogue Raisonné Tome IIème.
Documents Archives Légales A. Modigliani.
Reproductions : Peintures (242); Dessins et Aquarelles (58).
Editions Graphis Arte, 1991.

– Christian Parisot
"Modigliani", Catalogue Raisonné Tome IIIème.
Documents Archives Légales A. Modigliani.
Reproductions de la totalité des œuvres.
Editions des Archives, 1998-99.

– Christian Parisot
"Modigliani", Catalogue Raisonné Tome IVème.
Documents Archives Légales A. Modigliani.
Témoignages, photos et documentations.
Editions des Archives, 1996.

13 Février 1920, fête costumée à la Galerie Berthe Weill (en smoking au centre).

338

Bibliographie

Bibliothèque des Archives Légales Amedeo Modigliani

- Catalogue du Salon des Artistes Indépendants, Paris 1908.
- Catalogue du Salon des Artistes Indépendants, Paris 1910.
- André Salmon, "Salon des Artistes Indépendants", Salle XVIII, présentation : "Paris-journal", 18 mars 1910.
- Max Jacob, "219", N° 10-11, revue publiée à New York, chronique "La vie Artistique", nov. 1915.
- A. Werner, 1916.
- Max Jacob, "219", N° 12, revue publiée à New York, chronique "La vie Artistique", fév. 1916.
- Hugo Ball, "Cabaret Voltaire", numéro unique (française et allemand), avec Apollinaire, Cangiullo, Cendrars, Hennings, Huelsenbeck, Kandinsky, Marinetti, Modigliani, Picasso, Van Rees, Tzara; Zurich, mai 1916.
- J. Cocteau, B. Cendrars, catalogue exposition :"Lyre et Palette", Paris 1916.
- **Blaise Cendrars, "Amedeo Modigliani, peintures et dessins", catalogue avec poème (liste des œuvres), Editions Galerie Berthe Weill, Paris 1917.**
- Blaise Cendrars, "19 poèmes élastiques", Editions Au Sans Pareil, (avec un portrait de l'auteur par Modigliani). Tiré à 1150 exemplaire, Paris 1919.
- R. Fry, "Line as a Means of Expression in Modern Art", The Burlington Magazine, (pages 62-69), Londres fév. 1919.
- F. Carco, "Modigliani", dans "L'Eventail", Genève, 15 juillet 1919.
- Paul Guillaume, "Les Arts à Paris", N° 5- 1° Novembre 1919, illustration "La jolie fille rousse", Paris 1919.
- "Art and Letters", revue N° 4, Vol IIème (Nouvelle série), Drawings: 1 reproduction "Portrait de femme", page 149, Editor Osbert Sitwell, Londres, autumm 1919.
- Paul Guillaume, "Deux peintres: Modigliani, Utrillo", N° 6, Novembre: "Les Arts à Paris", (illustration : "La jolie ménagère"), Paris 1920.
- Francis Carco, "Modigliani", Chronique de la vie artistique "Sélection", (texte et 3 repr.), Bruxelles, 15 novembre 1920.
- Catalogue, "Ceux D'Aujourd'hui", Groupe Franco-Belge, Bruxelles, 15 octobre 1920.
- G. Coquiot, "Les indépendants", 1884-1920 Modigliani, Editions Ollendorf, pages 98-99, Paris 1920.
- Roch Grey, "Modigliani", Action, cahiers de Philosophie et d'art, N° 6 déc. 1920, Paris (6 repr.), Paris 1920.
- A. Salmon, "L'Art vivant", Editions G. Crès, (pages 279-281), Paris 1920.
- F. Fels, "L'Information", Les expositions : Modigliani, Paris, 17 déc. 1920.
- Otto Grautoff, "Die Französieche Malerei, Seint 1914", Editions Mauritius Verlag, (1 rep. Huile "Le jeune paysan"), Berlin 1921.
- G. Coquiot, "Vagabondages", Editions P. Ollendorf, pages 205-209, "Modigliani et les portraits d'amour", Paris 1921.
- R. Frène, "Les Nymphes", Editions Ronald Davis, Poème orné de cinq dessins de Modigliani, Paris 1921.
- Carlo Carrà, "L'arte mondiale alla XIII Biennale di Venezia", in "Il convegno", N° 6, pages 289-290, Milan juin 1922.
- F. Sapori, "L'arte mondiale alla XIII Biennale di Venezia, mostre retrospettive : Amedeo Modigliani", page 24, Bergamo 1922.
- E. Somaré, "Note sulla XIII Esposizione Internazionale d'arte della Città di Venezia", in "L'Esame", pages 114-146 ; Milan, mai 1922.
- Michele Biancale, "la XIII Biennale di Venezia : Medaglioni, Modigliani", in "Il tempo"; 14 mai 1922.
- André Salmon, "L'Amour de l'Art", N° 1 Janvier 1922, pages 20,21,22 (3 reprod. œuvres collection P. Guillaume), Paris 1922.
- Catalogue d'exposition: "Modigliani", Galerie Bernheim-Jeune Paris, 7 février-21 février, Paris 1922.
- André Salmon, "Propos d'atelier", Méridien de Paris, Modigliani, pages 217-222, Les Editions G. Grés, Paris 1922.
- A. Lancellotti, "Trubczkoi, Wildt-Egger Lienz e Modigliani", Corriere d'Italia, Rome 1 oct. 1922.
- **Revue "Les feuilles libres", N° 23, octobre-novembre 1922, illustré de 12 dessins de Modigliani (11 Collection Paul Guillaume, 1 Collection Zborowski), Paris 1922.**
- H. Mc Bride, "Modigliani", The Arts III, jan. 1923.
- J. B. Manson, "The Collection of Mr. And Mrs. Samuel Courtauld", in "The Studio", vol. 97, n° 433, pages 252-262, 292 ; Londres, avril 1923.
- Jan Gordon, "Modern French Painters", Survage and Modigliani, pages 99-103, Londres 1923.
- Georges-Michel, "Les Montparnos", roman, (rééd. 1929 et 57), Editions Fayard, Paris 1923.
- G. Coquiot, "Cubistes Futuristes Passéiste", Paris 1923.
- G. Coquiot "Des Peintres Maudits", Editions André Delpeuch, (pages 100 à 112), Paris 1924.

– Elie Faure, "Histoire de l'Art", vol. IV, pages 294, 476, Paris 1924.
– J. Arp, "Der Pyramidenrock", Erleubach-Zürich und München, (illustrée d'un portrait de l'auteur par Modigliani), Eugen Rentdch, 1924.
– Arturo Lancellotti, "Le Biennale Veneziane del Dopoguerra", Egger-lienz e Modigliani, pages 86-88, Rome 1924.
– E. Thovez, "Il filo d'Arianna: I Mostri. Modigliani", Pages 319-321; 324. Milan 1924.
– F. Carco, "Le nu dans la peinture moderne", 1863-1920, (3 huiles), pages 112-118, "La peintre du nu moderne: Modigliani, son art, sa diversité", Paris 1924.
– Paolo D'Ancona, "Peintres maudits: Modigliani-Utrillo", "Le Arti Plastiche", 1er mai, Milan 1925.
– P. D'Ancona, "A proposito di Modigliani", "Le Arti plastiche", 16 mai, Milan 1925.
– W. George, "Modigliani", in "L'Amour de l'art", Librairie de France Paris, L'amour de l'Art vol. VI, Paris, octobre 1925.
– Gustave Fus Amore et Maurice des Ombiaux, "Montparnasse ", Editions A. Michel, pages 200-201, Paris 1925.
– Catalogue vente Hôtel Drouot, Paris, salle n° 9, 9 février 1925.
– Catalogue vente Hôtel Drouot, Paris, 18 juin 1925.
– Courrier de la Presse, "Modigliani", in "Le Bulletin de la Vie Artistique"; Paris, 15 nov. 1925.
– Galerie Bing & Cie, catalogue "Modigliani", Paris 1925.
– F. Fels, "Chronique artistique, Modigliani", in "Les Nouvelles Littéraires", N° 158 ; Paris, 24 oct. 1925.
– A. Warnod, "Les Berceaux de la jeune peinture : Montmartre, Montparnasse", Editions A. Michel, pages 233-234, 271-273 ; Paris 1925.
– O. L. W. Michel, "Gemäde von Modigliani", in "Deutsche Kunst und Dekoration", Bresde, 30 sept. 1925.
– E. Thovez, "Trois poèmes inédits de Modigliani", in "Les Arts à Paris", n° 11 ; Paris oct. 1925.
– M. Vlaminck, "Souvenir de Modigliani", "L'Art vivant" N° 21, Paris, 1 nov. 1925.
– Catalogue vente collection Francis Carco, Hôtel Drouot, Paris, 2 mars 1925.
– F. Ciarlantini, "Imperialismo Spirituale", pages 16-17, Milan 1925.
– Guglielmo Gatti, "Pittori Italiani dall'800 ad oggi", "Amedeo Modigliani", page 162, Rome 1925.
– W. Georges, mars 1926.
– C. Pettinato, "Pittura, cataloghi ed altro", in "La Stampa", Turin, 3 mars 1926.
– A. Perate, "La peinture en Italie de 1870 à nos jours", in "Histoire de l'Art"de Michel A., vol VIII, partie 11, page 686 ; Paris 1926.
– Adolphe Basler, "La peinture...religion nouvelle", pages 17-18, Paris 1926.
– André Salmon, "Modigliani, sa vie, son œuvre", Editions des Quatre Chemins, Paris 1926.
– F. Fels, "Modigliani", in "Der Querschnitt"VI Jahrg, Heft 7, Berlin, juillet 1926.
– G. Coquiot, Modigliani, "Kunst und Künstler", année XXIV, pages 466-470, Berlin 1926.
– A. Schettini, "1884-1914. Trent'anni d'arte indipendente", in "Le Arti Plastiche", N° 6, Milan 16 mars 1926.
– Lorenzo Gigli, "Gli uomini di Montparnasse", in "I Libri del Giorno", anno IX, n° 3 ; Milan, mars 1926.
– F. Lehel, "Notre art dément", N° 44, Paris 1926.
– C. Einstein, "Die Kunst des 20. Jahrhunderts", Editions Im Propylaen-Verlag, page 47, (8 rep.) Berlin 1926.
– Jean Gordon, "Savage art and Modigliani", Modern French painters, Londres 1926.
– Catalogue Hôtel Drouot, Paris 20 octobre 1926.
– T. W. Earp, "Modigliani drawings at Messrs. "London exhibitions, Tooth's Gallery, in "Drawing and Design", vol. II, n° 7, pages 10-12, Londres, janv. 1927.
– Catalogue vente Hôtel Drouot, Paris 3 mars 1927.
– E. S., "Italieniche Maler", in "Zücher Post", Zurich, 12 avril 1927.
– G. Raimondi, "Modigliani", "L'Italiano", n° 12-13, Bologna, 30 sept. 1927.
– M. Raynal, "Anthologie de la peinture en France de 1906 à nos jours", pages 239-244, Paris 1927.
– B. Cendrars, "Vient de paraître", Modigliani, Paris sept-octobre 1927.
– S. Giedion, "Neue Italienische Malerei : Novecente", in "Der Cicerone", n° 13, année XIX, Lipsia, juil. 1927.
– Adolphe Basler, "Amedeo Modigliani", "Le Arti Plastiche", Milan ; "Le Crapouillot", Paris, août 1927.
– Revue "Cahiers d'Art", Exposition de Glasgow, in "Feuilles volantes"(1 œuvre), Paris N° IV-V, 1927.
– Violette de Mazia, "L'Art de la Fondation Barnes", in "Les Arts à Paris" n° 14, pages 22-25 ; Paris oct. 1927.
– P. Courthion, "Modigliani", revue "Vient de paraître", N° 66, pages 836-37, Paris 1927./ "Panorama de la Peinture française contemporaine" pages 151-156, Paris 1927.
– Maurice Raynal, "Anthologie de la peinture en France de 1906 à nos jours", Modigliani pages 239-244, Paris 1927.
– F. Carco, "De Montmartre au Quartier Latin", Editions A. Michel, Paris 1927.
– G. Scheiwiller, "Modigliani", "Arte Moderna Italiana", N° 8, Milan 1927.
– Marck Schwarz, "Modigliani", Editions Le triangle, (ouvrage écrit en yiddish), Paris 1927.
– W. Wartmann, "Italienische Maler", Kunsthaus, Texte Catalogue, Zürich, mars 1927.
– Wti, "Italienische Maler im Kunsthaus I" in "Neue Zurcher Zeitung", Zurich, 10 avril 1927.
– Hch. Ehl, "Eurapäische Kunst der Gegenwart", in "Die Kunst" n° 2, année 29ème, Monaco 1927.
– Boris Ternovetz, "I disegni italiani nel museo della nuova arte occidentale a Mosca", Manoscritto, coll. Pfannstiel, 1928.
– **G. Scheiwiller, "Modigliani", Editions des Chroniques du Jour, Paris 1928.**
– A. Warnod, "Les Peintres de Montmartre", pages 117, 118, 167 ; Paris 1928.
– Revue "Montparnasse", numéro spécial au souvenir de Paul Husson , Directeur Géo Charles, (Rep. 1 huile) N° 50 ; Paris, mars 1928.

– Franz Roh, "Bemerkungen zur nachexpressionistischen Malerei Italiens", in "Die Kunst" n° 6, ; Monaco, mars 1928.
– Vincenzo Costantini, "Il processo alle ispirazioni : Fauves, Fiori del male", in "Le Arti Plastiche" n° 10, année V, Milan, 16 mai 1928.
– Catalogue vente Hôtel Drouot Paris, 14 juin 1928.
– Rosa Menni, "Modigliani", in "Drawing and Design", n° 24, vol IV, pages 156-161, 166 ; Londres, juin 1928.
– F. Garibaldi, "Due pittori moderni : Modigliani, De Chirico", "Il Primato d'Italia", Genova, 4 nov. 1928.
– Stanley Casson, "Some Modern Sculptors", Londres 1928.
– A. Alexandre, "Portrait et figures de femme : De Ingres à Picasso", in "La Renaissance de l'Art", 11 Antée, n° 7, page 273, Paris juill. 1928.
– Marinus, "La rara figura de Modigliani", in "El Semanario Nacional" n° 953, supplém., Mexico City, 5 août 1928.
– A. Basler, "La sculpture moderne en France", Page 55, planche 38, Paris 1928.
– Henri Focillon, "La peinture aux XIXème et XXème siècles "Du réalisme à nos jours, (pages 312, 325, 419, 423), Paris 1928.
– Raffaello Franchi, "Amedeo Modigliani", in "La Fiera Letteraria" année IV, n° 22, page 4, Milan, 27 mai 1928.
– Maurice Raynal, "Modern French Painter", Editions Brentanos, (3 rep. coll. P. Guillaume), New York. 1928.
– J. B. Manson, "The studio", Londres, nov. 1928.
– Revue "Art News", 17 nov.1928.
– Revue "Les Arts à Paris", Paris, mai, 1928
– Catalogue Arthur Tooth & Sons Ltd., Londres 1928.
– C. Carstairs, août 1929
– **A. Pfannstiel, "Modigliani", catalogue présumé, préface de Louis Latourettes, Editions Marcel Seheur, Paris 1929.**
– G. Jadlicka, "Amedeo Modigliani", in "Neue Zürcher Zeitung"; Zurich, 8 sept. 1929.
– C. Roger-Max, "Modigliani", "Apollo", Vol. IX N° 52, pages 216-219, Londres, avril 1929.
– **Lamberto Vitali, "Disegni di Modigliani", (Arte Moderna Italiana N° 15), 110 ex. numéroté., 30 pls. H.T. Milan 1929.**
– Georges-Michel, "Les Montparnos", roman, Editions Mondiales, Paris 1929.
– **M. Dale, "Modigliani", Editions Alfred A. Knopf, (51 reproductions), New York 1929.**
– M. Dale, "Before Manet to Modigliani from the Chester Dale Collection", (8 rep. peintures), Editions Alfred A. Knopf, New York 1929.
– Aurelie Gottlieb, Repräsentative auständiche Maler, in "Deutsche Kunst und Dekoration", n° 7, Darmstad, Dresde, avril 1929.
– A. Pope, "French Painting", Catalogue d'exposition Fogg Art Museum, Cambridge Massachusetts, avril 1929
– Waldemar George, "La Grande peinture contemporaine à la collection Paul Guillaume", Editions des Arts à Paris, (18 rep.) 1929.
– P. G. Konody, Catalogue "Modigliani", Lefèvre Galleries, Londres 1929.
– A. Basler, C. Kunstler, "La peinture indépendante en France", Editions G. Crès, (1 rep. N° 33), Paris 1929.
– M. Vlaminck, "Modigliani nella vita intima", "Le Arti Plastiche", Milan. Année VI N° 7, 1 avril 1929 ; et "Tournant dangereux, souvenirs de ma vie", pages 215-217 ; Paris 1929.
– Lorenzo Gigli, "Girl in a White Dresse By Modigliani", in "Vanity Fair", n° 1, page 67, vol 32 ; New-York, mars 1929.
– F. Sartoris, "Amedeo Modigliani", in Catalogue illustré de la deuxième Exposition d'Artistes du Novecento Italien à Genève, à la Galerie Moos, Juin-Juillet 1929.
C. Zervos, "Modigliani", catalogue exposition De Hauke and C., New-York, 21 oct.- 9 nov. 1929.
– Frank Rutter, "Modigliani", in "Apollo" n° 52, pages 216-219, Londres, avril 1929
– Revue, "Cahiers d'Art", Les expositions: Galerie Alex Reid, Londres, (1 œuvre), Paris N° II-III, 1929.
– Rosa Menni, "Tre disegni di Modigliani", in "1929", Problemi d'arte attuale, n° 1-2 ; Milan jan. – fév. 1929./ "Modigliani", in "Drawing and Design", Exibition at the Léfevre Gallery, n° 33, vol. V, pages 70-83 ; Londres, mars 1929./ "Modigliani", in "Drawing and Design", Exibition at the Lefévre Gallery, n° 34, vol. V, page 111 ; Londres, avril 1929.
– Mac Intyre Raymond, "The Work of Modigliani", in "The Architectural Rewiew", n° 389, pages 204-205, vol. LXV ; Londres avril 1929.
– Lascano Tegui, "Les Femmes de Modigliani", "Paris-Montparnasse", Paris, 15/ 08/ 1929.
– R. Vitrac, "Jacques Lipchitz", Editions Gallimard, couverture et 4ème, rep. dessin inédit gravé sur bois par Georges Aubert, Paris 1929.
– Michel Georges-Michel, "Les Montparnos", in "Vu", revue N° 88, Paris, 20 nov. 1929.
– W. Stell, "Modigliani", The New-York Herald Tribune, témoignage de Maud Dale, New-York, 1 déc. 1929.
– **L. Venturi, Catalogue XVII Biennale di Venezia : "Mostra individuale di Amedeo Modigliani", Venice 1930.**
   – "Sulla linea di Modigliani", in "Poligono"; Milan, fév. 1930.
   – "Amedeo Modigliani",in "Arte", revue bi-mentr. N° 1, page 212 ; Torino, mars 1930.
   – "Modigliani a Venezia", in "Belvedere"; Milan, mai-juin 1930.
   – "La collection d'Art Moderne de M. Gualino et la Salle Modigliani à l'Exposition Biennale de Venise", in "Formes"; Paris juill. 1930.
– International Studio, "Notes of the Venice Biennial", page 55 et 57, n. revue.(et mai) Juin, et (4 rep.) sept. 1930.
– W. R. Valentiner, "Modigliani and Pascin", in "Bulletin of Detroit Institute of Arts"; Detroits, oct. 1930.
– A. Basler, "Modigliani", Kunst und Künstler, juin 1930.
– G. Bofa, "Les livres à lire", (Les Montparnos), Le Crapouillot, texte, (3 huiles), janv. 1930.
– A. Soffici, "Ricordo di Modigliani", in "Gazzetta del Popolo", Turin 16 jan. 1930./ et "Belvedere"; Milan, fév. 1930.
– U. Thieme, "Allgemeines Lexikon der bildenden Kunstler", Tome 24ème, Lipsia, 1930.
– A. Schettini, "Modigliani", in "Roma"; Naples, 27 juin 1930.

– G. Marchiori, "Amedeo Modigliani", in "Voce del Mattino"; Rovigo, 17 mai 1930.
– M. Malabotta, "Amedeo Modigliani", in "Il popolo di Trieste"; Trieste, 4 mai 1930.
   – "Modigliani italiano", in "Il popolo di Trieste"; Trieste, 12 sept. 1930.
– Kiki, "Modigliani e il suo ruggito", in "Piccolo della Sera"; Trieste, 1 oct. 1930.
– E. Rigo, "Amedeo Modigliani", in "Giornale d'Italia"; Milan, 30 nov. 1930.
– C. Pavolini, "Modigliani e gli altri artisti", in "Tevere"; Rome, 20 mai 1930.
– P. Paros, "Amedeo Modigliani", in "Giornale del Friuli"; Udine, 13 mai 1930.
– C. Oppo, "Amedeo Modigliani", in "La Tribuna"; Rome, 14 mai 1930.
– U. Ojetti, "Amedeo Modigliani", in "Corriere della Sera"; Milan, 28 jan. 1930.
– A. Neppi, "Il caso Modigliani", in "Il lavoro Fascista"; Rome, 16 mai 1930.
– Mercurio, "Decimo aniversario della morte di Amedeo Modigliani", in "Le Arti Plastiche"; Milan, 1 fév. 1930.
– Del Massa, "Amedeo Modigliani", in "La Nazione"; Florence, 26 jan. 1930.
   – "Omaggio a Modigliani", in "L'Illustrazione Toscana"; Florence, fév. 1930.
   – "Amedeo Modigliani e la critica moderna", in "La Nazione", Florence, 4 juill. 1930.
– E. Zanzi, "Modigliani: dieci anni dopo. La dolorosa vita d'un artista", in "Gazzetta del Popolo", Turin 5 février 1930.
   – "Modi, l'ebreo mistico e sregolato". "La rassegna filodrammatica", Turin, 1 juil. 1930.
   – "Modigliani e i facili seguaci", "Gazzetta del Popolo", Turin 9 mai 1930.
– G. Zatti, "A proposito di A. Modigliani", "Popolo di Brescia", 9 août 1930.
   – "Amedeo Modigliani e l'arte", "Regime Fascista", Cremona, 4 nov.1930.
– "Paris-Montparnasse": numéro consacré à Amedeo Modigliani, textes de : A. Salmon, L. Tégui, A. Basler, Zadkine, Kisling, Zborowski, Ramon Gomez de la Serna, "Modigliani et Diego Rivera", Paris février 1930.
– C. Einstein, "Per Amedeo Modigliani", in "L'Indice"; Gênes, 5 fév. 1930.
– A. Grande, "Modigliani", in "Secolo XIX"; Gênes, 6 mai 1930 ;/ et "La XVII Biennale Veneziana : Modigliani. Il gruppo dei "6" lombardi, in "Secolo XIX"; Gênes, 6 mai 1930.
– C. Giachetti, "Modigliani", in "La Nazione"; Florence, 4 mai 1930.
– A. Giacconi, "XVII Biennale di Venezia, Modigliani", in "Giovedi"; Milan, 22 mai 1930.
– E. Falqui, "Rassegna della Stampa : il caso Modigliani", in "L'Italia Letteraria"; Rome, 25 mai 1930.
– G. Costetti, "Amedeo Modigliani", in "L'Illustrazione Toscana"; Florence, oct. 1930.
– P. Torriano, "Amedeo Modigliani", in "La casa bella"; Milan, mai 1930.
– M. Tinti, "Omaggio a Modigliani", in "Resto del Carlino"; Bologne, 7 fév. 1930.
– A. Spaini, "La Biennale di Venezia : il ritorno di Amedeo Modigliani", in "Resto del Carlino"; Bologne, 29 mai 1930.
– Sergio Solmi, "La lezione di Modigliani", in "Omaggio a Modigliani"; Milan 1930.
– Mario Soldati, "Modigliani a New-York", in "L'Italia Letteraria"; Rome, 12 jan. 1930.
– N. Sofia, "Splendori e miserie dell'arte europea nella Biennale veneziana : Modigliani", in "L'Ora"; Palerme, 19 juin 1930./ et "Corriere di Sicilia", Catania, 20 juin 1930.
– B. M. Bacci, "Uomini del Novecento: Amedeo Modigliani", in "Nuova Italia", Florence, 20 mai 1930.
– A. Zajotti, "Modigliani e il pubblico", in "Giornale d'Italia"; Roma 14 nov. 1930.
– N. Barbantini, "Modigliani", in "Gazzetta di Venezia", 9 septembre 1930.
– Le Arti Plastiche, "Amedeo Modigliani", Milan 16 mai 1930.
– Aza, "Amedeo Modigliani", in "Arena", Vérone 4 mai 1930.
– G. Scheiwiller, "Omaggio a Modigliani", Milan 1930.
– Revue "Creative Art", vol. VI, 1930.
– J. Guenne, "L'Exposition de l'art vivant au théâtre Pigalle", L'Art Vivant, N° 130, (3 rep. huiles), Paris 1930.
– G. Scheiwiller, "Art Italien Moderne", Paris 1930.
– L. Bartolini, "Modi", in "Corriere Adriatico", Ancona, 10 mai 1930./ in "Brennero", Trento, 14 mai 1930./ "Il pittore Amedeo Modigliani", in "La Gazzetta di Messina", Messine, 10 mai 1930./ "Modi a Venezia", in "Sentinella d'Italia", Cuneo, 21 mai 1930.
– S. Benco, "Modigliani", in "Il Piccolo di Trieste", Trieste, 4 mai 1930.
– M. Bernardi, "Amedeo Modigliani", in "La Stampa", Turin, 24 janv. 1930.
– G. Biadene, "Sosta presso il Modigliani", Alla XVII Biennale, in "Veneto"; Padova, 3 nov. 1930.
– D. Bonardi, "Notturnità di Modigliani", in "Sera"; Milan, 20 oct. 1930.
– M. Biancale, "Di Amedeo Modigliani e altre cose", in "Popolo di Roma"; Rome, 15 fév. 1930.
– Catalogue d'exposition "Modern French Art", School of design, Rhode Island mars 1930.
– Zum Gedächnis Modiglianis, in "Prager Presse"; Prague, 26 avril 1930.
– A. Fage, "Le collectionneur de peintres modernes", Editions Pittoresques,(1 rep.) ; Paris 1930
– Revue "Formes", Paris, juillet 1930.
– International Art, "Modigliani", in Times", Sunday Edition ; Londres, 4 mai 1930.
– E. Bissoni, "Ettore Tito e Amedeo Modigliani", in "Sentinella d'Italia"; Cuneo, 7 août 1930.
– U. Brunelleschi, "Modigliani", in "In Giovedi"; Milan, 16 oct. 1930.
– E. Brummer, "Modigliani chez Renoir", in "Paris-Montparnasse"; Paris fév. 1930.
– G. Bottinelli, "Modigliani", in "Belvedere"; Milan, jan. 1930.

– A. Borghesi, "Ancora a proposito di Modigliani", in "Il Giornale d'Italia"; Milan, 15 juin 1930.
– C. Carrà, "Amedeo Modigliani", in "L'Ambrosiano ; Milan, 2 juill. 1930./ et "La XVII Biennale di Venezia", in "L'Ambrosiano"; Milan 9 juill. 1930.
– C. Claris, "Contro un insulto a Modigliani", in "Popolo di Trieste"; Trieste 7 sept. 1930.
– A. Corpora, "Leggenda di Modigliani", in "Unione"; Tunis, 5 mai 1930.
– Foglia, "Il dramma di un pittore", in "Corrire del Ticino"; Lugano, 4 fév. 1930.
– F. Garibaldi, "Disegni di Modigliani", in "Giornale dell'Arte"; Milan, 12 jan. 1930.
– B. Mazzini, "Le correnti che prevalgono e l'arte di Amedeo Modigliani", in "L'Economia Nazionale": Milan, août 1930.
– A. Margotti, "La mostra postuma di Amedeo Modigliani", in "Il Giornale d'Oriente"; Alexandrie, 19 mai 1930.
   – "Ettore Tito e Amedeo Modigliani", in "Il Giornale d'Oriente", Alexandrie, 28 juin 1930.
   – "Da Modigliani ai Futuristi", in "Corriere Padano"; Ferrare, 17 juill. 1930.
– André Salmon, "Montparnasse…", in "Bravo", revue dirigée par J. Thery, texte de Marcel Say, Paris déc. 1930.
– Catalogue d'exposition, "Cent Ans de Peinture Française", Galerie Georges Petit, Paris 1930.
– Revue "Art News XXXIX", 28 mars 1931.
– L. Meidner, "Erinnerungen an Modigliani", in "Das Kunstblatt"; Berlin, fév. 1931.
– Fine Arts, numéro special de "The Studio", printemps 1931.
– A. Basler, "Modigliani", Editions Crés at C. collection: "Les Artistes nouveaux", (32 repr.), Paris 1931.
– Charles Fegdal, "Modigliani", La Semaine à Paris, chroniques hebdomadaires : exposition à la Galerie M. Bernheim, page 3 (1 rep. Huile), 11 juin et 18, 1931.
– P. Fierens, "Jongkind, Monet, Modigliani", revue Les Nouvelles littéraires, n° 452, page 7, Paris 13 juin 1931.
– G. Jadlicka, "Paul Guillaume erzählt von Amedeo Modigliani", in "Neue Zürcher Zeitung"; Zurich, 24 et 25 juin 1931.
– Revue "Formes", Paris octobre 1931.
– Revue "Formes", Paris avril 1931.
– Fritz Neugass, "Amedeo Modigliani", revue "L'amour de l'Art", N° 5 (pages 197-201, 17 illustr.), Paris mai 1931 ; et "A. Modigliani", Deutsche Kunst und Dekoration, jan. 1931.
– D. Adlow, "Modigliani and l'Art Nouveau", in Christian Science Monitor, Boston, 27 juin 1931.
– Darmstadt, Januar 1931.
– J. Epstein, A. Haskell, "The Sculptor speak", Londres 1931.
– A. Bucci, "Ricordi d'artisti :Modigliani", in "L'Ambrosiano", Milan 27 mai 1931.
– C. Stöerner, "Erinnerungen an Modigliani", in "Querschnitt", Berlin, juin 1931.
– S. Taguchi, "Modigliani", Editions Atelier-Scha, Tokyo 1932.
– M. Sachs, "Modigliani the Fated", Creative Art, fév. 1932.
– V. Cardarelli, "Modigliani", in "Il Tevere", Rome, 12 mars 1932.
– Nina Hamnet, "The Laughing Torso", Ray Long and Richard Smith, New-York ; Constable, Londres 1932.
– M. Deroyer, "Rosalie, la bonne hôtesse quitte Montparnasse", Intransigeant, juillet 1932.
– Charles Fegdal, "Modigliani", Semaine à Paris, N° 548, 25 nov. 1932.
– G. Scheiwiller, "Modigliani", Editions Hoepli, Milan 1932.
– E. Somaré, "Sette Artisti moderni", catalogue exposition Galleria Milano, Milan, 1932
– U. Brunelleschi, "Rosalie, l'ostessa di Modigliani", in "L'Illustrazione Italiana"; Milan, 11 sept. 1932.
– Revue "Cahiers d'Art",(1 œuvre) Paris N° I-II, 1933.
– **Catalogue Palais des Beaux-Arts, "Modigliani", Bruxelles, nov. 1933.**
– Revue "L'Italiano", Bologna, novembre 1933.
– **Berthe Weill, "Pan ! …dans l'œil", Librairie Lipschutz, Paris 1933.**
– **E. Schaub-Koch, "Modigliani", Mercure Universel, Editions Bresle Lille-Paris 1933.**
– Paul Yaky, "Le Montmartre de nos vingt ans", chapitre "Les maudits: Couté, Modigliani, Depaquit", Paris 1933.
– Catalogue d'exposition "Modigliani", Kunsthalle Basel, texte C. A.Cingria, jan-fév. 1934.
– Edouard Joseph, "Dictionnaire biographique des artistes contemporains", Paris 1934.
– Pennsylvania, Museum Bulletins, 1934.
– Filippo De Pisis, "La Pittura di Modigliani", in "Corriere Padano"; Ferrara, 7 nov. 1934.
– R. Calazini, Raccolta Z. Pisa, Milan 1934.
– Catalogue "20th Century Portraits", The Museum of Modern Art, New York 1934.
– M. Sach, "Modigliani et Soutine", "Le courrier d'épidaure", revue medico-littéraire, N° 10 déc. Paris 1934.
– Catalogue vente de la collection l'Art Moderne Lucerne (Suisse), Hôtel Drouot, Paris 20 juin 1935.
– Catalogue "Tentoonstelling Moderne Fransche Kunst", Stedelijk Museum, Amsterdam 1935.
– F. Carco, "Pages choisies", Alban Michel Editeur, Paris 1935.
– Paul Guillaume, "Modigliani", Revue "Les Arts à Paris" N° 21, Paris, juin 1935.
– T. Craven, "Modern Art", Williams Ltd. Londres, 1935.
– G. Scheiwiller, "Amedeo Modigliani", Editions Hoepli, Milan, 3ème edition, 1935.
– T. Earp, "The Modern movement in Painting", Londres 1935.
– R. Howard Wilenski, "The Meaning of Modern Sculpture", Londres 1935.
– J. J. Sweeney, "African Negro Art", New York 1935.

– M. Vlaminck, "Réflexions sur Rousseau et Modigliani", revue "Beaux-Arts" N° 157, Paris 1936.
– R. Dorgelès, "Quand j'étais Montmartrois", Editions A. Michel, Paris 1936.
– Béatrice Hastings, "The Old New Age, Orange and Others", Blue Moon Press, Londres 1936.
– M. Marsell, "French Masters", revue "Art News", XXIV, N° 15, 11 janvier 1936.
– S. Taguchi, "Modigliani", Atelier Sha, Tokyo 1936.
– C. J. Bulliet, New York 1936.
– M. Marsell, "French masters of the XXème in the Valentine show", Art News XXIV, n° 15, 11 janv.1936.
– Catalogue, "Bilder nach Skulpturen und Gemalden der Sammlung", Kunsthaus ,Zurich 1936.
– L. Vitali, "Disegni di Modigliani", Editions Hoepli, 2ème édition , Milan 1936.
– R. Escholier, "La Peinture Française, XXème siècle", Editions Librairie Floury, (3 rep.), Paris 1937.
– E. Faure, "History of Art-Modern Art", Garden City Publishing, Garden City 1937.
– D. Berthoud, "La Peinture Française d'aujourd'hui", Les Editions D'Art et D'Histoire, (pages 99-97, 1 rep), Paris 1937.
– Albert. C. Barnes, "Modigliani", in "The Art in Painting"; New-York 1937.
– **Catalogue exposition, "Amedeo Modigliani", Arthur Tooth, (3 rep; 56 œuvres exposées), London 1938.**
– W. George, "Voici Modigliani dans sa grandeur", revue "Beaux-Arts", Paris 22 avril 1938.
– R. J. Goldwater, "Primitivism in Modern Art", New-York 1938.
– L. Bartolini, "Modi", Edition del Cavallino, Venise 1938.
– Catalogue vente Hôtel Drouot ; Paris 12 mai 1939.
– Catalogue vente Hôtel Drouot ; Paris, 2 mars 1939.
– A. Salmon, "Le vagabond de Montparnasse", in "Les Œuvres libres" n° 212, Paris, fév. 1939.
– Auktion Gemälde und Plastiken Moderner Meister aus Deutschen Museen, Galerie Fischer, Luzern 1939.
– F. A. Sweet, "Modigliani and Chirico", Bulletin of the Art Institute of Chicago, XXXIII, nov. 1939.
– R. Huyghe, "Les contemporains", Paris 1939.
– F. Carco, "Bohème d'Artiste", Editions Albin Michel, Paris 1939.
– Revue "Art New", Vol. 38, page 11, New York ,13 janvier 1940.
– J. Epstein, "Let there be Sculpture : an Autobiography", M. Joseph Ltd., Londres 1940.
– Charles Duglas, (Duglas Goldring), "Artist Quarter", Faber and Faber, Londres 1941.
– G. Scheiwiller, "Modigliani", Milan 1942.
– L. Meidner, "Young Modigliani", in Burlington Magazine", Londres avril 1942.
– G. Piovene, "La raccolta Feroldi", Milan 1942.
– R. Frost, "Contemporary Art", Editions Crown, New York 1942.
– M. Georges-Michel, "Peintres et sculpteurs que j'ai connus"1900-1942, Editions Brentano's, (I dessin) témoignages, New-York 1942.
– G. Besson, Amplepuis-Rhône 1942.
– J. B. Flannaghan, Catalogue du Musée d'Art Moderne, New-York 1942.
– F. (Arber), M. (Anny), Magazine of art XXXVI, janvier 1943.
– Ludwig Meidner, "The Young Modigliani", in "The Burlington Magazine", Londres, mai 1943.
– A. Modigliani, "Lettera al Pittore Ghiglia", in "Pattuglia", n° 7-8, Forli 1943.
– Gastone Ragazzuta, "Amedeo Modigliani" in "Virtù degli artisti labronici", Società Editrice Tirrena, Livorno 1943.
– Worcester Art museum, avril 1943.
– Catalogue "Paintings from the Chester Dale collection", (5 huiles), Philadelphia 1943.
– A. Springer, C. Ricci, "Manuale di Storia dell'Arte", Bergamo 1943.
– G. Besson, "1900-1940", Amplepuis-Rhône, France 1944.
– F. Carco, "L'ami des Peintres", Editions du Milieu du Monde, Genève 1944.
– Catalogue "Art in Progress", Museum of Modern Art, New York 1944.
– R. H. Wilenski, "Modern French Painters", Editions Faber, New York 1944.
– A. M. Brizio, "Ottocento Novecento", Turin 1944.
– G. Scheiwiller, "Amedeo Modigliani ; J. Pascin, C. Soutine", in Sifriat Poalim, Worker's Book-Guild, Palestine 1944.
– **A. Warnod, "Modigliani", Catalogue d'exposition Galerie de France 21/12/1945-31/01/1946, Paris 1945.**
– R. Franchi, "Modigliani", Editions Arnaud, Florence 1944, 1946.
– N. Aprà, "Tormento di Modigliani", Casa Editrice Bietti, Milan 1945.
– A. Modigliani, "Ave et Vale", poème et textes : Zanzi, Tinti, Fels, Soldati ; Editions SAIGA Genova, 1945.
– Catalogue d'exposition "The child through four centuries", Gallerie Wildenstein, (1 huile rep), New-York, mars 1945.
– A. Warnod, "Modigliani", Catalogue d'exposition Galerie de France, (38 huiles, 3 sculpt.) 21déc. 1945, au 31 jan 1946.
– P. Dermé, "Modigliani, le cygne de Livourne", Arts N° 48 (revue dir. par Wildenstein) Paris, 25 déc. 1945.
– A. Salmon, "L'air de la Butte", Editions de la Nouvelle France, Paris 1945.
– **L. Zborowski, "Modigliani", Editions All'insegna del Pesce d'Oro, Series illustrées N° 26, Garotto, Varese 1945.**
– R. Carrieri, "Il desegno italiano contemporaneo", Milan 1945.
– Michel Georges-Michel, "Chefs d'œuvre de peintres contemporains", (3 huiles), Editions de la Maison Française, New York 1945.
– Léon Ghischia, N. Védrès, "La sculpture en France depuis Rodin", Paris 1945.
– **Catalogue d'exposition "Mostra di Modigliani", Associazione fra Amatori e i Cultori delle Arti Figurative Contemporanee, texte Lamberto Vitali, 24 repr.(61 œuvres exposées), Milan, avril-mai 1946.**

– S. Balestrieri, "Mistero di Modigliani", in "L'Araldo dell'Arte", Milan, 16 fév. 1946.
– G. Bazin, "Modigliani, dernier des peintres Toscans", in "Labyrinthe", Genève, 15 jan. 1946.
– L. Borghese, "Modigliani", in "Il Giornale dell'Arte", Milan, 15 juin 1946.
– R. Franchi, "Modigliani", Arnaud Editore, Florence 1946.
– L. Magagnato, "Modigliani alla mostra di Milano", in "Università", Milan, 15 mai 1946.
– Germain Bazin, "Modigliani", revue "Labyrinthe", N° 16, (2 huiles), Genève le 15/ 01/ 1946.
– G. Marchiori, "Pittura Moderna Italiana", Editions Stampe Nuove, Texte de U. Apollonio, (30 repr.) Trieste 1946.
– Galerie Charpentier, "Cent Chefs-d'œuvre des Peintres de l'Ecole de Paris", catalogue (3 œuvres , 1 rep), Paris 1946.
– Mc Quarie, "The boy, by Amedeo Modigliani", Art association of Indianapolis Bulletin, N° 33, Indianapolis, 1 avril 1946.
– L. Meidner, "Erinnerungen an den jungen Modigliani", in "Neue Zürcher Zeitung", Zurich, 29 sept. 1946.
– Revue "Art News", Vol 45, page 33, New York sept. 1946.
– E. Trecani, "La mostra di A. Modigliani", in "Il 45", Milan, mai 1946.
– Revue "Panorama des arts", Editions Somogy, Paris 1946.
– R. Carrieri, "12 opere di Modigliani", Edizioni del Milione, Milan 1947.
– G. di San Lazzaro, "Modigliani : peintures", Editions du Chêne, Paris 1947.
– F. Carco, "Ombres vivantes", Editions Ferenzi, Paris 1947.
– C. J. Bulliet, 1 avril 1947.
– G. Piovene, Milan 1947.
– A. Gide, "The Journals of André Gide", Tome 1, 1889-1913, Editions A. Knopf, New-York, 1947.
– B. Dorival, "Existe-t-il un Expressionnisme juif ?", Art Present, Editions Clermont, pages 52-53, Paris 1947.
– J. Rothenstein, "Modern foreign pictures in the Tate Gallery", Londres 1947.
– A. Warnod , "Ceux de la butte", Editions Julliard, Paris 1947.
– R. Franchi, "Modigliani", Editions Arnaud, (3ème Edition), Florence 1946-47.
– L. Venturi, "Peinture contemporaine", Milan 1947.
– Catalogue vente de la collection Féneon, Hôtel Drouot, Paris 30 mai 1947.
– J. Lassaigne, "Cent chefs-d'œuvre des peintres de l'école de Paris", Paris 1947.
– Catalogue Kobenhavn, Katalog over J. Rumps Samling af Moderne Fransk Kunst, 1948.
– Lettres de Marianna Alcoforado, "Lettres portugaises", Editions Mermod, (3 rep. héliographie), Lausanne, avril 1948.
– H. Barr, "Painting and sculpture in the Museum of Modern Art", New-York 1948.
– B. Nicholson , "Modigliani, Paintings", Drummond Editions Londres - Editions du Chêne, Paris 1948.
– C. Kunstler, "Mondzain", Paris 1948.
– B. Cendrars, "Modigliani", in "Bourlinguer", Editions Denoël, Paris 1948.
– Harold Ettlinger, "Fair Fantastic Paris", Editions Elek, Londres 1948.
– A. Humbert, "Le Musée National d'Art Moderne", Paris 1948.
– J. Lassaignes, "Panorama des Arts", Editions Somogy, Paris 1948.
– Virgilio Guzzi, "Ritorno di Modigliani", in "Il Tempo", Milan, 25 juin 1948.
– Tullio Gramanticri, "Amedeo Modigliani c la scultura negra", in "Anteprima", Rome, nov. 1948.
– G. di San Lazzaro, "Painting in France", Londres 1949.
– Unesco, Paris, 1949
– R. Huyghe, "Les Contemporains", Editions Pierre Tisné, (3 rep. huiles) N° 44,45, 46; Paris 1949
– B. Dorival, "Musée d'Art moderne : Sculptures de peintres", Bulletin des Musées de France, déc. 1949.
– G. Sainson, Catalogue d'exposition : "Une Visite au Musée de Grenoble", Grenoble 1949.
– O. Sitwell, "Laughter in the room", Londres 1949.
– M. Arland, "Chronique de la peinture moderne", Editions Corrêa, Paris 1948.
– V. Cardarelli, "Un pittore maledetto", in "Pittori di ieri e di oggi", Ferrania, Milan 1948.
– B. Cendrars, "Le bâtiment du ciel", Paris 1948.
– B. Dorival, "Sculptures de Peintres", in "Bulletin des Musées de France", Paris, déc. 1948.
– A. Jeri, "Ricordo di Modigliani", in "Omnibus", Milan, 10 mars 1948.
– G. Marchiori, "A. Modigliani, 6 tavole a colori", Editions des Milione, Milan 1948.
– T. Soby, A. Barr, "XXème Italian Art", New York 1949.
– Katia Granoff, "Histoire d'une Galerie", Editions Chez l'Auteur, (planche XXIV), Paris 1949.
– Catalogue "20th Century Italian Art", The Museum of Modern Art, New York 1949.
– Catalogue d'exposition Galerie Charpentier, "L'Enfance", Paris 1949
– U. Apollonio, "Amedeo Modigliani", in "Cahiers d'Art" n° 1, Paris 1950.
– G. Scheiwiller, "Amedeo Modigliani", Editions Hoepli (5ème édition), Milan 1950.
– J. Cocteau, "Modigliani", Bibliothèque Aldine des Arts, A. Zivenner, Londres et Editions Hazan, Paris 1950.
– W. Valentiner, "G. Gard de Sylva collection", Catalogue County Museum, (N° 8, 1 huile), Los Angeles 1950.
– M. Marangoni , "Saper vedere", Garzanti, Milano 1950.
– R. Cogniat, Nice 1950.
– M. Raynal, J. Lassagne, W. Schmalenbach, "Histoire de la peinture moderne de Picasso au Surréalisme", Editions Skira, Genève 1950.
– P. D'Ancona, Catalogue d'exposition d'Art Moderne Italien , Musée National d'Art Moderne, Paris, mai-juin 1950.

– B. Dorival, "Musée d'Art moderne : Trois œuvres de Modigliani", Bulletin des Musées de France, pages 163-64, Paris 1950.
– L. Vitali, "Modigliani", in "Preferenze", Editions Domus, Milan 1950.
– R. Carrieri, "12 opere di Modigliani", Editions del Milione, Milan 1950.
– R. Carrieri, "Pittura e scultura d'avanguardia", Editions de la Conchiglia, Milan 1950.
– U. Apollonio, "Un demi-siècle d'art moderne italien", (20 œuvres, 2 sculptures), Editions "Cahiers d'Art", Paris N° 1, 1950.
– G. Marchiori, "Amedeo Modigliani", Catalogue, Edition del Milione, Milan 1950.
– Catalogue, "Art moderne italien", Musée National d'Art Moderne, Paris 1950.
– A. Salmon, "Modigliani", in "Vogue", Paris, 15 avril 1951.
– M. Raynal, "Modigliani", in "Trésors de la Peinture Française", Editions Skira, Genève 1951.
– Catalogue, "Sculpture de Peintres", Galerie Curt Valentin, New-York 1951.
– P. Descargues, "Amedeo Modigliani", Editions Braun, Paris 1951.
– A. Bucci, "Modigliani", in "Corriere della Sera", Milan, 1 juin 1951.
– J. Cassou, "Le dessin français au XXème" Lausanne 1951.
– J. Lipchitz, "I remember Modigliani", in "Art New", Londres 1951.
– Catalogue "105 painting in the John Herron Art Museum", 1951.
– M. Cinotti, "La donna nuda nella pittura", Novara 1951.
– V. Constantini, Milan 1951.
– J. Soby, "Modigliani", Catalogue d'exposition Museum of Modern Art, New York 1951 et Cleveland Museum of Art, 1951.
– G. Besson, "Œuvres choisies", Catalogue Galerie Max Kaganovitch, Paris, 25/05-20/07/1951.
– M. Valsecchi , Milan 1952.
– Catalogue, "50 ans de peinture Française", Musée des Arts Décoratifs, Paris, mars 1952.
– Catalogue "La Biennale di Venezia", Venise, septembre 1952.
– L. Venturi, "La peinture italienne", Editions Mazenot, Genève 1952.
– P. D'Ancona, "Modigliani, Chagall, Soutine, Pascin : aspetti dell'Espressionismo", Editions del Milione, Milan 1952.
– F. Carco, "Les Innocents", Editions A. Michel, Paris 1952.
– **J. Lipchitz, "Amedeo Modigliani", Editions Abrams, New York 1952.**
– E. Carli, "Modigliani", in "Quaderni della Quadriennale", De Luca Editore in Roma (49 repr. b.n.), 1952.
– G. Marchiori, "Modigliani", Editions Del Milione, Milan 1952.
– Catalogue "Cent Portraits d'hommes", Galerie Charpentier, (1 huile) N° 67, texte de P. Gaxotte, Paris 1952.
– A. John, "Ciaroscuro", Editions J. Cape, Londres 1952.
– N. Ponente, "Amedeo Modigliani", in "Commentari" n° 2, Rome avil-juin 1952.
– A. Soffici, "Passi tra le rovine", Editions Vallecchi, Florence 1952.
– Duncan Phillips 1952.
– P. F. Schmidt, "Geschichte der Moderne Malerei", Zürich 1952.
– Art Digest, Paris,1 avril 1952.
– A. Werner, "Modigliani sculpteur", Editions Nagel, Genève 1952.
– Catalogue Musée Cantonal, Lausanne 1952.
– J. Lipchitz, "Amedeo Modigliani", Editions Abrams, New York 1953.
– Catalogue vente de la collection du Dr. Girardin, Galerie Charpentier, Paris 1953.
– P. D'Ancona, "Modigliani, Chagall, Pascin, Soutine", Editions il Milione, Milan 1953.
– F. M. Ibanez, "Psychiatry Looks at Modigliani", Editions Gentry, Fall 1953.
– Catalogue "Musée de l'Orangerie", Paris 1953.
– R. Benet, "Simbolismo", Barcelone 1953.
– F. Carco, "L'ami des peintres", Editions Gallimard, Paris 1953.
– G. Marchiori, "Modigliani", Editions del Milione, Milan 1953.
– L. Parrot, "Blaise Cendrars", Paris 1953.
– A. Malraux, "The voices of silence", Editions Double-day and C., New-York 1953.
– Catalogue "L'art contemporain dans les musées et les collections belges", Bruxelles 1953.
– G. di San Lazzaro, "Modigliani", Editions du Chêne, (IIème édition), Paris 1953.
– A. Werner, "The Life and Art of A. Modigliani", in "Commentary", New-York, mai 1953.
– G. Jedlicka, "Modigliani", Editions Verlag, (48 rep. B.N.), Erlenbach-Zùrich 1953.
– Revue "Cahiers d'Art",(1 dessin) N° II, Paris 1953.
– P. M. Bardi, "Chefs-d'œuvre du Musée d'Art de Sao-Paulo", Editions des Musées Nationaux, Paris oct 1953- jan 1954.
– Catalogue Palais des Beaux-Arts, Bruxelles 1954.
– Catalogue de la vente à la Galerie Charpentier, Paris, 30 mars 1954.
– Catalogue Central Museum, Utrecht 1954.
– Catalogue Kunstmuseum, Bern 1954.
– J. Lipchitz, "Modigliani", Bulletin of the Art Division, vol. VI, N° 1, Los Angeles County Museum, 1954.
– **Rivista di Livorno, "Omaggio a Amedeo Modigliani" n° 4, Livorno luglio-agosto 1954.**
– P.Descargues, "Amedeo Modigliani", Editions Braun, Paris 1954.
– Catalogue exposition "Collection Girardin", Petit Palais, préface: André Chamson (5 œuvres, 1 rep.), 1954.

– J. T. Soby, "Modigliani", in "The Museum of Modern Art", New York 1954.
– Zervos-Jean Cocteau, Catalogue "Amedeo Modigliani", (29 œuvres), Fine Arts Associates, New-York 25 oct- 13 nov 1954.
– R. Salvini, "Guida dell'Arte moderna", Milan 1954.
– J. Cassou, "Musée d'Art Moderne, catalogue guide", Paris 1954.
– A. H. Barr Jr., "Masters of Modern Art", New York 1954.
– Revue "Le Point", Paris 1954.
– B. Dorival, "Le dessin", Catalogue d'exposition Musée National d'Art Moderne, Paris 1954
– René Barotte, "Un dénicheur d'artistes, M. Dutilleul", Plaisir de France, N° 187 bis,(1 huile "portrait de Dutilleul"), février 1954.
– Dictionnaire de la Peinture Moderne, Paris 1954.
– Catalogue d'exposition "Modigliani, Campigli, Sironi", Kunsthalle Berne, septembre 1955.
– Catalogue d'exposition Musée de l'Orangerie, "Impressionnistes de la collection Courtauld", Paris 1955.
– A. Bucci, ""Picasso, Dufy, Modigliani, Utrillo", Editions "All'insegna del Pesce d'Oro", Milan 1955.
– A. Blunt, "La collection Courtauld", Editions Art et Style, Paris 1955.
– G. Waldemar, "Corps et visages féminins de Ingres à nos jours", Paris 1955.
– Catalogue d'exposition "Maurice Utrillo", (Modigliani, Utter, Valadon), par F. Daulte, Musée Jenisch, Vevey 1955.
– E. Carli, G.A. Dell'Acqua, "Profilo dell'Arte Italiana", Bergamo 1955.
– Carola Giedon Welcker, "Contemporary Sculpture", New-York 1955.
– F. Mauroner, "Acquaforte", in "Atti dell'Accademia delle Scienze", Udine 1955.
– A. Parronchi, "Le lezione di Modigliani", Edizioni Garzanti, Milan 1955.
– A. Warnod, "Fils de Montmartre", Librairie Fayard, Paris 1955.
– G. Poisson, Novara 1955.
– Carl O. Schniewind, Catalogue d'exposition "Modigliani", Dessins de la collection Alsdorf, The Arts Institute of Chicago 1955.
– W. Haftamann, "Malerei im 20 jahrundert", Munchen 1955.
– F. Fels, "L'Art Vivant", Tome 2ème (1914-1950), Editions Pierre Cailler, (19 rep.), Genève 1956.
– P. Courthion, "Montmartre", Editions Skira, Genève 1956.
– E. Lavagnino, "L'arte moderna", Turin 1956.
– T. Rousseau, "New accessions of Paintings", Metropolitan Museum of Art Bulletin, N.S. IV New-York, avril 1956.
– P. M. Bardi, Milan 1956
– "Scritti di storia dell'arte in onore di Lionello Venturi", Rome 1956.
– G. Ballo, "Pittori italiani dal futurismo ad oggi", Rome 1956.
– E. Lavagnino, "L'arte moderna", Editions P. Cailler, Turin 1956.
– F. Fels, "L'art vivant", Pierre Cailler, Genève 1956.
– Revue "Art News", New York, mai 1956.
– E. Trier, "Zeichner des 20 Jahrhunderts", Berlin 1956.
– B. Ferrotin, "Gabriel Fournier", Imprimerie Legrand, (Frontespice 1 dessin), Melun, août 1956.
– Catalogue d'exposition Galerie Beyeler, "Maîtres de l'Art du Monde", Bâle 1956.
– **A. Pfannstiel, "Modigliani et son œuvre", catalogue raisonné Editions La Bibliothèque des Arts, Paris 1956.**
– G. Castelfranco-M. Valsecchi, "Pittura e scultura italiane", Rome 1956.
– A. Chastel, "L'art italien", Paris 1956.
– Catalogue d'exposition "Modern Italian Art from the Estorick collection", The Tate Gallery, Londres 1956.
– Catalogue "Modigliani drawings", Editions Perls Gallery, New-York 1956.
– M. Georges-Michel, "Les Montparnos", Editions Mondiales, (Couverture, et 8 reproductions n. b.) Paris 1957.
  Et "From Renoir to Picasso", Editions Gollancz, Londres 1957.
– P. Courthion, "Paris in our time", Editions Skira, Genève 1957.
– Gabriel Fournier, "Cors de chasse", Editions Pierre Cailler, (rep. 5 dessins), Genève 1957.
– Catalogue "Italienische kunst im XX jahrhundert", Akademie der kunst, Berlin sept-oct. 1957.
– A. Salmon, "La vie passionnée de Modigliani", France Loisir Verviers, Paris 1957, version anglaise, "Modigliani a mémoire",
  Editions J. Cape, Londres 1961.
– K. G. Lohse, "Peinture éternelle", Editions du Pont Royal, Frankfort 1957.
– Catalogue "Depuis Bonnard", Musée National d'Art Moderne, texte J. Cassou, (5 œuvres), Paris 1957.
– G. di San Lazzaro, "Modigliani portraits", Editions F. Hazan, Paris 1957.
– Catalogue, "Capolavori del Museo Guggenheim di New York", Rome 1957.
– J. Cassou, "Depuis Bonnard", catalogue d'exposition Musée National des Beaux-Arts, Paris, mars 1957.
– M. Brion, Paris 1957.
– Catalogue, "Amedeo Modigliani", Marion Koogler McNay Art Institute, (35 œuvres), San Antonio Texas 1957.
– Catalogue, "Collection Lehman", Musée de l'Orangerie, Editions des Musée Nationaux, Paris 1957.
– Perry T. Rathbone, "Journalist-Collector ; a nose for the new", Art News, avril 1957.
– M. Garland, Londres 1957.
– Catalogue, "From Cézanne to Picasso", The Tate Gallery, The Moltzau Collection, (2 huiles), Londres 1958.
– J. Cassou, "Dessins de peintres et sculptures de l'Ecole de Paris", in "Art et Style" n° 48-49, Paris 1958.
– G. Scheiwiller, "A. Modigliani-Selbstzeugnisse, Photos", Editions Die Arche, Zurich 1958.

– F. Hellens, "Documents secrets, 1905-1956; Histoire sentimentale de mes livres et de quelques amitiés", Editions A. Michel, Paris 1958.
– A. Pfannstiel, "Dessins de Modigliani", Editions Mermod, Lausanne 1958.
– F. Russoli, "Modigliani", Silvana Editoriale d'Arte, Milan 1958.
– **Catalogue d'exposition Galerie Charpentier, "Cent Tableaux de Modigliani", Texte Lassaigne-Venturi, Paris 1958.**
– Rothenstein, "The Tate Gallery", Londres 1958.
– **F. Russoli, "Modigliani", préface de Jean Cocteau, catalogue d'exposition Palazzo Reale, Editions Dell'ente Manifestazioni Milanesi, Milan, nov-déc 1958.**
– W. Homann, "Die Plastik des 20. Jahrhunderts", Editions Ficher Bücherei, (1 sculp.), Frankfurt 1958.
– S. E. Longstreet, "Man of Montmartre"; (A novel besed on the life of Maurice Utrillo), Editions Funk and Wagnalls Company, New York 1958.
– C. Fusero, "Il romanzo di Modigliani", Editions dall'Oglio, (roman de la vie, 410 pages de texte), Florence 1958.
– **A. Ceroni, "Amedeo Modigliani Peintre, suivi des souvenirs "de Lunia Czechowska", (156 huiles, 9 dessins), Edizioni del Milione, Milan, 1958.**
– J. A. Cartier, "Modigliani, nus", Editions Hazan, Paris 1958.
– J. A. Cartier, "A. Modigliani, l'homme, l'artiste", in "Jardin des Arts", Paris, mai 1958.
– Catalogue d'exposition "Collection S. Guggenheim", Musée des Arts Decoratifs, Paris juin 1958.
– C. Ragghianti, "Modigliani", in Sele Arte n° 37, Florence, Sept. 1958.
– A. Salmon, "Montparnasse-Montmartre", Münich 1958.
– Catalogue "50 Ans d'Art Moderne", Bruxelles 1958.
– "La Donna ispiratrice d'Arte", Castelfranco Veneto 1958.
– C. Roy, "Modigliani", (Tome 23ème) Editions Skira, Genève 1958.
– L. Venturi , Catalogue d'exposition Musée Cantini, Marseille, 10/06-27/07/1958.
– A. Colleoni, "Il romanzo di Modigliani", Scena Illustrata N° 9, Firenze 1958.
– R. Nicolai, "Alla Mostra di Milano", in Vie Nuove, déc. 1958.
– **Jeanne Modigliani, "Modigliani sans légende", Vallecchi Editore, Florence 1958.**
– S. Newmeyer, "Enjoyong Modern Art", Editions Chapman, Londres 1958.
– F. S. Wight, "Recollections of Modigliani", in "Italian Quarterely", University of California, Los Angeles 1958.
– "Amedeo Modigliani", Catalogue d'exposition, The Contempory Arts Center, Cincinnati Art Museum, Cincinnati, "Amedeo Modigliani", texte Allon T. Schoener, (27 huiles, 26 dessins, 2 sculptures), 18 avril-20 mai 1959.
– Agnes Mongan, Catalogue d'exposition "Modigliani, Drawings from the collection of Stefa and Leon Brillouin", Fogg Art Museum, (32 dessins), Cambridge-Massachusetts, 3 nov.-12 déc. 1959.
– J. Canaday, "Mainstreams of Modern Art", Editions Thames & Hudson, Londres 1959.
– P. Bucarelli, Nello Ponente, Catalogue "Modigliani", Editalia, Rome 1959.
– E. Erickson, "Amedeo Modigliani. Son of the Stars", in "School Arts", Worcester, avril 1959.
– C. Maltese, "Per un ripensamento di Modigliani", in "Bollettino d'arte" n° XLIV, Rome, jan. 1959.
– L. Bartolini, "Modi", Editions All'Insegna del pesce d'Oro", Milan 1959.
– L. Vitali, "45 disegni di Modigliani", Editions G. Einaudi, Torino 1959.
– Y. Sonabel, "Modigliani Nudes", Editions Methuen, Londres 1959.
– M. Sima, "Faces of Modern Art", Editions Tudor, New York 1959.
– P. Selver, "Orage and the New Age Circle", Editions Allen and Unwin, Londres 1959.
– F. Russoli, "Modigliani", Editions Thames & Hudson, Londres 1959.
– G. Raimondi, "A. Modigliani", in "Comunità" n° 68, Milan 1959.
– C. L. Ragghianti, "Revisione de Modigliani", in "Sele Arte" n° 40, Florence, avril 1959.
– **Jeanne Modigliani, "Modigliani : Man and Myth", Editions A. Deutsch, Londres 1959.**
– R. Alley, "Tate Gallery catalogues :The foreign Paintings, Drawings and Sculptures", Londres 1959.
– H. Vey, Cologne 1959.
– Catalogue exposition "Celso Lagar", Crane Kalman Gallery, (Couverture: 1 dessin, portrait de C. Lagar), London 1959.
– **Jeanne Modigliani, B. Borchert, "Modigliani", Editions Faber, Londres 1960.**
– R. Nacenta, "School of Paris", Editions Oldbourne, Londres 1959.
– F. Neugass, "Private Sammlungen in USA", in "Weltkunst", Munich, juin 1960.
– E. Newton, "The Arts of Man", Editions Thames & Hudson, Londres 1960.
– M. Raynal, "Modern Painting", Editions Skira, Genève 1960.
– A. Salmon, "Amedeo Modigliani", Editions Diogenes, Zurich 1960.
– R. H. Wilenski, "Modern French Painters", Editions Vintage Books, New York 1960.
– A. Werner, "Modigliani as a Sculptor", in "Art Journal", New-York 1960.
– Jean Cocteau, "Quinze dessins et aquarelles précèdes d'un portrait à la plume d'Amedeo Modigliani", Editions Leda, 15 pls. h.t. en fac-similé, tirage 300 ex.numér. Paris, 15 mai 1960.
– Catalogue "the Art of Amedeo Modigliani", Atlanta Art Association, 1960; Galleries, Atlanta 1960.
– M. Rötlisberger, "Les Cariatides de Modigliani", Critica d'Arte, VII n° 38, 1960.
– H. Certigny, "Un témoignage inédit sur Amedeo Modigliani", Ecrits de Paris, N° 183 juin 1960.

– J. Chapiro, "La Ruche", Editions Flammarion, Paris 1960.
– M. Seuphor, "The Sculpture of this century", New-York 1960.
– B. Borchert, "Modigliani", Editions Faber and Faber, Londres 1960.
– Catalogue "Arte Italiana del XX secolo da Colezioni Americane", Silvana Editoriale d'Arte, Milan Palazzo Reale, Milan 1960.
– "Modigliani "Editions Mizutsu, Tokyo 1960.
– Catalogue "Les sources du XXème Siècle", Editions Musée D'Art Moderne, Paris 1960.
– J. Cassou, "Panorama des Arts plastiques contemporains", Editions NRF Gallimard, (1 huile) pages 145-153, Paris 1960.
– Catalogue exposition "Moderne italiaanse kunst", Stedelijk Museum, texte G.C.Argan, (6 œuvres) Amsterdam 1960.
– L. Grote, Jahresring, 1960-61.
– The Los Angeles County Museum,"Modigliani: Paintings and drawings", Los Angeles 1961.
– P. Bucarelli, N. Ponente, The Museum of Fine Arts, "Modigliani: Paintings and drawings", Boston, janv.-fév. 1961.
– Painting in the Art Institute of Chicago 1961.
– R. Baschet, "La peinture contemporaine", Editions de l'Illustration, Paris 1961.
– A. Salmon, "Modigliani: a mémoire", Editions J. Cape, Londres 1961.
– **Jeanne Modigliani, "Modigliani sans légende", Editions Ground, Paris 1961**
– **Jeanne Modigliani, "Modigliani senza leggenda", Editions Vallecchi, Florence 1961 (1968)**
– **Jeanne Modigliani, "Modigliani senza leggenda", Editions Misuzu Shobo, Japon 1961, 1978, 1991.**
– F. Arnau, "Three Thousand Years of Deception in Art", Editions J. Cape, Londres 1961.
– Ilya Ehrenburg, "People and Life", Tome 1, Editions MacGibbon & Kee, Londres 1961.
– R. V. Gindertael, "Modigliani e Montparnasse", Editions F. Fabbri, Milan 1961.
– K. Kuh, "Italy's New Renaissance :An Inquiry", in "Saturday Review", New-York, 11 fév. 1961.
– E. Leuzinger, "Africa : The Art of the Negro Peoples", New-York 1961.
– S. Rodman, "Conversations with Artists", Capricorn Books, New-York 1961.
– M. Valsecchi, "Amedeo Modigliani", Editions Garzanti, Milan 1961.
– A. Werner, "The Inward Life of Modigliani", in "Arts", New-York, janvier 1961.
– F. S. Wight, "Modigliani, Paintings and Drawings", Los Angeles of Fine Arts Productions, University of California, 1961.
– B. Dorival, "L'Ecole de Paris au Musée National d'Art Moderne", Paris 1961.
– M. Huggler, Catalogue d'exposition "La peinture française de Delacroix à Picasso", Stadthalle Wolfsburg, Allemagne 1961.
– G. Viatte, G. Kuény, "Dessins du XXème siècle", revue "L'œil" XCVI, Paris, déc. 1962.
– G. Gaiser, "Klassiker der Modernen Malerci", Editions Knorr & Hirth,(1 rep. huile) N° 31, Hannover 1962.
– Kiki de Montparnasse, "The Education of a French Model", Belmont Books, New York 1962.
– W. Eisendrath, "Paintings and Sculptures of the School of Paris in the collection Pulitzer", The Connoisseur, sept. 1962.
– H. J. Wechler, "Lives of Famous French Painters", Washington Square Press, New York 1962.
– Jeanne Modigliani, "Modigliani", in "Arts", Paris, 31 jan-6 fév. 1962.
– J. P. Crespelle, "Montparnasse vivant", Librairie Hachette, Paris 1962.
– **A. Werner, "Modigliani sculpteur", Editions Nagel, Paris-Genève-Hambourg-New-York, 1962.**
   H. L. C. Jaffe, "La Pittura del XX secolo", Editions Mondadori, Milan 1963.
– Y. Taillandier, "Naissances de la Peinture Moderne", Editions libraires associés, Paris 1963.
– Perls Galleries, "Amedeo Modigliani", catalogue, 29 oct-7 déc (23 œuvres), New York 1963.
– The Lefèvre Gallery, catalogue, Londres 1963.
– Jean Selz, "Modern Sculpture, Origins and Evolution", G. Braziller Inc., New-York 1963.
– F. Russoli, "Modigliani", Editions Fratelli Fabbri, Maestri del colore, n° 9, Milan 1963.
– Catalogue "Modigliani", The Art Council of Great Britain, the Tate Gallery, 28/10-7/11/1963.
– J. Russell, Catalogue d'exposition Royal Scottisch Academy, The Arts Council of Great Britain and the Edinburg Festival Society, "Modigliani", Tate Gallery, London 1963.
– Catalogue, "Amedeo Modigliani", Kunstverein Frankfurt, (43 repr.) Allemagne, Frankfurt 1963.
– G. Viatte, G. Kuény, Catalogue d'exposition et inventaire des collections, "Dessins modernes", Editions des Musée Nationaux, Grenoble 1963.
– Catalogue "Collection André Lefèvre", Musée National d'Art Moderne, (1 huile), Paris, mars-avril 1964.
– Catalogue "Chefs-d'œuvre des Collections Suisses", Editions Skira, (4 huiles), Lausanne 1964.
– J. P. Crespelle, "Montmartre Vivant", Editions Hachette, Paris 1964.
– J. Büchner, "Amedeo Modigliani, Karyatide", in "Blätter vom Hause", n° IV, 1964.
– B. Dorival , "La donation Lefévre au Musée National d'Art Moderne", Extrait de la revue du Louvre n° 1, pages 23-26, Paris 1964.
– Revue Sele Arte, "La donazione Lefévre", n° 69, mai-juin, Florence 1964.
– E. Levy, "Modigliani and the Art of Painting", in "The American Scholar", Washington 1964.
– G. Scheiwiller, "Amedeo Modigliani", in "Scritti d'arte", Editions All'Insegna del pesce d'Oro, Milan 1964.
– F. Steegmuller, "Apollinaire, Poet among Painters", Editions Hart-Davis, Londres 1964.
– Revue : "Art de France", "Un carnet inédit de Modigliani au musée d'Art moderne", Pages 369-371, Paris 1964.
– A. Werner, "Modigliani, Master Draughtsman" in "American Artist", New York, fév. 1964.
– T. Wittlin, "Modigliani. Prince of Montparnasse", The Bobbs-Merril Company, New York 1964.
– H. Keller, "Amedeo Modigliani Karyatide", in "Das Meisterwerk", Recklinghausen, Vol. III, Berlin 1965.

– L. Grote, Munich 1965.
– Catalogue "Disegni di Modigliani e Wols", Editions Galleria d'Arte Moderna Viotti, (9 dessins), Torino 1965.
– Catalogue "The School of Paris", The Museum of Modern Art, (1 huile) New-York 1965.
– W. Haftmann, "Malerei im 20. Jahrhundert", Munich 1965.
– **A. Ceroni, "Modigliani, dessins et sculptures", avec suite du catalogue illustré des peintures.(25 sculptures, 156 dessins, suite du 1er Tome, du numero 157 au 222 huiles), Edizioni del Milione, Milan 1965.**
– Wentinck, "Modigliani", Cultural Foundation de Poulogne, Londres 1965.
– C. Pavolini, "Modigliani", Collection d'Art Unesco, Paris 1966. "Modigliani", Editorial Hermès, Buenos Aires 1966, (espagnol).
– J. Lipchitz, G. Boudaille, "Modigliani", Editions Le Musée Personnel, Paris 1966.
– Catalogue "Collection J. Walter-P. Guillaume", Orangerie des Tuileries, Paris 1966.
– Catalogue "Forty Paintings from the Reader's Digest collection", Palace side Building, Tokyo, 30oct. 1966.
– A. Werner, "Amedeo Modigliani", Editions Abrams ; "Nudist of Nudes", in "Art Magazin", pages 36-39, nov., New York 1966.
– W. Lieberman, "The Nudes of Modigliani", Catalogue d'exposition Perls Galleries, New York, nov. 1966.
– Masataka Ogawa, "Modigliani, Utrillo", Editions Kawade Shobo, Collection "L'art du monde" (47 repr.), Tokyo 1967.
– C. Soby, Sterling & Margareta Salinger, "Metropolitan Museum of Art, French Paintings", Vol. III , 1967.
– F. Bellonzi, "Arte Italiano Contemporàneo", catalogue expo itinérante Centre Amerique, (8 rep.),Editions de la Quadriennale d'Arte, Guatemala, Honduras, El Salvador, Nicaragua, Costarica, Juin 1967.
– F. Russoli, "Tradizione e modernità dell'immagine, L'Arte moderna, Valadon, Modigliani, Utrillo", N° 68, VIII, 1967.
– A. Werner, "Amedeo Modigliani", Editions Thames & Hudson, Londres 1967.
– S. Longstreet, "The young men of Paris", Delacorte Press, New York 1967.
– J. Büchner, "Moderne Bilder-Alte Rahmen", Der Kunsthandel, vol 3ème, Heidelberg, mars 1967.
– R. Gindertael, "Modigliani et Montparnasse", Shop livre diffusion, Paris 1967 et 1976.
– L. Carluccio, J. Leymarie, "L'Ecole de Paris", Editions Fabbri, Milan 1967.
– P. Sichel, "Modigliani", Editions Dutton, New York 1967.
– F. Daulte, "Chefs-d'œuvre des collections Suisse de Monet à Picasso", Catalogue d'exposition Orangerie Paris, Editions Skira, Genève 1967.
– Catalogue Nordrhein-Westfalen, Dusseldorf 1968.
– A. Salmon, "Modigliani, le roman de Montparnasse", Editions P. Seghers, Paris 1968.
– A. Werner, "Amedeo Modigliani", Editions Cercle d'Art, Paris 1968.
– A. Imaizumi, "Modigliani", Catalogue d'exposition Musée National d'Art Moderne de Tokyo, 1968.
– O. della Chiesa, "L'arte moderna dal neoclassico agli ultimi decenni", Tome XII, Milan 1968.
– Chefs-d'œuvre d'Art Moderne de France, Editions Takashimata, Tokyo 1968.
– Csorba Géza, "Modigliani", Editions Corvina Kiado, Budapest, Tchécoslovaquie 1969.
– R. Moreau, "Modigliani n'avait pas eu le coup de foudre pour moi", (Lunia, rencontre), "Nice Matin", 26 août 1969.
– Franco Russoli, "Amedeo Modigliani, Zichnungen und Aquarelle", Editions Verlag, (94 repr.) Stuttgard 1969.
– F. Russoli, "Modigliani, drawings and sketches", Thames & Hudson, New-York 1969.
– F. Russoli, "Valadon Modigliani Utrillo", Editions F. Fabbri, in "L'Arte Moderna", n° 68, Milan 1969.
– A. Werner, "Modigliani, Utrillo, Soutine", Tudor Publishing Co., New York 1969.
– **G. Diehl, "Modigliani", Editions Flammarion, et Crown Publichers N. Y., Paris 1969.**
– **N. Ponente, "Modigliani", Editions Sadea, Florence 1969.**
– N. Ponente, "Modigliani", Paris, Editions Flammarion, (79 rep.), Paris 1969.
– N. Ponente, "Modigliani", Editions Thames and Hudson, Londres 1969.
– **J. P. Crespelle, "Modigliani, les femmes, les amis, l'œuvre", Editions Presse de la Cité, Paris 1969.**
– Catalogue, "Apollinaire", Bibliothèque Nationale, (1 encre) N° 141 page 57, Paris, nov. 1969.
– Catalogue d'exposition, "Gabriel Fournier et ses amis", Fontainebleau, (1 dessin), Janvier 1969.
– Catalogue d'exposition, "A la rencontre de Pierre Reverdy", Musée National d'Art Moderne, Editions Fondation Maeght, (1 rep. 3 dessins), Paris, mai 1970.
– H. Hubbard, "Modigliani and the painters of Montparnasse", Milan-New-York, 1970.
– B. Bijenkin, "Modigliani", Moscou 1970.
– T. Ohara, T. Minemura, "L'Ecole de Paris", Editions Japan Art Center, Japon 1974.
– Keller, Cologne 1970.
– H. Wagner, "Amedeo Modigliani : Bildnis Celso Lagar, Zeichnung, 1919", in Mitteilungen, n° 119-120, Kunstmuseum, Berne, juill. 1970.
– Catalogue d'exposition "Indianapolis Museum of Art, Tresors du Metropolitan Museum of Art", oct.1970-janv.1971.
– **A. Ceroni, L. Piccioni, "I Dipinti di Modigliani", Editions Rizzoli, Milan 1970.**
– W. Hofmann, "Henri Laurens, Sculptures", Stuttgard 1970.
– **J. Lanthemann, "Modigliani", Catalogue Raisonné, textes par Nello Ponente, J. Modigliani, Graficas Condal, Barcelone 1970.**
– Rowellfraise 1970.
– J. Lipchitz, A. Werner, "Amedeo Modigliani", Editions Abrams, New York 1970.
– O. Patani, "I disegni di Modigliani", in "I Quaderni del Conoscitore di Stampe", Milan 1970.
– D. Durbé, "Amedeo Modigliani", 300 images sur la vie, (photos), catalogue Comune di Livourne, nov. 1970.

- Catalogue d'exposition, "Les 100 chefs-d'œuvre du Musée National d'Art Occidental", Tokyo 1971.
- W. Arning, Malkastenblatter,1971.
- E. Roters, "Europäische Expressionisten", Güterloh 1971.
- Catalogue "Masters of the 20th Century", Editions Malborough, (2 œuvres), New-York 1971.
- M. Grey, "Modigliani ou la sagesse du délire", revue Miroir de l'Histoire, N° 258, Paris juin 1971.
- M. Sharp Young, avril 1971.
- R. De Solier, "L'inauguration du Musée de Tel-Aviv", revue Art International, (rep. Page 50, I huile) N° 6, Lugano Juin 1971.
- **A. Werner, "Amedeo Modigliani", Catalogue d'exposition Acquavelle Galleries, New York 1971.**
- J. Dalevèze, "Modigliani", Editions Art Book, Lausanne et la Bibliothèque des Arts, Paris 1971.
- Y. Kamon, "Modigliani", Utrillo, Editions Shueisha, Collection "L'Art moderne du monde", Japon 1971.
- **A. Ceroni, F. Cachin, "Tout l'œuvre peinte de Modigliani", Catalogue Raisonné , Editions Flammarion, Paris 1972.**
- P. Courthion, Lausanne 1972.
- L. Vitali, "I00 Opere di Artisti Toscani", catalogue exposition Galleria Falsetti, Prato 1972.
- S. Longstreet, "Modigliani", in "The Drawings", Editions Borden, Alhambra Californie 1972.
- Arno, New York 1972.
- Catalogue d'exposition Galerie Nichido, Tokyo 1972.
- F. Russoli, "Masters of Modern Italian Art", Catalogue d'exposition National Museum of Modern Art Kyoto, Tokyo 1972.
- Catalogue d'exposition "Amedeo Modigliani, disegni", Galleria d'arte Eunomia, texte O. Patani, Milan, novembre 1972.
- J. Soby, "Modigliani", Catalogue d'exposition Museum of Modern art, New York 1972.
- J. Muller, "L'expressionnisme", Editions Hazan, Paris 1972.
- Revue "Gazette des Beaux-Arts", Paris fév.1973.
- P. Lesourd, "Montmartre", Editions France Empire, page 367-69, Paris 1973.
- Revue "Art Quarterly", spring-summer 1973.
- "Chefs-d'œuvre d'Art Moderne français", Catalogue d'exposition Salon Nichido, Tokyo 1973.
- La Chronique des Arts n° 1249, Paris févr.1973.
- M. Rheims, "Musées de France", Paris 1973.
- Jeffrey Robinson, "Modeling for Modigliani", International Herald Tribune, rip. Madame Modot, avec descrip.et comm. du modèle avec Modigliani, femme de l'acteur Modot. London, 21/09/1974.
- Kimio Nakayama, "Modigliani", Tokyo 1974.
- C. Wentinck, "Moderne und Primitive Kunst", Friburg, 1974.
- Catalogue "La Collection Germaine Henry, Robert Thomas", Caisse Nationale des Monuments Historiques et des Sites, (1 huile), Paris 1974.
- H. L. Hubbard, "Modigliani and the painters of Montparnasse", New York 1975.
- A. Wilmot, "The last Bohemian : a novel about Modigliani", Editions Macdonald and Jane's, Londres 1975.
- Catalogue "Dalle collezioni d'arte private ticinesi", Villa Malpensata, Lugano 1975.
- L. Carluccio, J. Leymarie, "L'Ecole de Paris", Editions Fabbri, Milan 1975.
- W. Fifield, "Modigliani", Editions William Morrow and Co, New York 1976.
- M. Valsecchi, "Arte moderna a Milano", Editions Cariplo 1976.
- Rudenstine, New York 1976.
- Anna Akmatova, "Requiem and Poem without a Hero", Londres 1976.
- E. Bénézit, "Dictionnaire des peintres", Editions Gründ, Paris 1976.
- D. Cooper, "Alex Reid and Lefevre 1926-76", Londres 1976.
- J. P. Crespelle, "La vie quotidienne à Montparnasse", Librairie Hachette, Paris 1976.
- R. Gindertael, "Modigliani et Montparnasse", in "Galerie d'Art", Paris 1976.
- D. Hall, "Modigliani", Edimbourg 1976.
- H. Manning, "Modigliani", Enitharmon Press, Londres 1976.
- F. Caroli, "Primitivismo e Cubismo"Editions F. Fabbri, (6 œuvres), Milan 1977.
- G. Diehl, "Modigliani", Editions Flammarion, (2ème Edition), Paris 1977.
- Yasuoka, Japon 1977.
- Catalogue Deluxe Gallery, (1 huile) Tokyo 1977.
- F. Wight-W.Steadman, "Works on paper 1900-1960", catalogue exposition sept-oct 1977. Montgomery Art Gallery Claremont-Pomona College (1 dessin) ; San Francisco nov-déc 1977.
- M. Hoog, "Donation Pierre Levy", Catalogue d'exposition Hôtel de ville de Troyes, août 1977.
- F. Russoli, G. Vigorelli, "Du Futurisme au Spatialisme", catalogue Musée Rath, Genève 1977-78.
- **J. Warnod, "Bateau-Lavoir", Catalogue Museum Gent, Gent 1978.**
- J. Warnod, "La Ruche et Montparnasse", Editions Weber, (20 rep.), Genève-Paris 1978.
- Lanthemann-Parisot, "Modigliani inconnu", Editions Shakespeare & Co, Paris 1978.
- Marevna, "Mémoires d'une nomade", (pages 194-198), Editions Encre, Paris 1978.
- U. Baldini, "Pittori toscani del 900", Florence 1978.
- J. Lassaignes, "Tout Modigliani", Editions Rizzoli, Milan 1979.
- J. Leymarie, "Le dessin", Paris-Genève, 1979.

– M. Borgiotti, "Coerenza e modernità dei pittori labronici", Florence 1979.
– Catalogue "Modigliani", exposition Daimaru Tokyo-Osaka 1979.
– C. Parisot, Catalogue d'exposition, "Amedeo Modigliani, disegni", Palazzo Comunale, texte C. Parisot, M. Vescovo, Alessandria, Février 1979.
– Catalogue, "L'Ecole de Paris"(Dans le XVème Arrondissement 1885-1940, (2 œuvres), Paris 1979.
– A. Parinaud, Catalogue de l'exposition des "Artistes Indépendants", Grand Palais des Champs Elysées, Paris 1979.
– C. Parisot-J. Schefer, "Témoignage sur", Editions Shakespeare & Co, Paris 1979.
– D. Hall, "Modigliani", Editions Phaidon Press Oxford, Londres 1979.
– C. Mann, "Modigliani", Editions Thames & Hudson, Londres 1980.
– C. Mann, "A. Modigliani e J. Hébuterne", in "The Connoisseur", Londres, avril 1980.
– D. McIntryre, "Modigliani : a play in three acts", S. French, New York 1980.
– "Modigliani, 25 Great Masters of Modern Art", Editions Kodansha, Japon 1980, et 1995 nouvelle édition, Tokyo 1980.
– Catalogue "Donation Masurel", Catalogue d'exposition Musée du Luxembourg, Paris 1980.
– Catalogue d'exposition "120 pièces of The Ohara Museum of Art", Ohara 1980.
– M. L. Rizzatti, "Modigliani", Editions Mondadori, Milan 1980.
– A. Janson, "100 Masterpieces of Painting, Museum of Art, Indianapolis", Indianapolis 1980.
– **C. Parisot, "Modigliani", Catalogue Musée Saint Georges, Liège 1980.**
– B. Zurcher, "Modigliani", Editeur Hazan, Paris 1980.
– Catalogue d'exposition "Modigliani ,Utrillo, Kisling", Gallerie des Arts de Tokyu, septembre 1980.
– J. Lassaigne 1981.
– L. Carluccio, J. Leymarie, "L'Ecole de Paris", Editions Rive Gauche, Paris 1981.
– **E. Maiolino, "Modigliani vivo", Editions Fogola, Turin 1981.**
– Green, I98I.
– **B. Contensou-D. Marchesseau, "Modigliani", Catalogue d'exposition Musée d'Art Moderne de Paris 1981.**
– E. Blas, "the Art of Egypt as Modigliani's. A stylistic source", in "Gazette des Beaux-Arts" n° 97, New York 1981.
– R. Barilli, "Paragone", Sansoni Editore, Milan, mai 1982.
– J. Lassaignes, "Tout Modigliani", Editions Editions Flammarion, Paris 1982.
– O. Patani, "Modigliani, disegni", Editions Mazzotta, Milan 1982.
– Jeanne Modigliani, "Modigliani, dessins", Catalogue d'exposition Galerie "Le Point", Rome-Monte Carlo, 1982.
– Catalogue d'exposition "Disegni di scultori", Galerie Pieter Coray, Lugano 1982.
– Kurthy, 1983.
– C. Parisot, "Modigliani", Catalogue d'exposition Centre Culturel Caixa des Pensions, Barcelone 1983.
– C. Parisot, "Modigliani", Catalogue d'exposition Centre Culturel Caja de Pensiones, Madrid 1983.
– O. Patani, "Devozione al disegno", Editions Stanza del Borgo, Milan 1983.
– G. Severini, "La vita di un pittore", Editions Feltrinelli, Milan 1983.
– Catalogue "Modigliani", The National Gallery of Art, Washington 1983.
– D. Sutton, "Impressionism and the Modern Vision", Phillips collection, Tokyo-Nara 1983.
– Catalogue d'exposition "Mondzain, roman d'une vie", A propos de Modigliani, témoignage, pages 168-169, (1 dessin rep.), juin-sept. Aix-en-Provence, Editions Musée Granet 1983.
– Serraller, 1983.
– R. V. Gindertael, "Modigliani y Montparnasse", Viscontea, (Espagnol), Buenos Aires 1984.
– D. Hall, "Modigliani", Phaidon Press Oxford, Londres 1984.
– V. Durbé, "Modigliani, gli anni della scultura", Editions Mondadori, Milan 1984.
– A. Santini, "Modigliani", Editions Belforte, Livourne 1984.
– M. Hoog, Catalogue d'exposition "Collection Jean Walter et Paul Guillaume", Editions des Musées Nationaux, Paris 1984.
– M. Bogi, "Modi, l'angelo maledetto", Nuova Fortezza, Livourne 1984.
– Catalogue "Arte Moderna", Editions Bolaffi Turin, 1984.
– Catalogue "Peintures Françaises du Museum of Art de La Nouvelle Orléans", (1 huile), Editions du Musée des Beaux-Arts, Orléans 1984.
– P. Pacini, "5 Artisti Toscani", Catalogue d'exposition Galleria Farsetti, Prato 1984.
– C. Parisot, "Modigliani", Editions Pirra, (93 pages, textes : J. Modigliani, J. Lanthemann, I. Mussa), Turin 1984.
– **Jeanne Modigliani, "Modigliani racconta Modigliani", Editions Graphis Arte, Livourne 1984.**
– J. Courtauld, "The Great impressionists", Catalogue d'exposition Australian National Gallery, Canberra 1984.
– A. G. Wilkinson, "Paris und London : Modigliani, Lipchitz, Epstein und Gaudier-Brzeska", Munich 1984.
– F. Chapon, "Mystères et splendeurs de J. Doucet", Paris 1984.
– M. Cody, "The Women of Montparnasse", New York 1984.
– E. Eleuteri, Catalogue d'exposition "Pittura Toscana", Rome 1984.
– O. Patani, "Le Carte Affascinanti", Editions Stanza del Borgo, Milan 1984.
– C. Parisot, "Modigliani disegni", Editions Guida, Naples 1984.
– A. Werner, "Amedeo Modigliani", Editions Habrams, New York 1985.
– **D. Marchesseau, "Modigliani", K. Asai, Catalogue d'exposition National Museum Tokyo-Aichi, Tokyo, 1985.**

– G. Peillex, "Marevna et les Montparnos", Catalogue d'exposition Musée Bourdelle, Paris nov.1985.
– L. Drudi Demby, "Jeanne : la mite "compagna di Modigliani", Editions Bastogi, Foggia 1985.
– A. Damiani, "L'affaire Modi", Nuova Fortezza, Livourne 1985.
– **O. Patani, "Modigliani", Catalogue d'exposition Palazzo Reale Torino et Galerie dello Scudo Verona, Editions Mazzotta, Turin 1985.**
– C. Roy, "Modigliani", Editions Nathan, Paris 1985.
– J. Warnod, "Le Bateau Lavoir", Editions Mayer, Paris 1986.
– **W. Schmalenbach, "Modigliani", Kunstsammlung, Düsseldorf 1986.**
– B. Schuster, "Modigliani", A study of his sculpture, Editions Namega, USA 1986.
– C. Mann, "Modigliani", Editions Parco, Tokyo 1987.
– **Castieau-Barrielle, "Modigliani", Editions ACR, Paris 1987.**
– Braun, "Italian art", 1988.
– **G. Cortenova, Catalogue d'exposition "Modigliani à Montparnasse", Galleria d'Arte Moderna Verone, Editions Mondadori, Palazzo della Permanente, O. Patani, Milan 1988.**
– **G. Cortenova, "Modigliani", Art Dossier, Editions Giunti, Florence 1988.**
– **C. Parisot, "Modigliani", Editions Graphis Arte, Livourne 1988.**
– Catalogue "Modigliani et ses amis", Kasama Nichido Museum of Art, Japon 1988.
– J. Warnod, "Les artistes de Montaparnasse", Editions Mayer, Paris 1988.
– J. Warnod, Catalogue "La grande aventure de Montparnasse 1910-1930", Japon 1988.
– J. Crombie, "Rue de la Grande Chaumière", Editions Kickshaws, pages 39-43, 3ème trimestre 1988.
– Périodique "Modigliani", collection Regard sur la peinture n° 47, Editions Fabbri, Milan 1988.
– J. L. Ferrier, "L'aventure de l'art", Editions Chêne-Hachette, Paris 1988.
– Catalogue "Chefs-d'œuvre Français", Fujikawa Galleries, Tokyo 1988.
– C. Bertelli, "Italian Art", Catalogue d'exposition Royal Academy of Art, Londres 1988.
– W. Rubin, "Primitivism", Catalogue Museum of Modern Art, New York 1988.
– Restellini-Parisot, "Zborowski", Catalogue d'exposition Salon du Vieux Colombier, Paris, mars 1989.
– R. Goldwater, "Le primitivisme dans l'art moderne", Editions Puf, Paris 1988.
– C. Parisot, "L'Europe des Grands Maîtres, Regard sur l'Italie", Catalogue d'exposition Musée Jacquemart André, Paris 1989.
– C. Nicoïdski, "Modigliani", roman Editions Plon, (11 illustrations) Paris 1989.
– Catalogue d'exposition "Paris, Patrie des peintres étrangers", Editions Maïnichi, Tokyo 1989.
– S. Buisson, "La scuola di Parigi e Modigliani", Editions Graphis Arte, Livourne 1989.
– Catalogue d'exposition "Von Goya Bis Tinguely", Kunstmuseum, Bern, mai 1989.
– **A. Ceroni, "Modigliani,les nus", Editions La Bibliothèque des Arts, Paris 1989.**
– Orion Press, Tokyo 1989.
– Catalogue d'exposition "Y. Saheki et les peintres de l'Ecole de Paris", Musée de la ville d'Osaka, 1989.
– Catalogue d'exposition "Paris, Capitale des Arts", Editions Didier Imbert Fine Art, Paris, 28 avril-14 juillet 1989.
– J. P. Clébert, "Femmes d'artistes", Editions Presses de la Renaissance, Paris 1989.
– S. Mayekawa, "Masterpieces of The National Museum of Western Art", Tokyo 1989.
– A. M. Jaton, "Cendrars", Editions de l'Unicorne, (3 œuvres), Genève 1989.
– Catalogue d'exposition Musée d'Art Moderne de Paris, Paris 1989.
– **C. Parisot, "Modigliani", Catalogue Raisonné Tome 1er, Editions Graphis Arte, Livourne 1990.**
– **Catalogue d'exposition à la Fondation Pierre Giannada, "Modigliani", par D. Marchessau, Martigny 1990.**
– C. Parisot, "Il Segno, Modigliani", Editions Electa, Milan 1990.
– **Jeanne Modigliani, "Modigliani, une biographie", Editions Adam Biro, Paris 1990.**
– R. Barilli, "L'Espressionismo italiano", Editions Fabbri, Milan 1990.
– V. B. Mann, "I Tal Yà", Catalogue d'exposition Palazzo dei Diamanti, Mondadori Arte, Ferrara, 1990.
– R. Fohr, "Modigliani le peintre et le sculpteur", Editions L'Estampille l'objet d'Art, Quetigny, France, 1990.
– W. Schmalenbach, Catalogue d'exposition "Modigliani", Editions Prestel, Munich 1990.
– "Modigliani", Editions Shueisha, (60 rep.), Tokyo 1990.
– J. Rose, "Modigliani, the pure bohemian", Editions Constable, Londres 1990.
– **C. Parisot, "Modigliani", Catalogue Raisonné Tome 2ème, Editions Graphis Arte, Livourne 1991.**
– C. Jeancolas, "La sculpture italienne du XXème Siècle", Editions Van Wilder, Paris 1991.
– C. Parisot, "Modigliani", Editions Pierre Terrail, Paris 1991.
– C. Parisot, "Modigliani et l'Ecole de Paris", Catalogue Museum of Art, Tokyo 1991.
– J. Rose, "Modigliani, the pure bohemian", Editions Martin's Press, New-York, 1991.
– J. Rose, "Amedeo Modigliani", Editions Scherz, Traduction allemande, 1991.
– Spizzotin, "Modigliani", Editions Del Drago, Milan 1991.
– **W. Schmalenbach, Catalogue d'exposition "Modigliani", Editions Prestel, Munich 1991 ; 135 repr.; 227 pages; Editions Allemande et Anglaise, 1991.**
– N. Shimada, Catalogue d'exposition "Premiers chefs-d'œuvre des Grands Maîtres Européens", Editions Yomiko Advertising, Japon 1991.
– C. Parisot, "Modigliani et l'Ecole de Paris", Catalogue Hyundai Art Museum, 79 repr.(55 œuvres de Modigliani, dessins, peintures et sculptures), Séoul 1991.

– Catalogue d'exposition "da Modigliani a Fontana", texte F. Porzio : "Appunti su Modigliani disegnatore", 5 repr. Editions Mazzotta, Milan 1991.
– C. Parisot, "Modigliani", Editions Terrail (traduction Allemande), Paris 1992.
– C. Parisot, "Montparnasse, atelier du monde", Hommage a Kisling, et Modigliani, Forum des Arts, Marseille 1992.
– Catalogue exposition "Max Jacob", Musée de Montmartre, (1 huile) texte C. Parisot, Paris 1992.
– Catalogue exposition "Zadkine", Editions Acte Sud, Espace Van Gogh, (I dessin) texte Michèle Moutashar, Arles 1992.
– Catalogue exposition "La collezione Juker", Editions Charta Milan 1992.
– **Noël Alexandre, "Modigliani sconosciuto, la collezione Paul Alexandre", (430 dessins et documents), U. Allemandi editore, Torino 1993.**
– A. Nardone, "Modigliani", De facto N° 4, numéro spécial consacré à la collection P. Alexandre. Bruxelles 1993.
– Catalogue exposition: "Les Arts à Paris chez Paul Guillaume", Editions de la Réunion des Musées Nationaux, Paris 1993.
– Colette Giraudon, "Paul Guillaume et les peintres du XXème Siècle", Editions La Bibliothèque des Arts, Paris 1993.
– Catalogue exposition: "De Cézanne à Matisse", Chefs-d'œuvre de la fondation Barnes, Editions de la Réunions des Musées Nationaux, Paris 1993.
– F. Tagliapietra, "Ritratto di Amedeo Modigliani", Campanotto Editore, Udine 1993.
– Catalogue d'exposition, "Les peintres de Zborowski, Modigliani-Utrillo-Soutine, et leurs amis", Textes: F. Daulte, J. Pissarro, M. Restellini; Fondation de L'Hermitage, Lausanne 1994.
– J. Warnod, "Le Bateau-Lavoir et La Ruche, Montmartre et Montparnasse", Editions Tokyo Art Institute, Tokyo 1994.
– S. Buisson, "Montmartre et les Peintres", (Textes: F. Camard, E. Crauzat, C. Parisot) (rep. 14 œuvres), Editions NHK Promotions; Tokyo 1994.
– Catalogue "Modigliani, Soutine, Utrillo e i pittori di Zborowski", Texte: J. Pissarro, M. Restellini; Edizioni Marsilio, Venezia 1994 ; Fondation de l'Hermitage, Lausanne 1994.
– Catalogue d'exposition, "I Postmacchiaioli", texte: R. Monti et G. Matteucci, Edizioni De Luca, Livorno 1994.
– S. Butler, "Modigliani", Editions Studio, Londres 1994.
– **O. Patani, "A. Modigliani, disegni", Catalogue Général Editions Leonardo, Milan 1994.**
– B. Schiff, "Aline as clear and tensile as a lightning flash", in "Smithsonian", n° 10, Tome 24, Washington 1994.
– Fauvin Savine, "Une tête sculptée d'A. Modigliani", Revue du Louvre, N° 4, Paris 1994.
– J. M. Drot, "Les heures chaudes de Montparnasse", Editions Hazan, (2 dessins, 1 huile, documents A.L.A.M.), Paris 1995.
– S. Buisson, C. Parisot, "Paris-Montmartre, les artistes et les lieux 1860-1920", Editions Terrail, (2 huiles, 2 dessins, documents), Paris 1996.
– P. Durieu, "Modigliani", Editions Hazan, (48 dessins et huiles), Paris 1995; Edition japonaise Iwanami Shoten, Tokyo 1996.
– C. Parisot, "Modigliani, Témoignages", Tome 4ème, Editions des Archives, Paris 1996.
– A. Kruszynski, "Amedeo Modigliani, Portraits and Nudes", Editions Prestel, (112 illustrations, 71 couleurs), Minich-New York 1996.
– C. Parisot, "Modigliani, Itinerario", Editions Canalearte, (26 œuvres et 56 rep. documentations Archives L. A . M.), Turin 1996.
– C. Parisot, "Amedeo Modigliani, Itinéraire anecdotique entre France et Italie", Edition ACR, (Poche couleur, 192 pages, 160 rep. couleurs), Paris 1996.
– **C. Parisot, "Amedeo Modigliani", Editions Canalearte, Multimedia C.D.Rom. et A.C.R. Paris, (700 images, vidéo, textes et témoignages), éditions Françoise et Allemande, Turin 1996.**
– D. Cherubini, M. Martelli, L. Montevecchi, V. Simonelli, "Giuseppe Emanuele, l'altro Modigliani", Editions Palombi, (documentation et photos de la vie de la famille), Rome-Livourne 1997.
– Catalogue d'exposition "La femme, les femmes", Editions Mondadori, (1 huile) Milan 1997.
– N. Lyanda, "Angel With a grave face", Editions Museum of Anna Akhmatova, (51 reproductions, dessins et sculptures), St. Petersburg, Russia, juin 1997.
– Catalogue, "Modigliani et son époque", Musée Kawamura, M. Restellini, Japon 1997-98.
– C. Augias, "Il viaggiatore alato : Vita breve e ribelle di Amedeo Modigliani", Mondadori Editore (roman), Milan 1998.
– Catalogue, "The New Painting", Helly Nahmad Gallery, Londres 1998.
– A. Henestrosa, "Amedeo Modigliani, retratista del alma", revue Editions Fundation Cultural Televisa, "Saber ver", N° 16, (26 huiles, 3 dessins, 5 sculpt., documentations Archives Légales A. Modigliani), Mexico, octobre 1998.
– Susana Maria Poças, "Amedeo Modigliani, la préciosité du dessin et les complicités lusitaniennes", Mémoire de DEA en Histoire de l'Art. Faculté des Lettres de l'Université de Porto, 4 volumes, 1000 pages, Porto 1998.
– Encyclopédie "Universalis", XXe Siècle DVD, "Amedeo Modigliani", Paris 1998.
– Catalogue, "Montparnasse, l'Europe des artistes 1915-45", par R. Perazzone, (1 huile, 3 dessins), Editions de la Ville d'Aoste, 1999.
– Catalogue, "La Scuola di Parigi", par S. Buisson, (1 dessin), Editions Schreiber, Brescia 1999.
– Catalogue, "Kiki Reine de Montparnasse", Musée Municipal d'Art, (4 œuvres), Kitakyushu 1999.
– **Catalogue, "Modigliani", Musée de la Ville de Lugano, (65 huiles, 24 dessins, 3 sculp. documentations Archives Légales A. Modigliani) éditions Skira, textes : italien et allemande, Lugano 1999.**
– **C. Parisot, "Amedeo Modigliani", Editions Lexika, Multimedia C. D. Rom, Krick Fachmedien, (700 rep. video, et bio-bibliographie), Würzburg 1999.**
– A. Roussard, "Dictionnaire des peintres, sculpteurs, graveurs, dessinateurs, illustrateurs, plasticiens à Montmarte aux XIX et XXème Siècles", Editions A. Roussard, texte pages 423-424, Paris 1999.
– S. Buisson, "A Paris, cafés d'artistes et leur légendes", Editions Yomiuri Shimbun, (2 huiles, 1 dessin, documents), Tokyo 1999-2000.

Livres et Catalogues par Christian Parisot

- Lanthemann-Parisot, "Modigliani inconnu", Editions Shakespeare & Co, Paris 1976/8.
- Catalogue "Modigliani", Musée Daimaru, (texte japonais), Tokyo-Osaka 1979.
- C. Parisot, Catalogue d'exposition, "Amedeo Modigliani, disegni", (texte italien) Palazzo Comunale, texte C. Parisot, Alessandria, février 1979.
- C. Parisot-J. Schefer, "Témoignage sur", Editions Shakespeare & Co, Paris 1979.
- C. Parisot, "Le Signe Modigliani", texte au Catalogue du Musée Saint Georges, Liège 1980.
- J. Modigliani, coordinateur C. Parisot, "Modigliani, dessins", Catalogue d'exposition Galerie "Le Point", Rome-Monte Carlo, 1982.
- C. Parisot, "Modigliani", Catalogue d'exposition Centre Culturel Caixa des Pensions, (texte espagnol), Barcelone 1983.
- C. Parisot, "Modigliani", Catalogue d'exposition Centre Culturel Caja de Pensiones, (texte espagnol), Madrid 1983.
- J. Modigliani, introduzione C. Parisot "Jeanne Modigliani racconta Modigliani", Editions Graphis Arte, (texte Italien) Livourne 1984.
- C. Parisot, "Modigliani", Editions Pirra, (93 pages, textes italien : J. Modigliani, J. Lanthemann, I. Mussa), Turin 1984.
- C. Parisot, "Modigliani disegni", Editions Guida, (texte italien), Naples 1984.
- C. Parisot, "Modigliani", Editions Graphis Arte, (texte italien), Livourne 1988.
- M. Restellini-C. Parisot, "Zborowski", Catalogue d'exposition Salon du Vieux Colombier, Paris, mars 1989.
- C. Parisot, "L'Europe des Grands Maîtres, Regard sur l'Italie", Catalogue d'exposition Musée Jacquemart André, Paris 1989.
- Catalogue d'exposition "Paris, Patrie des peintres étrangers", Editions Maïnichi, Tokyo 1989.
- S. Buisson, C. Parisot "La scuola di Parigi e Modigliani", Editions Graphis Arte, Livourne 1989.
- Catalogue d'exposition "Paris, Capitale des Arts", Editions Didier Imbert Fine Art, Paris, 28avril-14juillet 1989.
- C. Parisot, "Modigliani", Catalogue Raisonné Tome 1er, Editions Graphis Arte, Livourne 1990.
- C. Parisot, "Il Segno, Modigliani", Editions Electa, (texte italien), Milan 1990.
- C. Parisot, "Modigliani", Catalogue Raisonné Tome 2ème, Editions Graphis Arte, Livourne 1991.
- C. Parisot, "Modigliani", Editions Pierre Terrail, Paris 1991.
- C. Parisot, "Modigliani et les ateliers de Montmartre", Paris Musée Montmartre, 1992.
- C. Parisot, "Modigliani et l'Ecole de Paris", (Texte japonais et coréen), Catalogue Museum of Art, Tokyo 1992.
- C. Parisot, "Modigliani", Editions Terrail (texte en Allemande), Paris 1992.
- C. Parisot, "Montparnasse, atelier du monde", Hommage a Kisling, Modigliani, Forum des Arts, Marseille 1992.
- C. Parisot, "Montmartre et les Peintres", Catalogue Musée, Exposition itinérante N.H.K., (Texte japonais), Tokyo 1994.
- S. Buisson, C. Parisot, "Paris-Montmartre, les artistes et les lieux 1860-1920", Editions Terrail, (2 huiles, 2 dessins, documents Archives Légales A. Modigliani), Paris 1996.
- C. Parisot, "Modigliani, témoignages", Catalogue Raisonné Tome 4ème, Editions des Archives, Turin 1996.
- C. Parisot, "Modigliani, itinéraire anecdotique entre France et Italie", Editions ACR, (160 images, poche couleur), Paris 1996.
- C. Parisot, "Modigliani", C. D. Rom Canalearte Editions, ACR, (700 images, interactive, 500 pages de textes, vidéo, documents et témoignages, texte Français), Turin 1996.
- C. Parisot, "Modigliani", Kajikawa Foundation, Kyoto ; catalogue Gallery Ginza Artone, (texte Italien et Japonais), Tokyo, 1998.
- C. Parisot, "Amedeo Modigliani", Editions Lexika, Multimedia C. D. Rom, Krick Fachmedien, (720 images, vidéo et bio-bibliographie, texte Allemande), Würzburg 1999.

"Autoportrait", huile sur toile,
par Modigliani.

Léon Bakst.

1918, Modigliani à Montparnasse.

1918, Modigliani à la barbe.

1918, "Portrait de Modigliani" par Kisling.

Le salon du collectionneur R. Dutilleul.

Achevé d'imprimer le 6 octobre 2000
Imprimerie G. Canale & C. S.p.A. - Borgaro Torinese, Turin (Italie)